사회적 경제 속의 담론(談論)을 찾아서

사회적 경제 속의 담론(談論)을 찾아서

발 행 | 2024년 07월 26일
저 자 | 김용수
펴낸이 | 한건희
펴낸곳 | 주식회사 부크크
출판사등록 | 2014.07.15.(제2014-16호)
주 소 | 서울특별시 금천구 가산디지털1로 119 SK트윈타워 A동 305호
전 화 | (02) 1670-8316
이메일 | info@bookk.co.kr

ISBN | 979-11-410-9751-6

www.bookk.co.kr

사회적 경제 속의 담론(談論)을 찾아서

김용수 지음

이 책 쓰면서

경제(經濟)란 사람이 생활을 함에 있어서 필요로 하는 재화나 용역을 생산, 분배, 소비하는 모든 활동이다.

경제는 인간의 공동생활을 위한 물적 기초가 되는 재화와 용역을 생산·분배·소비하는 활동과 그것을 통해 형성되는 사회관계의 총체를 가리키는 경제용어이다. 생산에서는 생산력이 핵심 요소인데, 생산수단의 질에 의해 좌우된다. 분배에서는 생산물을 누가 소유하느냐가 핵심 요소로, 보통 생산수단의 소유자가 생산물의 소유자가 되며 이에 따라 생산관계가 결정된다. 사회관계의 총체는 생산력과 생산관계의 형태에 따라 변화하는데 이 두 요소가 결합된 방식을 생산양식이리 한다. 생산양식에 따라 생산·뷴배·소비하는 활동의 양상이 달라지며 경제생활의 방식도 달라지게 된다.

지난 1992년 8월 24일 한국과 중국이 수교를 맺은지 올해로 30주년이 됐다. 지난 30년간 양국은 서로가 서로를 돕는 우호 관계에서 2016년 사드(THAAD·고고도미사일 방어체계) 배치와 중국 내 혐한(嫌韓) 정서로 인한 냉각기를 거쳐 오늘날에 이르렀다. 향후 한중 관계는 또 어떤 국면을 맞을까. 미중 간의 갈등과 세계적으로 보호주의 장벽이 높아진 변화의 상황 속에서 두 나라는 어떻게 미래를 향한 관계를 구축해 가야 할까.

담론(談論)은 일반적으로 말로 하는 언어에서는 한 마디의 말보다 큰 일련의 말들을 가리키고, 글로 쓰는 언어에서는 한 문장보다 큰 일련의 문장들을 가리키는 언어학적 용어이다. 특정한 시점에서 인간의 언어행위를 규제하는 모든 관계를 포괄한다. 세계에 대한 인간의 관계는 언어를 통해 재현되기 때문에 포괄적인 의미의 담론은 인간의 모든 언어행위와 이로 인해 이루어지는 모든 관계를 휩싸서 하나로 묶는다.

담론(談論)에는 언어적 표현으로서의 담론과 언어유희에 함축되어 있는 현실 재현으로서의 담론으로 크게 구분할 수 있다. 전통적 담론이 인간관계의 언어적 표현에 관심을 가지고 진리를 구성하는 언어규칙을 서술하는 과정이다. 즉 언어를 통해 매개되는 진리의 형성과정을 지칭한다. 이런 맥락에서 담론은 개별적 경험 사실을 비교, 반성, 추상하여 일반적 진리에 도달하는 합리적인 과정과 절차를 말한다. 반면 포스트모던적(postmodernism) 담론은 진리를 진리로서 가능하게 하는 권력관계, 즉 지식과 권력의 상관관계를 구성하는 언어규칙을 뜻한다.

오늘날 담론(discourse)이라는 용어는 말하기나 글쓰기에서 정격(正格) 표현이라고 할 수 있는 전통적 의미와는 그 뜻이 다른 다양한 의미를 지니게 되었다.

현재 담론은 언어를 통해 표현되는 인간의 모든 관계와 동시에 이를 분석할 수 있는 개념적 도구로 사용되고 있다. 지성계의 지각변동을 일으킨 포스트모더니즘(postmodernism)과 더불어 가장 빈번하게 사용되고 있는 개념 중의 하나이다.

소통 수단의 발전에도 불구하고 소통의 위기가 심화되는 이유는 무엇일까? 오늘날 소통의 중요성은 점점 강조되고 있지만, 소통의 문제는 오히려 더 심각해진다는 사실은 일종의 아이러니가 아닐 수 없다. 이 소통의 문제를 해결하기 위해 필자가 도움을 받고자 하는 이론은 하버마스의 담론윤리이다. 하버마스(Jurgen Habermas)의 담론윤리는 공론장(公論場)에서 의사결정과 형성을 위해 담론에 참여하는 모든 이들이 지켜야 할 보편적 기준이다.

최근 일본 경제는 내·외부 요인에 의한 국가경쟁력 저하로 낮은 성장률을 보인다. 반면 한국은 일본보다 높은 성장률을 보이며 뒤쫓고 있다. 하지만 일본의 연구개발비(R&D) 투자액은 미국과 중국에 이어 세계 3위다. 특히 소재·부품 분야의 국제 경쟁력은 여전히 우수하다. 한국의 대일 적자 중 큰 부분을 차지하는 것도 여기에 있다. 일본 소재와 부품에 대한 의존도는 여전히 우리 경제를 위협하는 수준이다. 2019년 7월, 아베 정권의 반도체·디스플레이 핵심 소재에 대한 수출규제 강화는 이런 우려가 현실이 될 수 있다는 것을 보여준 사건이었다. 규제 강화의 배경에 대해서는 여러 가지 분석이 있으나, 목적은 한국의 주력산업인 반도체·디스플레이 산업 공급망에서 일본의 지위를 이용하여 한국 정부에 압박을 주고자 함이 분명했다. 즉 한국 경제에 일본이 미치는 영향력을 과시하기 위함이었다. 이런 상황에서 한국 경제는 일본을 넘어설 수 있을까?

한국 경제가 일본을 넘어서려면 우선 핵심 소재·부품의 대일 의존도를 낮추는 게 핵심이다. 일본이 우리 주력산업의 공급망을 흔들기 위해 위협했으나 3년이 지난 지금까지도 피해 없이 지낼 수 있는 것은 그만큼 우리가 해당 분야의 의존도를 낮추는 맞대응에 성공했기 때문이다. 다음으로 대일 우호 협력관계를 잘 활용해야 할 필요가 있다. 한국과 일본은 산업구조상 다차원적으로 상호 큰 영향을 주고 있어, 단절할 수 없는 관계가 됐다. 오랜 기간 형성된 공급망을 억지로 단절하고 바꾸려 하는 것은 오히려 우리 경쟁력에 악영향을 미칠 수도 있다. 따라서 일본과의 적절한 협력관계는 한국 경제가 궁극적으로 일본을 넘어 더 큰 성장을 하는 데 도움이 될 것이다.

2024년 한국의 경제 전망은 현재의 경제 동향과 정책에 따라 달라질 수 있다. 그러나 일반적으로 예측할 수 있는 몇 가지 측면을 살펴볼 수 있다.

첫째, 산업 구조 변화: 4차 산업혁명에 따라 IT, 바이오, 로봇 등 첨단 산업 분야의 성장이 예상된다. 기존 제조업보다 서비스업 등 서비스 중심의 산업이 더욱 발전할 것으로 예상된다.

둘째, 글로벌 경제 환경 변화: 미국과 중국을 비롯한 주요 경제국과의 무역 긴장이 여전히 지속될 수 있으며, 이에 따른 불확실성이 경제 전망에 영향을 줄 수 있다. 또한, 코로나19 팬데믹의 영향으로 글로벌 경제 회복 속도가 예상보다 더 느릴 수도 있다.

셋째, 정부 정책: 정부의 경제 정책에 따라 경제 전망이 크게 달라질 수 있다. 현재 정부의 주요 정책 중 하나는 그린 뉴딜로, 친환경 에너지와 환경 중심의 산업을 육성하는 것이다. 이러한 정책은 신재생 에너지와 친환경 기술 분야 등 새로운 비즈니스 기회를 창출할 수 있다.

마지막으로, 인구 구조 변화: 고령화가 더욱 심화될 것으로 예상되며, 이에 따른 경제적, 사회적 영향이 있을 수 있다. 예를 들어, 의료, 복지, 노인 관련 서비스 등 분야에서 수요가 증가할 것으로 예상된다.

이러한 측면들을 고려하면, 2024년 한국의 경제는 첨단 산업 성장과 미래 지향적인 정부 정책에 따라 안정적인 성장을 이룰 수 있다고 예상된다. 그러나 글로벌 경제 환경이 여전히 불확실하므로, 외부 요인에 대한 대비와 내부 경제 구조 조정이 중요할 것으로 생각된다.

이 책에서는 공론장(公論場)으로 역사・철학・정치・교육・경제・체육・사회적 경제 모두 이해관계가 표출될 수 있는 직접민주주의(直接民主主義)의 가능성을 열어놓았다. 그리고 이런 직접민주주의가 만인의 참여가 가능한 소통의 조건에서 갈등과 충돌을 넘어 심의민주주의(審議民主主義)에 이르기 위해서는 가치와 공감을 함께 고려한 소통원칙이 필요하다.

2024년 7월

海東 김용수 씀

차례

Ⅰ. 들어가는 글/13

1. 토마토와 스마트팜 ······15
2. 가계부채와 경제학 ······17
3. 경제가 재정보다 우선이다 ······19
4. 코로나 19보다 금리상승이 더 무섭다 ······21
5. 제조업 수출주도 경제의 위기 ······23
6. 표(票)퓰리즘의 계절, 밑 빠진 독에서 물 긷기 ······25
7. 위기를 한국경제 도약의 기회로 ······27
8. 복합 위기의 시대 ······29
9. 뉴 노멀 된 3고 시대 장기 경제위기 대비해야 ······31
10. 지정학 시대의 위험과 기대 ······33
11. 전략 산업 이슈의 근본적 해결책은 가격이다 ······35
12. 가계부채와 전략부채의 변주곡 ······37
13. 순환경제가 넷제로 지름길 ······39
14. 감세 혜택은 국민 모두가 받는다 ······41
15. ESG에 진심이어야 할 헌법적 이유 ······43
16. 독일과 중국의 위기, 세계 경제의 위기 ······45
17. 리질리언스 제4섹터 ······47
18. 금융위기의 새로운 역학 ······49
19. 민생예산 삭감, 국회가 바로 잡아야 ······51
20. 재야의 경제학 ······53
21. 물가 안정과 금융 안정 병행, 그 불가능한 임무 ······55
22. 인플레이션 대책, 증세는 어떠한가 ······58
23. 주식투자를 도박하는 한국, 안정적 노후 생각하면 주식 사야 ······62
24. 빅테크 반독점 규제 ······68
25. 왜 지금 횡재세인가 ······70
26. 한국 경제의 위기, 신뢰의 위기 ······72
27. 지속 불가능한 한국 경제 ······74

28. 주가 지수가 한국 경제에 대해 말해 주는 것들 ··········76
29. 의원 선진화법이 필요한 이유 ··········79
30. 안녕, 고마워, 인사와 감사 ··········81
31. 정부 경제정책 방향으로 민생경제 회복 어려워 ··········83
32. 민주주의와 시장 경제, 그리고 자유 담론 ··········85
33. 경제는 MB식, 통상은 아베식 ··········87
34. 주주자본주의 과잉의 어떤 나라 ··········89
35. 신자유주의 끝물 ··········92
36. 해명 자료 말고 변화된 정책과 예산으로 말하라 ··········94
37. 공포에서 벗어나기 ··········96
38. 기대는 증오를 부른다 ··········98
39. 포퓰리즘이 뭐라고 생각하세요 ··········100
40. 연준과 시장의 동상이몽 ··········102
41. 난방비 문제와 에너지 대수선 ··········104
42. 한국 경제 위기는 대전환의 기회 ··········106
43. 고난과 저항의 한국 경제 2023년 ··········112
44. 경제 성장과 은행의 역할 ··········114
45. 금산분리 완화라는 판도라의 상자 ··········116
46. 에너지 요금 인상, 정말로 필요한가 ··········118
47. 은행 위기와 대마불사 자본주의 ··········120
48. SVS 사태는 찻잔 속의 태풍일까 ··········123
49. 아인슈타인은 옳았다. 왜 노동시간을 줄여야 하는가? ··········125
50. 노동시간, 더 줄여야 한다 ··········130
51. 성장 패러다임 전환이 필요하다 ··········132
52. 외투기업과 고용의 사회적 보장 의제 ··········134
53. 이 기업 돈 잘 버나 못 버나, 현금 흐름표에 답이 있다 ··········136
54. 금융시장, 공포조장자들은 걸러내자 ··········138
55. 고금리의 그림자, 한 이민의 다른 행보 ··········140
56. 금융시장 악재는 호재가 될 수 있나 ··········142
57. 선진 경제 빛 속에 깃든 어둠 ··········144
58. 행동하는 주주들 ··········150
59. 세입자는 채권자다 ··········153

60. 한국경제, 고성장 과거를 잊어야 산다 ··· 157
61. 신념과 아집의 혼동 ··· 159
62. 한한령과 탈한국 ··· 161
63. 타다 금지법, 현신 경제 시대 진보의 미션 ··· 163
64. 탈성장보다 지속가능한 성장을 ··· 166
65. 경제 성장이 더 이상 정답이 아닌 시대에 우리가 산다 ··· 168
66. 인플레이션 고착화에 대한 경계 ··· 170
67. 기재부 이러다 우리 다 죽어 ··· 172
68. 약자 복지라면 소득기준 바로 잡아야 ··· 174
69. 연구 개발과 진보 정치 ··· 176
70. 극우파의 슬픈 정념이 몰려온다 ··· 178
71. 2024년 경제 희망의 싹은 보인다 ··· 182
72. 카오스 시대의 한반도 경제 ··· 184
73. 검사정권과 민주화 ··· 186
74. 올해 한국 경제 불확실성과 재정 압박 ··· 188
75. 경제가 안보다 ··· 190
76. 코리아 디스카운트 키우는 정부 리스크 ··· 193
77. 전환의 시대 케인스의 일깨움 ··· 195
78. 기업 밸류업 프로그램이 성공하려면 ··· 197
79. 역동성 상실한 시장 어떻게 살릴까 ··· 200
80. 초저출산 위기를 극복할 수 있을까 ··· 203
81. 국가 재정법이 나아갈 옳은 방향 ··· 205
82. 공시가 현실화 폐지 예고 ··· 207
83. 좋은 중소기업을 찾습니다 ··· 209
84. 연금 말고 코인, 우리에게 내일은 없다 ··· 211
85. ELS에는 깨알 글씨라도 있었나 ··· 213
86. 많이 벌면서 덜 내는 세상 비상식적 세상 ··· 215
87. 지속 가능한 ESG 시장 감시 시스템부터 확립돼야 ··· 219
88. 골목은 배종원도 구원 못한다 ··· 221
89. 불평등 완화, 코로나 이후 대전환 준비해야 ··· 223
90. 잘못된 소셜미디어 이용, 또 전쟁 보도 난맥상 ··· 226
91. 하이브리드 워크의 그늘 ··· 228

92. 대기업과 부자만을 위한 나쁜 자유를 경계한다 ······230
93. 공공성이냐 기업성이냐, 공기업의 딜레마 ······232
94. 복합위기 시대와 회복 탄력사회 ······235
95. 시스템 경영의 기본 콘셉트 ······237
96. 산업 정책과 성장전략 트릴레마 ······239
97. 최저임금 업종별 차등 적용의 위험성 ······241
98. 약자 복지의 허상 ······243
99. 바보야, 문제는 노동시간 단축이야 ······245
100. 시럽 급여, 적나라한 저소득층 혐오 ······247
101. 조세 국가의 위기와 4월 총선 ······252
102. 치솟는 생활물가, 총선 뒤가 더 두렵다 ······254
103. 한국의 경제 기적과 농지 개혁 ······256
104. 자발적 퇴사자와 시럽 급여 ······259
105. 부의 성장과 미래 ······261
106. 가난한 개미, 부자 베장이 ······263
107. 금융시장의 약장수들 ······265
108. 힘 받은 윤석열 정부 경제 살리기 드라이브 ······267
109. 공약과 선택 ······269
110. 더 내고 더 받기가 말하는 것 ······271
111. 인간에 대한 최소한의 예의 ······273
112. 은행들 폭리, 두고만 볼 일인가 ······275
113. 저출생 대책, 부모의 동등 육아 환경 조성에 집중해야 ······277
114. 진보, 투자 촉진형 복지국가 친기업주의로 거듭나야 ······279
115. 양곡관리법과 직접지불제 ······282
116. 알이백이 뭐죠? 네 시에프백 ······284
117. 서민 실질 소득, 성장률 동반 하락, 이래도 긴축 고집할 건가 ······286
118. 왜요, 이걸요, 지금요? ······288
119. 금융기관이 알뜰폰 사업에 진출하면 안 되는 이유 ······290
120. 고여 있는 부(富)의 순환을 허하라 ······292
121. 총체적 난국, 길 잃은 한국경제 ······295
122. 1호 영업사원의 조건 ······297
123. 주주들 힘으로 활력을 도모하는 일본 경제 ······299

124. 연준이 직면한 신뢰의 문제 ······302
125. 가볍게 봐선 안 될 한국경제 정점론 ······304
126. 달빛열차 달리고 싶다 ······306
127. 지방재정 대란과 절반의 분권 ······308
128. 경기 사이클이 달라졌다 ······310
129. 좀머 씨 이야기 ······313
130. 경제민주화 열망한 민심에 부응해야 ······321
131. 처참한 나라 산림, 2023년으로 끝나지 않는다 ······323
132. 고물가, 고금리, 고환율 3고와 거시경제 향배 ······327
133. 한국은 양육강식의 정글 자본주의 ······329
134. 경제원리로도 설명 안 되는 1%의 기적 ······337
135. 최저임금 상승률 받아들이기 힘들어 ······345
136. 경제정책 기조 전환이 절실하다 ······356
137. 불평등 이데올로기와 한국의 각축전 ······358
138. 부자 감세가 서민 살리고 역동 경제라는 정부의 오판 ······360
139. 종부세 폐지론과 패닉바잉 그리고 악어의 눈물 ······362
140. 모든 계층과 함께하는 착한 선진화 실천 방안 ······364
141. 인간 중심 환경문제에서 생명중심의 생태보존으로 ······402
142. 하반기 경제정책 방향, 3가지 포인트 ······407
143. 2024년 '하경방' 에 대하여 ······409
144. 거짓말의 정치경제학 ······411
145. 소상공인 대책, 이런 식으로 안 된다 ······413
146. 손봐야 할 시대착오 세금 많다 ······415
147. 모두가 병들었고, 모두가 아픈 청년들 ······417
148. 하반기 우려 키우는 2분기 역성장 ······419
149. 미국 금리 인하 지연 대응책 시급하다 ······420
150. 예상보다 나빴던 2분기 韓 경제, 성장률 눈높이 낮추나 ······422

Ⅱ. 나가는 글/425

참고문헌/428
주석/430

나는 꽃

봄, 세상의 기운이 피어나는 봄
내 마음에는 예쁜 꽃망울이 피어
내 가슴에 예쁜 꽃을 피우네

여름, 뜨거운 여름
내 마음에도 솟구치는 열정 하나
그 열정 나는 뜨겁게 즐겼구나

가을, 포도나무에 매달린 가을
달콤함처럼 많은 얼굴과 사연
그 꽃들이 모여 풍요로웠구나

겨울, 하얀 눈 덮힌 포근한 겨울
세상은 이토록 아름다웠구나
눈 속 맨살들은 눈꽃송이들로 따뜻하여라

다시 봄은 시작되고
나는 또 꽃을 피우리
아름다운 나의 꽃을

https://blog.daum.net/sang7981/51?category=3990(2021. 03. 30)

Ⅰ. 들어가는 글

6·1 지방선거에서 국민의힘의 압승으로 윤석열 대통령은 집권 초 국정운영 동력을 확보했다. 대통령실은 이에 2024년 4월 총선까지 약 2년 정도의 시간을 국정운영의 골든타임으로 보고, 경제 살리기와 개혁과제를 이행하겠다는 의지를 분명히 했다.

윤 대통령은 지방선거 결과가 확정된 2일 오전 입장문을 통해 향후 국정운영에 있어 방점을 '경제' 와 '민생' 에 찍겠다는 뜻을 밝혔다. 윤 대통령은 "이번 선거 결과는 경제를 살리고 민생을 더 잘 챙기라는 국민의 뜻으로 받아들이고 있다" 며 "서민들의 삶이 너무 어렵다. 경제 활력을 되살리는 것이 가장 시급한 과제" 라고 밝혔다. 그러면서 "윤석열 정부는 첫째도 경제, 둘째도 경제, 셋째도 경제라는 자세로 민생 안정에 모든 힘을 쏟겠다" 고 강조했다. 약 240자 분량의 짧은 입장문이었지만 '경제' 를 다섯 차례 언급했다.

대통령실 "민생 회복에 주력... 웃을 때 아니다"

윤 대통령이 '경제' 에 방점을 찍은 것은 녹록지 않은 대내외 경제 환경이 정부의 발목을 잡을 수 있다고 판단했기 때문이다. 최근 고유가와 고환율, 고금리 등으로 국민들의 체감물가가 크게 오른 것은 역대 정권의 초기 상황과 비교할 때 윤석열 정부 입장에선 불리한 상황이다. 대통령실 고위관계자는 "국민들이 집권여당에게 힘을 몰아줬는데도 경제 살리기나 민생 회복이라는 기대에 어긋난다면 곧바로 화살이 우리에게 돌아올 것"이라며 "두려움을 느껴야지 웃을 때가 아니다" 고 했다.

경제 살리기를 위한 이행방안으로는 '규제 개혁' 을 첫손에 꼽고 있다. 이를 통해 민간 주도 성장을 이뤄 성장과 민생 안정의 선순환을 꾀하겠다는 게 윤 대통령의 구상이다. 대통령실 관계자는 "규제 개혁은 기업뿐 아니라 민생 안정에도 도움이 되는 우선 과제" 라고 설명했다. 정부는 규제 개혁 전담기구를 설치해 행정 지도와 같이 법령과 관계없는 규제를 없애는 작업을 진행하고 있다.

이에 연금·노동·교육분야 개혁에 속도가 붙을 것으로 보인다. 윤 대통령은 지난달 16일 국회 시정연설에서 "우리가 직면한 나라 안팎의 위기와 도전은 우리가 미루어 놓은 개혁을 완성하지 않고서는 극복하기 어렵다" 며 3대 개혁 과제(연금·노동·교육 개혁)를 화두로 제시했다. 윤 대통령이 이날 고졸 인재 채용엑

스포에서 "창의적인 교육이 공교육에서 충분히 이뤄질 수 있도록 교육 혁신에 역량을 모으겠다" 며 교육개혁 의지를 밝힌 것도 같은 맥락으로 풀이된다.

경제 및 규제 개혁을 위한 드라이브에도 여소야대 정국하에서는 거대 야당의 협조가 필수인 만큼 더불어민주당과의 '협치' 는 당면 과제다. 다른 대통령실 고위 관계자는 "집권 여당인 국민의힘에 표를 몰아준 건 야당과 잘 협력해서 국정을 안정적으로 해달라는 요구" 라며 "승리에 취하거나 정파적 이슈가 생기면 협치가 꼬일 수 있는 점을 조심해야 한다" 고 했다.[1)]

우리는 80년대 이후 연 10퍼센트의 높은 경제 성장률을 기록하고 있다. 영국 OO대 건축사학 교수인 지은이는 디자인이 사회적 관념의 표현이며 디자인 규범은 사회의 경제적, 사회적 조건에 따라 만들어진다는 독특한 관점 견지한다.

한국에서도 점차 경제 투표가 늘어나고 있다. 유럽 국가들은 각국의 경제권을 하나로 통합하여 강대국의 경제적 위협을 견제하자고 맹약하였다. 올해 경제 부처의 업무 내용은 한마디로 총수요 억제를 통한 물가의 안정이다.

최근 한국 경제는 내수와 수출이 모두 부진한 전형적인 불황 국면에 위치하고 있다.

한국 경제의 성장세가 2024년에는 잠재성장률 수준으로 복귀할 것으로 기대되나 장기 저성장 진입 가능성이 높아지고 있는 만큼 이러한 우려를 조기에 차단할 수 있는 정책 대안을 마련하고 적극 추진할 필요가 있다.

첫째, 본격적인 경기 회복세 전환을 위한 적절한 정책 노력이 필요함과 동시에 이 과정에서 장기 저성장에 대한 우려 불식을 위해 경제 펀더멘털(Fundamental)도 강화할 수 있도록 해야 한다.

둘째, 2024년에도 대외 리스크(risk)의 국내 전이 차단을 위한 지속적인 노력이 필요하고 이를 통해 국내 통화 및 금융 시장의 안정성을 유지해야 한다.

셋째, 한국 경제의 성장 엔진이자 선순환 고리 형성의 출발점인 수출은 기저효과가 크게 작용할 가능성이 높은 만큼 실익 강화를 위한 적극적인 정책 노력이 필요하다.

넷째, 내수 회복 촉진을 위해 적극적이고 강도 높은 투자 진작책을 추진하는 한편 신기술 및 신산업 부문에 대한 합리적이고 미래 지향적인 규제 완화 및 제도의 선진화 노력 등을 통해 국내 투자 활성화를 꾀해야 한다.

다섯째, 국제원자재 가격의 재불안 우려가 커지고 있어 원자재의 안정적인 수급 환경 조성, 공급체계 전반에 있어서의 비용전이 시기 분산 등을 통해 실물은 물론 금융 부문에 이르기까지 우려되는 악영향을 최소화해야 한다.[2)]

1. 토마토(Tomato)와 스마트팜(smart farm)

토마토를 구하기가 어려워졌다. 농수산식품유통공사(aT)에 의하면, 9월25일 기준으로 한 달 사이에 110% 가격상승이 이루어졌다고 한다. 체감하기로는 평소 가격보다 3배 정도 오른 것 같다. 급기야 패스트푸드점에서 햄버거에 토마토를 빼고 판매한다는 소식도 들린다.

토마토가 귀해진 것은 변덕스러운 기후 때문이다. 올여름 긴 장마와 태풍이 몰려왔고, 침수・산사태・강풍 피해가 심각했다. 기상청에 의하면, 한반도 주변의 태풍 활동이 1990년대 중반 이후 빈도와 강도가 모두 증가했다. 미국 서부 산불사태는 마치 화성 사진을 방불케 하는 풍경을 연출했다. 무려 한 달 가까이 대기오염 경보상태를 만들어냈다. 한반도 주변의 폭우나 미국 서부의 산불 모두 북극 기온이 높아진 탓이라고 한다. 재난은 앞으로 계속 일어날 것이다.

지구온난화에 대한 경고는 준엄하다. 2015년 파리기후협약은 산업화 이전에 대비한 온도 상승을 섭씨 1.5도 또는 2도 아래로 유지하는 목표를 제시한 바 있다. 2018년 송도에서 열린 유엔 산하 기후변화에 관한 정부 간 협의체(IPCC) 48차 총회에서는 섭씨 1.5도 목표를 위해 2030년까지 전 세계 이산화탄소 배출량을 2010년 대비 최소 45% 감축하고 2050년까지는 제로 상태로 줄여야 한다고 지적했다. 2도 온난화가 현실화되면 지구 전체에 존재하는 10만5000종의 생물 중 상당수가 멸종될 가능성이 높다고 한다.

토마토는 앞으로 어떤 운명을 맞을까? 현재의 자본주의체제, 국가체제에서는 섭씨 1.5도 목표는 물론 섭씨 2도 목표도 충족하기 쉽지 않을 것이다. 따라서 체제 전체를 개선・변화시키려는 노력을 기울여야 한다. 그렇지만 1900~2100년 사이에 지구 온도는 섭씨 2도 이상 높아질 가능성이 높다. 상당 기간 기후변화로 인한 혼란과 위기가 이어질 것이다. 토마토가 멸종되지는 않겠지만, 이전처럼 쉽게 구하기는 어려울 것이다.

한편으로는 기후위기의 원천을 공격해야 하지만, 또 한편으로는 기후위기에 적응하는 노력도 기울여야 한다. 당분간은 극심한 기후변동과 재난 상황을 견뎌낼 수밖에 없다. 이러한 상황에서 어떻게 토마토를 구해낼 수 있을까? 이 질문에 떠오르는 해답은 스마트팜이다.

스마트팜은 농가와 기업 양쪽에서 성장하고 있다. 스마트팜 논의는 농업에 기술진보의 성과를 적용하자는 데서 시작되었다. 1980년대 들어 전자산업 발전은 정밀농업이라는 개념으로 이어졌다. 정밀농업은 최적 지역, 최적 시기, 최적 처방에 바탕을 둔 농업생산 시스템을 기술적으로 구현하려는 것이었다.

스마트팜은 처음에는 실험실에서 시작되었다가 과학기술의 발전에 따라 농업현장에 보급되었다. 농촌진흥청은 2세대 스마트팜 기술을 개발하여 토마토 재배농가에 적용하고 있다. 1세대 스마트팜이 인터넷을 통한 원격 모니터링 및 제어에 중점을 두었다면, 2세대 스마트팜은 인공지능과 빅데이터를 통한 의사결정 지원 시스템을 구축하고 있다.

이제 기후위기에 대응하는 새로운 농업기술을 수용해야 한다. 그러나 고도화된 기술을 사용할 농업경영 주체 형성이 문제다. 어떤 농업인이 토마토 스마트팜을 경영할 것인가? 막대한 투자비용을 어떻게 감당할 것인가? 소비자에 대한 판로는 어떻게 찾을 것인가? 스마트팜은 기존 관행농법을 구사하는 농가들과 생존경쟁을 벌여야 하나?

정부지원 시설투자 일변도로 가면 재정만 낭비할 수 있다. 스마트팜을 제대로 운영하려면 소규모 농가만으로는 어렵고 결국 투자자 기업이나 협동적 기업이 감당할 수밖에 없다. 협동적 스마트팜이 기후위기에 더 잘 대응할 것이다. 협동적 스마트팜은 농촌과 도시 모두에서 운영될 수 있다. 지속적 경영을 위해서는 일정 규모의 토지·시설을 공유자산으로 지니고 있어야 한다. 수요처 확보도 중요하다. 능력을 갖춘 지역공동체가 협동적 스마트팜을 운영할 수 있다.[3]

2. 가계부채의 경제학

가계부채(家計負債)는 가구의 빚을 말한다. 가계는 가구의 수입과 지출 상태를 뜻하는 말이며 부채는 빚을 뜻한다. 2000년대에 들어와서 가계의 부채는 주택의 구입과 연동하는 측면이 있다. 주택을 구입하기 위해서 은행에 빚을 지는 일이 늘어나고 있다. 특히 한국에서는 그것이 주택가격의 상승을 부추기는 측면이 있어서 많은 전문가들의 우려를 낳고 있다.

가계부채는 가구나 개인의 부채이지만 국가의 부담으로 작용할 수도 있다. 사채가 아닌 이상 은행이나 카드사, 캐피탈, 상호금융에서 돈을 빌릴 수밖에 없는데 이곳들도 맨입으로 어디서 돈을 만들어다가 꿔주는 게 아니기 때문이다.[4]

한국 가계부채(가계신용 기준)는 공식적으로 2020년 1분기 말 기준 1611조원으로 전년 동기 대비 4.6% 상승했다. 증가율만 보면 2010~2019년 평균 7.7%에 비해 높지 않은 편이다. 국내총생산(GDP) 대비 가계부채비율은 95.9%, 처분가능소득 대비 가계부채비율은 163.1%로 상승했다. 차주 구성을 보더라도 고신용(3등급 이상), 고소득(상위 30%) 차주의 대출 비중이 60~70%대의 높은 수준이다. 유사시 부채상환 여력을 가늠할 수 있는 금융자산 대비 금융부채비율도 47.7%로 양호해 보인다. 통계 작성 기준의 문제, 예컨대 개인사업자대출과 같이 사실상 가계부채로 볼 수 있는 유형까지 포함해야 한다는 점, 경제협력개발기구(OECD)나 국제결제은행(BIS) 등에서 발표하는 수치보다 상당히 낮다는 점 등은 일단 논외로 하자. 사실 한국의 가계신용 증가율은 정부의 지속적인 주택시장 안정화 대책과 가계대출 규제 강화 등의 영향으로 2018년 이후 점차 둔화하는 양상을 보이다가 올해 들어 다시 반등하고 있다. 게다가 가계부채 구조의 질적 개선이라고 할 수 있는 변동금리, 일시상환 방식 위주에서 고정금리, 분할상환 방식으로의 전환 흐름도 올해 들어 다시 역전되고 있다. 2019년 말 원리금 분할상환 비중은 55%, 고정금리대출 비중은 48%까지 높아졌다가 다시 신규대출 기준으로 30% 남짓한 수준으로 떨어졌다.

일반적으로 가계부채가 경제에 미치는 영향에는 두 가지 측면이 존재한다. 하나는 가계부채가 소비 및 경제성장을 촉진시키는 효과이다. 소위 생애에 걸친 소비평탄화를 위한 소비 목적의 가계차입은 총소비를 증대시키며, 자산 구입 목적의 가계차입도 내구재 소비 증대 등을 통해 총소비 증대에 기여할 수 있다. 반면에 가계부채의 누적은 차입가계의 원리금 상환부담 가중 및 가계의 소비제약 등으로 경제성장에 부정적인 영향을 줄 수 있다. 부정적인 효과가 긍정적인 효과를 상회하는 임계 부채 수준에 대해서는 50%, 80%, 90% 등 여러 수치들이 제시되고 있으나 딱히 기준으로 삼기는 어렵다. 모든 부채가 그렇듯이 미래의 소득이 현재의 원리금 상환부담보다 많다면 부채의 긍정적 효과가 더 클 것이기 때문이다. 다만 몇몇 국내 연구들에 따르면, 적어도 2010년대 중반 이후에는 가계부채 증가가 소비와 경제성장에 긍정적이기보다는 부정적으로 작용하고 있다는 게 공통된 분석결과이다. 가계부채와 소비 간의 관계가 최근 약화된 건 미래 경기에 대한 불확실성이 크고, 주택 구입이나 전・월세 보증금 확보, 사업자금 마련 등을 위한 목적의 대출이 적지 않기 때문이다. 9월 말 현재 958조원에 이르는 은행 가계대출의 73%가 주택담보대출이라는 건 거시경제 및 금융 안정에도 심각한 위협요인이다. 결국 이러한 불안정성을 해결하는 하나의 방법은 신용의 이용 가능성을 제한하는 것이다.

바젤의 자본규제하에서는 자산의 형태에 따라 자본요구량을 다르게 정하기 위해 위험가중치를 사용한다. 통상 부동산대출이 가장 안전한 대출로 간주된다. 하지만 개별 은행 관점에서 상대적으로 안전한 부동산담보대출도 거품과 과잉부채를 만들어 경제 전체의 불안정을 확대시킬 수 있다. 사적 위험이 아닌 거시적 위험을 감안한 위험가중치 설정이 중요한 이유다. 이러한 견지에서 우리 규제당국은 신용형태별 자본요구량을 정할 때 LTV 60% 이상의 고위험 주택담보대출의 위험가중치를 최대 70%까지 올렸으나 이제 그 범위를 좀 더 확대하는 방안에 대해 검토할 필요가 있다. 물론 그 역효과로 나타날 수 있는 수요 위축, 소비자 후생 악화와 불평등 심화에 대한 대응책도 필요할 것이다. 현재와 같은 상황에서 민간부채와 국가부채를 동시에 줄이기는 어렵다는 걸 받아들여야 한다. 또한 부동산 가격 상승에 기댄 경제성장은 지속 가능하지 않다는 걸 모든 경제주체들, 소위 시장이 받아들일 수 있도록 적극적이고 일관된 정책 추진이 필요하다.[5]

3. 경제가 재정보다 우선이다

그리스 신화엔 프로크루스테스란 인물이 등장한다. 침대 크기에 맞춰 사람의 팔다리를 자르거나 혹은 늘여서 죽였다는 악인이다. 이 이야기의 반전 중 하나는 그의 침대엔 길이를 조절하는 숨겨진 장치가 있어서 사실은 어느 누구도 그 침대 크기에 꼭 맞을 수가 없었다는 점이다. 사람을 죽이기 위한 고약한 방식이었던 것이다. 코로나19로 인한 초유의 위기 와중에 정부가 재정준칙을 도입하기로 했다는 보도를 접하면서 뇌리를 스친 이야기다.

공교롭게도 그 제안된 재정준칙은 유럽연합(EU)이 1993년 출범하면서 합의한 준칙과 같다. 1년 재정적자는 GDP의 3% 이내에서 관리되어야 하고, 국가채무는 GDP의 60%를 넘지 말아야 한다는 것. 독일은 이 재정준칙을 회원국 모두가 엄격히 준수하도록 하기 위해 1997년 '성장과 안정 협약'이란 걸 이끌어내고, 재정적자가 큰 회원국들에 대해 제재를 가하는 길을 열었다. 문제는, 2008년 글로벌 금융위기로 이 재정준칙을 도저히 지킬 수 없는 상황이 발생한 것이다. 2015년까지 유로존 국가 중 에스토니아, 핀란드, 룩셈부르크만이 이 재정준칙을 충족할 수 있었다. 독일의 경우도 상당기간 이 준칙을 지키지 못했다. 2003년부터 2018년까지 국가채무가 GDP의 60%를 넘었기 때문이다.

그럼에도 불구하고 독일 정부는 회원국들에 이 재정준칙 준수를 지속적으로 압박했다. 특히 2012년 유럽중앙은행(ECB)이 국가부도 위기에 직면한 회원국 정부채권을 매입해주기 시작하자 유럽연합법에 위반된다면서 유럽사법재판소에 소송을 제기하기까지 했다.

3년이 지나 유럽사법재판소가 법에 저촉되지 않는다고 판결하자, 이 문제를 다시 독일헌법재판소에 위헌심판 청구하고, 2016년 6월이 되어서야 독일헌법재판소도 ECB의 정부채권 매입이 불법이 아니라고 최종 판정하기에 이른다. 이런 법적 분쟁 와중에 ECB는 정부채권 매입을 중단하게 되고, 유로권 경제는 장기불황에 빠져들게 됐었다. 재정준칙이 경제위기 시에 족쇄가 된 것이다.

아이러니한 건, 이번 코로나19 팬데믹 중에는 독일 정부가 가장 적극적인 재정부양책을 시행해오고 있다는 점이다. 정부지출 확대를 통한 재정부양책의 규모는 GDP의 10%에 달하고, 긴급자금 대출과 감세조치 등 여타의 정부재정을 통한 보증조치들의 규모는 GDP의 30%에 달한다. 가히 세계 최고 수준의 확장재정책이다.

ECB의 경우도 지난 3월 중순 이후로 지난달까지 2조유로(약 2662조원) 이상의 채권을 매입해오고 있다. 사력을 다해 선제적 확장재정 정책을 취해오고 있는 것이다. 장기불황을 통해 경제회복이 재정건전성 원칙에 우선한다는 교훈을 뼈저리게 깨달았기 때문이다.

그런데 어찌된 영문인지 한국 정부는 이 초유의 위기 와중에 EU의 재정준칙을 도입하겠다고 한다. 90여개국이 이러저러한 재정준칙을 도입해오고 있다는 논리를 펴고 있는데, 실상은 그 재정준칙을 제대로 지키는 나라들이 거의 없다. 미국의 경우에도 1917년 정부부채 상한선이 도입된 이후 90여차례나 상향 조정되어왔다. 2001년부터 2016년 사이엔 14번이나 상한선이 인상됐는데, 그 상한선 조정을 놓고 거의 매년 정쟁이 끊이질 않았다. 급기야 트럼프 정부에 이르러서는 부채상한선을 잠정적으로 중지하기에 이르렀다.

시야를 전 세계로 넓혀 봐도 확장재정 기조는 뚜렷하다.

국제통화기금의 전망에 따르면, 지난 3월 이후 전 세계적으로 집행되어온 재정부양책의 규모는 12조달러(약 1경3536조원)를 상회하고, 올 한 해 전 세계 평균 재정적자 규모는 GDP의 -12.7%, 국가채무는 98.7%에 달할 것으로 전망된다. 나아가 이런 확장재정 정책을 지원하기 위해 선진 10개국 중앙은행들이 지난 3월 이후 지금까지 매입해온 채권의 규모는 7조5000억달러(약 8452조원)에 달하고, 20여개의 발전도상국 중앙은행들도 사상 처음으로 정부채권을 매입해오고 있다.

한국은 행정부가 갖고 있는 재정권한이 이미 지나치리만큼 강하다. 헌법 제57조는 "국회는 정부의 동의 없이 정부가 제출한 지출예산 각항의 금액을 증가하거나 새 비목을 설치할 수 없다"고 규정하고 있다. 의회가 예산증액을 할 수도, 새로운 지출항목을 만들 수도 없는 것은 다른 민주국가에선 찾아보기 힘들다. 지금은 재정준칙 도입이 아니라, 재정을 어떻게 더 과감하고 효율적으로 집행해서 고용을 유지하고, 소비와 투자의 선순환을 만들어나갈지에 모든 정책역량이 모아져야 할 때다. 그나저나 프로크루스테스는 그 자신이 만든 침대로 죽임을 당했다고 한다.[6]

4. 코로나19보다 금리 상승이 더 무섭다

주식시장의 열기가 뜨겁다. 10년 박스권을 넘어 2700포인트대에 오른 코스피의 3000선 돌파도 가능할 것이라는 주장은 연말쯤이면 나오곤 하는 증권가의 덕담으로만 들리진 않는다. 코로나19 백신 보급 등의 영향으로 2021년 경제와 기업이익 사이클은 올해보다 확연히 개선될 것으로 보인다.

한국을 비롯한 주요국의 국내총생산(GDP) 성장률은 올해 역성장에서 내년에는 꽤 가파른 플러스 성장으로 반전될 가능성이 높고, 한국 상장사들의 기업이익도 올해 대비 30% 넘게 늘어날 것으로 보인다. 다만 이를 감안해도 올해의 급등으로 내년에 기대되는 개선은 이미 주가에 반영돼 있는 게 아닌가 싶다. 한국 코스피 상장사들의 당기순이익은 2017년 153조원이 사상 최대치였다. 내년에 예상되는 이익이 130조원 내외로 2017년 대비 15% 정도 적은데, 코스피는 이미 사상 최고치를 경신하고 있으니 주가가 저평가돼 있다고 보기는 어렵다.

자산 가격이 과하게 올랐다면 투자를 안 하는 것도 나름의 선택이지만, 말처럼 간단한 문제가 아니다. 자산 가격이 버블이라고 하더라도 그 거품이 얼마나 더 부풀어 오른 후 터질지는 아무도 모르는 일인 데다 무엇보다도 주요국의 정책이 계속해서 버블을 부추기고 있기 때문이다. 지난주에는 스페인과 포르투갈의 금리 움직임이 인상적이었다. 몇 해 전까지 재정위기에 시달리던 이들 국가의 10년 만기 국채수익률이 마이너스권으로 떨어졌기 때문이다. 유럽중앙은행의 경기 부양적 통화정책이 강화되면서 금리가 마이너스까지 떨어졌다. 상식적으로 말이 안 되는 일이지만 '잠재적 재정 부실국'의 금리도 마이너스인데, 코스피가 3000포인트에 오르는 일이 뭐가 대수인가 말이다. 지난주 사상 처음으로 2만달러를 넘어선 비트코인의 급등도 늘어난 유동성의 풍선효과가 아닐 수 없다. 경기 회복에 자신이 없어 내놓고 있는 여러 정책이 '경기'보다 '자산시장'을 부양하고 있다.

내년에도 주식시장의 향방은 경기가 아닌 금리에 달려있다고 본다. 금리가 상승하면 주식시장이 흔들릴 수 있다. 금리는 인플레이션 환경에서 오른다. 인플레이션이 나쁜 것은 아니다. 완만한 물가 상승은 경제의 활력을 보여주는 증표이다. 다만 물가가 가파르게 오르는 것은 경제의 과열 징후로 금리 상승을 불러올 수 있다.

미국 연방준비제도(연준)의 파월 의장이 계속 공언하고 있는 것처럼 중앙은행이 선제적으로 금리를 올리는 긴축을 단행할 가능성은 거의 없다. 다만 물가가 상승하면 중앙은행이 통제하기 힘든 장기금리는 인플레이션을 반영해 빠르게 상승할 수 있다.

구조적으로 인플레이션이 생기기 어렵다는 의견도 많다. 글로벌 경제의 생산능력은 과잉이고, 코로나19 팬데믹(세계적 대유행) 국면에서의 실업 증가와 선진국의 고령화 등으로 인해 수요는 정체되고 있어 구조적 물가 상승이 어렵다는 지적은 일리가 있다. 실제로 2008년 글로벌 금융위기 이후 선진국을 중심으로 한 글로벌 경제는 인플레이션보다 디플레이션의 그림자가 짙었다고 볼 수도 있다.

이런 의견을 받아들이더라도 2021년에는 국지적이나마 인플레이션 리스크를 고려해야 한다. 코로나19로 인해 억눌린 수요가 경제가 정상화되면서 폭발할 가능성이 높기 때문이다. 앞서 언급한 순환적 경기 회복 가능성은 그 자체가 물가를 올리는 요인이다. 특히 소위 보복소비가 현실화될 가능성이 높다. 미국의 가계저축이 크게 늘어났기 때문이다.

저축은 소득에서 소비를 제한 금액이다. 2015~2019년 미국의 가계저축은 연간 1조1000억~1조4000억달러 범위에서 증가했지만, 2020년에는 10월까지만 5조4000억달러가 늘어났다. 팬데믹 국면에서 없어진 일자리가 아직도 1000만개 정도 되지만, 정부의 보조금 지급 규모가 컸고 이동의 제약으로 제대로 소비하지 못했기 때문이다.

주식 투자자의 관점에서 보면 2021년에는 정부의 경기 부양책이 너무 과하지 않은 게 좋다. 자생적으로도 인플레이션이 생길 수 있는 환경에서 정책적 자극이 강하게 더해지면 물가가 빠르게 상승할 수 있기 때문이다.

2018년이 그랬다. 당시 미국 경제는 순조롭게 팽창하고 있었는데 2017년 말 도널드 트럼프 행정부에서 시행한 파격적 감세 조치로 경기가 과하게 달아올랐다. 인플레이션 부담은 가중됐고, 장기금리가 빠르게 치솟으면서 주식시장도 조정을 받았다. 실물경제와 자산시장의 불균형을 생각하면 정부의 부양책이 여전히 절실하다고 보지만 주식시장에서는 평온한 저금리 환경을 흔드는 이런 상황이 리스크로 작용할 수 있다.

글로벌 증시는 2008년 이후 강세장을 이어오고 있는데 2011년과 2018년에 일시적인 조정을 받았다. 모두 인플레이션이 이슈로 대두됐던 시기였다. 자산시장 친화적인 정책을 뒷배로 삼고 있는 주식시장에는 코로나보다 인플레이션에서 비롯되는 금리 상승이 더 두려운 일이다.[7]

5. 제조업 수출주도 경제의 위기

한국경제는 중대한 변동의 압력을 받고 있다. 무역수지는 이를 보여주는 대표적 지표다. 지난 8월 무역수지는 94억7000만달러 적자, 8월까지의 누적 무역수지는 247억2000만달러 적자였다. 이는 모두 1956년 통계 작성 이후 최대의 적자 수치다. 그간 제조업 수출은 한국경제의 엔진이었다. 무역적자가 계속되고 있는 것은, 제조업 수출이 주도하는 성장모델이 위기 국면에 있다는 것을 의미한다.

한국에서의 수출은 제조업 경제의 근간이다. 그간 무역흑자의 주축은 반도체 수출과 중국에 대한 흑자였다. 이제 상황이 달라지고 있다. 8월 반도체 수출액은 전년 대비 7.8% 감소했고 대중국 수출은 5.4% 줄었다. 1990년대 이래의 한국의 성장모델이 전환점을 맞이한 것이다. 중국은 물론 미국에서도 자국 제조업 보호를 위한 보호무역과 산업정책의 시대로 들어섰다. 미국과 중국의 정책 변화가 그간 한국의 성장모델을 위협하고 있다.

영국은 자유무역을 통해 세계 최선진국으로 부상한 고전적 사례다. 영국 사례에 기초한 자유주의 이론은 고전파 경제학의 주요한 구성요소다. 그러나 자유무역주의는 시공을 초월하여 보편적으로 적용되는 이론은 아니었다. 영국에서도 자유무역주의의 정착은 시간이 걸리는 일이었다. 영국의 산업혁명이 거의 완성된 1846년에 이르러서야 무역장벽인 곡물법이 폐지되었다. 1860년 영국과 프랑스 간의 통상조약이 체결된 이후부터 서유럽은 자유무역지대로 진전하기 시작했다.

그러나 유럽 밖의 세계는 대부분 자유무역 밖에 있었다. 서유럽 세계 안에서도 자유무역과 보호무역은 공존했다. 특히 미국과 독일과 같은 후발 선진국은 보호무역을 통해 근대국가체제를 만들어갔다. 국가형성기의 미국과 독일은 국가의 이익에 부합하는 제조업주도 성장모델을 구축했다. 알렉산더 해밀턴과 프리드리히 리스트는 이를 대표하는 이론가들이다. 우리는 지금 미국에서 다시 해밀턴과 리스트의 아이디어가 살아나는 것을 목격하고 있다.

해밀턴은 초대 대통령 조지 워싱턴 정부 시절 재무장관을 지냈다. 그는 독립전쟁 중 발생한 부채를 액면가로 상환하게 함으로써 연방정부의 신용을 확립했다. 연방정부는 주 정부 부채를 인수하고 이를 상환하기 위해 새로운 채권을 발행하도록 했다. 그의 관심은 연방정부가 주도하는 재정 및 금융체제를 구축하여 미국을 강력한 국가로 만들려는 것이었다.

해밀턴은 관세를 국가재정의 주요 원천으로 간주했다. 강력한 국가를 뒷받침하기 위해 외국 산품에 대해 관세를 부과하고 이를 통해 미국의 산업을 강화하고자 했다. 이러한 정책은 제조업의 이익만을 옹호한다는 농민들의 항의를 받기도 했다. 당시로서는 유치산업 보호보다는 관세수입 증대에 주된 관심을 두었다는 주장도 있지만, 그가 의회에 제출한 '제조업자에 대한 보고서'에는 산업 강화를 위한 초기 아이디어가 담겨 있다고 할 수 있다.

리스트는 보호무역을 통해 제조업을 육성한다는 아이디어를 본격화했다. 리스트는 대학교수로 헌법활동을 하다 투옥되기도 하고, 망명·사업·언론·정치활동 등 파란의 삶을 살았다. 그는 영국과 영국을 바싹 추격하던 미국의 경험을 깊이 탐구했다. 그는 영국이 물적·정신적 역량을 갖추게 된 출발점이 제조업의 힘이라고 확신했다. 그리고 미국이 강력한 국가시스템을 구축한 데에는 제조업 육성, 관세 부과, 연방은행 설립, 전국적 사회간접자본 건설 등이 작용했다고 보았다.

리스트는 애덤 스미스의 '자유시장'보다는 해밀턴의 '국가이익'이 현실적 개념이라고 보았다. 그는 민족의 경제발전 단계를 나누고 각 단계에 부합하는 무역 및 산업정책을 제시했다. 그에게 자유무역은 영국을 추격하려는 국가들에는 '사다리 걷어차기'의 수단일 뿐이었다. 리스트는 후발국이 제조업 역량을 갖추려면 강력한 국가와 보호정책이 필요하다고 보았다.

2010년대를 경과하면서 세계는 다시 해밀턴과 리스트의 시대가 되고 있다. '중국제조 2025'는 국가이익을 앞세운 적나라한 산업정책이다. 미국의 반도체 지원법, 전기차 보조금도 그와 다르지 않다. 미국이 제안한 인도·태평양 경제프레임워크, 4개국 반도체 공급망 협의체도 자국의 제조업 역량을 강화하려는 시도다.

한국의 제조업주도 성장모델은 글로벌 자유주의 환경 속에서 발전한 것이다. 미국·중국의 제조업 경쟁은 한국이 직면한 새로운 환경이다. 소득주도성장이냐, 민간 주도 성장이냐를 다툴 때가 아니다. 제조업 성장전략을 어떻게 짤 것인가가 당면한 결정적 문제다.[8]

6. 표퓰리즘의 계절, 밑 빠진 독에서 물 긷기

굳이 정치면을 펼치지 않아도 알 수 있다. 여당, 야당 가릴 것 없이 '돈을 쓰자' 는 얘기가 나오면 틀림없다. 선거가 임박했다는 얘기다. 지속 가능성을 이야기하고, 구조개혁만이 대한민국의 명운을 결정지을 것이라던 목소리들이 무슨 숙청이라도 당한 것처럼 일제히 치워진다. 대신 소외된 서민들과 불균형한 지역발전에 대한 재발견이 잇따르며, 돈을 쓰지 않고는 견딜 수 없는 박애의 경쟁이 시작된다. 바야흐로 '표(票)퓰리즘' 의 계절이다.

우리가 흔히 대중영합주의로 읽는 포퓰리즘은 사실 너무 다양한 형태로 발현되기 때문에 정치학자들도 한 가지 형태로 정의내리기 어려워하는 개념이라고 한다. 실제로 2016년 미국 대선에서 최저임금 인상과 부유세 강화를 주장했던 버니 샌더스나 이민자 추방과 보호무역을 주장한 도널드 트럼프 전 대통령이 상대 진영에서는 모두 포퓰리스트 취급을 받았을 만큼 정형화된 모습이 없다.

이 포퓰리즘의 기원에 대해서는 의견이 분분한데, 로마 공화정 말기 그라쿠스 형제가 추진했던 개혁정책을 출발점으로 찾는 의견이 적지 않다. 그라쿠스 형제는 귀족이 독식한 농지를 재분배하고, 밀을 사들여 시민들에게 싸게 공급하려고 했는데, 이들 형제의 개혁안을 지지하는 이들을 '다수를 사랑하는 자들' 이라는 '포퓰라레스' 로 부른 것이 포퓰리스트의 시초라는 설명이다.

인종이나 이민자 이슈가 덜한 한국 사회는, 미국이나 유럽과는 달리 이 그라쿠스 형제 시절의 원초적인 포퓰리즘과 유사한 대목이 적지 않다. 특히 진보 진영의 경우에는 재정 투입을 통한 보편복지나 재분배를 주요한 담론으로 다뤘는데, 이 때문에 보수 진영으로부터 늘 포퓰리스트라는 딱지가 붙어왔다.

그런데 최근 이 같은 흐름에 변화가 감지되고 있다. 보다 구체적으로는 4·10 총선을 앞둔 보수 진영에서의 변화다.

당장 정부·여당이 소득 상위 20%를 제외한 모든 대학생에게 국가장학금을 지급하는 방안을 만지작거리고 있다. 국가장학금은 대학생이 속한 가구의 소득·재산에 따라 장학금을 차등 지급하는 제도인데, 지금보다 지급 범위를 더 넓혀 전체 대학생의 80%에게 장학금을 주겠다는 것이다. 당장 연간 수조원에 달하는 재원이 추가로 투입된다. 장학금 지급 확대의 긍정적인 측면에 더해 대학을 다니지 않는 청년들과의 차별 문제, 지출 확대에 따른 재정 부담이 당연히 고려돼야 하지만, 정부의 시선은 한쪽에만 머물러 있다.

재원이 부족해 과거에 폐지됐던 재형저축도 다시 등장했다. 이자소득세가 면제되는 재형저축은 1976년 도입 당시 연 10%가 넘는 높은 금리를 제공해 큰 인기를 끌었다. 하지만 1995년 재원 부족으로 판매가 중단됐고, 박근혜 정부에서 다시 잠깐 부활했다 역시 재원 문제로 1년여 만에 폐지됐는데, 총선을 앞두고 부활시키겠다는 것이다.

재정건전성을 금과옥조로 연구·개발(R&D) 예산을 비롯해 '역대급' 예산 칼질을 실행해온 정부·여당의 표변인데, 기본소득 등으로 원조 포퓰리즘 딱지가 붙어있는 야당마저 "정부·여당이 연일 선거용 선심 정책, 인기영합적인 포퓰리즘 정책을 남발하고 있다"며 당혹감을 감추지 못하고 있다.

문제는 지난해 종합부동산세, 법인세 인하에 이어서 금융투자소득세 폐지 추진, 주식 대주주 양도세 기준 완화, 임시투자세액공제 연장 등 잇단 감세 추진으로 가뜩이나 어려운 재정여건이 더욱 악화되고 있다는 점이다. 당장 지난해에는 56조원이 넘는 세수 부족을 겪었는데, 세수 여건이 여전히 나빠 올해에 2년 전보다도 세금이 더 적게 걷힐 것으로 전망되고 있다.

증세 없는 복지 확대가 허구라는 사실을 모르는 이가 없지만, 그 누구도 입에 담지 못하고, 밑 빠진 독에서 계속 물을 길어올리겠다는 봉이 김선달들만 넘쳐나는 셈이다.

결과는 명확하다. 누군가는 비용을 지불해야 하고, 그 누군가는 미래세대다. 최근 경제학계 연구결과를 보면 국가 재정 여건이 개선되지 않으면 2000년 이후 태어난 세대는 생애소득의 41%를 세금으로 내야 할 것으로 추산됐다. 1950~1960년대생은 생애소득의 10~15% 정도만 세금으로 냈다.

전 세대를 위해 그들보다 3배에서 4배에 달하는 세금을 감당해야 할 미래세대에게 과연 대한민국은 여전히 멋진 조국일 수 있을까. 무엇보다 미래 본인들의 소득으로 펑펑 생색을 내고 있는 정치권을 보면서 탈한국을 꿈꾸지 않는 젊은이가 과연 얼마나 될까 문득 궁금해진다.[9]

7. 위기를 한국경제 도약의 기회로

오늘날의 위기를 극복하여 한국경제 도약의 기회로 만들기 위하여는 대전환이 절실하다고 판단됩니다.

첫째 정의로운 정치풍토를 만들어 부패고리로 사용된 돈들이 투자승수를 일으켜서 경제발전의 엔진 역할을 해주어야 하겠습니다.

주인인 유권자들이 위대한 한국을 창조할 정의로운 정치인을 찾아서 능동적으로 투표하는 문화와 정의로운 삶을 모범되게 살았던 지도자 분들이 애국심을 가지고 나라를 위해 정치에 투신하는 선량한 인재들이 적극적으로 봉사할 때에 가능하다고 봅니다.

주인인 세종대왕은 청렴하고 일잘하는 황희정승을 뽑아서 조선 500년의 기틀을 다졌던 것처럼 1000년의 민주시대를 열어갈 기틀을 세울 정의로운 정치인이 절실하다고 판단됩니다! 6.0정도인 정의수준을 싱가포르처럼 9.0까지는 못 올리더라도 7.5정도까지만 올려도 정치부패로 경제발목을 잡는 한국 정치문화 현상은 거의 사라질 것이며 여기에는 주인인 국민들의 각성과 정치인들의 정의실천에 솔선하는 문화로 바뀐다면 부패로 투자승수가 적었던 수조원이 기업투자로 이어져 위기를 경제도약의 기회로 만드는 화살이 될것으로 사료됩니다.

둘째로 중국에 중간부품을 팔아서 수출로 성장했던 한국 경제는 미중간 냉전으로 위기를 맞고 있습니다. 2008년 중국은 소기업법을 만들어서 자국의 첨단기업을 집중 육성했고 중국시장과 선진국 첨단기술 교환 전략을 취함으로써 오늘날의 현상은 예상되었음에도 정치지도자들이 방관한 탓으로 오늘날 수출이 안되고 기업의 재고만 늘어가는 위기를 맞은 것입니다.

정치지도자들은 글로벌 공급망 재편성을 활용하고 미국에서 매년 30만개 이상의 중소기업들이 해외에 투자되는데 8위의 한국에는 미국기업 유치가 매우 저조하고 한국 대기업들의 미국 등 해외투자는 계속 증가하고 있는 현실을 변화시켜야 합니다. 투자자유도를 60%에서 90%까지 높혀서 선진 외국기업들의 투자최적지로 가꾼다면 경제도약의 기회가 올 것으로 사료됩니다.

셋째로 빈부자간 지역간 기업간 인종간 화합하는 변화와 개혁이 있어야 위대한 한국이 창조될 수 있습니다. 나이가 80세가 되어도 희망하면 활동할 수 있는 일자리를 매월 30시간~80시간 주고 이것이 경제성장에 기여하면 좋겠습니다.

예를 든다면 제가 김제시장 시절에 농촌에 일손이 없어서 휴경되는 밭이 늘어나자 500평이면 10명 1000평이면 20명 정도로 사계절농장반을 만들어 노인일자리를 30시간씩 주었는데 2019년에는 100여명 정도였으나 2022년에는 600여명이 넘었고 일석3조의 효과가 있었습니다.

품질좋은 농산물 생산량이 많아지고 김제시내 농산물 값이 싸져서 시민들의 호감도도 매우 좋고 어르신들에게는 일자리가 있어서 매우 좋습니다. 아울러 청장년들에게도 신규 사업에 투자하면 5천만원정도 3개년에 걸쳐 지원하고, 결혼자금 천만원, 첫째 아이부터 천만원 주고 다섯째면 2천만원까지 주면서 임대주택 임대료나 전세자금 대출이자를 지원함으로써 청장년 유입이 늘어나 인구가 불어나고 있습니다.

마찬가지로 동서간 남북한간 화합하고 민간교류를 대폭 확대하고 대기업과 중소기업간도 상생하면 국가에서 기술보조금을 지원하여 선진기술을 확보하는 등 국민 화합을 유도해야 합니다. 특히 다문화가족들이 직업을 가질 수 있도록 지원해주고 외국인근로자들에게도 희망을 가지고 살 수 있도록 배려하면 오늘의 위기를 극복하고 위대한 한국을 창조할 비전이 보일 것입니다.[10]

한 여행업계 관계자는 "그간 한국과 일본에 대한 중국의 정책은 비슷하게 적용돼 왔기 때문에 일본이 풀리면 한국도 풀리는 것은 당연한 수순"이라고 말했다. 최근 싱하이밍 주한 중국대사도 지난달 제주에서 열린 한·중 미래 발전 제주국제교류주간 행사에서 "(중국인의 한국 단체여행과 관련해) 조만간 좋은 결과가 있을 것"이라고 말했다.[11]

현재 면세점주와 여행주는 정말로 역사적 저점인데 이러한 관광요소로 다시 예전처럼 활기찬 국내외 여행과 레저, 면세점 사업이 활성화되어 경제적으로 다시 한번 도약할 수 있는 기회의 장이 되었으면 한다.

8. 복합위기의 시대

머릿속은 복잡한데, 마음속은 허탈하다. 연일 쏟아지는 불안한 경제 뉴스들은 머리를 무겁게 만드는데, 치솟는 물가와 금리는 내일에 대한 기대마저 억눌러 마음을 텅 비게 만든다. '이러다 외환위기 오는 것 아니야' 하는 말들이 주변에서 자주 들려온다.

좋은 경제 신호를 찾기가 어렵다. 고물가, 고금리, 고환율, 무역수지적자, 소비침체, 가계부채 누증, 주가 하락…. 어느 것 하나 좋아 보이지 않는 험난한 경제다. 연일 발표되는 경제 기사들은 '사상 처음', '외환위기 이후 처음' 이라며 경고한다. 코로나19는 끝날 생각이 없고, 우크라이나 전쟁은 얼마나 장기화할지 가늠할 수도 없다. 에너지 위기, 식량 위기, 기후위기까지 녹록지 않은 여건이다. 한국경제는 저출산, 고령화, 지방소멸 등과 같은 우리나라만의 고유한 과제가 산적해 있다.

'철부지' 라는 말이 있다. '철不知' 는 한글과 한자의 조합으로, '철' 을 모른다는 뜻이다. 봄이 오면 씨를 뿌리고 가을에는 수확해야 하는데, 철을 구분하지 못하면 농사는 망하는 법이다. 누군가에게는 봄만 오고, 누군가에게는 겨울만 오는 것이 아니다. 계절에 맞게 적절히 대응하는 것이 필요한 것이다. 최근 두 번의 통제할 수 없는 변수를 만났다. 2020년의 팬데믹과 2022년의 전쟁이다. 계절을 우리가 통제할 수 없듯, 이러한 외재적 변수는 받아들여야만 하는 대상이다. 이러한 변수들은 경제에 상당한 변화를 가져왔고, 누군가에게는 기회가 누군가에게는 위협이 되었다. 경제 여건의 변화를 읽은 사람은 기회를 잡았고 그렇지 않은 사람에겐 위협이 되었다.

2020년 역사상 가장 충격적인 팬데믹 경제위기를 만났고, 경제위기를 극복하기 위해 세계 각국은 유례없는 수준의 완화적 통화정책을 동원했다. 돈의 가치가 급격히 떨어졌고, 자산가치가 급등했다. 열심히-성실히 일한 사람은 오히려 가난해졌고, 자산을 보유한 사람은 더 부자가 되었다. 2022년 전쟁 이후 유례없는 고물가가 찾아왔고, 물가를 잡기 위해 세계 각국은 금리 인상을 단행했다. 돈의 이동이 일어났다. 고물가의 동인인 원자재나, 저축과 같은 현금성 자산으로 돈이 이동했다. 돈의 이동을 모른 채 과거의 공식에만 빠져 있던 사람들은 2022년 여전히 주식과 부동산과 같은 자산시장에만 머물렀고, 이유도 모른 채 손실만 쌓였다.

기업도 마찬가지다. 2020년 수많은 오프라인 기반의 사업방식을 영위하던 기업들은 팬데믹 위기를 피해갈 수 없었고, 유연하게 비대면-온라인 서비스로 대처한 기업들은 상당한 기회를 맛봤다. 2022년 전쟁 이후 원자재 공급망이 틀어막히고, 원자재 가격이 치솟으며, 강달러 현상이 눈덩이처럼 부풀려졌을 때, 경제를 읽고 대응한 기업들은 자원개발사업에 뛰어들거나, 공급업체를 다양화하는 구매전략을 취하고, 미리 비축분을 충분히 확보함으로써 대응했다. 그렇지 않은 기업들은 강달러 현상에 더 많은 자금을 지급해야 했고, 원자재를 확보하지 못해 공장가동을 멈춰야만 했다.

복합위기의 시대라고 해서 모두에게 위기가 찾아오지 않는다. 어떻게 대응하느냐에 달려 있다. 총이 날아온다고 해보자. 총이 날아오는지 모르거나, 날아오는지 알면서도 꿋꿋하게 서 있는 사람은 위험하다. 바짝 엎드리면 피할 수 있다. 2022년 하반기 경제는 경기침체가 예고되다시피 한다. 경제주체들은 그 위기의 성격을 명확히 진단하고, 놓여 있는 여건에 맞게 준비할 필요가 있다. 지도자들은 '철부지' 밥그릇 싸움할 때가 아니다. 그 어느 때보다 엄중하게 경제를 살펴야 할 때다. 어떠한 혹독한 현실에 놓여 있는지를 진단하고, 경제주체들이 '엎드릴 수 있도록' 안내해야 한다.[12)]

정책대안들을 발굴해 내기 위해 정책당국은 지금처럼 일자리를 늘리기 위해서라거나 부가가치 생산성을 높이기 위해서라는 주문을 반복해서 안 된다. 부작용이 더 크게 발생한다. 주류산업과 밀접히 관련된 국민안전, 국가, 글로벌 사회의 위기들을 정책의 전략적 목표로 선택해 대처해야할 소명이 정책당국에 있다. 이들 위기들에 대한 해결책은 2010년 이후 정부가 인지한 주류산업정책의 비전과는 다른 방향이어야 할 것이다. 선택의 자유나 산업성장, 효율의 추구로 대처할 때 큰 무리 없이 해결될 일은 아닐 것이다. 그렇게만 된다면 오죽 좋겠는가. 물론 그 대책들이 실제 정책화할 때 이해 관계자들 간의 소통, 협의, 합의, 동의의 과정이 필요할 것이다. 엘리트 정책당국자들만의 의견으로 일반적 정책목표들과 동일한 잣대를 제시하면서 그저 추진하면 될 일이 아니라는 것이다. 엘리트의 교과서와 현실의 주류정책은 다르다(趙聖基, 아우르연구소 대표, 경제학박사).

9. 뉴노멀 된 '3고 시대', 장기 경제위기 대비해야

뉴노멀(New Normal)은 새롭게 보편화된 사회·문화·경제적 표준을 의미하는 시사용어이다. 2004년 처음 사용되기 시작했으며, 초기에는 경제 상황 변화에 따른 진단과 대응을 위해 제시된 경제 용어였으나 2020년 전 세계로 확산된 코로나바이러스감염증-19 사태 이후로는 전 시대와 달리 새롭게 변화된 사회적·문화적 변화를 포괄하는 개념으로 의미가 확장되었다.

한국에서도 초기 '뉴노멀' 이라는 용어는 주로 저성장이 일상화된 시대를 의미하는 용어로 사용되었다. 미래창조과학부에서 펴낸 <10년후 대한민국-뉴노멀 시대의 성장전략>(2016)에서는 전반적으로 저성장이 일상화된 상황을 '뉴노멀 시대'로 정의하고, 이에 따른 경기의 부진과 실업의 증가, 기업 생존환경의 변화 등이 지속될 것이라고 예측하고, 이에 대한 구조적 대안이 필요함을 제시했다.

미국의 고물가 소식에 한국 금융시장이 다시 크게 출렁였다. 14일 주식시장에서 코스피지수는 전날보다 38.12포인트(1.56%) 떨어진 2411.42를 기록했다. 장 초반 70포인트 가까이 폭락해 2381까지 밀렸으나 미국 나스닥 선물이 상승한 데 힘입어 2400선을 회복했다. 장중 달러당 1395.5원까지 치솟았던 원·달러 환율은 17.3원 급등한 1390.9원에 마감했다. 1390원대 환율은 2009년 3월30일(1391.5원) 이후 13년5개월여 만이다.

미국발 고물가 쇼크로 금융시장이 요동친 14일 서울 중구 하나은행 본점 딜링룸에서 직원들이 긴장된 표정으로 시장 흐름을 확인하고 있다(연합뉴스).

전날 밤 발표된 미국의 8월 소비자물가 상승률은 8.3%로, 당초 예상했던 8% 안팎보다 높았다. 그 영향으로 미국 증시가 2년 만에 가장 큰 폭으로 떨어졌다. S&P500과 나스닥 지수 낙폭은 각각 4.32%, 5.16%에 달했다. 미국 소비자물가는 지난 6월(9.1%) 정점을 찍은 것으로 평가됐다. 그러나 7월 8.5%, 지난달 8.3% 등 여전히 높은 수준에 머물러 있음이 확인됐다. 변동성이 큰 식품과 에너지를 제외한 8월 근원 소비자물가지수 상승률은 6.3%로 오히려 전달(5.9%)보다 높아졌다. 뛰는 물가를 잡기 위해서는 보다 공격적인 금리 인상이 불가피하다. 금리가 급격히 오르면 경기를 둔화시킬 공산이 큰데, 한국 경제도 그 영향에서 자유롭지 못하다.

미국 연방준비제도(연준)가 현재 연 2.5%인 기준금리 상단을 연말 4.5%까지 올릴 것이라는 전망이 글로벌 금융시장에 확산되고 있다. 연준은 올해 세 차례 금리조정을 남겨두고 있다. 당장 오는 20~21일(현지시간) 열리는 연방공개시장위원회(FOMC)에서는 자이언트스텝(0.75%포인트 인상)이 확실시되고 있다. 충격 요법으로 1%포인트 올리는 '울트라스텝' 가능성도 제기된다. 한국 기준금리(2.25%)는 미국보다 낮아지게 됐다. 이창용 한국은행 총재는 지난달 금리 인상 후 '빅스텝'(0.50%포인트 인상) 가능성에 대해 "지금 상황으로는 고려하지 않는다"고 했지만 이제는 달라졌다. 10월, 11월 두 차례 금리조정 회의에서 빅스텝 또는 자이언트스텝을 고민하지 않을 수 없게 됐다.

한국 경제가 말 그대로 총체적 위기에 처했다. 고금리는 대출자의 이자 부담을 키우고, 고물가는 실질소득 감소를 초래해 경기를 침체시킨다. 고환율은 수입가격을 밀어올려 물가불안과 외국인 자금 유출을 심화시킨다. 뉴노멀이 된 고금리·고물가·고환율 '3고'는 당분간 지속될 것으로 보인다. 경기침체는 아직 오지 않았고, 내년 상반기에 극심해질 것이라는 전망이 지배적이다. 장기간 위기를 버텨낼 특단의 대책을 마련해야 한다. 가장 큰 충격에 직면할 서민·취약계층 가계와 한계기업에 대한 보호책이 절실하다.[13]

10. 지경학 시대의 위험과 기회

바이든 미국 대통령의 '메이드 인 아메리카' 공세가 본격화되고 있다. 반도체와 전기차·배터리, 바이오 등 핵심 전략품목에 대한 자국 내 생산 규제에다 외국인투자와 해외투자에 대해서도 안보 위험을 들어 기술 규제에 나선 것이다. 물론 주 타깃은 중국이다. 11월 중간선거를 앞두고 대내 정치용으로 미국 우선주의를 전면에 내세우고 있다. 패권주의 야심을 지닌 권위주의에 맞선다는 명분으로 동맹을 규합하고 있지만, 실상은 중국식의 패권적 산업정책을 답습하는 건 아닌지 우려도 크다.

이처럼 자국 또는 자기 동맹의 정치적, 외교적, 안보적 목적을 위해 경제적 수단을 활용하는 현상에 주목하는 게 이른바 '지경학(geo-economics)'이다. 사실 그동안 미국과 중국을 중심으로 패권전쟁이 격화되면서 '지정학의 귀환'이 종종 이슈화되어 왔다. 그러나 러시아의 우크라이나 침공처럼 직접적인 군사적 충돌을 빚은 경우도 있지만, 주요 열강 간의 지정학적 갈등은 대체로 지경학적인 방식으로 전개되는 모습을 보이고 있다. 미국의 '아시아 회귀' 전략에 맞선 중국의 '일대일로'가 단적인 예이고, 미·중 무역전쟁이나 러시아 침공에 맞선 서방의 경제제재 등도 마찬가지다.

1990년대 초 탈냉전기에 돌입하면서 얼마 전까지만 해도 자유교역 등 세계화의 확산이 국가 간, 지역 간 상호의존성을 증대시킴으로써 지정학적 갈등을 막고 공동 번영을 도모할 버팀목이라는 평가가 지배적이었다. 하지만 점차 이러한 상호의존성의 비대칭성에 대한 관심이 커지고 있다. 수요와 공급, 승자와 패자, 주도자와 추종자 간에 불평등이 커지고, 나아가 복잡한 공급사슬의 하중과 파열에 따른 연쇄적인 충격 위험이 부각된 탓이다. 이제는 오히려 비대칭적인 상호의존성을 지정학적 목적에 맞추어 무기화하거나, 역으로 이처럼 무기화된 상호의존성에 맞서 대비 태세를 구축하려는 움직임이 확산되고 있다.

진정 '지경학 시대'가 도래한 것일까? 최근의 양상에 대해 탈냉전 시대에 세상을 풍미하던 세계화 혹은 신자유주의 시대가 막을 내리고, 군사안보적 차원의 지정학이 우선시되던 냉전 시대가 부활하는 것은 아닌지 우려도 크다. 코로나19 위기와 우크라이나 전쟁 등을 계기로 핵심 자재나 원자재의 공급망 붕괴에 따른 위험이 부각되면서 일반적인 경제 논리에 안보 논리가 합세하는 모습이다. 효율성보다는 회복탄력성에 관심이 커지면서 자국의 안정적인 공급망이나 신뢰할 수 있는 파트너와 같은 지경학적 논리가 힘을 얻고 있는 것이다.

이제 세계화는 지경학적 대결이라는 새로운 양상으로 변모하고 있다. 특히 그간의 세계화를 주도했던 국제분업체계 혹은 글로벌가치사슬(GVC)은 이제 안보 논리가 우선시되는 '신뢰가치사슬'(TVC)로 전환되고 있다. 하지만, 이러한 '지경학적 세계화'가 얼마나 안정적일지는 불확실하다. 트럼프나 바이든처럼 자국 우선주의가 앞서고, 브렉시트처럼 분리주의, 고립주의 등이 확산되고 있기 때문이다. 또 전쟁이나 안보 위협을 억제하던 경제적 상호의존성이 흔들리고 뒤틀리면서 언제라도 우발적 충돌이나 통제 불가능한 갈등이 발생할 위험이 커진다. 오히려 냉전기처럼 세상의 양분(혹은 3세계를 포함하여 삼분) 관리가 어려운 상황에서, 20세기 초 1차 세계화 이후의 양차 세계대전과 대공황의 혼돈이 더욱 현실적인 악몽으로 어른거린다.

지경학의 득세에 대해 우리도 긴장의 끈을 놓지 말아야 한다. 사실 한반도의 지정학적 위험이 깊이 각인된 우리로서는 21세기 패권을 겨루는 미・중 양강의 틈새에 끼인 처지가 실로 갑갑하기 그지없다. 하지만 G20 실험에서 확인했듯이, 역설적으로 균형자나 중재자로서 새로운 가치나 기회를 타진할 방법을 찾아야 한다.

또한 세계화와 상호의존의 양상은 지경학적 전환하에서도 계속 진화하고 있다. 전통적인 재화교역이 위축되고 제조업 공급망도 뒤틀리고 있지만, 우리는 새로운 다자간 국제분업구조의 형성 과정에서 기회를 찾아야 한다. 한편 데이터나 디지털 혁신에 기반한 중간서비스의 교역이나 가치사슬은 더욱 확대되고 있다. 언제나 위기는 곧 기회이기도 한 법이다.[14]

11. 전력산업 이슈의 근본적 해결책은 '가격'이다

전력은 일상생활의 필수품이면서 산업활동의 원동력으로 전력공급의 부족현상은 국민생활과 산업발달에 큰 저해요인으로 작용한다. 한국경제의 성장과 더불어 전력수요가 급증하게 되면서 발전설비의 확충이 중요한 정책목표로 대두되었다. 장기전원개발계획에 따른 발전소의 증설로 인해 더 이상 전력공급의 부족현상은 나타나지 않게 되었다.

1990년대 들어 전력산업의 경쟁체제 도입을 통해 기존 독점체제에서 벗어나 전력산업의 효율성 제고를 도모하게 되었다. 최근 전력산업은 기후 변화에 대한 대응 방안으로 지능형 전력망 구축을 통한 합리적인 전력소비, 신재생에너지 활용, 전기자동차 보급, 통신산업과의 융복합 등을 강조하는 방향으로 나아가고 있다.

우리나라는 전기요금을 정부에서 결정한다. 해외에서는 전력시장이 민간에 개방되어 시장 메커니즘에 의해 가격이 결정되는 경우도 있으나, 우리나라 전력시장은 실질적으로 한국전력의 독점적인 구조이며, 독점의 폐해를 막기 위해 정부에서 전력시장을 통제하고 있다.

2021년부터 연료비 연동제를 도입하였지만, 이는 전기요금을 자동적으로 연료가격에 연결시키는 것이 아니고 연료비 변화를 감안하여 분기별로 요금안을 정부에 제출하면 최종적으로는 정부가 판단한다. 최근 국제유가가 폭등하면서 전력의 생산원가가 대폭 올랐음에도 불구하고 정부는 전기요금의 인상을 상당 기간 유보하였고, 그 결과로 우리는 한국전력의 창사 이래 최대 적자를 목도하고 있다.

물론 정부의 입장을 전혀 이해하지 못할 상황은 아니다. 전기요금은 서민물가와 직결되어 있다. 통계청의 소비자물가동향에 따르면 8월 소비자물가지수는 1년 전에 비해 5.7% 상승하였다. 6·7월에는 1년 전보다 6% 이상 물가가 올랐으니 물가를 잡는 것은 정부의 최대 과제 중 하나라 해도 과언이 아니다. 여기에 전기요금까지 물가상승을 가중시키는 것을 지켜만 보고 있기는 어려운 상황이다. 그렇지만 물가를 이유로 전기요금을 정상화하지 않는 것은 지속 가능하지 않을 뿐만 아니라 바람직하지도 않다.

이론적으로 독점시장에 정부가 개입하는 것은 독점기업이 경쟁시장에서보다 더 높은 가격으로 소비자들이 누릴 잉여의 상당부분을 취하는 것을 경계하는 목적이 크다. 그래서 독점시장에 정부가 개입하는 방법으로 한계비용을 기준하여 가격을 설정하게 하거나 규모의 경제에 의해 독점시장이 된 경우에는 평균비용을 기준하여 가격을 설정하는 등의 수단이 거론된다. 이 모두가 독점기업이 시장에서 상대적으로 높은 가격을 향유하면서 소비자가 누려야 할 잉여를 과도하게 취득하는 것을 경계하기 위한 것이다. 그러나 현재 우리나라의 전력시장은 독점기업이 과도한 이익을 누리기는커녕 적자를 보전하기 위한 회사채 발행도 여의치 못한 실정이다.

극적으로 국제 연료가격이 대폭 낮아지지 않는 이상 정부는 두 가지 중 한 가지를 선택할 상황에 직면해 있다. 지금부터라도 최소한 이윤을 보전할 수 있는 요금 수준에 도달하도록 전기요금을 정상화하느냐 혹은 최대한 지불할 비용을 뒤로 미루다가 한국전력의 재무상황이 최악에 이르게 된 후 한꺼번에 국비를 들여 지원할 것이냐의 선택이다. 전자는 비록 당장의 고통을 감내해야 하지만 그 크기는 상대적으로 작다. 게다가 재생에너지로의 전환과 전력수요관리에도 긍정적인 요소로 작용한다. 그러나 후자는 당장에는 대중의 부담과 불만을 피할 수 있겠지만 뒤에 가서 사회적으로나 경제적으로 대가를 엄중히 치르게 될 것이다.

마지막으로, 많은 사람들이 오해하고 있는 것 같아 팩트 체크를 하자면 우리나라는 더 이상 산업과 가정에 대한 전기요금 교차지원을 한다고 말할 수 없다. IEA(국제에너지기구)의 국가별 전기요금 자료에 따르면, 우리나라의 산업용 전기요금은 OECD 회원국 평균보다 다소 낮은 편이지만 가정용 전기요금은 OECD 국가 중 가장 낮은 수준이다. 우리나라보다 가정용 전기요금이 저렴한 OECD 회원국은 멕시코뿐이다. 지금 전기요금을 올리는 것이 다른 나라들과 비교해도 지나치다고 말할 수 없다.[15]

12. 가계부채와 정부부채의 변주곡

가계부채(家計負債)는 가구의 빚을 말한다. 가계는 가구의 수입과 지출 상태를 뜻하는 말이며 부채는 빚을 뜻한다. 2000년대에 들어와서 가계의 부채는 주택의 구입과 연동하는 측면이 있다. 주택을 구입하기 위해서 은행에 빚을 지는 일이 늘어나고 있다. 특히 한국에서는 그것이 주택가격의 상승을 부추기는 측면이 있어서 많은 전문가들의 우려를 낳고 있다.

한국의 가계부채 규모가 크고 증가속도가 빠르다는 걱정이 많다. 국제결제은행(BIS) 기준으로 2023년 2분기 현재 가계부채는 GDP 대비 101.7%로 같은 기간 선진국 평균 70.9%를 30%포인트 이상 상회하는 수준이다. 가계부채 규모가 클 경우 부채부담으로 인한 민간소비 압박도 문제지만, 빚을 줄이는 과정에서 가계부채가 정부부채로 전이되지 않을까 하는 두려움이 있다. 그래서 가계부채 문제를 논할 때 우리는 항상 기승전 '재정 혹은 재정건건성' 논리를 만나게 되는 것이다. 그런데 가계를 포함한 민간부채와 정부부채가 상호 전이되는 통로는 2가지가 있다.

첫 번째 통로는 경제위기가 발생하는 경우다. 대외적 요인의 급속한 변동에 의한 위기(1980년대 북구 3국 경제위기), 기업부실과 그에 맞물린 금융부실 및 외환위기에 의한 위기(1997년 동아시아 외환위기), 부동산발 가계부채와 금융시스템 붕괴에 의한 위기(2008년 글로벌 금융위기), 그리고 재정상황 악화로 인한 위기(2010년 유럽 재정위기) 등이 발생할 경우 민간부문의 부채는 정부부채로 이전이 될 가능성이 높다. 민간의 부채 조정 과정에서 금융부문의 부실이 금융위기를 동반한 경제위기로 번질 가능성이 높아지는데, 이때 부실 금융기관 처리를 위한 공적자금 조성과 위기대응 재정지출 확대가 바로 전형적인 민간부채에서 정부부채로 전이되는 경로인 것이다.

두 번째 통로는 분야별 재원배분에 의한 경우다. 우리나라는 개도국에서 선진국으로 발전해 오는 과정에서 〈경제중시-복지경시〉의 재원배분을 하였는데 그 결과, 정부부문에 비해 가계부문의 부채가 높은 수준에 이르렀다. 한국의 공공임대주택 비중이 2020년 현재 9.2%로 OECD 국가들 중 9번째로 낮고 국공립병원 비중은 6.2%, 국공립학교 비중은 55.2%로 OECD 국가들 중 최저수준이다. 또한 한국과 유사한 국가로 호주를 들 수 있는데 호주의 경우 공공임대주택 비중 4.5%, 국공립병원 비중 77.2%로 낮은 수준이다. 그 결과 한국과 호주의 정부부채는 GDP 대비 40%대 수준(OECD 일반정부 기준)으로 매우 낮은 수준이지만, 가계부채는 각각 101.7%와 122%로 매우 높은 수준이다. 즉, 주택마련·교육·개인의 질병치료 및 건강관리 등을 '각자도생'의 각오로 해결해 온 결과 오히려 정부부채에서 가계부채로 역전이 된 것이다.

우리 경제에서 가계부채가 정부부채로 전이가 되거나 혹은 정부부채의 증가가 재정위기로 연결되어 경제위기로 전화될 가능성은 없는지 체크리스트를 작성하여 살펴보면 어떨까?

체크리스트 1은 급격한 대외환경 변화 요인이 발생하여 경제위기 가능성을 판단하는 것이다. 2024년은 2023년보다 경제성장률(1.4→2.2%), 소비자물가(3.6%→2.6%), 경상수지흑자(310억달러→500억달러) 측면에서 모두 개선될 전망이지만 그렇다고 해서 경제위기 가능성이 아예 없는 것은 아니다. 코로나19 위기로부터 완전하게 회복하지 못한 경제 펀더멘털과 실질 가계소득의 감소, 충분하지 못한 고용창출, 지표물가와 체감물가와의 괴리 등 민생경제의 어려움은 언제든 경제위기로 발화될 수 있는 불씨다.

체크리스트 2는 가계부채 급증과 금융시스템 붕괴로 인한 금융위기 발생 가능성에 대한 점검이다. 최근 부동산 가격 급등으로 매우 빠른 속도로 증가한 가계부채의 급증은 경계할 필요가 있다. 과도한 가계부채 누적은 잠재적 리스크로 될 가능성이 있어 이를 연착륙시키는 정책적 노력은 매우 필요하다.

체크리스트 3은 정부부문 부채 증가에 의한 재정위기 가능성을 확인해 보는 것이다. 감세와 경기침체로 인한 세수기반 약화와 사회안전망 확충 및 초고령사회 등 재정지출 소요 증대로 정부부채는 앞으로도 계속 늘어날 것이다. 하지만 2023년 국가채무비율 50.4% 중 금융성 채무비중(35%)을 고려하면 진성 채무비율은 33% 정도다.

또한 국채 만기구조의 장기화(2022년 11.2년), 단기채무비중 낮음(2022년 8.6%), 국채에 대한 외국인 보유 비중 크지 않음(2022년 19.8%) 등은 재정위기 가능성이 높지 않음을 시사한다. 따라서 국민 스스로가 많은 부담을 감당하고 있는 교육, 의료, 주거 등에 대한 공공성을 확대하는 과정에서 재정수입만으로 해결할 수가 없다면 정부부채의 증가는 불가피하지만 재정부문 위기까지 연결되지는 않을 것이다.

정부가 해야 할 일을 마땅히 하고 국민의 기본적인 삶을 안정화시켜야 정부도 튼튼해질 수 있다. 정부부채와 가계부채 안정화의 지름길이 바로 여기에 있다.[16]

13. 순환경제가 넷제로 지름길

순환경제(Circular Economy)란 자원 절약과 재활용을 통해 지속가능성을 추구하는 친환경 경제 모델을 말한다. 순환경제는 '자원채취(take)-대량생산(make)-폐기(dispose)'가 중심인 기존 '선형경제'의 대안으로 유럽을 중심으로 세계 곳곳으로 확산되고 있다.

최근 세계적으로 순환경제(Circular Economy)에 대한 관심이 높아지고 있다. 기후위기를 해결하고 탄소를 줄이려면 순환경제를 활성화해야 한다. 자원 채취와 생산, 소비, 폐기로 이어지는 선형경제(Linear Economy)와 달리 순환경제는 생산, 유통 및 소비 과정에서 사용한 물질을 재활용하는 비즈니스 모델을 기반으로 한다. 순환경제가 주목받는 이유는 명확하다. 정부 입장에서 기업이 제품 개발과 디자인 단계부터 국가 전반의 탄소 감축을 앞당길 수 있는 장점이 있다. 기업 입장에선 폐기물 처리 수요 증가 및 높은 희소성으로 큰 수익을 얻을 수 있고, ESG(환경·사회·지배구조) 실천에도 도움이 돼 일석이조 효과가 있다.

다양한 순환경제 분야 중 우리가 눈여겨봐야 할 곳은 폐플라스틱과 폐배터리다. 수레바퀴, 종이, 문자와 함께 20세기 인류 최고의 발명품으로 여겨졌던 플라스틱은 매년 생산량이 약 83억t에 달하지만 재활용 비율은 9%에 불과하다. 나머지 12%는 소각되고, 79%는 토지에 매립되는 것이다. 그동안 플라스틱으로 만든 페트병은 값싸고 사용이 편리해 인류에게 큰 혜택을 줬지만, 최근에는 해양 환경 오염을 유발하고 건강과 생태계에 큰 위협을 주면서 다양한 사회문제를 유발하고 있다.

삼일 PWC 조사에 따르면 글로벌 재활용산업은 5년 후 시장 규모가 639조원에 달하고, 그중 폐플라스틱 재활용 시장도 79조원으로 커질 전망이다. 글로벌 기업들은 이미 다양한 노력을 전개하고 있다. 코카콜라는 2025년까지 모든 음료 패키지의 재활용을 추진하면서 킬클립(KeelClip)이라는 기술을 도입해 플라스틱 묶음 포장 대신 종이 뚜껑을 사용하고 있다. 볼보도 중형 SUV인 'XC60 스페셜 에디션'의 바닥 카펫과 시트 제작에 페트병을 활용했고, 2025년 이후 출시하는 전 차종에 들어가는 플라스틱의 25%를 재활용 소재로 만들 계획이다. 국내 기업도 예외는 아니다. 현대차는 수소차 넥쏘의 실내 인테리어 내장 마감재 대부분을 바이오 플라스틱을 활용하고 있다. 삼성전자도 폐플라스틱 순환체계를 자체 구축해

제품 생산에 재생플라스틱을 25% 사용하고 있다.

폐플라스틱과 함께 전기차 폐배터리도 유망한 분야다. 시장조사업체인 SNE에 따르면 폐배터리 숫자가 크게 확대되는 2030년에는 12조원, 2040년엔 87조원의 시장이 형성될 것이라고 한다. 특히 유럽연합(EU)은 순환경제 활성화를 위해 2026년부터 배터리의 생산·이용·폐기·재활용에 이르는 전 사용 과정을 디지털로 기록하는 '배터리 여권(Battery Passport)' 제도를 실행해 폐배터리 재활용을 적극 유도해 나갈 계획이다. 선두 주자인 독일은 BMW, 바스프 등 기업들과 손잡고 배터리 정보를 수집·활용하는 배터리 패스 제도를 준비 중에 있다. 우리의 경쟁국인 중국도 이미 2018년부터 전기차 배터리의 재활용 및 책임 이행 여부 감독을 위해 '배터리 이력 추적 플랫폼(EVMAM-TBRAT)'을 구축한 바 있어 면밀한 대응이 필요한 시점이다.

순환 경제의 실천을 위해서는 자원 재사용과 새로운 제품 생산의 경제적 이익이 재활용을 통해 얻는 이익보다 커야 한다. 이를 위해 새로운 생산 방식, 공급체인 구축 등 순환 경제에 적합한 산업 체계의 구축이 필요하다. 양질의 폐자원 확보와 재활용 대체기술의 연구 개발 역시 중요한 과제이다.

무엇보다 순환경제 활성화를 위해선 정부 역할이 중요하다. 폐플라스틱과 폐배터리 재활용 관련 각종 폐기물 규제를 과감하게 풀고, 인센티브 위주의 지원 정책을 마련해야 한다. 기업도 순환경제 관련 기술개발과 투자에 본격 나서야 한다. 순환경제를 새로운 비즈니스 기회로 인식하고 친환경 제품 개발과 공정 혁신을 통해 새로운 시장과 산업을 선점해 나가야 한다.

우리 기업들이 '2050 넷제로'라는 어려운 도전 과제 해결을 위해 순환경제의 추격자(Fast Follower)가 아닌 선도자(First Mover)로 발돋움해 탄소 감축 목표를 성공적으로 달성하기 바란다.[17]

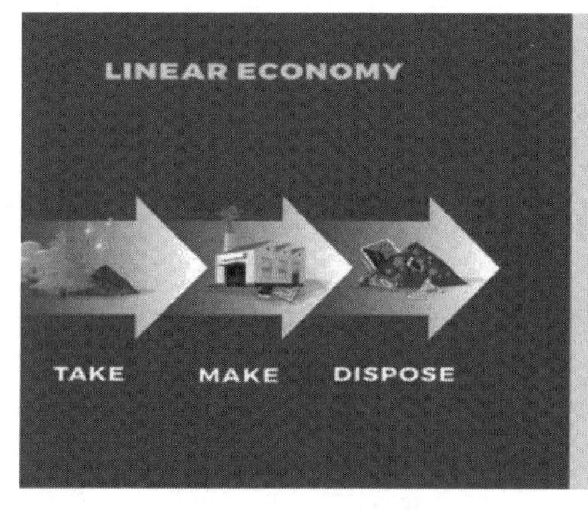

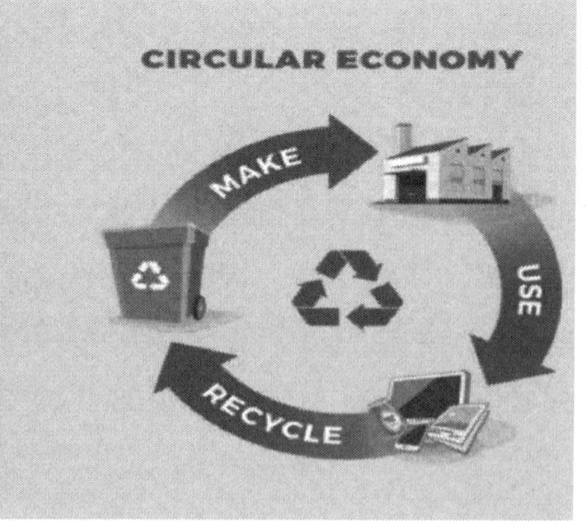

14. 감세 혜택은 국민 모두가 받는다

정부의 감세(減稅)정책에 대해 야당인 더불어민주당의 반대가 거세다. 정부가 법인세 최고 세율을 25%에서 22%로 내리고, 종부세를 완화하겠다고 발표하자 '부자 감세' 라며 딴죽을 건다. 우리나라에서 소득 상위 10%가 소득세의 79%를 내고, 법인세 상위 10% 기업이 법인세의 97%를 낸다. 사실상 대부분의 세금을 '부자' 들이 낸다. 지난 문재인 정권의 급격한 징벌적 종부세 인상으로 실질적인 소득이 감소함에 따라 수많은 1주택자와 은퇴자가 피해를 봤다.

감세정책의 본질은 납세자들의 실질소득을 늘려 경제 활성화를 꾀하는 정책이다. 납세자들의 실질소득이 증가하면 감세분 중 일부를 재화와 서비스를 구매하는 데 사용함에 따라 기업들의 매출이 증가해 경기가 부양된다. 더 중요한 것은, 감세로 인한 실질소득의 증가가 저축을 증가시킨다는 점이다. 실질소득이 증가하면 시간 선호가 감소해, 즉 현재 재화보다는 미래 재화를 상대적으로 더 선호하게 돼 저축이 증가한다.

저축은 재화와 서비스의 생산을 증가시키는 원천이다. 재화와 서비스가 더 많이 생산되기 위해서는 새로운 도구와 기계 같은 자본재가 필요한데, 그러한 것들은 저축을 통한 자본 축적이 있어야만 가능하다. 그래서 감세는 저축을 늘려 더 많은 자본재를 가능하게 함으로써 미래에 더 많은 재화와 서비스를 생산케 하여 경제를 성장시킨다. 이런 까닭에 감세는 지금 문제시되는 스태그플레이션도 빨리 극복할 수 있게 한다.

경기가 부양되고 성장하면 그 혜택은 거의 모든 사람에게 돌아간다. 경제 활동은 어느 한 시점에 고정돼 있는 상태가 아닌 과정이다. 수많은 사람이 생산하고 소비하며 상호작용하면서 복잡하고 연속적으로 움직여 가는 과정인 것이다. 감세정책은 내고 있는 세금을 줄여 주는 것이므로, 세금을 내지 않거나 적게 내는 사람들보다는 세금을 많이 내던 '부자' 들이나 대기업들이 일차적으로 혜택을 보는 것은 사실이다.

그러나 궁극적으로 소비와 투자가 증가하고, 일자리가 늘어나고, 대기업과 중소기업 간의 거래량이 증가하게 돼 서민과 중산층, 그리고 중소기업에까지 혜택이 돌아가게 된다. 그런데도 정부의 감세정책으로 혜택을 보는 계층은 일부 부자들뿐이라고 몰아세우는 것은 가진 자와 못 가진 자로 갈라치려는 정치적 획책이다.

감세의 대표적인 사례가 미국의 레이거노믹스다. 감세정책을 시행한 결과 로널드 레이건 행정부 기간(1981~1989)에 전체 평균 실질소득이 75% 올라갔고, 실질 GDP 증가율은 연평균 3.5%나 됐다. 실업률도 1981년 7.5%에서 1989년 5.4%로 낮아졌으며, 연방정부 조세 수입이 1980년 5170억 달러에서 1989년 1조320억 달러로 늘어났다. 감세정책의 효과는 한국에서도 긍정적이다. 법인세 평균 실효세율이 1%포인트 내리면 설비투자가 6.3% 증가한다는 2020년 한국경제연구원의 연구 결과와 투자율이 0.2%포인트 높아진다는 2016년 KDI의 연구 결과가 있다.

될 수 있으면 정부가 세금으로 걷어다가 쓰는 것보다는 개인들이 더 많이 지출하도록 하는 게 중요하다. 이윤과 손실의 제약을 받는 개인들은 각자 선호하는 목적을 달성하기 위해 자원을 최대한 효율적으로 사용하기 때문이다. 이와는 달리 수입의 원천이 조세인 정부는 이윤과 손실의 제약을 받지 않기 때문에 자원을 효율적으로 사용할 동기가 약하다. 물론 정부 지출이 국방·치안 등 사회적으로 꼭 필요한 곳에 쓰이기도 하지만, 정치적인 낭비성·선심성 지출 등이 많다. 무리한 탈원전 정책의 태양광 사업에 대한 부당 지원, 재난 지원을 빙자한 무차별 현금 살포 등이 이 점을 잘 드러낸다.

감세가 중요한 이유는 또 있다. 한국은행이 기준금리를 올리는 상황에서 감세가 금리 상승을 완화할 수 있기 때문이다. 다른 모든 것이 일정할 경우 감세로 실질소득이 많아져 저축이 늘면 금리가 내려간다. 이런 금리 하락은 한국은행의 기준금리 인상에 따른 시장금리의 상승을 약하게 만드는 효과가 있다. 감세가, 급격한 금리 인상에 따른 피해를 줄일 수 있는 것이다.

이러한 감세의 긍정적인 효과를 '부자 감세'라는 프레임을 씌워 반대할 일이 아니다. 진정 국가의 장래와 민생을 위한다면.[18]

에마뉘엘 사에즈 미국 버클리 캘리포니아대 교수 등은 저서 '그들은 왜 나보다 덜 내는가'에서 "우리가 선거로 뽑은 대표자들이 소수 기득권층의 수입을 올려주기 위한 방향으로 조세 제도를 바꾸고 있다면 민주적 제도에 대한 신념이 과연 살아남을 수 있을까"라고 물었다. 이미 깨진 낙수효과 신화를 붙들고 정부가 잘못된 길을 갈 때, 언론은 무엇을 해야 할까.

한겨레는 누구보다 날카롭게 감세 정책을 비판해왔지만, 학문적 결과 등 정확하고 입체적인 사실을 기반으로 시민을 '똑똑한 유권자'로 만드는 일에 더욱 분발해주길 바란다. 활자와 친하지 않고, 어려운 이야기라고 외면하는 이들을 위해 영상과 인포그래픽, 소셜미디어로 다가가 '감세의 진실'을 알리는 노력도 더해주면 좋겠다.[19]

15. ESG에 진심이어야 할 헌법적 이유

5대 그룹 중 SK에 뒤이어 LG가 ESG 보고서를 발표했다. 친환경(E), 사회적 책임(S), 투명하고 민주적인 지배구조(G)를 지향하는 ESG 경영이 기업의 필수적 과제가 되고 있는 것이다. 애초 기업의 투자유도 전략으로 논의되던 ESG는 새로운 재편 국면을 맞은 세계화 질서 속에서 기후위기, 보편적 인권 의식의 성장, 구조적 불평등의 심화 등 전 지구적 대응이 필요해진 현안들에 대해 기업들도 동참하지 않을 수 없는 가치가 되고 있다.

2021년부터 유럽연합이 자본시장에 관여하는 금융사에 ESG 공시의무를 법제화함으로써 이제 ESG 경영은 기업윤리의 차원을 넘어 법적 의무로 전환되고 있다. 올해 초 이탈리아는 헌법을 개정하여 기업의 환경보전 의무를 명시하였다. 환경보전의 과제를 헌법화한 것은 스페인(1978)을 필두로, 네덜란드(1984), 독일(1994), 프랑스(2005)의 사례에 뒤이은 것으로 ESG가 헌법적 차원에서 추진되는 큰 흐름을 보여준다. 제3세계 아동 및 여성 노동 착취와 같은 기업 인권에 대한 국제인권규범의 발전 또한 기업활동에 또 다른 법적 과제를 제시하고 있다.

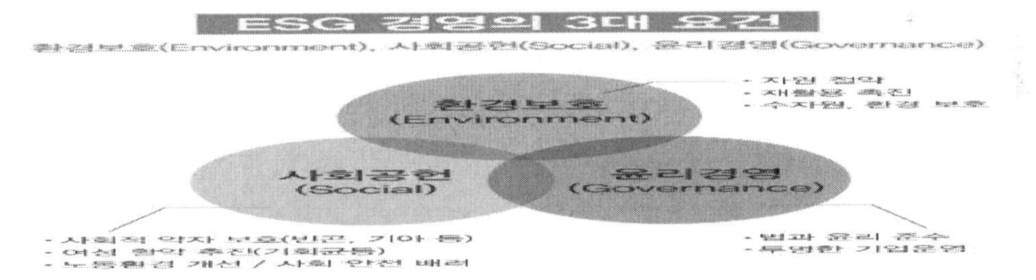

그런데 주목할 것은 국제사회에서 ESG의 헌법화에 대한 관심이 증폭되고 있는 것보다 더 빠른 시기에 우리는 ESG 경영을 헌법적 과제로 설정해왔다는 점이다. 문제는 이러한 선도적 가치를 담은 헌법이 제대로 규범적 영향력을 발휘하지 못하고 있었던 것이다.

우리 헌법은 제헌헌법 이래 권력구조와 기본적 인권에 관한 장과 별도로 경제에 관한 독립된 장을 두어 온 특색이 있다. 현행 헌법에서는 한 걸음 더 나아가 제119조 제1항에서 개인과 기업의 자유와 창의를 존중하는 것이 경제질서의 기본임을 명시하여 기업에 헌법적 지위를 부여하는 이례적 접근을 하고 있다.

이처럼 기업을 헌법화한 데 대해 경제관계의 일방 당사자에게 과도한 지위를 부여한 것으로 마땅치 않아 하는 시각도 없지 않다. 그러나 시장경제체제에서 기업이 주요한 경제주체임이 엄연한 현실에서 국가와 사회의 기본법인 헌법에서 기업을 헌법생활의 주체로 인정하는 것은 나름의 의미가 있다. 무엇보다 정치적 민주주의와 경제적 민주주의의 조화를 추구하는 민주공화국의 기본질서에서 국민경제의 중요한 축을 형성하는 기업에 그에 걸맞은 시민적 지위를 부여한 것으로 새길 수 있는 중요한 근거가 될 수 있다.

기업에 국민경제생활의 주축인 시민, 즉, 공동체 구성원적 지위를 부여하는 것은 모두가 공존·공생·공영하는 민주공화국의 발전에 기여하는 차원에서 긍정적인 의미를 가진다. 무엇보다, 기업의 헌법화는 축적된 자본의 효율성과 재생산에만 골몰하기보다 기업성장의 보이지 않는 토대인 공동체의 지속 가능 발전을 위해 기업이 공적 책임의 일부를 부담하는 헌법적 이유가 된다.

현행 헌법은 1980년 헌법부터 명문화한 환경보전에 대한 국가와 국민의 공동책임을 제35조에서 계승하고 있다. 개인과 더불어 경제주체의 지위를 헌법에 의하여 승인받은 기업은 환경보전에 대한 국민의 공동책임을 이행해야 할 헌법적 의무를 가진다.

시민적 지위를 가지게 된 기업의 사회적 책무 또한 근로환경과 노사관계에 대한 기본적 인권의 보장 조항을 통해 이미 헌법적 과제가 된 지 오래다. 인간의 존엄성을 보장하기 위해 근로조건의 기준을 법률로 설정하도록 한 근로의 권리에 관한 조항이나, 사용자인 기업에 또 다른 경제주체인 근로자와의 단체적 교섭 및 쟁의를 원칙적으로 수용하도록 규율하는 노동3권 보장 조항이 대표적이다. 이로써 개인이 가지는 불가침의 기본적 인권을 확인하고 보장할 국가의 기본적 존립 이유에 순응하여 기업은 소속 근로자의 인간으로서 존엄을 존중하는 근무환경을 조성할 공적 책무를 기본과제로 한다.

나아가 경제주체 간의 조화를 통해 경제민주화를 달성하도록 한 경제헌법의 조항은 사회정의와 공정경제의 가치를 실현할 기업시민의 공적 책임의식을 전제로 하고 있다. 기업은 소속근로자뿐만 아니라 협력관계를 가진 다른 기업과 그 소속 근로자의 인권과 복지, 그리고 기업활동의 기반이 되는 지역사회와 국민경제 및 국제사회의 균형발전을 위한 책임의식을 소홀히 해서는 안 될 헌법적 책무를 가진다.

최근 현안이 되고 있는 중대재해처벌법이나 노란봉투법에 대하여도 경영권이나 재산권에 함몰된 주장보다는 기업의 헌법적 지위에 걸맞은 책임과 조화를 이루는 조건을 고민하면서 헌법적 자유와 권리를 추구할 수 있는 기업의 예지가 필요해 보인다.[20]

16. 독일과 중국의 위기, 세계경제의 위기

미국의 금리 인상과 통화 긴축의 파장이 세계를 뒤흔들고 있다. 급기야 아시아 지역의 외환위기 가능성이 거론되기도 한다. 블룸버그통신은 지난달 25일 중국 위안화와 일본 엔화 가치의 하락 현상을 우려하면서 한국의 원화, 필리핀 페소화, 태국의 바트화 등이 위기에 가장 취약할 것으로 보도했다. 그러나 한국의 경제구조는 필리핀이나 태국과는 다르다. 외환보유액에 직접적인 영향을 미치는 경상수지도 아직 뚜렷하게 적자로 돌아선 것은 아니다. 무역수지가 4월 이후 계속 적자를 보이고 있다는 것이 불안한 대목이긴 하다. 그렇지만 위기가 1997년처럼 동남아에서 시작하여 한국으로 번질 가능성은 아직은 크지 않은 것 같다. 심각한 것은, 주요 제조업 국가들의 위기가 세계경제 위기로 번지는 상황이다.

유럽은 이미 위기 속에 들어가 있다. 위기가 가속화 내지 전면화될 것인지 여부는 우크라이나 전쟁의 귀추에 달려 있다. 우크라이나 전쟁의 향방에는 러시아는 물론 미국의 입장도 중요하게 작용할 것이다.

러시아가 우크라이나를 직접 침공한 것은 올해 2월이지만, 전쟁 구도는 바이든 행정부 출범 이후부터 형성되었다(이혜정 교수). 바이든 행정부는 이전의 트럼프 행정부의 친러 노선을 배격하고 북대서양조약기구(NATO·나토)의 범위를 과거의 사회주의권이던 중·동부 유럽으로 확장하고자 했다. 우크라이나가 친미·반러 노선을 강화하자 러시아는 지난해 봄부터 우크라이나에 대해 강압외교로 맞섰다가 군사적 침공을 감행하기에 이르렀다.

바이든 행정부는 나토를 강화하고 유럽과 아시아 지역 동맹들을 결속하며 러시아에 대한 경제 제재를 시도했다. 미국이 주도한 경제 제재에 동참한 국가들은 유럽과 아시아의 동맹국을 중심으로 40여개국이다. 경제 제재의 최종적 효과는 좀 더 지켜봐야 알 수 있겠지만, 분명히 보이는 것은 러시아의 주요 수출품인 에너지, 식량, 비료, 광물 등을 수입하는 나라들의 고통이다.

유럽의 산업 경쟁력은 약화될 것이다. 서방 선진국들 중에서는 특히 독일이 가장 큰 어려움을 겪을 것으로 보인다. 독일은 1990년대 이래의 글로벌화 국면에서 과거 사회주의권과 가장 활발하게 네트워크를 발전시켰다. 그런데 유럽이 우크라이나 전쟁의 수렁에 빠져들었다. 유럽의 기관차 역할을 하던 독일도 큰 타격을 입을 수밖에 없다.

독일과 이탈리아는 러시아에 대한 에너지 의존도가 높아서 대러 제재로 인한 고통이 크다. 2020년 기준으로 석유・석탄・가스 등 화석에너지를 러시아에 의존하는 정도는 독일 28.3%, 이탈리아 25.1%이다. 프랑스는 9.7%, 영국은 8.7%, 미국은 1.4%에 불과하다. 그런데 전쟁으로 독일~러시아를 잇는 가스관 노르트스트림 사업에 대한 추가 투자가 중단되었다. 기존 가스관에서도 누군가의 공격으로 추정되는 폭발사고가 일어나기도 했다.

이제 러시아와 중국의 글로벌 네트워크를 차단하려는 것이 미국의 정책이다. 그러나 미국의 정책이 얼마나 효과를 거둘지는 불확실하다. 미국은 과거 냉전 시기처럼 글로벌 공공재를 공급할 수 있는 능력을 갖추지 못하고 있다. 우크라이나 전쟁은 유럽의 문제라는 성격이 강하지만, 중국을 네트워크에서 분리하는 것은 세계적 범위의 문제다. 미・중 갈등은 자유・정의의 이념보다는 미국의 자국 이익 수호 차원에서 전개될 것으로 보인다. 중국의 경우 자국 내의 구조적 위험성에 주목할 필요가 있다. 2010년대 이후 미・중 갈등이 진행된 것은 중국의 경제발전이 기존의 글로벌 분업구조와 충돌한 결과로 볼 수 있다. 중국의 경제규모가 커지면서 대외적・대내적 갈등 요인이 커졌다. 중국의 지정학적 고립은 매우 오랜 역사를 지니고 있는데, 1990년대 이래의 글로벌화 조건은 인근의 대만, 한국, 일본 등 제조업 모델국가들과 연계될 수 있게 했다. 홍콩이라는 개방 창구를 지닌 것도 중국의 행운이었다. 그러나 중국이 제조업 국가로 발돋움하는 데 기회가 되었던 환경 조건이 사라지면서, 제조업 고도화가 장벽에 부딪히고 있다.

당장 중국 정부가 총력을 기울인 반도체 산업의 향방이 불투명하다. 중국의 8월 반도체 생산량은 전년 동기 대비 24.7% 감소했다. 이는 1997년 집계를 시작한 이래 가장 크게 줄어든 것이다. 여기에 건설・부동산 부문의 후퇴는 재정적 대응능력을 제약하고 있다. 부동산 자산을 담보로 한 지방정부의 인프라 투자가 한계에 직면한 상황이다.

미국의 적극적인 보호주의 정책은 제조업 국가들에 충격을 주고 있다. 독일과 중국이 경제적 위기에 빠지면, 세계경제는 크게 흔들릴 것이다.[21]

17. 리질리언스 제4섹터

리질리언스(resilience)는 압축 탄성으로, 섬유가 외부의 힘의 작용으로 굴곡 압축 등의 변형을 받았다가 외력이 사라졌을 때 되돌아가는 능력을 말한다. 따라서 리질리언스는 카펫에 사용되는 섬유, 침구용 솜의 성능과 밀접한 관계가 있으며, 피복의 내추성에도 크게 영향을 준다.

지역소멸 문제가 또다시 화두가 되고 있다. 이번에는 지역소멸 문제를 극복하기 위해 투입된 정부지원금 배분 문제가 불거지고 있다. 10년 동안 국비 10조 원을 들여 인구감소 지역을 막고자 한다는데 강원도에만 올해 2,400억 원이 배정되었다. 이 가운데 도내 16개 시군에 1,800억 원이 배정되었는데 '인구감소지역'과 '관심지역'으로 분류하고 투자계획에 따라 등급을 매겨 기금을 차등 배분했다. 문제는 지역소멸 위기를 해결하기 위해 도입한 정책자금이 시군간 경쟁으로 배분되고 있다는 점이다. 예전에 이런 실험이 있었다. 사람들을 모아놓고 아무 설명없이 우선 상식 시험을 보게 한 뒤, 두 사람씩 짝을 지어 돈을 지불하면서 알아서 나누어 가지라고 했다. 그랬더니 시키지도 않았는데 대부분의 사람들이 시험 성적에 따라 돈을 배분하는 모습을 보였다. 우리 사회는 아직도 시험이나 경쟁이 정당성을 구현한다고 강하게 믿고 있다. 지역불균형 문제를 해결하기 위해 정부가 쏟아내는 자금들이 지역 간 발전기획서 경쟁으로 심사가 이루어지고, 그렇게 어렵게 따온 개발자금을 지자체 내에서도 또다시 경쟁으로 심사를 거쳐 나누어준다.

한국경제의 변방이라는 별명으로 서러움을 겪는 강원도가 우리끼리 어설픈 짓을 하고 있다. 너무 무서운 것은 저 아이디어가 우리의 지도자들 머리에서 나온 것이라는 점이다. 세상에서 제일 무서운 사람이 누구인지 우스개 소리가 생각난다. 가장 무서운 사람은 '무식한 사람', 그 보다 무서운 사람은 '소신없는 사람', 그런데 더더 무서운 사람은 '무식한데 소신있는 사람'.

필자는 지역소멸 문제를 풀기 위해 정부로부터 10년간 진행하는 연구프로젝트를 받았다. 그런데 주변에 스승이 너무 많은 것 같다. 얼마나 위대한 역량을 갖춘 스승들인지 이 어려운 문제를 단번에 풀려고 한다. 능력없는 필자는 지역소멸 문제를 타격을 입은 위험으로부터 회복하는 회복탄력성(리질리언스)과 그 뿌리 힘이 되는 사회적 자본, 그리고 지역 기업들이 주축이 되어 지역사회 문제를 함께 해결하고 부가가치 활동 결과를 타시도가 아니라 강원도에 스며들게 하는 '제4섹터'에서 답을 찾고자 한다. 18개 시군의 사회적 자본 수준을 측정하여 시계열 자료를 만들고 그 뿌리를 찾아 지역 기업과 단체들을 만날 것이다. 그리고 그들과 꽤나 그럴듯한 계획을 수립하고 실천하며 지역 주민들과 함께 웃을 것이다. 눈을 쳐다보며 말하고자 단체보다는 사람으로서, 누구는 '개인'이라고 말하지만, 다가가고 오랫동안 주민들을 만날 것이다.

지역소멸 위기 대응을 위한 사회적 자본 제고와 제4섹터 활성화 방안은 포스트 코로나19 시대와 포스트 제4차 산업혁명 시대를 대비하기 위한 실용적인 정책 중심의 문제해결 방안이 될 것이다. 메가 아젠다 "갈등과 사회통합: 저출산과 인구의 구조변동"은 사회적 자본과 제4섹터 주제와 밀접한 연관성을 확인할 수 있다. 인구구조의 변화와 사회변동의 전환기에 선 한국 사회에서 가족, 사회, 지방과 수도권, 지역 간 균형발전에 부합하고 종합적인 대응책을 마련하기 위한 다양한 정책 모색과 활성화 방안 제안이 필수적인 이유이다.

지역소멸 문제는 우리 강원도 18개 시군 중에 16개 시군이 대상이 된다는 사실로부터 다시 시작해야 한다. 시간이 걸리더라도 단기정책 수립에 연연하지 말고 중장기적으로 접근할 필요가 있다. 도지사나 시장들은 막 당선이 되어 마음이 바쁘겠지만 4년 후 재선을 원한다면 4년 후 선거를 지금부터 준비해야 한다. 여우와 사자는 슬기로운 사냥꾼이 될 필요가 있다.[22)]

아기는 걸음마를 떼기 위해 수천 번을 넘어진다. 아기가 셀 수 없이 많은 시행착오를 겪고 나서야 제대로 걸을 수 있다. 이처럼 어린 시절의 우리는 수없이 넘어지고 나서야 다시 일어서는 법을 배운다. 다시 일어서는 원동력, 오늘 여러분의 리질리언스 실천은 무엇인가요?[23)]

18. 금융위기의 새로운 역학

물가 고공행진에 맞선 글로벌 차원의 공세적 통화긴축 행보로 국내외 금융시장이 요동치고 있다. 하지만 인플레이션 충격의 향배조차 아직 시장 반응이나 정책 행보에 온전히 소화되지는 못한 모습이다. 1970년대식 스태그플레이션, 아니 20세기 초 국제질서의 붕괴와 같은 아마겟돈의 그림자는 좀처럼 지워지지 않고 있다.

국제통화기금(IMF)은 최근 낸 '국제금융안정보고서'에서 '고인플레이션 환경 헤쳐가기'를 주제로 제시했다. 인플레이션 고착화를 방지하기 위해 고강도 금리 인상이 불가피한 상황에서 그로 인한 금융 안정상의 위험이 커지고 있기 때문이다. 여기서 IMF는 시장유동성의 위축에 주목한다. '시장유동성'은 주로 중앙은행의 통화 공급에 의존하는 '화폐유동성'과 달리 금융시장에서 자산 매매의 용이성을 의미한다. 사실 코로나19 초입에서 나타났던 격렬한 금융시장의 발작은 이와 같은 시장유동성 증발 영향이 컸다. 대체로 시장유동성은 특정한 충격이 금융시장 전반에 광범위하게 증폭되는 메커니즘으로 작용한다.

IMF는 이와 관련해 몇 가지 구조적 변화에 관심을 환기시킨다. 우선 자본규제 강화로 인해 은행권의 시장 조성자 역할이 약화되고 있다는 점이다. 사실 대형 은행들은 시장 경색이 초래될 때 반대매매를 통해 시장을 지탱하는 역할을 수행하곤 한다. 하지만 글로벌 금융위기 이후 은행 규제가 강화되면서 그 역할이 위축되고 있다. 둘째는 기술혁신인데, 은행권의 역할이 위축된 대신 주로 알고리즘에 기반한 비전통적인 금융회사들이 시장 조성자로 나서고 있다. 이러한 알고리즘은 변동성이 확대될 때 자동적으로 시장 탈출을 도모하면서 유동성 불안을 더욱 부추기게 된다. 나아가 ETF와 같은 패시브(지수 추종) 투자자들의 성장도 시장 쏠림 현상을 자극함으로써 그 취약성을 가중시킨다.

금융위기의 교훈에 기반해 은행권의 레버리지를 규제한 결과, 또 기술혁신과 안정적인 투자관리 노력 등이 역설적으로 자본시장의 리스크를 키운 셈이다. 따라서 이제 시스템 리스크의 무게중심이 은행이 아니라 자본시장으로 옮겨갔다는 평가가 나오기도 한다. 하지만 동시에 리스크의 파괴력이나 확산력은 상대적으로 억제되고 있는지도 모른다. 가령 20년래 최고 수준의 '킹달러'에도 불구하고, 아직 국제적으로 달러 유동성 시장의 불안은 코로나 발작기를 크게 하회하고 있다. 주된 충격은 미국 연방준비제도(Fed·연준)의 공격적인 금리 인상에 따른 시장금리 급등, 자금조달 비용 상승에 따른 주식 등 위험자산의 밸류에이션 재조정에 집중되고 있다. 국내에서 미국과 통화스와프를 체결할 필요성에 대한 회의론에는 이런 이유도 일조할 것이다.

시스템 안정의 핵심인 은행권의 여건은 비교적 양호하다. IMF가 위기 상황을 가정하여 실시한 글로벌 은행 스트레스테스트(28개국 262개 은행 대상)에 따르면, 은행권의 보통주자본비율은 2021년 14.1%에서 2023년 11.4%로 떨어지는 것으로 나타났다. 국가나 글로벌 주요 은행(G-SIB) 중 최소자본비율 4.5%를 하회하는 곳은 없다. 물론 신흥시장은 은행 자산 중 29%가량이 이를 밑돈다. 그러나 여기서도 지역별 차이는 커 보인다. 그 결과가 구체적으로 제시되진 않지만, 금융시장의 위험 지표들을 보면 아시아 지역은 대체로 양호하고 중남미나 중동부 유럽 위주의 이른바 '프런티어 마켓' 지역이 취약한 모습이다.

하지만 진짜 위험은 시장유동성이나 금융불안에만 그치지 않는다. 특히 부동산 광풍은 우리만이 아니라 글로벌 차원에서 오랫동안 광범위하게 진행되면서 격렬한 조정 압력을 낳고 있다. 또 코로나19 영향에 여전히 시달리는 중소기업은 물론, 경제 재개에 힘입어 수익성이 강화되던 대기업들도 최근에는 임금이나 비용 상승으로 몸살을 앓고 있다. 유동성을 넘어 신용건전성에도 경계를 늦추지 말아야 할 시점이다. 나아가 공세적 긴축에 따른 경기침체 위험이나 지정학적 갈등 심화와 맞물린 국제공급망의 무질서한 재조정 위험은 그 부담을 더욱 가중시킨다. 금융위기의 역학 변화와 맞물려 더욱 심각한 도전들이 부상하고 있다. 그 종착역은 과연 어디일까?[24]

신흥국과 선진국 간 가교 역할을 톡톡히 할 '코리아 이니셔티브' 는 각국의 환영 속에 채택됐다. 우리나라가 주도했지만 더 발전된 내용의 글로벌 금융안전망이 탄생할 것으로 보인다. 코리아 이니셔티브의 또 다른 축인 '개발 의제'도 각국의 호평 속에 서울선언에 포함됐다.[25]

19. 민생예산 삭감, 국회가 바로잡아야

민생보단 정쟁으로 치달았던 국정감사가 끝나고 본격적인 예산심사 기간에 돌입했다. 국회는 지난 28일 내년 예산결산특별위원회 예산소위를 국민의힘 6명과 더불어민주당 9명 등 총 15명으로 구성했다. 그런데 비교섭단체는 제외하고 교섭단체인 거대 양당 의원들로만 소위를 채워 다양한 각도에서 꼼꼼하게 심사해야 할 예산을 두고서도 정쟁으로 치닫지 않을지 걱정스럽다.

윤석열 정부가 9월2일 국회에 제출한 내년 예산안은 639조원으로 올해(607조 7000억원) 대비 5.2%가량 증가했다.

정부는 건전재정이라며 자랑스럽게 내놓았을지 몰라도 최근 6년간 최저 증가율이며, 민생과 관련한 예산들이 상당수 삭감되어 시민들로부터 많은 비판을 받고 있다. 건전재정은 지출 구조조정으로만 접근할 게 아니라 증세와 신세원 발굴을 통해 재정수입을 늘리는 방안도 있다.

하지만 정부는 세법개정안에서 드러났듯이 신세원 발굴은 없고, 법인세와 상속세, 종합부동산세 등 담세능력이 큰 재벌·대기업과 고자산가들에 대한 세금은 대폭 줄여줬다. 우연인지 몰라도 서민과 취약계층을 위한 예산은 지출 구조조정이라는 미명하에 삭감되었다. 부자들의 세금 감면으로 줄어들 재정수입을 서민과 취약계층을 위한 재정지출을 감소시켜 상쇄시키려 하는 것으로 비친다. 삭감된 서민과 취약계층 관련 주요 예산은 다음과 같다. 우선 서민 주거 안정을 위한 공공임대주택 관련 예산이 5조6000억원이나 삭감되었다. 정부가 직접 고용하는 공공일자리 예산도 902억원 줄었다. 여기에는 취약 노인을 위한 공공형 노인일자리

6만1000개 감소분도 포함되어 있다. 효과에 대한 논쟁이 있는 지역화폐에 대한 정부지원 예산은 전액 삭감되었다.

지역화폐로 불리는 지역사랑상품권은 소상공인과 지역 소비자들에게 지원해 지역경제 활성화에 기여해온 것이 사실이다. 설령 정부의 입장에선 효과가 없다고 생각해도 이해관계자들과 제대로 된 논의도 없이 일방적으로 지원예산을 전액 삭감하고 재정적으로 힘든 지방정부에 알아서 하라는 것은 잘못되었다. 그 외에도 돌봄과 청년 등의 예산도 삭감되었다. 식량안보와 주권, 국민들의 먹거리와 관련되어 비중을 늘려야 하는 농업예산은 확대는 고사하고 6년 만에 최저 증가율을 기록했다.

내년도 농림축산식품부 예산은 17조2785억원으로 올해(16조8767억원)에 비해 2.4% 증가하는 데 그쳐 전체 예산 증가율 5.2%에도 한참 못 미쳤다. 오죽하면 농민들로부터 농업 홀대라는 비판까지 나오겠는가.

지속되는 코로나19와 러시아-우크라이나 전쟁, 미·중 무역분쟁, 미국의 금리인상 등 국내외적 환경으로 인해 우리 경제는 어두운 터널에 갇혀 있다. 국민들은 허리띠를 졸라매며 하루하루 버티고 있다. 따라서 국회가 향후 진행될 예산심의 과정에서 민생 경제 회복에 도움이 될 수 있도록 제대로 심사해주길 당부한다.[26)]

정부가 긴축재정하겠다고 하면서, 솔선수범해야 할 대통령실과 국가안보실 등의 예산은 신규편성하거나 증액했다. 국민들께서 정부가 말하는 긴축재정에 납득할 수 있을지 의문이다.

경제가 어려울수록 서민과 중산층의 민생난이 가중될 수밖에 없다. 고물가·고금리·고환율으로 가뜩이나 힘든 상황에서 민생사업에 대한 예산 삭감은 반드시 바로잡아야 한다.

20. '재야'의 경제학

얼마 전 '재야'의 경제학자 정태인 박사(1960~2022)가 세상을 떠났다. 그의 부음이 전해지자 시중과 언론에서는 근래 보기 드문 추모 분위기가 형성되었다. 그에게는 진보 경제학자, 진보 경제정책가, 독립연구자, 경제평론가 등의 칭호가 따랐다. 필자는 그를 '재야'의 경제학에 헌신한 이로 부르고 싶다.

'재야'는 영어로는 번역되지 않는 한국만의 독특한 개념이다. 재야는 제도권 밖이라는 정치공간, 지식인들이 중심이 된 변혁지향적인 운동, 정치적·경제적 이익에 연연하지 않는 도덕성 등을 특징적 요소로 포함하고 있다. 재야는 과거 권위주의 시절에 정권의 억압으로 제도권 밖으로 밀려 어쩔 수 없이 수동적으로 형성된 측면이 있다. 또한 권력 획득에만 연연하기보다는 국가권력 자체를 민주주의 체제로 전환하려는 능동적인 성격도 있다(이기호 교수).

재야는 주로 운동의 정치를 수행했는데, 경제학 분야에서는 재야 운동에 깊숙이 간여한 이는 상대적으로 많지 않다. 정태인은 박현채(1934~1995)의 제자를 자처하곤 했는데, '재야의 경제학'을 말하려면 그 두 사람을 대표적 인물로 거론하지 않을 수 없다.

1950~1960년대는 식민지 지배로부터의 독립이 전 세계적인 화두였던 시대였다. 19세기 후반 이후 선진국의 산업혁명 사례를 추격하려는 후발·후진국들은 국민경제 형성을 위해 나름의 실험을 전개하였다. 일본과 한국은 미국이 주도하는 자본주의 진영 안에서 동아시아형 경제발전을 추구했다.

박현채의 재야 활동은 1960년대에서부터 1980년대에 걸쳐 있다. 박현채의 민족경제론은 1950~1960년대에 제기된 자립경제론에 뿌리를 두고 있다. 자립경제론은 알렉산더 해밀턴이나 프리드리히 리스트의 국민경제 모델에 입각한 산업화 노선을 기본으로 한다. 산업 간 균형이냐 불균형이냐, 수입대체 우선이냐 수출 우선이냐 하는 것은 산업화의 구체적인 전략 문제다. 민족경제론은 여기에서 더 나아가 민족 분단의 위험, 경제적 불평등, 정치적 반동화 등에 대결하고자 했다.

그러나 박현채의 민족경제론은 1990년대에 새로운 조건을 맞이했다. 국내적으로는 1987년 민주화체제가 형성되었고, 세계적으로는 글로벌화와 사회주의권의 붕괴가 진행되었다. 냉전체제의 이완과 민주화의 진전은 남북관계와 불평등 개선의 징후를 나타냈다. 1980년대 후반 박현채와 적극 교류한 정태인은 민족경제론을 두 가지 방향에서 수정·보완하려 했다고 여겨진다.

첫째는 진보 이론 내부에 존재하는 민족문제와 계급문제의 갈등을 해결하려는 시도다. 고전파 경제학 이래 이론의 중심이 되었던 일국적 차원의 생산주의 관점에 전 세계적 차원의 유통주의를 결합하자고 주장했다. 그리고 생산양식에 교통양식을 결합하여 사회구성체를 인식해야 한다는 주장을 한 바 있다.

두 번째는 글로벌화 시대를 맞아 민족경제를 동아시아 지역주의와 결합하고자 한 것이다. 이에 대해 그는 적극적인 정책 개입을 통해 현실에 바로 적용하려고 했다. 그는 노무현 정부에 적극 참여하면서 '동북아'라는 지역주의 비전을 도입하는 데 기여했다. 노무현 정부는 '평화와 번영의 동북아시대'라는 국정목표를 제시한 바 있다.

필자는 정태인이 이론의 세계에서 현실정치의 세계로 급속히 돌격해간 뒤, 가라타니 고진의 〈세계사의 구조〉〈세계공화국〉 등의 저술을 접했다. 그가 논의하는 교환양식과 세계공화국 개념을 보면서 정태인의 생각을 떠올렸다. 가라타니 고진은 네 개의 교환양식을 상정했다. 그것은 부족사회의 호혜, 국가사회의 약탈과 재분배, 자본제 사회의 상품교환, 그리고 세계공화국의 고차원적으로 회복된 호혜의 교환양식이다. 정태인은 사회적경제와 협동의 경제학, 동아시아 평화의 경제학을 전개했다. 가라타니 고진은 이론적이지만 정태인은 실천적이다.

정태인은 현실 정치권에 적극 개입했지만 결코 제도권 인사가 되지는 못했다. 그는 진보적 권력을 열망했지만 권력 자체와는 불화하는 인물이었다. 그의 경제학은 변혁을 지향하는 경제학, 도덕성을 추구하는 재야의 경제학이었다. 그는 뛰어난 지식인이었으나 돌격대를 자임했다. 필자는 그가 정치에 기여하되 정치에 너무 깊이 연루되지 않기를 바랐다. 조금 더 후방에서 숨을 고르고 중도와 공화의 길을 탐색하기를 바랐었다. 그러나 그는 항상 최전선을 지켰다. 그는 끝까지 기후위기와 동아시아 평화의 경제학을 외쳤다. (그가 그토록 걱정하던 청년들이 또 많이 희생되었다. 함께 안식을 빈다.)[27]

21. 물가안정과 금융안정 병행, 그 불가능한 임무

11월 미국 연방공개시장위원회(FOMC)는 다분히 매파적이었다. 제롬 파월 미 연방준비제도(Fed·연준) 의장은 세 가지 점을 분명히 했다. '인플레이션이 통제되지 않고 있다' '금리 인상 속도는 늦추겠지만, 이를 금리 인상 사이클의 종점이 임박했다는 신호로 해석해서는 안 된다' '궁극적으로 이번 긴축 사이클의 금리 고점은 9월 FOMC에서 제시했던 것보다 더 높아질 개연성이 있다'. 천천히, 그러나 더 오랫동안 금리를 올리겠다는 것이 파월 의장 발언의 요지였다.

어떤 정책이든 대체로 상반된 효과(trade-off)가 발생한다. 중앙은행이 물가안정과 금융안정을 동시에 추구하는 것은 매우 어려운 일이다. 인플레이션이야 작년 하반기부터 글로벌 경제의 주요 화두였지만, 금융불안이 본격적으로 대두되기 시작한 것은 9월 말부터였다. 이 글에서 말하는 금융불안은 주식시장이 아니라 채권시장에서 발생하는 혼란이다. 주가가 떨어지는 것도 가벼이 볼 일은 아니지만, 금리를 결정하는 채권시장의 혼란에서 비롯되는 파장은 주식시장에 비할 바가 아니다. 금리는 경제활동의 거의 전 영역에 영향을 주기 때문이다.

9월 말~10월 초 영국의 국채 금리가 급등하자 영란은행이 긴급 양적완화에 나섰다. 한국도 자금 조달처로서의 채권시장 기능이 사실상 마비되면서 한국은행의 유동성 지원 정책이 발표됐다. 미국 역시 국채 시장의 유동성 경색이 문제로 거론되고 있다. 미국은 지난 9월부터 연준이 양적완화를 통해 사들인 채권을 시장에 매각하는 양적긴축을 실시하고 있는데, 중앙은행이 내놓는 채권을 소화해 낼 수 있는 민간의 유동성이 현저히 부족한 상황이다.

가. 양자택일한다면 금융안정 골라야

한국과 영국에서는 중앙은행이 공격적인 긴축정책을 펴는 와중에 경제에 유동성을 공급하는 이례적인 모습이 나타나고 있다. 올해 경험한 기준금리 인상 속도도 파격이었지만, 긴축의 와중에 금융불안정을 완화하기 위해 중앙은행이 시장에 개입하는 모습도 나름의 파격이었다. 그렇지만 이런 파격에도 불구하고 채권시장이 안정되고 있다는 조짐은 없다. 중앙은행이 기준금리를 올리는 긴축 사이클이 끝나지 않았기 때문이다. 금리가 계속 올라가는 상황에서는 일시적 유동성 공급이 큰 효과를 보기 어렵다.

당장 한국은행의 고심이 깊을 것이다. 미국의 기준금리가 4%까지 높아졌고, 향후 금리 인상 종착점의 금리(터미널 레이트)도 이전의 기대보다 높아진 상황에서 한국은 3%의 기준금리를 어떻게 조정해야 할까. 한국은행은 미국에는 해당되지 않는 통화가치 안정이라는 고민까지 안고 있다. 한국은 지난 10여년 동안 가계와 기업 등 민간의 부채 증가 속도가 미국보다 훨씬 빨랐기 때문에 금리 상승으로 감내해야 할 부담이 상대적으로 크다.

금융안정과 통화가치 안정 사이에서 선택을 한다면 금융안정을 골라야 한다고 본다. 미국보다 금리가 낮으면 자금이 빠져 나가는 리스크를 감내해야 한다.

요즘은 외국인뿐만 아니라 내국인의 자금도 금리와 환율을 고려해 자국 밖으로 나갈 수 있다. 그렇지만 미국을 따라 금리를 올리다가 금융 시스템이 흔들린다면 더 큰 규모의 자금이 빠져 나갈 수 있어, 환율보다는 시스템의 안정성을 고려해 의사 결정을 내리는 게 옳다고 본다. 11월 금통위에서 한국은행이 기준금리를 0.25%포인트만 인상하는 베이비스텝을 선택할 수도 있다고 본다. 한국 채권시장이 겪고 있는 극심한 신용경색 상황을 고려하면 그렇다.

다만 어느 경우라도 채권시장의 불안을 일거에 해결할 수 있는 방법은 없다. 신용경색을 해결하는 가장 교과서적인 처방은 시장이 상상하는 것보다 훨씬 큰 규모의 부양책(자금 공급)을 사용하는 것이지만, 요즘과 같은 고물가 국면에서 중앙은행이 이런 처방전을 쓸 수는 없다. 이번 FOMC에서도 파월 의장은 중앙은행의 과도한 긴축이 가져올 수 있는 리스크에 대한 질문을 받자 "상황이 악화되면 우리가 사용할 수 있는 수단을 아낌없이 사용하겠다" 고 밝혔다. '우리가 사용할 수 있는 수단' 은 높이 올려 놓은 금리를 공격적으로 낮출 수 있다는 뜻일 텐데, 파월 의장 발언의 방점은 '상황이 악화되면' 에 찍혀 있다. 파월 의장은 과잉긴축보다 과소긴축으로 인해 인플레이션이 장기화되는 데 따르는 부작용이 훨씬 크다고 곧바로 발언했기 때문이다. 선제적 대응이 아니라 상황의 악화를 확인하고 난 다음의 수동적 대응이라는 뉘앙스가 강했다.

나. 금리 인상 끝나도 고금리 지속될 듯

금융안정을 위한 중앙은행의 유동성 공급이 인플레이션을 자극할 수 있다는 점 외에도 2008년 글로벌 금융위기 이후 고착화됐던 과잉 유동성이 실물경제와 자산시장의 괴리를 심화시켰고, 구조조정을 지연시키면서 시스템 전반의 건전성을 약화시켰다는 성찰도 존재하는 것 같다. 장기간 지속됐던 과잉 유동성은 실물경제에 순기능으로 작동하기보다는 자산시장의 풍선효과로 귀결됐던 측면이 강하다. 글로벌 금융위기 이후 장기화됐던 저금리 기조는 구조조정을 지연시키기도 했다. 금리가 극단적으로 낮다보니 비효율적인 경제주체도 퇴출되지 않고 근근이 명맥을 유지할 수 있었다. 자본주의에서 불황이 주는 미덕은 비효율적인 경제주체가 퇴출되고, 살아남은 플레이어들이 경제적 자원을 효율적으로 활용하면서 체제의 활력을 높일 수 있다는 데 있다. 저금리가 고착화된 지난 10여년 동안 이런 과정은 구조적으로 봉쇄돼 왔다. 무차별적인 유동성 공급보다는 옥석을 가려 지원해야 한다는 당위론도 있을 수 있지만, 이런 방법으로 신용경색이 해결되는 경우는 별로 없다. 옥석을 가리는 것도 힘든 일이고, 신용의 문제는 한 경제주체의 파산이 연쇄적인 파급효과를 가지는 다이내믹스가 존재해 정교한 외과수술식 처방으로 문제를 해결하기도 어렵다.

현 국면에서 물가안정과 금융안정을 동시에 추구하는 것은 '미션 임파서블' (불가능한 임무)이라고 본다. 금융불안정이 심화되면 중앙은행이 '인플레이션 파이터' 가 아닌 '경제의 최종 대부자' 로 나서겠지만, 선제적 대응보다는 사후적 수습에 그칠 가능성이 높다. 또한 금리 인상이 끝나더라도 상당 기간 긴축지향적인 고금리가 지속될 가능성이 높다. 인플레이션으로부터 금융불안정이라는 또 다른 리스크가 잉태되고 있다.[28)]

22. 인플레이션 대책, 증세는 어떠한가

인플레이션 대응책으로서의 금리 인상 정책은 언제까지 계속될 것인가? 물론 물가상승률만이 아니라 환율 문제도 관리해야 하는 우리나라는 "미국 중앙은행으로부터 독립되지 않았으므로" (이창용 한국은행 총재) 미 연방준비제도(Fed·연준)의 금리 인상을 따라가지 않을 수 없는 면이 있다. 하지만 이런 식으로 '황새를 따라가는 뱁새' 의 가랑이가 언제까지 버텨줄 것인지에 대한 회의론은 이미 미국 재계뿐만 아니라 세계 각국에서 불거져 나오기 시작했다. 물가 관리를 위한 금리 인상에 있어서 미국보다 더욱 '매파' 적인 입장을 취해오던 캐나다 중앙은행이 이번에 드디어 금리 인상 속도를 늦추기 시작했다는 것은 그래서 의미심장한 일이다.

인플레이션 대책으로서의 금리 인상이 지속가능한 것일까? 그 회의론의 논리를 들어보자. 첫째, 이번 인플레이션은 공급/비용 측의 원인이 절대적이다. 인플레이션은 사람들의 소비 욕구가 과도하여 생길 수도 있지만(수요 측), 지정학적 불안정에 의한 에너지, 식량, 원자재 등의 가격 상승에서(공급 측) 생겨날 수도 있다. 전자의 경우에는 금리 인상이 주효한 대책이 되겠지만, 후자의 경우에는 사실 별 소용이 없다. 물론 어떤 원인에서이건 사람들이 일단 물가 인상을 예측하는 '기대 인플레이션' 심리가 발동하게 되어 있으며, 현재의 금리 인상은 이를 잠재우기 위해 필요한 측면이 있다. 하지만 이것이 중장기적 혹은 근원적 대책으로서 옳은 것일까?

둘째, 인플레이션은 절대로 '화폐적 현상' 이 아니다. 물가 인상의 충격과 피해가 모든 경제 주체들에게 고르게 가해지기는커녕, 이 틈을 타서 오히려 큰 이익을 보는 세력과 극심한 타격을 입는 세력 특히 저소득층 서민들에게 불균등하게 나타난다. 하지만 금리 인상은 모든 이들에게 무차별적으로 동일한 비용 지출을 강요하는 일종의 '정률세' 와 같아서, 인플레이션의 극심한 불평등 효과를 증폭시키게 된다.

셋째, 이 과정에서 전반적인 경기 침체뿐만 아니라, 미래를 위한 산업구조의 전환에 찬물을 끼얹어 장기적인 성장 가능성을 파괴한다. 주지하듯이, 기술주 관련 업체들은 계획하는 사업이 실제 수익으로 연결될 때까지의 시간을 기약하기 힘들기 때문에 자본 조달 비용 즉 금리에 아주 민감하게 되어 있다. 여기에서 고금리 상황이 계속된다면, 미래를 향한 과감한 혁신적 투자는 위축될 수밖에 없고, 그 후과는 오래도록 그림자를 드리울 것이다.

넷째, 폭발 직전의 부채를 어떻게 관리할 것인가? 지난 30년간의 이른바 '레버리지 경제' 체제로 인해 어느 나라이건 자본주의의 긴 역사 속에서 총생산 대비 총부채의 비율이 지금처럼 높은 적은 없었다. 1990년대 초 일본의 거품 붕괴 사태에서 보듯, 이 상황에서 금리 인상을 지속하는 것은 방바닥에 가솔린이 흥건히 깔려 있는 상황에서 부싯돌을 치는 것과 다름이 없다.

다섯째, 인플레이션이 계속될 경우 금리를 도대체 어디까지 올리겠다는 것인가? 위의 원인들이 모두 중요하지만 특히 첫째와 넷째를 감안한다면 금리 인상에 뚜렷한 한계가 있다는 것은 분명하다. 금리 상한선이 그 한계에 도달했는데도 인플레이션이 계속해서 기승을 부린다면 그때는 어떻게 할 것인가?

가. 고민 시작해야 할 시점은 지금

인플레이션을 금리 인상으로 관리한다는, 낡아빠진 1970년대 통화주의 경제학의 '죽은 경제학자들' 로부터 풀려날 때가 되었다. 대안적 정책으로서 감세가 아닌 증세를 생각해 볼 때가 되었다.

첫째, 사람들 심리의 '기대 인플레이션' 이 문제라면, 증세 또한 금리 인상과 동일한 효과를 거둘 수 있다. 당장 부가가치세와 같은 소비 관련의 간접세를 한 시적으로 올리는 방법이 있다. 이자나 세금이나 똑같은 '비용' 이다. '가격으로의 비용 전가' 는 금리 인상의 경우에도 마찬가지이다.

둘째, 모든 채무자들에게 똑같은 비율의 희생을 요구하는 금리 인상과 달리, 조세정책은 강자와 약자 그리고 살리고 북돋아야 할 활동들과 억제해야 할 활동들을 나누어 관리할 수 있다. 비슷한 예로서 에너지정책의 경우를 보자. 지금 채권시장 교란의 큰 원인이 되고 있는 한국전력 적자 누적은 등귀하는 에너지 원가 때문이다. 이 상황에서는 과감하게 전력 가격을 인상하고, 거기에 취약한 집단이나 취약해져서는 안 될 집단들에 (산업정책) 보조금을 지급하는 것이 옳은 판단이다. 기후위기와 탄소 절감의 산업 및 사회 전환을 위해서도 이는 피할 수 없는 일이다. 지금처럼 중장기적인 원가 불안정이 예고되는 상황에서는 일괄적으로 전기료를 낮게 유지할 것이 아니라 이러한 선별적인 대처의 체제를 준비해야 한다. 마찬가지의 원리로 조세정책을 전환한다면, 경제적 약자들과 미래 희망이 되는 성장 산업 등을 일괄적으로 희생시키는 금리 인상 정책을 피할 수 있는 우회로가 될 것이다.

셋째, 증세를 통한 국가 재정의 확보는 지금 화약고가 되고 있는 국가 총부채의 구조 조정을 위한 자원이 될 수 있다. 나라에 따라서 부채의 구조는 달라서, 민간 부채가 상대적으로 적고 국가 부채가 큰 나라도 있는 반면 그 반대의 경우도 있다. 우리나라는 후자의 경우로서, 기업 특히 가계부채는 세계 최상위권에 있지만 (좁은 의미의) 국가 부채는 상당히 건실하다. 하지만 지금처럼 고금리 상황이 세계적으로 상당 기간 지속될 가능성이 높을 때에는 이러한 국내 총부채의 구조를 조정하여 민간 부채에서 아주 위험이 큰 부분은 적극적으로 국가 부채로 전환시키는 등의 노력이 필요하다. 여기에 큰 덩어리의 재원이 필요하다는 것은 말할 필요도 없다. 그런데 19세기에나 통용되던 '균형 재정/작은 재정'의 신화를 고집하여 시스템 전체의 안정성을 위협하는 민간 부채를 방치한다는 것은 언어도단이다.

나. 윤 정부는 '감세와 균형재정' 고집

넷째, 인플레이션이 장기화되고 악화될 가능성을 본다면 이러한 전환은 불가피하다. 기준금리 인상으로 물가인상률을 대처할 수 없는 '천장'에 도달할 경우라 해도, 환율 등의 문제로 고금리 상황은 일정 기간 계속될 것이 분명하다. 당길 수 있는 레버를 끝까지 당겼는데도 인플레이션이 계속될 경우에 대처할 수 있는 정책 수단은 무엇이 있을까?

방금 나열한 새로운 재정정책은 많은 고민과 준비 나아가 사회적 합의까지 필요한 것이므로 금융통화위원회처럼 몇 명이 하루아침에 결정할 수 있는 것이 아니다. 그렇다면 고민을 시작해야 할 시점은 지금이다.

'인플레이션은 화폐적 현상' 이라는 경제학 교과서의 주술에서 벗어난다면 얼마든지 생각할 수 있는 일이다. 주류 경제학에 거세게 맞서온 '현대화폐이론' (속칭 MMT) 학파는 현재의 인플레이션에 대해 금리 인상으로 대처하는 것에 계속 회의를 표했으며, 대신 증세 및 재정 구조 전환을 대안으로 내세웠다. 이렇게 해서 마련된 재원으로 적극적이고 미래적인 산업정책을 구사할 것을 제안하고 있다. 이 글의 문제의식과 궤를 같이하는 주장이다.

최근의 인플레이션 상황에서 '현대화폐이론' 학파가 힘을 잃었다는 칼럼이나 언급이 가끔 보이지만, 이는 그 학파의 주장을 '정부는 인플레 걱정 없이 돈을 막 풀어도 된다' 는 황당한 방식으로 곡해한 결과로 보인다. 오히려 이들이 줄곧 주장해왔던 인플레이션 대책으로서의 증세와 적극적 노동 및 산업 정책의 주장이 더욱 힘을 얻고 있는 상황이다.

작년에 있었던 한 인터뷰에서 미국 하원의 예산위원장인 존 야무스 의원은 명시적으로 '현대화폐이론' 학파를 언급하면서 그와 궤를 같이하는 생각을 토로한 바 있다. 상황이 상황이니만큼, 현실을 다루는 이들은 탄력적인 사고를 할 수 밖에 없을 것이다.

그래서 올해에 통과된 미국의 '인플레이션 감축법' 을 보자. 핵심은 증세이다. 부유층과 대기업을 대상으로 4200억달러의 증세를 이루어 이를 전 국민을 위한 약값 보조와 미래형 산업정책에 쏟겠다는 것이 그 전체의 내용이다. 몇 달 전 기세등등하게 마거릿 대처 수상 흉내를 내면서 들어선 영국의 리즈 트러스 내각이 어처구니없이 '감세' 를 내걸었다가 어떤 민폐를 낳고 어떤 수모를 당하면서 무너졌는지와 비교해보라. 인플레이션은 경제학에서 아직도 풀리지 않는 문제이며, '해도가 없는 바다' 이다. 윤석열 정부의 경제팀은 2025년까지 '감세와 균형 재정' 을 이루겠다고 계속 고집하고 있다.[29]

23. "주식투자를 도박으로 보는 한국…안정적 노후 생각하면 주식 사야"

존 리 메리츠자산운용 대표는 최고경영자(CEO)지만 차가 없다. 대중교통이 세계 최고 수준인 한국에서 왜 굳이 차를 소유하려 애쓰냐고 반문한다. 폼 잡으려 하지 말고 차 굴릴 돈으로 주식을 사라고 조언하는 '주식 전도사' 다. 끊임없이 제발 노후준비에 신경쓰라고 강조한다.

노후준비 제대로 하지 못한 것이 출생률은 낮고 자살률은 높은 현실을 초래한 측면도 있다고 여긴다. 지난해 코로나19 위기 때는 '존봉준' 별명도 얻었다. 한국 주식을 팔아치우는 외국인에 맞서 개인들이 매수에 나서는 '동학개미 운동' 을 이끌었다는 평가를 받았다.

'주식 투자 전도사' 로 불리는 존 리 대표가 지난 26일 서울 계동 메리츠자산운용 본사에서 경향신문과 인터뷰하고 있다(우철훈 선임기자).

- 왜 주식에 투자해야 하나.

"노후준비 때문에 주식 투자가 중요하다. 주식 투자를 하지 않고도 노후를 성공적으로 준비하기는 거의 불가능하기 때문이다."

- 많은 사람들이 나름대로 은퇴 이후를 준비한다.

"물론 그렇다. 하지만 노후준비 부족한 사람이 훨씬 더 많은 게 현실이다. 한국이 금융교육을 제대로 하지 않았기 때문이다. 노동뿐 아니라 자본도 중요하다는 걸 가르쳐줘야 한다. 그런데 한국은 자본의 중요성을 소홀히 한 측면이 있다. 노후준비 부족은 참혹한 결과를 가져왔다. 자살률 상승과 출생률 저하 등과도 관련이 있다고 본다."

- 외국은 노후준비를 대부분 연금으로 하는 것 같은데.

"연금을 어디에 투자했는지가 중요하다. 연금은 여러 분야에 투자할 수 있는데, 높은 수익률을 기록한 연금은 상당수가 주식시장에 투자한 것들이다."

- 선진국은 금융교육을 어떻게 하는지.

"선진국이라고 국민 모두가 금융지식을 많이 갖고 있는 것은 아니다. 다만 국가가 사실상 주식 투자를 강제하는 부분이 있다. '노후 준비해라. 당신 노후가 위험하다' 이런 걸 선진국에서 오래전부터 강조해왔다. 한국도 10여년 전에 시작했지만 조금 다른 측면이 있다. 한국은 퇴직연금을 원금 보장하는 상품에 넣는 사례가 많은데, 그건 연금에 일을 시키지 않는 것이나 마찬가지다. 예를 들어 1년에 2% 이자만 생겨도 원금 보장에 넣는다. 캐나다나 미국 같은 나라는 캠페인을 한다. 퇴직연금은 30년 뒤에 필요한 돈이니 놀리지 말고 주식에 넣어야 한다고 교육하는 것이다. 그걸로 끝나는 게 아니다. 주식 투자에 들어간 돈은 기업으로 흐른다. 새로운 기업이 탄생할 수도 있다. 경쟁력 있는 기업이 생겨난다. 그런 게 바로 선순환이다."

- 주식 투자는 이미 존재하는 기업에 투자하는 것 아닌가.

"상장한 기업의 주식을 사는데 무슨 상관이 있냐고, 많은 사람이 착각한다. 예를 들어보자. A기업의 시가총액이 200조원인데, 주가가 올라서 300조원이 됐다면, 그 회사의 경쟁력은 완전히 달라지게 된다. 당장 자금조달 비용이 크게 줄어들어 A기업 실적은 좋아질 수밖에 없다."

- 좀 더 자세하게 설명해달라.

"테슬라는 연간 전기자동차 생산량이 100만대도 안 된다. 하지만 성장 가능성을 보고 투자자들이 테슬라 주식을 사면서 시가총액이 급격하게 불어났다. 전 세계 고숙련 엔지니어를 다 데리고 올 수 있다. 회사 기술력이 높아지니 경쟁력이 좋아지게 된다. 금융시장이 그래서 중요한 것이다. 한국 최고 기업인 삼성전자가 아무리 좋은 실적을 내도 투자자가 외면해서 시총이 작다면 경쟁력이 떨어지게 된다."

현대자동차는 지난해 전 세계에서 자동차 374만여대를 팔았다. 테슬라 판매량은 49만9550대였다. 7월27일 기준 시가총액을 보면 테슬라는 약 729조원, 현대차는 48조원이다. 판매량은 현대차가 7.5배 많지만, 시총은 테슬라가 15배 많다.

- 주주들이 경쟁력을 키운다는 뜻인가.

"투자가 원활하게 이뤄지면 한국에서도 테슬라 같은 기업이 나올 수 있다. 주식 가치가 올라가면 기업에 돈다발이 생기는 셈이다. 임직원 월급을 늘리거나 스톡옵션을 줄 수도 있다. 또 인수·합병(M&A)이 자연스럽게 이뤄질 수 있다. 테슬라도 자기네 원천기술로 전기차를 만드는 게 아니다. 주식가치 올라가면서 생긴 돈다발로 다른 회사 기술을 사서 새 차를 개발하는 것이다."

- 증시가 조정을 겪을 것이라는 얘기가 많다.

"글쎄…. 나는 그런 타이밍을 맞히려고 하지 않는다. 위기가 온다고 하고 제대로 맞힌 사람 한 명도 없었다. (비 내릴 때까지 지내는) 인디언 기우제처럼 조정은 온다, 조정이 온다고 하는데 한 번은 오겠지. 그렇다고 그것 때문에 투자하는 걸 멈추겠다면 잘못된 것이다. 꾸준히 하는 사람을 이길 순 없다."

- 그런 생각이라면, 주식 투자를 언제 시작할지 묻는 건 무의미하겠다.

"그렇다. 오늘 시작해야 한다. 대부분 이렇게 얘기한다. 주식시장 한번 폭락이 올 테니까 그때를 기다리면서 현금 갖고 있겠다. 최악이다. 좋은 사업 아이디어가 있는데 경제가 다 망한 다음에 시작하겠다는 것과 마찬가지다. 투자는 어차피 전 재산 들여서 하는 것이 아니다. 월급의 10%나 20% 갖고 하면 된다. 그러면 오늘 투자하고 내일 폭락했을 때 또 사면 된다."

- 경제가 언제쯤 본격 회복할까.

"많은 경제학자와 전문가들이 전망하는데 혼란스럽다. 내 결론은 '어차피 모른다, 알려고 하지 마라'이다. 거기에 투자를 연결시킬 필요 없다. 코로나가 생길지 아무도 몰랐고, 얼마나 갈지도 몰랐다. 모르는 걸 알려고 하는 건 어리석다."

- 개별 주식과 펀드 중 뭐가 낫나.

“주식 직접투자는 개인에게 절대적으로 불리하다. 대신 연금저축펀드라는 좋은 상품이 있다. 수익률이 복리로 15%에 이른다. 400만원 투자했다면 세금 60만원 환급해주는데 그것만 챙겨도 수익률이 15%다.”

- 나중에 세금 떼는데.

“수령할 때 떼는 세금은 세율이 낮다. 그동안 세금 낼 돈으로 투자 계속하게 되니까 투자자에게 유리한 거다. 연금저축펀드를 권유하면 ‘아, 너 장사 하려고 그러는 거지?’ 라며 색안경을 끼고 본다. 지금 내야 할 세금이 20년, 30년 후의 나를 위해 일하는 것이다. 이런 상품은 널리 알려야 한다.”

- 직접투자의 위험성은.

“일단 세금 혜택이 없고, 분산할 수 없다는 점이다. 특정 종목은 가격이 너무 높을 수도 있고, 나중에 어떻게 될지 알 수 없다. 반면 펀드는 적은 돈으로 할 수 있다. 1만원으로도 가능하다. 커피값으로, 운동화 살 돈으로도 할 수 있다. 그런데 주식은 그렇게 할 수 없다. 사람들이 펀드는 남 먹여살리는 거고, 주식은 내가 할 수 있는 거라는 잘못된 생각을 갖고 있다.”

- 한국 투자자는 펀드도 사고팔고를 자주 하는 편이다.

“주식 투자하듯 펀드 샀다 팔았다 자주 한다. 은행이나 증권사 창구에서도 수수료 때문에 그렇게 권유해왔다. 그러나 절대 좋은 방법이 아니다. 주식이나 펀드는 10년, 20년 갖고 있으면 돈을 다 벌게 돼 있다. 물론 신중하게 골라야 하지만, 제대로 고르면 자본주의 경제 시스템에서는 올라갈 수밖에 없다. 요새는 수수료가 많이 떨어지는 추세여서 펀드가 100% 유리하다.”

- 펀드도 고르기 어려운데.

“많이 분산할 필요는 없다. 제일 먼저 퇴직연금부터 봐라. TDF(Target Date Fund · 투자자의 생애주기에 따라 주식과 채권 투자 비중을 조정해 주는 금융상품. 일반적으로 가입자가 젊은층이면 주식 등 위험자산 비중을 높여 고수익을 추구하고, 은퇴할 연령에 가까워지면 채권 등 안전자산 비중을 높인다)라는 게 있다. 투자자가 별 고민할 필요 없이 다 돼 있다. 투자자 연령대에 따라 포트폴리오를 구성한 것인데, 그게 제일 낫다고 생각한다. 80%를 TDF에 투자하고, 그다음에는 자신이 특별히 관심 있는 분야의 펀드에 가입하는 게 좋을 것 같다.”

- 40대 초반 직장인에게 추천할 투자 포트폴리오가 있다면.

"사람마다 다르다. 원금 깨지는 걸 두려워할 수 있고, 위험을 감수하며 용감하게 투자하겠다는 사람도 있다. 일률적으로 어떻게 하라고 추천하기는 힘들다. 다만 투자액 전부를 원금 보장에 넣는 것은 위험하다. 지금 햄버거값이 5000원인데 20년 뒤 2만5000원으로 오른다고 가정해보자. 1억원 가치가 2000만원으로 떨어진다는 끔찍한 얘기다. 그래서 원금 보장이 위험하다는 것이다. 다만 투자 기간이 3년 이하 단기라면 은행에 넣는 게 낫다. 3년 동안 어떤 위험한 일이 일어날지 알 수 없다. 전세자금이나 비상금, 그런 자금은 투자하면 안 된다."

- 위험 측면에서 가상통화는 어떤가.

"그건 투자가 아니라 요행이다. 사람들은 가격 맞히는 것을 투자라고 생각한다. 그건 점쟁이다. 기업을 분석하고 오랜 기간 투자해 그 가치가 올라갈 것이라고 기대하는 것과는 다르다. 근거없이 '가격이 올라갈 거야' 하는 거는 카지노에 가는 것과 다르지 않다."

- 가상통화론자는 다른 얘기를 한다. 금융이라고 한다.

"그런 측면이 있기는 하다. 금을 예로 들면, 투자 수단으로도 쓰이고 인플레 방어 기능도 할 수 있다. 그런데 근본적으로 금은 돌멩이다. 돌멩이가 일을 하지는 않는다. 금은 보관해야만 한다. 반면 돈을 커피숍 차리는 데 투자했다면 열심히 커피 팔아서 성장시키려고 노력할 것이다. 금보다는 커피숍에 투자하는 게 당연하다. 가상통화도 가치가 있을지 모르겠으나 위험성이 너무 크다. 위험은 컨트롤이 가능한 것이어야 한다."

- 국내 주식시장이 외국인 놀이터라고 하는데.

"금융을 이해 못하는 것이다. 예를 들어보자. 좋은 사업 아이디어가 있는데 자본이 없다, 그런데 한국에서 투자를 외면하고 외국인이 투자한다고 해서 받았다, 그 결과 1억원으로 시작해 100억원 됐다고 치자. 외국인에게 지분 20% 줬다고 하면, 나는 80억원, 외국인 20억원이 된다. 이는 한국 경제에 좋은 일이다. 사람들은 외국인이 20억원 가져갔다고 비난하는데 그건 잘못됐다고 생각한다. 쿠팡 같은 기업이 한국에서도 자금을 조달할 수 있다면 굳이 미국에 갈 필요가 없는 것이다."

- 주식을 도박으로 보는 시각이 있다.

"미국에서는 그런 소리 못 들어봤는데, 한국 오니까 도박이라고 한다. 일본은 주식 투자 사실 자체를 부끄럽게 여긴다. 불로소득이라고 한다. 유독 한국과 일본에서는 자본시장에 대한 이해가 떨어지는 것 같다."

- 최근 주식 전문가들이 많아졌는데.

"주식 투자 변동성은 컨트롤할 수 없지만 위험성은 줄일 수 있다. 주식가격이 어떻게 변동할지 알 수 없는데 가르쳐주겠다고 하는 사람은 절대 믿으면 안 된다. 그런데 20년 기다려보면 장기적으로 올라간다. 위험 컨트롤이 가능하다는 거다. 사람들은 변동성 맞히는 것을 투자라고 착각한다. 자꾸 일주일 후 주식가격을 아는 것처럼 얘기한다. 일주일 후 주가를 아는 사람은 전 세계에 한 명도 없다. 그런데 그걸 안다고들 한다. 많은 증권방송, 많은 전문가들이 나와서 이번 주 올라갈 주식을 추천한다. 그건 불가능한 걸 안다고 얘기하는 것이다."

- 강의는 얼마나 자주 하나.

"최근 코로나19가 심해져서 중지했지만 거의 매일 했다. 하루에 두 차례 하는 경우도 있었다. 정말 좋은 것은 평생 가볼 수 없었던 산골에 가기도 한다는 점이다. 평생 주식 얘기를 들어본 적이 없는 분들을 만날 때도 있는데, 그럴 때는 가슴이 벅차고 감정적이 된다."

- 강연료 비쌀 텐데.

"강연료 때문에 가는 것이 아니다. 받을 때도 있지만 안 받는 경우가 더 많다. 나를 통해 노후준비를 시작했다면 그분에게는 엄청난 일이다. 그걸로 끝나는 게 아니다. 자녀들도 부자가 될 수 있는 가능성을 심어줬다면 나도 감사할 일이다."

- 20대 초반으로 돌아간다면.

"지금보다 더 큰 부자가 됐을 것이다(웃음). 돈이 많으면 어려운 사람을 더 많이 도울 수 있고, 할 수 있는 일이 많아진다. 우리나라도 선한 부자가 더 많이 나와야 한다. 나 혼자 잘 먹고 잘살겠다고 하면 너무 재미없다. 젊은이들이 포기하지 않도록 더 많이 가르치고 싶다. 보다 나은 대한민국을 만드는 데 기여하고 싶다. 한국은 근면하고 질서의식이 높은 데다 안전한 나라다. 한국처럼 잘될 가능성이 큰 나라는 세계에 없다." [30][31]

24. ‘빅테크’ 반독점 규제

대형 온라인 플랫폼 사업자, 즉 빅테크에 대한 반독점 규제가 점점 본격화되고 있다. 지난 6월 미국 하원에서 온라인 플랫폼 기업을 대상으로 하는 반독점규제 5개 법안이 민주당과 공화당 의원들 공동으로 발의되었다. 규제대상은 이용자 수와 시가총액을 기준으로 지정되며, 4대 빅테크인 GAFA(구글, 애플, 페이스북, 아마존)가 이에 해당된다.

독과점적인 시장 지위를 이용한 빅테크의 시장지배력 확대와 이의 남용을 막아야 한다는 목소리는 여러 국가들에서 점점 커져왔고 또 구체적인 입법으로 이어지고 있다.

유럽연합(EU) 집행위원회는 작년 12월 대형 온라인 플랫폼 사업자를 게이트키퍼로 지정하고, 이들의 반경쟁적 행위를 막기 위해 ‘디지털시장법’을 발표했다. 일본도 2020년 ‘특정 디지털플랫폼법’을 제정하여, 대형 디지털 플랫폼의 투명성과 공정성을 보장하기 위한 법제도를 강화했다. 우리나라도 ‘온라인 플랫폼 공정화법안’이 현재 국회에 계류 중이다.

미국 5개 반독점규제법안 중 특징적인 내용 몇 가지만 짚어보자. 우선 플랫폼 독점 종식법에서는 대형 플랫폼 사업자가 플랫폼 운영 이외에 자신의 플랫폼을 통해 자사의 재화와 용역을 판매하는 행위를 불법적인 이해상충으로 규정하고 있다. 만일 플랫폼을 이용하는 사업자들과 심각한 이해상충 문제가 발생하면 경쟁당국은 해당 기업을 분할하거나 강제 매각 명령을 내릴 수 있다. 또한 대형 플랫폼 사업자가 자신의 플랫폼을 이용해 자사 제품에 특혜를 제공하거나 플랫폼 이용 사업자들을 차별하는 행위도 금지된다. 진입방해 인수·합병 금지법은 지정 플랫폼 사업자에게 인수·합병이 경쟁 제한적이지 않다는 걸 입증할 책임을 부과하고 있다. 이는 빅테크가 강력한 자금력을 이용하여 잠재적 경쟁사를 선제적으로 인수함으로써 시장지배력을 확장하거나 강화하는 인수·합병을 금지하기 위한 것이다. 기존에는 경쟁당국이 이러한 인수·합병의 반경쟁성을 입증해야 했다.

반독점 규제 강화 흐름의 근저에는 디지털시장의 성장과 플랫폼화 그리고 규제철학의 전환이 놓여있다. 리나 칸 미국 연방거래위원회 위원장의 주장은 이를 상징적으로 또 명쾌하게 보여준다. 그에 따르면, 시장의 경쟁도를 단기적인 가격효과(즉 가격인상과 생산량 감소 여부)로 정의되는 '소비자 후생' 만으로 판단하는 기존 규제레짐은 현대경제의 시장지배구조를 제대로 파악할 수 없다. 흔히 플랫폼 사업자가 저렴한 가격으로 재화와 서비스를 제공하는 것을 두고 소비자 후생의 증가나 혁신의 증표라고 보는 시각도 이에 기인한다. 그러나 이러한 시각은 빅테크의 약탈적 가격(비용이하 가격)전략과 다양한 업종에 걸친 수직적 통합의 위험을 과소평가한다.

온라인 플랫폼시장의 경쟁은 네트워크 효과와 데이터에 대한 장악력을 기반으로 하며, 이는 초기의 이점이 자기강화되는 특성을 지닌다. 이러한 시장에서 가장 효과적인 경쟁전략은 단기적인 이익 대신에 성장을 우선시하여 시장점유율을 높이고, 경쟁자들을 몰아내는 것이다. 이렇게 성장한 온라인 플랫폼은 경제활동에 필수불가결한 핵심 인프라로 기능하면서 경쟁자들조차 고객으로 삼게 되고, 이들과의 이해상충을 야기할 수 있다.

또한 이 과정에서 획득한 이용자 정보는 다른 비즈니스영역으로 진출할 때 중요한 경쟁무기가 될 뿐 아니라 그 자체로 진입장벽으로 작동한다. 이에 리나 칸은 단순히 소비자 후생뿐 아니라 생산자와 시장 전체의 건강성을 유지하는 게 규제당국의 책무라고 얘기하면서 '경쟁과정의 중립성'과 '시장구조의 개방성'을 유지하기 위한 규제개혁안들을 제시하고 있다.

우리도 기왕에 제출된 법안을 조속히 처리하고, 온라인 플랫폼(online platform; 이용자와 이용자 또는 이용자와 기업을 매개해 실물 또는 온라인 콘텐츠를 판매하고 수수료를 수익화하는 사업 모델)에 대한 합리적인 규율체계 구축을 위해 좀 더 심층적이고 구체적인 논의를 시작해야 한다. 일부 공공재의 영역을 제외하면, 시장경제의 건강성은 지속적인 경쟁구조의 유지에 달려 있다. 선(善)한 독점은 존재하지 않는다.[32]

25. 왜 지금 횡재세인가

최근 유럽연합 이사회는 '연대기여금'의 이름으로 횡재세를 공식화했다. 연대기여금은 화석연료 부문의 유럽연합 회원국 기업이 올해나 내년에 벌어들이는 초과이윤에 대해 최소 33%의 세율로 부과될 예정이다. 법인세 과세표준이 2018~2021년 4개년 평균에 비해 20% 넘게 늘어난 부분을 초과이윤으로 본다. 세입은 주로 에너지 취약 계층 및 중소기업 지원에 쓴다. 회원국 별도의 횡재세를 도입하면 연대기여금은 적용 안 된다. 횡재세는 이탈리아, 영국, 스페인, 헝가리, 그리스, 루마니아, 네덜란드에서 이미 시행되고 있다. 벨기에도 도입을 확정했다. 오스트리아도 도입으로 가닥이 잡혔다. 독일과 미국은 논의 중이다. 나라마다 제도가 다르다. 우여곡절도 적잖다.

예컨대 매출부가세와 매입부가세 신고금액 차이에 기초해 횡재세를 부과하는 이탈리아에서는 납세 기업들이 행정소송에 나선 가운데 정부가 미납 과태료를 올리고 횡재세율도 10%에서 25%로 인상했다. 법인세에 더해지던 특별세에 25% 세율을 추가해 횡재세를 부과하는 영국에서는 리즈 트러스가 40여일 만에 총리직에서 물러나면서 폐지 수순을 모면했다. 스페인에서는 천연가스 매출 가격의 기준치 초과 정도를 따져서 세액을 산정하는데 향후 대상 업종을 은행업까지 확대하고 세입은 공공주택 건설과 국영철도 투자 등에 쓸 예정이다. 헝가리는 항공사와 보험사한테도 횡재세를 걷는다. 오스트리아는 노동조합의 제도 설계로 현금영업이익(EBITDA) 증가분을 과세대상이익으로 정의한다.

그래도 문제의식은 다르지 않다. 그것은 팬데믹과 전쟁을 배경으로 경제위기 기간에 정상 범위를 넘는 독점자본의 초과이윤을 어떻게 볼 것인가 하는 물음과 연결된다. 독점자본에 초과이윤을 몰아준 위기가 일반 대중의 희생을 수반하는 과정이었다면 그 초과이윤을 사회적 순편익으로 볼 수 있을까. 오히려 위기가 불러온 편익과 비용을 재분배함으로써 경제적 자원배분을 개선할 여지는 없을까. 핵심 질문은, 이 경우 공정한 보상은 어떤 재분배를 통해 달성될 수 있는가이다.

경제학에서 이와 관련된 논란은 역사가 짧지 않다. 제1차 대전 당시 영국에서 정립되어 세계 최초로 횡재세에 근거를 제공한 '전시이윤 원리'는 전쟁 이전보다 늘어난 전시이윤은 환수되어 전비 조달에 기여해야 한다는 원칙이었다. 반면 당시 미국에서는 이윤 말고 투하자본에 대한 공정수익률을 중시하는 '초과이윤

원리' 가 맞섰고 1917년 10월 통과된 미국 최초의 횡재세 법안은 그 결실이었다. 초과이윤을 계산하는 영국식 '평균소득법' 과 미국식 '투하자본법' 은 그렇게 등장했다. 한편 초과이윤과 '횡재이윤' 이 구분되기도 했다. 전자가 독점자본의 가격설정 결과라면 후자는 외부 요인에 따른 시장 변동 결과라는 설명이다. 그러나 독점자본이 횡재이윤을 몽땅 가져가는 현실에서는 횡재이윤과 초과이윤을 구별하는 실익이 없다.

한국에서도 용혜인 기본소득당 의원과 이성만 더불어민주당 의원의 법인세법 개정안이 발의되면서 횡재세 논의가 시작됐다. 볼멘소리부터 나온다. 혹자는 한국 정유사들은 외국 석유 회사들과는 영위 업종이 다르다고 강변한다. 하지만 이론적으로는 국가적 위기를 배경으로 외부 요인에 힘입어 전례 없는 초과이윤을 벌어들였다면 업종과 상관없이 횡재세의 환수 대상이 맞다. 한국 정유사들은 국제가격을 수용할 수밖에 없어 독과점기업이 아니라는 이야기도 있다. 하지만 그렇다면 소규모 개방경제인 한국에는 독과점기업 자체가 있기 어려울 텐데 과연 그런가. 독과점이 아니어서 시장지배력이 없다면 횡재세를 부과해도 가격 인상으로 소비자들에게 부담을 전가할 수 없다. 그런데 왜 한편으로는 정유사들이 독과점이 아니라면서 다른 한편으로는 가격 전가 때문에 소비자들만 피해를 입는다고 주장하는가. 궤변이다. 횡재세가 기업투자를 줄인다는 분도 있지만 일회적인 한시 대책을 두고 그런 우려는 과장되었다. 1980년 미국 카터 정부의 실패한 횡재세도 언급되지만 그것은 원유 공급과잉을 내다보지 못한 잘못일 뿐이다. 2020년 상반기의 손실은 누구에게나 공통된 것이었고 이월공제로 감세 혜택이 주어지므로 따로 고려될 사유는 아니다.

경제위기가 일상이 되면서 심화되는 양극화에 대한 우려가 깊다. 그러니 이제는 정말로 절박한 대책이 있어야 한다. 약자들을 낭떠러지로 밀어내는 양극화가 눈앞에서 버젓이 진행되는데도 그것을 막아낼 수 없다면 우리 사회는 평등과 연대의 가치를 버리는 셈이다. 횡재세도 못하면 다른 의제인들 쉬울까. 입법이 속도를 더해 연내 꼭 통과되기를 소망한다.[33]

UNCTAD는 인플레이션을 잡기 위해 금리인상이 아닌 다른 대안을 제안했다.

에너지·식품 부족을 해소하는데 거의 아무 역할도 하지 못하는 금리인상 대신 에너지 업체들에 대한 일회성 '횡재세' 등을 도입해 목표로 하는 제품 가격이 급격히 오르지 못하도록 직접 통제해야 한다고 UNCTAD는 밝혔다. 보고서 작성을 책임진 리처드 코줄-라이트는 인터뷰에서 "공급 측면의 문제를 왜 수요측면의 해결방안으로 풀려고 하느냐" 면서 "이는 매우 위험한 접근방식" 이라고 경고했다.

26. 한국 경제의 위기, 신뢰의 위기

지난달 한국개발연구원(KDI)은 “법인세 감세를 부자감세라 주장하는 것은 정치과정에서 제기된 구호에 불과하다” 고 지적한 보고서를 내놓았다. 법인세 최고세율을 3%포인트 낮추는 내용 등을 담은 정부 개편안을 지지하면서 “최근 법인세율 체계 개편안 발표 이후 이러한 주장(부자감세)이 제기되는 것은 민생경제의 어려움을 극복하기 위해 국력을 집중해야 할 시점에 바람직하지 않다” 고도 했다. 그런데 얼마 전 KDI 내부에서 보고서 내용의 수정이 필요하다는 검토 보고서가 제출됐지만 묵살된 것으로 국감자료를 통해 드러났다. 보고서가 공개되기 전 KDI와 기획재정부는 합동정책간담회도 열었다. 추경호 경제부총리는 국감 기간에 보고서를 내세워 법인세 감면을 옹호했다.

지난 6월 한덕수 국무총리가 홍장표 KDI 원장을 두고 “윤석열 정부와 너무 안 맞는다. (문재인 정부의) 소득주도성장 설계자가 KDI 원장으로 앉아 있다는 건 말이 안 된다” 며 압박을 가했고, 홍 원장을 사퇴시킨 것은 결국 KDI 순치 작업이었다는 생각이 든다.

KDI 보고서가 연구자의 개인적 소신이라 해도 오랫동안 한국의 대표적 싱크탱크로 인정받아온 기관이란 점을 감안하면 내부에서 지적된 의견을 반영해 균형된 논리를 전개했어야 옳다. KDI 보고서의 편파성 자체보다 더 큰 문제는 정부가 정책 추진과정에서 불신을 자초했다는 사실이다.

법인세 감세는 효과가 불분명하다는 연구 결과가 다수 나와 있고, 국회 과반을 점한 야당이 수용 불가 입장을 밝혀온 사안이다. 중요한 정책일수록 다양한 의견을 들어야 함에도 반대 목소리에 귀닫고 내부 단속에만 치중하면서 정책을 밀어붙이려는 모습을 본 것 같아 씁쓸하다. 이런 행태가 반복되면 경제정책에 대한 냉소와 불신은 더욱 커진다.

채권시장을 뒤흔든 레고랜드와 흥국생명 사태는 금융당국이 신뢰의 위기에 처해 있음을 보여준 사례다. 금융시장을 안정시키려면 당국의 대처능력에 대한 믿음이 깔려 있어야 한다. 여당 출신인 강원지사가 촉발한 레고랜드발 채권시장 경색에 당국은 한 달가량을 허비했다. 지방정부 보증이면 안전하다는 신뢰가 깨졌으며 지방 공사채 신용평가에 지자체장 성향 분석까지 해야 할 판이다. 흥국생명이 5억달러 규모의 신종자본증권 조기상환(콜옵션) 연기를 발표해 금융시장을 불안에 빠뜨릴 때도 당국은 가능한 해법이라며 흥국생명을 감쌌으나 해외에서는 채무불이행으로 판단했고, 결국 한국 금융회사들은 덩달아 신뢰에 타격을 입었다.

다수의 연구기관이 내년 한국 경제성장률을 1%대로 예상하고 있고, 곳곳에 불안요인이 산재해 있다. 부동산 시장도 연착륙시켜야 하고, 중국의 구조적 경기 하강은 수출기업에 직격탄이 되고 있다. 경제위기는 예측불허 속에 진행속도가 빠를 뿐 아니라 전 세계에서 동시다발적으로 나타나고 있다.

기본적으로 신자유주의에 입각한 윤석열 정부의 정책은 위기 시 대응책 마련에 불안요소를 내포하고 있다. 시장에 대한 정부 개입을 주저하게 만드는 족쇄를 채운 것이기 때문이다. 정부는 틈만 나면 자유주의 시장경제를 외치지만 왠지 공허하다. 대통령이 전 부처의 산업부화를 외치고, 교육부에 반도체 공부 특명을 내리는 모습에서 산업 육성에 올인했던 과거 개발연대의 모습이 떠오르기도 한다. 기업에 힘을 실어주려 하는 듯하나 정작 기업인들 사이에서 현 정부가 기업 친화적이란 평가는 별로 들어보지 못했다. 부산엑스포 유치지원 활동비 명목으로 대기업들은 수십억원씩 내야 하고, 금융권은 특수부 검사 출신의 금융감독원장이 언제 칼을 휘두를지 불안한 눈길로 지켜보고 있다.

출범 6개월이 지난 정부를 바라보는 경제 민심은 흉흉하다. 한국갤럽이 지난 1~3일 취임 6개월 분야별 정책 평가를 물은 결과 경제를 '잘하고 있다'는 답변은 21%에 그쳤다. 통상 경제부총리가 경제 컨트롤타워 역할을 하고 총리와 대통령실 비서실장에 경제전문가들이 앉아 있지만 궁극적으로 경제에 대한 최종 책임은 대통령이 진다.

시민들에게 희망을 안겨줄 비전은 보이지 않고 야당의 협조를 견인할 정치적 리더십도 부재한 상황에서는 경제가 나아지기 어렵다. 외환위기를 한국이 극복할 수 있었던 배경에는 시민들의 자발적 경제살리기 의지가 있었고, 이는 신뢰를 갖춘 정부가 경제주체들에 고통분담을 요구할 수 있었기에 가능했다. 경제를 살리려면 무신불립(믿음이 없으면 설 수 없다)을 생각해야 할 때다.[34]

27. 지속 불가능한 한국 경제

이태원 참사가 발생하기 전에 촬영된 동영상 클립들을 보면, 참사는 돌발적 사건이 아니라 충분히 막을 수 있었던 인재였음을 확인할 수 있다. 몇 시간 전부터 신고 전화가 이어졌고, 질서 있게 군중을 해산시킬 수 있는 '골든 타임'이 분명히 있었다. 그러나 정부는 방관했고, 감당할 수 없을 수준으로 군중의 밀집도가 높아지면서 순식간에 참사가 일어났다. 이태원 희생자가 세월호 참사의 희생자와 달라 보이지 않는다. 이태원 참사는 '제2의 세월호 참사'이다. 안전과 관련된 참사뿐만이 아니다. 미리 대비하지 못하면 경제적 참사도 발생한다는 것이 역사의 교훈이다. 1997년 경제위기를 겪었고, 2008년 세계적 금융위기를 경험했다. 그러나 다가오는 탄소중립 시대의 위기에 우리 정부는 사실상 두 손을 놓고 있다. 이대로라면, 한국 경제의 미래는 암울하다.

2018년 기준으로 발전(전환) 부문과 산업 부문이 우리나라 탄소 순배출량의 약 39%와 38%를 각각 차지하고 있다. 그런데 발전 수요의 약 53%가 산업용이므로, 산업 부문의 직간접적 탄소배출량은 전체의 58%를 상회한다. 산업 부문에서는 철강, 석유화학, 시멘트, 정유, 디스플레이, 반도체 등 6개 업종이 전체 산업 배출량의 79%를 차지하고 있다. 또 이들 6개 업종에 자동차, 조선, 기계, 전기전자 업종을 포함하면, 이들의 탄소배출량은 전체 산업의 직간접적 배출량의 83% 이상을 차지한다.

한마디로, 우리 주력산업들이 탄소를 가장 많이 배출하고 있다. 이는 제조업이 우리 GDP에서 차지하는 비중이 약 26%로 매우 높고, 주력 제조업들이 1970년대 이후에 형성된 중화학공업 중심이기 때문이다. 탄소 1kg을 사용해 생산하는 부가가치를 '탄소생산성'이라고 부르는데, 중화학공업 산업은 탄소생산성이 매우 낮은 산업이다. 따라서 탄소중립으로 이행하기 위해서는 중화학공업 중심의 산업구조를 탄소생산성이 높은 산업구조로 바꾸는 '산업전환'이 필수적이다.

그럼에도 불구하고, 탄소중립에 관한 국내의 논의와 관심은 주로 발전 부문에 집중되어 있다. 발전 부문에서 재생에너지 비중과 원전 비중을 어떻게 설정할 것이며, 녹색분류체계상 세계적으로 인정받을 수 있는 원전 발전 원료와 폐기물 처리 시설 등을 어떻게 확보할 것인가는 물론 중요한 이슈이다.

그러나 발전 부문의 이런 문제보다도 산업 부문의 탄소배출량을 2050년까지

2018년의 20% 수준으로 감축하는 것이 더 심각하고 어려운 문제이다. 정부는 산업전환이 어렵다고, 기존 중화학공업 생산 공정에서 탄소배출량을 획기적으로 줄이는 기술개발과 이를 위한 R&D 지원을 차선의 해결책으로 제시하고 있다. 그러나 정부의 이런 정책은 무책임할 뿐만 아니라, 사실상 국민을 기만하는 것이다.

예를 들어, 탄소배출이 가장 많은 철강산업의 경우에 2030년과 2050년 사이에 수소환원제철 공정이 상용화되어서 탄소배출 자체를 없앨 수 있다는 가정을 탄소중립 시나리오에서 하고 있다. 그러나 수소환원제철이 실제로 상용화될 수 있고 상용화되더라도 2050년 이전에 상용화될 수 있다는 낙관적인 예측을 하는 전문가는 거의 없다. 우리 정부의 탄소중립 대책은 이런 불확실한 기술에 전적으로 의존하고 있는 것이다. 더욱이, 정부의 희망대로 수소환원제철이 상용화된다고 하더라도, 한국 철강산업은 가격 경쟁력을 상실할 것이다. 수소환원제철에 그린 수소가 대량으로 필요한데, 국내에서 이를 충분히 생산할 수 없기에 80% 정도를 수입한다고 계획하고 있다. 그러나 가벼운 수소를 운반하기 위해서는 특수선 제작 등 상당한 비용이 든다. 따라서 그린 수소를 대량으로 생산하는 국가에 수소환원제철소를 짓는 것이 훨씬 경제적이고, 우리 제철산업은 가격 경쟁력을 유지하기 어렵게 된다.

기존의 중화학 공업이 사양화되고, 최신 공장들은 탄소중립이나 RE100 불이행에 따른 제재를 회피하기 위해 국외로 이전하기 시작하면, 동남권을 중심으로 지역 경제의 파탄과 대량실업을 피하기 어려울 것이다. 한국 경제와 사회는 1997년 경제위기 당시보다 더 극심한 침체에 더 오랫동안 빠질 수 있으며, 이 경우 사회 양극화는 더욱 심화될 것이다.

경제적 · 사회적 참사가 발생하기 전에 미리 장기적인 관점에서 산업전환을 준비하고 시작해야만 경제적 · 사회적 비용을 최소화할 수 있다. '고물가 · 고금리 · 고환율'이라는 목전의 경제 문제도 중요하다. 그러나 탄소중립과 RE100을 달성할 수 있는 산업전환의 '골든 타임'을 놓치면, 우리는 돌이키기 어려운 경제적 참사를 피할 수 없다. 정권 쟁탈에 매몰된 정쟁이 아니라 탄소중립과 산업전환이 현재 우리 정치의 주요 의제가 되어야만 한다.[35]

28. 주가지수가 한국 경제에 대해 말해주는 것들

지난 10여년 동안 한국 증시는 장기 횡보세에서 벗어나지 못하고 있다. 사상 초유의 저금리라는 유동성 모르핀을 맞았던 2020년 장세가 예외였을 뿐, 주식시장은 코로나19 팬데믹 이전의 박스권으로 회귀하고 있는 듯하다.

12월7일 코스피(KOSPI·한국종합주가지수)는 2393포인트로 거래를 마쳤는데, 10년 전인 2012년 12월7일 마감 종가는 1957포인트였다. 10년 동안 코스피는 22.3% 오르는 데 그쳤다.

한국 증시는 과거 세 차례의 장기 강세장을 경험했는데, 세 시기 모두 강력한 경제 성장 엔진이 존재했다는 공통점이 있다. 1차 강세장은 1972~1978년에 나타났는데 당시 주가 상승의 동력은 중동 건설붐에 따른 오일머니 유입이었다. 2차 강세장은 1985~1988년의 3저 호황을 등에 업고 현실화됐다. 3차 강세장은 중국 특수를 누리면서 나타났다. 2004~2007년 코스피는 134%(연평균 23.6%) 상승했다.

최근 10여년 코스피의 정체는 한국 경제의 활력 저하와 맞물려 있다. 구체적으로는 중국 특수의 약화 때문이다. '중국 경제 자체의 성장 둔화 → 인건비 상승과 세계의 공장으로서의 중국 위상 약화 → 시진핑 집권 이후 사회주의 이념으로의 경도 → 중국 기업의 성장과 한·중 경쟁 격화 → 지정학적 이슈의 부각과 중국의 보복 → 미·중 갈등과 글로벌 밸류체인의 폭력적 재편 → 2022년 한국의 대중 무역수지 적자 반전' 등은 지난 10년간 한국의 대중국 특수가 약해지는 일련의 과정이었다.

특히 한국의 대중국 무역수지가 적자로 반전되고 있다는 점에 대해서는 깊은 고민이 필요하다. 한국은 내수가 이끄는 성장은 거의 불가능한 경제 구조가 돼버려 수출에 목을 맬 수밖에 없는 형국인데, 중국으로의 수출이 한국 수출의 명운을 좌우해왔기 때문이다.

지난 10년 동안 한국의 국내총생산(GDP)은 연평균 2.7% 성장했는데, GDP 하위 항목들 중 민간소비가 1.9%, 설비투자 2.7%, 건설투자 2.0%, 순수출 3.0%, 정부지출이 4.0% 증가했다. 설비투자는 성장률에 수렴하는 정도로 이뤄졌고, 순수출과 정부지출이 성장률을 끌어올리는 데 기여했고, 민간소비와 건설투자는 성장률을 끌어내렸다.

내수는 민간소비와 설비투자, 건설투자, 정부지출 등으로 구성돼 있다. 내수 항목들 중 가장 규모가 큰 부문은 민간소비인데, 한국의 민간소비는 만성적 정체에서 벗어나지 못하고 있다. 명목 GDP 규모를 넘어선 가계부채와 가계자산 대부분이 부동산에 묶여 있다는 점이 현실적 한계로 작용하고 있다. 과도한 가계부채에 따른 원리금 상환 부담은 민간소비를 잠식하고 있고, 주택 구입에 사용된 자금은 집 값이 오르더라도 매몰자금에 가깝다. 미국처럼 주택가격 상승에 따른 담보가치 상승을 대출에 활용하는 문화에서는 주택가격 상승이 소비를 증가시키는 자산효과가 존재하지만, 한국에는 그저 부동산에 묶인 자금으로 존재할 따름이다. 특히 상당 기간 동안 높은 금리가 유지될 가능성이 높은 현 상황에서는 향후 민간소비의 둔화가 불가피해 보인다.

투자가 부진하다는 통념과는 달리 설비투자는 GDP 성장률에 수렴하는 정도로는 이뤄져 왔다. 또한 GDP에 잡히지 않는 해외투자까지 고려하면 한국 기업들이 돈만 쌓아두고 투자하지 않는다는 비판은 온당치 않다. 다만 설비투자가 한국의 성장률을 끌어올리는 수준까지 늘어나기는 힘들 것이다.

글로벌 밸류체인 재편과 경제 블록화 과정에서 미국에 대한 대규모 투자를 요구받고 있기 때문이다. 건설투자 역시 경제적 자원의 일회적 소모가 아닌 장기적으로 가치를 창출할 수 있는 영역이 이 땅에 남아 있는지 의문이다.

결국은 수출과 정부 재정지출에 대한 의존도가 높아질 수밖에 없는 상황이다.

실제로 2000년대 대부분의 기간 동안 한국 경제와 주식시장의 향방은 수출 경기에 연동되는 양상이었고, 성장 둔화 국면에서는 재정지출이 급격한 하강을 방어하는 역할을 해왔다. 박근혜 정부 후반부인 2015년부터 재정의 성장 기여도가 빠르게 상승해 왔다. 다만 재정건전성과 시장의 자율을 강조하는 보수 정권의 출범으로 재정의 역할은 향후 약해질 개연성이 높다. 결국 수출 경기가 한국의 경기와 주식시장의 향방을 결정짓는 변수가 될 수밖에 없다.

과거 경기 침체 직후 한국 경제가 회복되는 패턴은 '예외 없는' V자형 급반등이었고, 수출이 이런 과정을 이끌었다. 특히 경기 침체 국면에서 가속화됐던 원화 약세는 이후 한국의 수출을 비약적으로 늘리는 견인차 역할을 했다. 원·달러 환율이 2000원에 육박했던 외환위기 직후와 1600원대에 올라섰던 글로벌 금융위기 직후 한국 경제는 수출 호조를 배경으로 빠른 회복세를 나타낸 바 있었다.

이번에는 수출의 V자형 회복이 힘들 것으로 보인다. 과거의 위기 국면보다 환율 조건이 우호적이지 않다는 점이 첫 번째 이유이다. 외환위기와 글로벌 금융위기 국면에서는 달러 대비 한국 원화의 절하 강도가 유독 강했다. 외환위기는 한국 고유의 리스크였고, 글로벌 금융위기 국면에서는 외화 유동성 관리 실수로 한국 시중은행들의 외화 수급 상황이 급격히 악화되면서 원·달러 환율이 큰 폭으로 상승했다. 그렇지만 올해 경험했던 원·달러 환율 상승은 '원화 약세'라기보다는 주요국 통화에 대한 광범위한 '달러 강세'에 가까웠다. 특히 일본 엔화가 한국 원화보다 달러 대비 더 약했다.

10~11월 한국의 수출 증가율은 전년 동기 대비 마이너스로 반전되고 있지만, 일본은 20%가 넘는 수출 증가율을 기록하고 있다는 사실은 수출 회복의 경로가 과거와 다를 수 있다는 점을 시사하고 있다.

대중 무역수지 악화는 두 번째 걱정거리이다. 한국의 대외교역에서 중국이 미친 역할은 지대했다. 2000~2021년 한국의 무역수지 흑자 규모는 7900억달러에 달했는데, 이 중 대중 무역수지 흑자가 7100억달러였다. 대중 무역수지는 지난 5월 10억달러 적자를 시작으로 최근 7개월 중 6개월이 적자이다. 대중 무역수지 적자는 한·중 수교 직후였던 1994년 8월 이후 처음 나타나는 현상이다. 코로나19로 인한 중국의 경제 봉쇄가 이뤄지고 있는 비정상적 상황이기는 하지만 지난 수년간 대중 무역수지 흑자 규모가 계속 축소되다가 적자로 반전됐다는 점에서 대중 교역에 구조적 변화가 나타나고 있다고 봐야 할 듯하다. 주가지수의 장기 정체는 한국 수출의 더딘 회복과 이에 따른 경제의 구조적 저성장을 미리 보여주는 신호일 수 있다.[36)]

29. 의원 선진화법이 필요한 이유

국회가 올해 정기국회 마지막 날까지 내년도 예산안에 합의하는 데 실패했다. 정부가 편성한 예산안 자동 부의제도가 포함된 국회선진화법이 2014년 시행된 이후 정기국회 내 예산안 처리를 못한 건 이번이 처음이다. 국회의장이 15일 본회의를 마감시한으로 예산안 처리를 압박하고 있지만, 긍정적인 신호는 아직 보이지 않는다.

예산의 내용과 규모를 두고 '새 정부 vs 전 정부' 구도로 여야 감정의 골이 깊어지는 가운데, 법인세 같은 예산 부수법안에서도 도무지 접점이 보이지 않고 있기 때문이다. 이대로라면 과거처럼 해를 넘겨 예산안이 처리되거나, 아예 사상 첫 준예산 편성이 현실화될 수 있다는 우려가 나온다.

'선진화' 라는 별칭을 따로 붙여야 할 정도로 선진화법 이전의 국회는 그야말로 후진적이었다. 예산 처리 시점이 임박하면 이른바 1인 헌법기관이라는 국회의원들이 국회 맨바닥에 드러눕기 일쑤였고, 회의장 출입구에 쇠사슬이 내걸리기도 했다. 물론 법정시한이 지켜지는 일은 없었다.

결국 다수당의 날치기 시도와 소수당의 육탄 방어전이 한바탕 벌어지고 나서야, 시간에 쫓겨 대표선수끼리 담판을 짓는 밀실합의가 횡행했다. 급조된 3~4인의 소소위(소위원회의 소위원회)에서 공개토론도 없이 밀실에서 뚝딱 만들어낸 예산안은, 그 과정에서 문틈으로 전달된 수많은 쪽지예산을 탄생시키기도 했다. 이 밀실 협의체의 일탈은 나날이 발전, 국회를 벗어나 한때 호텔방에서 예산을 주물럭대는 지경으로까지 타락했다.

개선됐을 뿐 선진화법 도입 이후에도 국회는 여전히 선진화되지 못했다. 2014년 이후 예산 처리 법정시한이 지켜진 것은 불과 2번뿐이었다. 처음에 하루, 이틀 늦어지던 예산안 처리는 이제는 일주일 정도는 가볍게 법정시한을 넘긴다.

거의 매년 빼먹지 않고 가동되던 소소위도 올해 어김없이 등장했다. 이번에 극적으로 여야가 예산안 합의에 성공한다 해도, 600조원이 넘는 예산안이 '2+2' 같은 비공식 회의체에서 속기록도 없이 처리될 상황이다.

정부 예산안은 이미 두 달도 더 전에 국회에 제출됐다. 더불어민주당과 국민의힘은 기획재정위원회 조세소위 위원장 자리를 놓고 한참을 다투다 예산안 법정시한에서 겨우 2주를 남기고서야 소위를 구성했다. 시간이 촉박해 협의체를 구성해 해결할 수밖에 없다는 변명이 곤궁한 이유다. 감시자도 없이 굴러갈 소소위에는 올해도 어김없이 실세 국회의원들의 선심성 쪽지예산이 쏟아져 들어갈 게 뻔하다.

반쪽의 성공이긴 하지만 국회선진화법은 확실히 후진적이던 국회를 개선하는 데 일조했다. 하지만 선진화된 국회와 제도 안에서도 국회의원들의 행태는 과거와 달라지지 않았다. 제도는 고쳤는데 법 위반에 대한 페널티가 없기 때문이다. 일하지 않는 국회의원들을 일하게 하려면 어떻게 해야 할까. 국회가 아닌 국회의원 선진화법을 만들어보면 어떨까. 법정시한을 넘기면 세비를 대폭 삭감하고, 정당보조금도 같은 비율로 감액해보면 어떨까.

입법과 예산 심사가 본업인 국회가 이렇게 파업을 하는데 일단 '업무개시명령'부터 발동하고, 추후 형사고발이라도 할 수는 없는지 갑갑해진다.[37]

국회 선진화법은 그동안 장기집권을 막는 데 급급했던 우리의 민주주의에 절차적 정당성과 민주적 가치를 부여하는 제도라고 할 수 있다. 예를 들어 필리버스터나 상임위 재적의원 3분의 1 이상이 쟁점 법안에 대해 안건조정위원회 구성을 요구하면 여야 동수로 위원회를 구성해 최장 90일간 논의할 수 있게 하는 안건조정제도 같은 것은, 문자 그대로 소수 의견을 반영하기 위한 조항이라고 할 수 있다.

뿐만 아니라 국회의장의 직권상정을 엄격히 제안한 부분은 다수결의 이름을 빌려 행해지는 수적 횡포를 막자는 취지에서 만든 조항이라고 할 수 있다. 물론 다수당의 입장에선 이런 조항이 걸리적거릴 것이고, 우리와 같이 타협의 문화가 성숙하지 못한 나라에서는 답답하기까지 할 것이라고 충분히 생각할 수 있다.

하지만 지금이라도 인내하며 타협하는 문화를 차근히 만들어가야 한다. 그래서 국회 선진화법은 필요한 것이다.[38]

30. 안녕, 고마워, 인사와 감사

누군가를 만났을 때 "안녕하세요" 라고 인사를 하게 된다. 고마운 일이 생겼을 때에는 "고맙습니다" 라고 감사를 하게 된다. 이 두 가지만 잘해도 일상생활에서 기본은 하게 된다. 간단하지만, 이걸 잘하기도 쉬운 일이 아니다. 감정이 생기고, 보고 싶지 않은 사람이 생기면 인사를 피하게 된다. 싫어도 인사하는 게 쉬운 일은 아니다. 고맙다고 말하는 것은 더더군다나 어렵다. 뭔가 잘되었을 때, 마치 내가 똑똑하고 잘나서 잘된 걸로 생각하는 경우가 많다. 인사와 감사, 내 삶에서 지키려고 하는 내 삶의 기본이다. 그거만 잘해도 큰 욕은 안 먹는다.

나중에 생각해보니까 국가는 물론 모든 조직의 기본 역시 인사와 감사라는 생각이 들었다. 사람을 임명하는 일, 잘못을 찾아내는 일, 그게 인사와 감사 아닌가. 영리기업이든, 정부기관이든 혹은 비영리조직이든 더 커질 수 있는 결정적 기회에 커지지 않는 이유는 대개 인사에 실패했거나, 감사가 정지해서 부패하게 되었던 경우가 많았다. 정권도 마찬가지다. 인사만 잘하면 절반은 한 거다. 그리고 감사를 잘해나가면 나머지 절반의 성공을 만들 수 있다고 본다. 이념 문제 때문에 정권이 실패하는 경우는 본 적이 없다. 인사에 실패하면서 위기가 오고, 자기 일이 아니라 지난 정권의 일만 내내 감사하다가 실제로는 자기들이 부패해서 정권이 바뀌게 되는 것 아닌가? 인사와 감사, 매우 기본적인 일이지만, 잘하기가 쉽지 않다.

나는 감사원 국회소속론자다. 미국이 그렇다. "국가의 세입·세출의 결산, 국가 및 법률이 정한 단체의 회계검사와 행정기관 및 공무원의 직무에 대한 감찰을 하기 위하여 대통령 소속하에 감사원을 둔다." 1987년의 9차 개정헌법은 감사원에 대해 너무 소소한 것까지 규정해서 국회 소속으로 바꾸는 것은 개헌 사항이다. 당분간 이걸 바꾸기는 어려운 게 현실이다.

얼마 전부터 감사연구원이라는 정부기관의 자문을 하게 되었다. 새 정부에서 감사원이 별거 별거 다 감사한다고 나서서, 나는 그 싱크탱크도 엄청나게 큰 줄 알았다. 정원 35명에 현원 29명 그리고 사업비 5억원 내외, 이렇게 미니 연구원인 줄 정말 몰랐다. 규모로는 작은 연구원이지만, 엄연히 정부기관이다. 이곳에서 우리나라 전체의 감사 시스템과 흐름을 만들어야 하는데, 얼마나 우리나라가 감사 기능을 홀대하는지 보는 것 같았다.

현 정부에서 감사 업무의 1차 이슈는 역시 정치적 중립성 문제일 것이다. 이건 누가 해도 어려운 문제이기는 하다. 특히 정치적 상대편을 적이라고 생각할 때 감사원은 권력기관이 된다. 감사원법은 "감사원은 대통령에 소속하되, 직무에 대해서는 독립의 지위를 가진다"고 제2조에서 규정하고 있다. 사실 법대로만 하면 문제될 게 없다. 그렇지만 이 규정이 지켜지기 위해서는 사회적으로나 제도적으로나 부단한 노력이 필요하다.

한국의 감사 제도에서 가장 큰 문제라고 내가 생각하는 것은 외환위기 이후에 상법에서 규정한 민간기업의 감사위원회 시스템이다. 감사의 부패를 막기 위해 감사위원회를 만들었는데, 결국은 사외이사가 감사위원회 위원장을 하도록 제도가 설계되었다. 한 달에 한 번 올까 말까 한 사람이 감사를 총괄하는데, 결국은 그 밑의 부장이나 팀장, 즉 사장이 인사권에 의해 움직이는 사람들이 회사 내 감사를 가지고 놀게 되어버렸다.

사장이 부당하거나 탈법적인 일을 할 때, 시스템에서는 이걸 감사가 막아야 한다. 사외 이사가 무슨 권한으로 사장의 부당함을 막겠는가? 감사는 부하들을 견제하는 일만 하는 게 아니라 기관장 등 최상급 기관의 부당함도 견제하는 게 임무다.

마찬가지 문제가 지자체에서도 생겨난다. 형식적으로 감사위원회를 두고 제대로 운영하지도 않는다. 그리고 감사부장 등 단체장이 임명한 사람들이 실제 감사 행정을 하고, 그 권한을 행사한다. 그러니 '소왕국 현상'이 공공연하게 벌어지는 것 아닌가? 성남시장 혹은 대구시장이 마음대로 행정을 끌고 나갈 때, 도대체 감사는 뭐하고 있었던 걸까? 유사한 문제가 새로 권한이 많이 생겨나는 특별자치도 같은 데에서 더 큰 규모로 발생할 가능성이 높다.

우리나라 전체의 감사 시스템은 선진국에 걸맞게 한 번쯤 업그레이드되어야 한다. 개도국 시절에 만들어진 제도와 관행으로 지금까지 버티고 있는데, 그러니까 캠프 인사들이 결국은 각 기관 감사로 낙하산이 되는 것 아닌가? 아무나 해도 되는 게 감사는 아니다. 차제에 '감사 선진화 위원회', 이런 거라도 만들어서 전체적으로 우리의 감사 체계에 대해 정비하는 기회를 가졌으면 좋겠다. 감사연구원 규모를 보고 정말 깜짝 놀랐다. '눈먼 돈' '혈세' 혹은 "먼저 보는 게 임자", 이런 말들이 정부 예산에 붙어 있는 세간의 평가다. 감사도 더 키우고, 더 정비해서 줄줄 새는 돈과 이상한 관행을 없애는 게 비용 대비 효과가 아주 높을 것이다. 국회에서 일단 감사 낙하산 금지법부터 만들어주시면 고맙겠다. 감사만 잘해도 우리가 가진 문제의 절반은 풀 수 있다.[39]

31. 정부 경제정책방향으론 민생경제 회복 어려워

정부는 지난 21일 2023년 경제정책방향을 발표했다. 목표는 '위기극복과 경제 재도약'으로 설정하고 이를 달성하기 위해 거시경제 안정관리, 민생경제 회복지원, 민간 중심 활력제고, 미래대비 체질개선이라는 4대 방향을 제시했다. 내용을 보면 6월16일 발표한 재벌 규제 완화와 부자 감세로 점철된 '새 정부 경제정책방향'의 구체화 버전으로 비춰진다. 위기를 극복하고 경제를 재도약시키겠다면 경기불황에 직격탄을 맞은 중소기업과 소상공인, 서민들을 위한 정책에 무게를 두는 것이 옳다. 하지만 정부 경제정책방향의 무게 추는 상대적으로 버틸 여력이 큰 재벌과 부자들에게로 기울어졌다. 설상가상으로 우리 경제의 양극화와 불평등, 불공정을 더욱 심화시킬 정책들도 다수 포진되어 있어 우려감이 크다.

우선 다주택자에 대한 취득세 중과 완화와 규제지역 주택담보대출 금지해제는 부적절한 정책이다. 유동성과 잘못된 정부정책으로 급등했던 부동산 가격이 제 가치를 찾아가는 상황에서 굳이 이런 정책들을 추진할 이유가 없다. 부동산 시장을 연착륙시키겠다면 성급하게 개입할 것이 아니라 시장 상황을 충분히 관찰하는 것이 필요하다. 결국 다주택자들에 대한 규제라도 풀어 거품을 조금이라도 떠받치려는 의도로밖에 보이지 않는다. '민간 중심 활력제고'에 포함된 정책들은 더 문제이다. 뚜껑을 열어보면 '재벌 중심 활력제고' 정책임을 단숨에 알 수 있다. 금산분리 원칙, 경제 형벌, 재벌·대기업 공시제도 등 재벌의 경제력 집중 억제와 불공정행위 근절, 사익편취 방지를 위해 필요한 제도들을 대거 무력화시켜버리겠다는 계획으로 보인다. '공정과 혁신'을 경제정책기조에 포함시킨 정부가 공정경제 정책이 아닌 전방위적 규제 완화에 몰두하며 재벌 민원창구를 자처하는 것은 국민을 기만하는 일이다.

핵심 국정과제로 내세웠던 공적연금개혁은 정책방향에서 사라졌다. '더 내고 덜 받는' 국민연금개혁 수준에 그칠 것으로 보인다. 서민과 취약계층, 소상공인과 중소벤처기업들을 위한 정책들도 제시하긴 했다. 4대 경제정책방향 중 '민생경제 회복지원' 분야에 대부분 포함되어 있다. 하지만 실효성이 낮은 기존 정책 연장선상에 머무르고 있어 민생경제 회복이 가능할지 의문이다.

정부는 2023년 경제성장률을 2022년 2.5%보다 0.9% 낮은 1.6%로 전망했다. 경기의 선행지표로 볼 수 있는 주식시장은 오랜 기간 하락세를 벗어나지 못하고 있다. 대내외적으로도 미·중 무역분쟁의 심화, 러시아와 우크라이나 전쟁, 고물가·고환율·고금리 상황이 여전히 지속될 것으로 보여 어려운 한 해를 보낼 것으로 보인다. 부디 민생경제가 더 악화되지 않도록 정부는 재벌과 부자에게로 돌린 시선을 보다 어려운 계층에게로 돌리기를 바란다. 중소기업과 서민들이 무너지면 재벌기업과 금융은 물론, 국가경제도 무너질 수밖에 없음을 알아야 한다.[40]

최상목 부총리 겸 기획재정부 장관은 누적된 고물가·고금리 부담에 따라 올해 상반기 민생 회복을 체감하기는 쉽지 않을 것이라고 전망했다.

최 부총리는 16일 정부서울청사에서 열린 비상경제장관회의 겸 물가관계장관회의에서 “약자 복지·일자리·사회간접자본(SOC) 사업 등을 중심으로 상반기 중에 역대 최대인 65% 이상의 재정을 집행할 것” 이라며 이같이 말했다

정부는 상반기에 SOC 예산 약 15조7000억원을 집중 투입할 예정이다. 또한 최종 수요자까지 신속한 집행이 이뤄지도록 상반기 전체 예산의 75%를 배정하기로 했다. 공공기관 투자와 민간투자 사업에도 각각 34조9000억원, 2조7000억원을 집행한다. 모두 상반기 기준 역대 최대수준이다.

올해 고용과 관련해서는 “취업자 수 증가 규모가 둔화하면서 고용 취약계층이 체감하는 상황은 녹록지 않을 것” 이라고 진단했다. 그러면서 “고용 취약계층의 취업 애로를 해소하기 위해 청년층 일 경험 기회 제공, 출산 육아기 여성의 근로시간 단축 등을 대폭 확대하겠다” 며 “직업 훈련 혁신, 고용 서비스 강화 등을 통해 노동시장 구조 변화에도 선제적으로 투자하겠다” 고 밝혔다.

정부는 최근 예멘 후티 반군의 민간 선박 공격 등으로 인한 홍해 인근 해역의 지정학적 불확실성에 대응한 대책도 논의했다. 최 부총리는 “우리 수출 물품의 선적과 석유·천연가스 등 에너지 도입은 정상 진행 중이나 해운 운임이 지속 상승 중이고 일시적인 선적 공간 부족도 예상된다” 고 짚었다.

이에 따라 정부는 이번 주부터 유럽 노선에 임시선박 4척을 신규 투입하고 현재 2000만원인 수출바우처 국제 운송비 지원 한도도 운임 상승 추이에 따라 상향할 방침이다.

최 부총리는 “정부는 ‘민생 회복이라면 뭐든 다해보겠다’ 는 정책적 의지를 갖추고 올해 경제정책 방향과 연두 업무보고 등 후속 조치를 속도감 있게 이행하겠다“고 강조했다. 그러면서 “조속한 민생 회복을 위해서는 전통시장 소득공제율 한시 상향, 노후차 교체 때 개별소비세 한시 인하 등 정책 입법이 시급하다” 라며 국회의 협조를 요청했다.[41]

32. 민주주의와 시장경제, 그리고 자유담론

벌써 25년여 전으로 기억된다. 김대중 대통령의 자택 앞 당선 일성이 바로 민주주의와 시장경제의 병행 발전론이었다. 우리 정치학도들로서는 왠지 수업 시간에 다루던 이론을 현실에서 직면한 느낌이어서 감탄과 의아함이 교차했던 기억이 생생하다.

당시 외환위기를 맞이한 한국은 민주주의를 희생해서라도 경제를 회생시키는 것이 필요하다는 관성에 난감해하고 있을 때였다. 지금도 박정희 모델을 찬양하는 많은 사람들이 있으니 당시에는 어떠했겠는지 생각해보면 그 분위기를 쉽게 짐작할 만하다. 일부 엘리트들은 잘살기 위해서는 민주주의라는 사치품쯤은 후일 찾아도 된다는 생각에 젖어 있었고, 냉전기 정치학자들이 '근대화론' 즉 민주주의가 경제발전에 자동적으로 따라오는 전리품이라고 설명한 맥락도 모른 채 오로지 선경제론을 주장하는 아류 이론들도 사라지지 않고 있었다.

'발전국가' 모델의 모범국 중의 하나인 대한민국호는 글로벌 충격에 대처할 준비가 충분하지 않았고, 아시아 최강의 제조업 기지를 구축해가고 있던 한국이었지만 몰려오는 외환위기 앞에 구제금융 신청이라는 굴욕적 사태에 직면했다. 외환위기의 책임을 지고 스스로 물러나도 시원찮을 집권당은 얼굴만 갈아 끼운 선거 운동으로도 재집권 운동의 기세를 올렸다. 경제 위기 극복을 위해서 민주주의는 잠깐 미뤄도 되는 것이고 노동 운동과 같은 민중 진영의 요구는 반경제적이라는 주장이 다시 세를 얻는 데는 긴 시간이 필요하지 않았다. 외환위기 당시의 집권당이 외환위기 극복의 주역으로 나서겠다는 뜻이었지만 지지 세력은 급속히 재결집하였다. 결과는 김대중 후보가 보수 후보와의 연대를 통해 가까스로 당선될 지경이었다. 39만표 차이…. 그 격렬했던 선거전은 사실상 경제발전과 민주주의 실현의 우선순위를 둘러싼 전쟁이었다고 해도 과언이 아니었을 성싶다.

물론 분단 한국이 북한이라는 성질 사나운 라이벌을 앞에 두고 있는 한, 안보 비용 문제를 둘러싼 대안들이 후순위 어젠다가 될 수 없다. 민주주의와 경제발전 문제만을 의제화하기에는 대북 안보나 한·미 동맹에 대한 해법을 둘러싼 다양한 정책 조합에 대한 논란을 외면하기 어렵다. 이와 관련해 냉전기 한국은 미국에 대한 동맹 편승을 통해 안보 비용 문제를 해결하는 손쉬운 경로를 걸어왔고, 그 대가로 한국의 민주주의는 북한을 주적으로 하는 고색창연한 자유로 채색되어 왔다. 김대중 대통령과 같은 민주주의자가 정치 인생 내내 빨갱이라는 낙인을 벗기 위해 어렵게 투쟁해 온 것은 이런 이유에서였다. 백낙청 선생과 같은 분이 한국의 '발전국가'가 남북의 기득권 세력이 이해관계로 얽혀 공생·대치하고 있는 대쌍동학을 해결할 의사도 능력도 없다고 비판하는 분단체제론을 제기한 것도 같은 맥락에서 읽힌다.

1998년 김대중 정부의 집권 이후 분단 안보(평화) 문제에 대한 포괄적 해결 방식이 곧 민주주의를 열어가는 대안이요, 민주주의를 지키는 가운데 경제 시스템의 왜곡과 주름을 풀어갈 때 경제개혁 또한 순조롭게 진행될 것이라는 김대중식 해법이 굳게 자리한 것은 냉전기 역사에 비추어보면 획기적인 대사변이었다. 단언컨대 그 이후 여나 야를 막론하고 포괄적 안보(평화)와 민주주의, 경제발전의 3위 1체라는 복합 해법을 부인하는 대안은 없다.

현 대통령의 자유론도 그 점에서 큰 차이는 없을 것이라는 믿음이 있다. 그럼에도 불구하고 왠지 대통령께서 자유를 강조할 때마다 1980년대 헌법 해설서를 읽는 느낌이 되살아나는 건 왜일까? 지난 40년 사이 자유의 의미는 진화해 '국가로부터의 자유'인 해방의 제례로 받아들여지고 있지만, 대통령께서 예의 그 강렬한 눈빛으로 자유를 설파할 때 알 수 없는 공포와 불안을 느끼게 되는 건 왜일까? 대통령께서 남북관계를 언급할 때, 당신의 언론관을 드러낼 때, 그리고 경기 침체를 논할 때, 한결같이 애국주의 국가관과 위기론이 떠오르며, 그 위기 극복과정이 '국가의 자유'와 소외 계층의 아우성으로 점철될 것 같은 느낌은 기우이길 바란다.

자유가 대통령 스스로 내건 모토라면 공정은 유권자가 대통령 후보자에게 붙인 구호이다. 자유가 땅에서 발을 떼고도 유효할 수 있는 구호라면 공정은 흙수저 민생을 동전의 양면으로 하는 분배의 철학이다. 자유의 주창자이신 대통령이지만 민생이 무엇을 원하는지 잊지 말아야 하는 이유이다. 끝으로 '복권 없는 사면'이라는 이상한 카드로 한 정치인의 자유를 흠집 내지 말았으면 좋겠다는 소망도 덧붙인다.[42]

33. 경제는 MB식, 통상은 아베식

새해 국민경제를 생각하면서, 살아 있는 모든 이라면 누리는, 새해 새 아침을 맞지 못한 사람들을 아픈 마음으로 기억한다. 대한민국 공동체의 시민들이 이태원 길을 걷다가, 과천 고속도로 방음터널에서 운전을 하다가 세상을 떠났다. 남겨진 우리가 고인에게 말해 주어야 한다. 고인의 잘못이 아니었다. 국가의 잘못이었다. 국가가 잘못을 인정하고 진심으로 사과해야 한다. 남겨진 가족의 손을 잡아 주어야 한다. 그러나 윤석열 대통령은 전혀 다른 이의 손을 잡았다. 제 손으로 감옥으로 보내더니, 사면해 주었다. 대법원이 선고한 벌금 82억원도 면해 주었다. 신기하게도, 병원에 입원 중이던 전 대통령은 사면되자 바로 퇴원했다. 그런데 이명박 전 대통령의 몸만 감옥에서 빠져나온 것이 아니다. 세금을 내리고 공익규제를 푼다는 'MB노믹스'가 윤석열 대통령의 머릿속에 들어앉았다. 이제 대통령의 혀는 MB의 말을 옮기고 있다. 산업통상자원부 업무보고를 받는 자리에서 국가는 소멸해도 시장은 없어지지 않는다고 말했다고 한다.

그런데 죽음은 거짓을 말하지 않는다. 조선일보의 보도에 의하면, 이명박 정권의 규제 완화는 방음터널 설치 공사에서 불에 잘 타지 않은 재료(불연재료)를 사용하라는 안전 규제를 없앴다. 건설업자의 돈벌이를 위해서였다. 그들의 기득권을 위하여 국민 안전을 희생시킨 것이다. 불연재료 규정만 그대로 두었어도 비극적 화재 참사는 없었을 것이다. 그런데도 사면 선물을 받은 전직 대통령은 사과 한 마디 하지 않는다.

뉘우침이 없는 것은 현직 대통령도 마찬가지이다. 그는 방음터널 참사의 첫 불씨가 화물자동차에서 시작한 화재에서 비롯한 것임을 제대로 보고받았을까? 그가 의기양양하게 진압한 '화물안전운임제'는 이 화물차들의 최소한의 안전을 위한 사회적 장치였다. 대통령은 이를 알고 있을까? 모른 체하는 것인가? 명박경제는 이미 낡았다. 공동체에 유익하지 않다. 2008년 세계 금융위기 이후 도태되었다. 부자감세를 추진한 영국 리즈 트러스 총리는 45일 만에 사임해야 했다.

새해 아침, 독일 정부의 <산업전략2030>에서 주목하는 부분이 '숙련노동자' 이다. 독일정부는 '독일산업의 강력함은 독일의 뛰어난 훈련 숙련노동자에게서 나온다'고 선언하고 있다. 저숙련 단순작업을 반복하는 근로자가 '혁신'을 만들 수 없다. 로봇 투입 계수가 세계 최고인 한국이 독일을 앞서지 못하는 이유이다. 숙련노동자는 오랜 기간, 현장 작업 경험과 체계적 학습에서 성장한다. 노동자가 존중받고 경제 성장의 과실을 함께 누릴 때, 숙련노동자 계층이 사회의 주요한 축으로 등장한다. 독일은 노동자의 자사주 취득에 세금 혜택을 두 배로 늘렸다. 노동자의 참여가 없이는 숙련노동자 경제를 성취할 수 없다. 노동자의 참여를 배제하고 억누르는 곳에서는 잉태되지 않는다. 노동자를 기득권으로 몰아가는 윤석열 정부의 MB경제로는 이룰 수 없다.

새해 한국의 경제통상은 안으로는 숙련노동자가 주도하는 혁신 경제를, 밖으로는 이를 안정적인 국제통상질서로 뒷받침하는 것이다. 이것이 국민경제의 요구이다. 그러나 윤석열 정부의 통상정책은 아베 신조의 것이다. 그의 이른바 '인도·태평양 전략'은 '대한민국은 인도·태평양국가이다'로 시작한다. 그리고 자유, 민주주의, 법치주의, 인권 등 보편적 가치에 기초한 규칙 기반 질서를 강화한다고 말한다. 이 부분은 일본 정부가 2015년에 발표한 환태평양 동반자 협정(TPP) 설명자료와 전적으로 일치한다. 일본 정부는 TPP를 '자유, 민주주의, 기본적 인권, 법의 지배라는 보편적 가치를 공유하는 협정'이라고 규정했다.

애초 한국에는 신남방 전략이 있었다. 10개의 나라, 6억5000만 인구, 그리고 젊은이의 나라, 인구의 절반이 서른 살이 되지 않는 아세안 국가들과의 협력을 경제통상의 1차적 과제로 집중하는 것은 여전히 매우 중요하다. 그러나 윤석열 정부에는 신남방 전략이란 없다.

한국의 국민경제는 일본과 다르다. 한국이라면 미국에 조 바이든 미국 대통령이 약속한 '규칙을 지키는 통상'을 지키라고 요구해야 한다. 한국에 중국시장을 포기하라고 하면서 미국시장을 불법적 인플레이션감축법(IRA)으로 닫는 일은 중단하라고 말해야 한다. 한·미 자유무역협정(FTA)에서 미국산 쇠고기에 준 혜택 중단도 고려해야 한다.

새해 국민경제를 생각한다. 밖으로는 인권과 법치의 인·태전략을 발표하면서 안으로는 노동자의 참여를 억누르는 뻔뻔함을 본다. 국민경제를 위해 MB와 아베의 그림자를 걷어내야 한다.[43]

34. 주주자본주의 과잉의 어떤 나라

미국 증시에서 시가총액이 가장 큰 애플은 타의 추종을 불허하는 초우량 기업이다. 작년 9월 말 기준 애플의 자기자본은 506억달러였다. 원화로 환산하면 63조원(원·달러 환율 1250원 가정)으로 삼성전자보다 자기자본 규모가 적다. 흥미로운 점은 애플의 자기자본이 계속 감소해왔다는 사실이다.

2017년 9월 말 애플의 자기자본은 1340억달러였다. 5년 동안 자기자본이 62%나 감소한 셈이다. 자기자본의 감소는 일반적으로 부실 기업들에서 나타나는 현상이다.

기업이 적자를 낼 때 자기자본이 줄어드는데, 초일류기업 애플은 이와 무관하다. 지난 5년 동안 애플이 벌어들인 순이익은 3666억달러로, 원화로 환산하면 458조원에 달한다. 같은 기간 동안 삼성전자가 벌어들인 이익의 3.1배나 되는 어마어마한 규모이다. 애플의 자기자본 감소는 공격적인 주주환원의 산물이다. 애플은 지난 5년 동안 4585억달러를 자사주 매입과 배당을 통해 주주들에게 돌려줬다. 벌어들인 이익보다 더 많은 돈을 주주환원에 썼으니 자기자본이 줄어들 수밖에 없었다. 특히 배당보다는 자사주 매입에 더 많은 돈을 썼다는 사실이 중요하다. 4585억달러의 주주환원 중 자사주 매입으로 쓴 금액이 3873억달러에 달했다. 배당은 주주들에게 당장 쓸 수 있는 현금을 쥐여주는 행위이고, 자사주 매입은 회삿돈으로 자사의 주식을 매입해 소각함으로써 기존 주주들의 지분율을 높여주는 행위이다. 배당은 일회적 성격을 가진다.

우량 기업들은 대체로 매년 배당을 실시하지만, 과거의 배당이 미래의 배당에 직접적으로 영향을 주지는 않는다. 반면 자사주 매입 후 소각을 통한 발행주식수 축소는 항구적으로 지속되는 현상이다. 자본은 자기증식의 속성이 있을진대, 초우량 기업 애플은 스스로 자본을 파괴하고 있다고 볼 수 있다.

그나마 애플은 양반이다. 규모가 줄어들고 있지만, 그래도 자기자본이라는 회계적 실체가 존재하기 때문이다. 미국을 대표하는 기업 500개로 구성된 S&P500지수 구성종목들 중 29개는 아예 자기자본이 마이너스이다. 부채가 자산보다 많은 전액 자본잠식 상황인 것이다. 자본잠식인 회사는 상장 폐지를 앞두고 있는 부실기업인 경우가 많은데, 미국을 대표하는 상장사들이 이런 범주에 속할 리는 없다. 자기자본이 마이너스인 기업들의 면면을 보면, 스타벅스・오라클・맥도널드・휴렛 팩커드・도미노피자・홈디포 등이다. 모두 수익성이 높은 사업을 영위하고 있는 우량 기업들이다. 이들은 주주환원이라는 이름으로 나타나는 자본 파괴에 애플보다 더 열정을 쏟고 있다.

애플은 곳간에 쌓아놓은 잉여자금을 통해 주주환원을 하고 있는 데 반해 자본잠식 기업들은 빚을 내가면서까지 주주들에게 돈을 돌려주고 있기 때문이다. 자본주의는 자본의 물적 표현물인 기업을 통해 증식을 꾀하는 시스템인데, 기업에 자본이 존재하지 않는다는 사실은 매우 아이러니한 일이다.

기업의 자본 파괴는 역설적으로 이들의 비즈니스 모델이 출중하다는 점을 보여준다. 기업이 자본을 회사에 쌓아놓는 이유는 대규모의 투자가 필요하거나, 예기치 못한 위기에 대응하기 위한 완충기제가 필요하기 때문이다. 자기자본을 줄이고 있는 미국의 우량 기업들은 대규모 투자가 필요하지 않은 비제조업 기업들이고, 일상적인 비즈니스에서의 현금흐름이 양호해 굳이 이익을 유보해 놓을 필요가 없는 경우가 대부분이다.

한편으로 기업의 자본 파괴는 위기를 돌파해 나가는 '자본주의의 변종' 처럼 느껴지기도 한다. 자본은 규모가 커지면 대체로 효율의 문제에 직면하게 된다. 자본이 쌓여 일정 임계치를 넘어서게 되면 추가적인 자본 투입에 따른 산출의 효율이 떨어진다.

자본스탁의 규모가 큰 선진국의 성장률이 신흥국보다 떨어지는 이유도 이 때문인데, 주류 경제학에서는 이를 '한계생산 체감의 법칙' 으로, 좌파 경제학에서는

'이윤율의 경향적 저하'로 설명했다.

작년 이후 미국 주식시장은 조정세를 나타내고 있지만, 2021년까지의 미국 증시는 사상 유례없는 장기 강세장을 구가한 바 있다. 글로벌 금융위기 직후였던 2009년 3월부터 시작된 미국 증시의 강세장은 S&P500지수 기준 154개월이나 지속됐고, 상승률은 608%에 달했다. 상승 기간과 상승률 모두 미국 증시 150년 역사상 압도적인 1위이다. 주가는 이토록 많이 올랐지만 같은 기간 동안의 미국 GDP성장률은 연평균 1.6%에 불과했다. 2차 세계대전 이후 성장률이 가장 낮았던 저성장의 시대에 주가는 치솟았다.

미국의 초일류 기업들은 총량적인 성장 둔화의 시대에 자본을 파괴함으로써 자본의 효율성을 높였다. ROE(자기자본이익률)는 자본의 효율성을 보여주는 지표인데, 당기순이익을 자기자본으로 나눠서 산출된다. 이익이 늘어나거나, 자기자본을 줄이면 ROE가 상승한다. 전자는 오랫동안 봐온 익숙한 모습이고, 후자는 낯선 광경이다. 미국의 초우량 기업들은 이익도 많이 늘어났지만, 자본을 줄임으로써 자본효율성을 극단적으로 높였다.

주주자본주의로 포장된 우량 기업들의 자본파괴는 메인스트리트(실물경제)와 월스트리트(주식시장)의 괴리를 만들었다. 메인스트리트는 총량적인 성장을 반영하지만, 월스트리트는 자본의 효율을 반영한다. 미국처럼 주식 투자가 대중화된 국가에서도 주식투자 인구보다 주식투자를 하지 않는 이들의 숫자가 더 많다. 실물과 주가의 괴리가 커지면 불평등은 커진다. 온갖 정책이 뒤섞였던 바이든 행정부의 인플레이션 방지법안(IRA)에 자사주 매입에 대한 규제가 들어간 것도 이 때문이다.

경제 구성원들의 삶을 풍요롭게 만드는 일은 총량적 성장이지, 자본 효율성이 아니다. 과거에는 성장의 파이를 키우는 일이 자본효율성을 높이는 방법이었지만, 최근 미국 자본주의는 자본을 줄임으로써 효율을 높였다.

자사주 매입에 1%의 과세를 하는 규제 법안이 아니더라도 미국의 극단적인 주주환원은 지속되기 힘들 것으로 보인다. 금리가 상승했기 때문이다. 빚까지 내면서 자사주를 매입해 자본을 줄이는 행태는 초저금리하에서나 가능했다. 한국과 같은 주주자본주의 결핍의 나라에서 미국의 주주자본주의를 비판하는 일이 사치처럼 느껴지지만, 실물경제보다 훨씬 앞서서 달려온 미국 증시의 지난 10여년의 상승세는 지나친 면이 있었다고 본다. 미국 주식시장은 자본파괴를 통해 자본효율을 높이는 자본주의의 변종을 보여줬지만, 향후 수년간은 이에 대한 후유증이 나타날 것으로 예상된다.[44]

35. 신자유주의의 끝물

2023년 새해가 밝았다. 안타깝게도 마중물이 아니라 끝물로 첫 칼럼을 시작한다. 신자유주의의 끝물! 지난 칼럼에서 대구 아파트 사례를 들어 지역에 만연한 악덕 자본가 흉내 내기를 지적했다. 가치 혁신 대신 인건비 깎아 이윤을 추구한다. 경비원의 직업 안정성은 물론 아파트 주민의 안전마저도 위협하는 일이다. 왜 그럴까? 왜 하는지도 모르면서 남들도 하는 것 같아 덩달아 끝물에 올라탄다. 이는 대구 '지역' 만의 문제가 아니다. 한국 사회 '전체' 가 신자유주의의 끝물에 올라타 위태로운 '바닥으로의 질주' 를 가속화하고 있다.

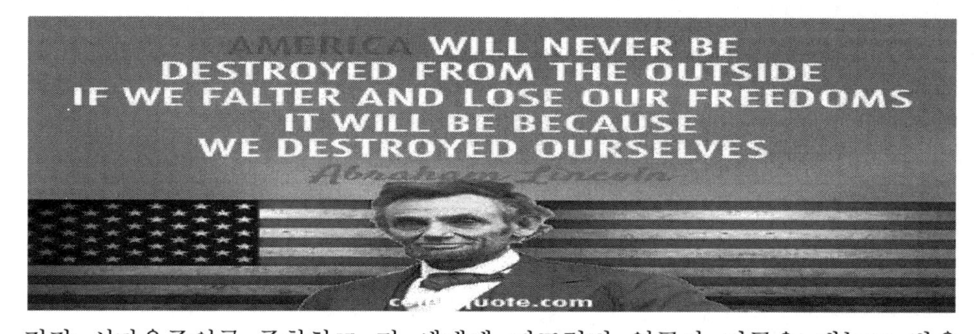

정작 신자유주의를 주창하고 전 세계에 퍼트렸던 영국과 미국은 대놓고 발을 빼고 있다. 지난 수십년간 영국과 미국은 '반노조, 기업 감세, 시장 제일주의' 를 핵으로 하는 신자유주의 정책을 펴왔다. 이제 이런 정책을 그만두었다. 얼마 전 영국 보수당 정부는 철강업체를 국유화했고, 실리콘 칩 디자인 회사가 미국 제조업체에 매각되는 것을 막았다. 특히 코로나19 팬데믹으로 일할 수 없게 된 노동자에게 국가가 대신 나서 임금 80%까지 지급했다. 절정기에는 거의 1000만명이 보조금을 받았다. 미국 조 바이든 정부는 보건·교육에 3조6000억달러 지출, 노조 권리 확대, 기업 증세와 같은 정책을 추진했다. 법인세 싼 나라만 골라 메뚜기 떼처럼 옮겨 다니는 다국적 기업의 세금 회피를 막기 위해 글로벌 최소 법인세도 도입했다. 좋은 임금의 노조 일자리를 창출해서 일하는 가족을 위한 경제를 만든다며 인플레이션 감축법을 제정했다. 백악관은 자랑스럽게 선언한다. "바이든 대통령은 역사상 가장 친노동자적이고 친노조적인 대통령이다."

신자유주의가 죽어가고 있는지, 아니면 코로나19 영향으로 잠깐 꺾인 것인지 학자들 사이에 논쟁이 한창이다. 하지만 포스트 팬데믹 시대에 신자유주의 정책이 끝물에 접어들었다는 데에는 모두 동의한다. 세상이 바뀌는 줄도 모르고 한국

정부는 끝물에 한층 더 힘차게 올라타고 있다. 최종기착지는 이미 말라비틀어진 노동을 더욱더 세차게 쥐어짜는 것. 윤석열 대통령의 신년사다. "직무 중심·성과급제로 전환을 추진하는 기업과 귀족 강성 노조와 타협해 연공서열 시스템에 매몰되는 기업에 대한 정부의 지원이 차별화돼야 한다." 그럴싸하게 들리지만, 속뜻은 섬찟하다. 그나마 최소한의 안정성을 누리는 노동자마저도 귀족노조라 비난해서 '불안정한 하층민'으로 떨어트리려고 한다. 노동시장 이중구조를 해소하기 위해 노동을 유연화하겠다는데, 실제로는 모든 노동자를 밑바닥으로 끌어내리겠다는 결기가 시퍼렇다.

도대체 왜 그러는가? 수익성 있는 투자를 지속해서 확보해야 하는 '자본가의 영원한 모순'을 잠시나마 해소하기 위함이다. 수익성 있는 투자는 가치 혁신이 이루어지는 곳에 있다. 단기 성과 내기 경쟁만 있는 생태계에서는 가치 혁신은커녕 생존조차 어렵다. 일단 인건비 후려쳐서 이윤을 만들어내자. 모든 기업이 앞다퉈 단기 경주에 뛰어들면 어떤 일이 벌어질까? 승리한 기업은 신이 날지 모르겠지만, 사회 전체에 가치 혁신이 사라진다. 가치 혁신은 가치에 장기간 헌신하는 사람만이 이룰 수 있다. 가치를 성스럽게 여기기 때문에 어떤 어려움이 닥쳐도 변함없이 가치를 붙들고 헌신한다. 국민 대다수가 불안정한 하층민으로 전락한 하향 평준화 사회에서 가치에 헌신하는 사람이 나올 리 없다. 설사 나온다 해도 직무 중심·성과급제로 달달 볶이는 탓에 삶이 불안해서 장기간 가치에 헌신할 수가 없다. 가치가 성스럽다고 인정되면, 당장 성과가 나오든 말든 가치에 오랫동안 헌신할 수 있게끔 자본주의 시스템을 제대로 정비해야 한다. "대안이 없다"며 냉소를 부추기는 자들이 있지만, 역사는 항상 이를 뒤집는다. "노조가 죽어야 나라가 산다"며 노동을 '주적'처럼 대하는 신자유주의의 끝물에서 벗어나는 게 첫발이다.[45]

36. 해명자료 말고 변화된 정책과 예산으로 말하라

최근 산업통상자원부와 경향신문 사이 에너지바우처 예산에 관한 작은 실랑이가 있었다. 정부는 2023년도 에너지바우처 예산을 작년 지출 대비 400억원가량 삭감했다. 이에 따라 에너지바우처 대상 가구도 줄어든다는 경향신문의 보도에 정부는 올해 예산이 지난해 본예산보다 인상된 규모이며 가구당 지원 단가는 늘어났다는 해명자료를 배포했다.

산업부의 이 해명은 합당할까? 지난해 정부는 기후위기와 에너지 가격 인상에 따라 추가경정예산안을 편성하고 종래 87만가구에 지급하려던 것을 117만가구에 지급했다. 2023년 에너지바우처 대상 가구는 85만가구로 다시 줄어든다. 늘어났다는 지원금은 얼마일까? 기초생활수급가구 중 가장 많은 1인 가구를 기준으로 볼 때 하절기, 동절기로 나누어 지급받을 수 있는 에너지바우처의 총액은 13만7200원에서 14만8100원으로 1만900원 인상됐다. 여름 바우처가 7월에 지급되고 겨울 바우처를 4월까지 사용해야 한다는 것을 고려하면 인상액은 한 달 평균 1090원이다. 에너지바우처는 기초생활수급자 중에서도 장애인, 노인, 아동 등 일부 가구에만 지급된다. 만약 이 제도가 이렇게 일부에게만 지급되는 것이 아니었다면, 그래서 더 주목받는 제도였다면 산업부의 해명자료는 웃음거리가 되었을 것이다.

물론 적정 에너지는 에너지 비용 보조만으로 보장할 수 없다. 고시원, 쪽방처럼 에너지 지원금이 소용없는 주거지부터 냉난방기 효율이 떨어지는 낡은 주택에 사는 사람에게는 에너지 비용뿐만 아니라 적절한 집이 필요하다. 한편 에너지 비용 폭등은 수급 가구뿐만 아니라 빈곤선 경계 소득 가구와 소득 대비 필수지출이 빠듯한 모든 시민의 문제다. 현재 에너지바우처만으로 이 문제를 모두 해결할 수는 없다. 그럼에도 불구하고 에너지 가격 인상에 따른 정부의 대책은 기존 지출보다 현저히 줄어든 예산 편성이었다. 이는 제대로 된 대책이 아니다. 혹한과 폭등한 에너지 가격을 오롯이 견뎌야 하는 것은 통계 속 숫자가 아니라 실재하는 사람들이기 때문이다.

시민들의 어려움과는 다른 파격적인 혜택도 있었다. 산업부가 1만900원의 에너지바우처 인상을 발표한 시기에 들은 또 다른 뉴스다. 김용민 의원에 따르면 삼성전자, SK를 비롯한 10대 대기업들은 산업용 전기요금 단가보다 더 저렴한 요금으로 전기를 공급받아 지난 5년간 총 4조2000억원의 혜택을 받았다.

산업부는 며칠 전 동절기 에너지바우처를 가구당 평균 7000원 추가 인상했다는 보도자료를 배포했다. 가구별 평균 지원단가만 밝혀서 정확히 얼마 인상했다는 것인지 알 수 없지만 분명한 것은 현재의 제도와 예산으로는 폭등하는 생활물가에 괴로워하는 시민의 삶을 지킬 수 없다는 점이다. 해명자료가 아니라 변화하는 정책과 예산으로 응답하라. 할 수 있고, 해야만 한다.[46]

중소벤처기업진흥공단은 이달부터 G-TEP 웹사이트와 모든 서비스를 종료했다. 정부 R&D 예산삭감으로 2024년도 해외기술교류 사업 운영예산을 배정받지 못하면서 관련 플랫폼과 서비스를 종료하게 됐다는 게 중진공 설명이다.

정부 R&D 예산삭감 여파로 중소기업 글로벌화를 지원하던 플랫폼 'G-TEP(해외 기술교류 플랫폼)'이 이 문을 닫았다. 정부가 중소기업 글로벌화를 적극 추진하는 가운데 예산삭감 유탄으로 정작 이를 지원하는 핵심 플랫폼이 종료됐다.

일각에선 정부 정책과 실제 예산 반영이 엇박자를 낸다는 지적도 나온다. 중소기업 글로벌화 진출 핵심 기능을 담당하던 플랫폼이 예산 확보에 실패했기 때문이다. 중소벤처기업부는 최근 '중소벤처기업 글로벌화 지원 대책' 등을 발표, 중소기업과 벤처기업 글로벌화를 지원해 2027년까지 수출 100만 달러 기업 3000개사를 육성하겠다는 청사진을 발표한 바 있다.

업계 관계자는 "정부와 중기부가 중소기업 글로벌화를 적극 지원한다지만, 지난해까지 해외진출을 돕던 핵심 플랫폼은 예산이 없어 종료됐다는 점이 아이러니하다" 면서 "실제 성과까지 내던 플랫폼이 사라져 중소기업 입장에서는 아쉬운 게 사실" 이라고 말했다.[47]

37. 공포에서 벗어나기

우리 달력을 보면, 양력으로 신정이 있고 음력으로 설날이 있다. 희망찬 새해를 맞는 기대가 크다면, 새해 복 많이 받으시라는 인사를 여러 번 하는 것도 좋은 일이다.

그러나 올 초에는 여기저기서 새해는 작년보다 더 어려울 것이라는 언사들이 쏟아졌다. 그래서인지, 새해 인사에도 좀처럼 흥이 나지 않는 분위기였다.

2022년의 격변의 효과가 2023년에도 이어질 것으로 단언하는 이들이 많다. 그러나 미래는 미리 결정되어 있다기보다는 현재의 행위자들이 만들어가는 것이다. "경제는 심리"라는 말도 있는지라, 공포가 전염·확산하는 것을 경계할 필요가 있다. 엇갈리는 시그널을 함께 점검해보는 것이 섣부른 비관과 공포에서 벗어나는 데 도움이 될 것 같다.

우선 세계경제는 러시아·우크라이나 전쟁의 충격에 적응하고 있는 것 같다. 2022년 2월 급작스러운 전쟁 발발 후 에너지·식량 시장이 크게 흔들렸으나, 이후 4~5개월이 지나면서 시장은 어느 정도 안정세를 회복했다. 러시아는 원유, 정제유, 천연가스, 밀 등을 주로 수출하는 나라다. 원유가격을 보면 서부텍사스산원유(WTI) 선물가격은 전쟁을 전후하여 배럴당 90달러대에서 120달러대로 폭등했다. 이는 2022년 6월 이후 하락세를 보여 2022년 11월 이후에는 70달러대로 하락했다. 천연가스 가격도 비슷한 추세를 보였다. 국제 밀 선물가격도 2022년 2월 말에서 6월 중순까지 부셸당 800달러 수준에서 1200달러대 수준까지 폭등했다가, 2022년 7월 이후에는 800달러대 수준으로 다시 내려왔다.

2022년 세계경제를 결정적으로 뒤흔든 것은 미국의 급격한 금리 인상이다. 미국은 2022년 5월 0.25~0.5%이던 기준금리를 12월15일 4.25~4.5%까지 인상했다. 불과 7개월 만에 4%포인트를 올린 것이다. 인플레이션은 2021년부터 시작되었으나 공급망 교란이 더해지자 과격한 조치를 통해 인플레이션을 억누르려 했다. 지표상으로만 보면, 2022년 6월 인플레이션율은 9.1%로 정점을 찍고 하강하는 추세다. 미국 연방준비제도는 2022년 12월의 6.5% 인플레이션율도 높은 수준이고, 2% 인플레이션율까지 긴축을 지속해야 한다고 언급하고 있다. 그러나 미국의 장단기 금리 격차는 2022년 11월 이후 계속 확대되는 중이다. 시장은 연준의 목표가 비현실적이고, 경기침체를 유발하는 고금리는 유지되기 어렵다고 보는 것 같다.

미국 이외의 국가들은 미국의 긴축정책을 그대로 추종할 상황이 되지 못한다. 세계은행은 연초에 2023년 세계경제 성장률 전망치를 1.7%로 하향 수정했다. 미국은 0.5%, 유로존은 0% 성장률을 나타낼 것으로 전망했다. 중국, 일본, 한국 등 동아시아 국가들도 경기하강 방어가 중대한 과제가 되고 있다.

중국의 상황은 세계경제의 성장세에 큰 영향을 미친다. 2022년 중국의 경제성장률은 3%에 그치면서 세계경제에도 충격이 될 것이라는 우려를 낳았다. 그러나 중국은 시진핑 체제의 정당성을 확보하기 위해서라도 성장 회복을 위한 확장 정책에 적극 나설 것이라는 견해가 많다. 시장에서는 중국이 곧 회복세를 보일 것이라는 관측이 우세하다고 볼 수 있다. '위드 코로나' 로의 전환에 따른 코로나 19 확산세는 곧 진정되고, 봉쇄 해제에 따른 서비스업 회복의 효과가 나타날 것이다. 부동산시장과 IT기업에 대한 규제가 완화되고 대대적인 내수확대 정책도 제시될 것으로 보인다. 세계 2위의 경제규모를 지닌 중국이 급격히 주저앉는 일이 생기지는 않을 것 같다.

미국과 중국의 갈등 속에서 한국은 나름대로 적응과 혁신의 길을 찾고 있는 중이다. 2022년 한국의 최대 무역 흑자국은 베트남(342억5000만달러)이었고, 미국(280억달러), 인도(100억달러)가 그 뒤를 이었다. UAE의 300억달러 투자 공약, 사우디아라비아의 300억달러 투자협약 등도 낭보이다.

미국과 일본이 참여하는 인도・태평양 구상에 한국이 참여하는 것은 불가피한 현실이다. 그렇지만 한국의 최대 시장인 중국도 섣불리 포기할 수 없다. 또한 동남아, 인도, 중동을 잇는 시장 벨트에서 적극적인 역할을 찾아야 한다. 미국과 중국이 치열하게 갈등하는 중에, 한국과 같은 민첩한 산업 능력을 찾는 수요가 없지는 않을 것이다. 교과서적인 말이지만, 현실에서 창의적인 균형을 찾는 것은, 어렵지만 꼭 해야 할 일이다.

오랜 친구들과의 새해 덕담에서, 지나친 걱정은 떨치자고 다짐했다. "두려워하지 말고 가자" "꺾이지 않는 마음으로 가자" 고 다독였다. 2023년에는 부디 경제가 좋아지기를 기대해본다.[48]

38. 기대는 증오를 부른다

경제학에 합리적 기대이론이라는 것이 있다. 가계, 기업 등 경제주체들이 가용 가능한 모든 정보를 이용해서 미래를 합리적으로 예측하고 의사결정에 반영한다는 것이다. 말은 정치하고 이론의 완결성은 높을 수 있겠으나 세상이 그렇게 아름답게 돌아가지는 않는 거 같다. 2008년 미국 금융위기의 원인이었던 서브프라임모기지대출의 과잉을 놓고 말들이 많았었는데 그 똑똑하다는 미국 은행가들의 기대가 이상했다는 주장이 있다. 그들이 부동산 가격의 지속적인 상승을 예측했다는 것이다. 부동산 가격만 불패면 불안한 사람에게 돈을 빌려줘도 남는 장사라는 판단을 한 것이다. 그 결과는? 역대급 글로벌 금융위기였다.

사람들이 뭔가에 대해 기대를 하고, 그 기대에 따라 행동하는 것은 자연스럽다. 그 기대의 대상이 경제이든 조직이든 사람이든 말이다. 문제는 기대에 근거해서 행동하는 것이 궁극적으로 좋은 결과를 가져오냐는 것이다. 그렇지 않은 경우가 제법 많다. 첫 번째, 국내 채권시장은 민간회사채가 아닌 국채와 특수채(공공기관, 은행 등) 등이 지배를 하고 있다. 그중 한국전력공사채권 같은 특수채는 시장에서 독특한 기대를 받는다. 공공기관은 절대 망하지 않을 것이라는 믿음이다. 이 기대가 행동에 반영되어 투자자들이 한전에 싸게 돈을 빌려주는 것이다. 시장에서 인기도 많다. 결국 한전은 싼값에 많은 자금을 조달하는 것이다. 그런데 이 자금이 비효율적으로 쓰인다든가 탄소중립에 반하는 투자에 사용되면 어떻게 되는 것인가?

두 번째, 얼마 전 대표적 진보매체인 한겨레 기자와 김만배 간의 돈거래 때문에 세상이 시끄러웠다. 돈 거래를 한 기자에 대한 비판은 차고 넘친다. 더구나 9억원이니 무슨 말을 하겠나. 연이어 사람들은 한겨레에 대해 상당한 분노를 표출했고 이 근저에는 진보매체에 대한 기대가 자리 잡고 있다. 진보지는 도덕적으로 깨끗할 것이라는 기대이다. 화가 많이 났는지 무려 30년 전인 1991년 한겨레의 보사부기자단 거액촌지 특종까지 소환하며 타락을 비판한다. 근데 필자는 이런 일이 있을 때마다 궁금했다. 과연 우리는 누군가의 도덕성에 대해 합리적 기대를 하고 사는 것일까? 삶은 자기를 망치는 일의 연속인데 가능한 모든 정보로 판단을 한다면 도덕성에 대한 높은 기대는 형성될 수 없다. 그럼에도 불구하고 과한 기대를 한다면 그런 마음은 주관적인 팬심일 가능성이 높다. 팬들은 본질가치보다 그 단체, 그 사람을 과대평가하는 것이 특성이기 때문이다. 자, 팬들은 평소에 많은 도움이 될 것이지만 이들이 돌아서면 더 무섭다. 과잉기대는 증오를 부르고 그 대상을 한방에 베어버리기 일쑤이다. 이런 사회가 과연 좋은 사회인가?

마지막이다. 집권 초반에 윤석열 대통령은 제2의 MB인 듯 보였는데 요즈음은 아닌 거 같다. 트럼프에 더 가까워 보인다. 트럼프의 특성 중 하나는 모든 기대를 배반했다는 것이다. 그는 미국 보수공화당의 대통령이지만 주류보수와 여러모로 각을 세운 이단아였고, 트위터를 통해 온갖 외교안보 이슈에 좌충우돌하면서 사람들을 혼란으로 몰아갔다. 그 와중에 일관되게 가져갔던 이미지는 강한 자(strong man)이다. 윤 대통령을 좋아하는 사람들에게는 강한 자의 좌충우돌이 묘한 쾌감을 줄 수 있겠으나 그 외의 사람들에게 이것은 피곤한 불확실성일 뿐이다. 이 불확실성이 커지면 사람들은 어떻게 행동할까? 그냥 아무것도 안 하고 조용히 살면서 눈치만 보게 된다. 가끔 조롱과 분노를 표출하면서. 이런 사회는 생산적이지 않다.

우리 사회는 기대를 받는 사람의 책임에 초점을 맞추어 왔다. 책임은 당연하지만 각도를 좀 바꾸어 볼 필요도 있다. 기대를 하는 사람들은 아무런 문제도 없는 것일까? 왜 우리는 누군가에 대해 막 엎어지다가 또 순식간에 화를 내며 돌변하는 것일까? 누군가에 대한 합리적 기대를 형성하는 훈련은 되어 있는 걸까? 가능한 많은 정보를 이용해야 합리적으로 기대할 수 있으니 결국 상대방에 대해 관심이 크게 없는 사람들이 과잉기대를 할 수도 있겠다. 나를 진심으로 좋아해서가 아니라 나한테 크게 관심이 없어서 팬이 되는 아이러니다.

사랑이 증오를 이긴다(love trumps hate). 트럼프가 대통령이 된 선거에서 미국 민주당의 슬로건이자 트럼프를 싫어하는 사람들의 생존법이다. 강한 자가 만들어내는 불확실성에 휘둘리지 말고 각자가 관심 있는 영역을 하나 정도 잡는 게 좋겠다. 그게 환경문제일 수도 있고 소액주주권리강화일 수도 있고 뭐든 좋다. 좀 더 적극적이 되는 게 스스로의 정신건강에도 좋을 것이다. 조금만 뒤져보면 할 수 있는 건 분명히 있다.[49]

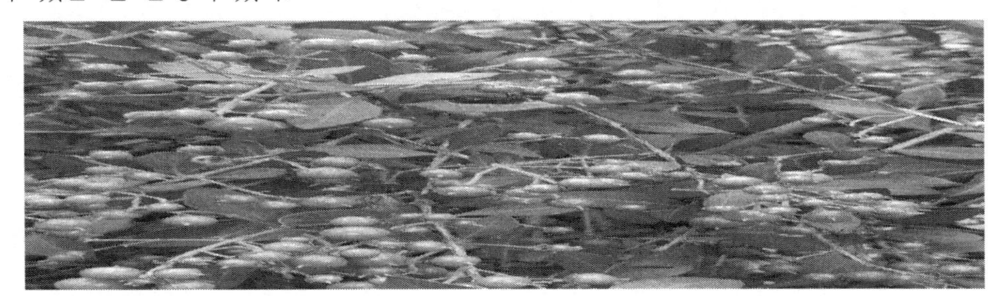

39. 포퓰리즘이 뭐라고 생각하세요

온갖 포퓰리즘이 난무한다. 전 정권의 건강 보험 정책에 대해 윤석열 대통령이 "국민 혈세를 낭비하는 인기 영합적 포퓰리즘 정책"이라고 말한 것이나, 홍준표 대구시장이 대형마트 휴일 휴무제를 "좌파 포퓰리즘 정책의 상징적 사건"이라고 말한 것, 대통령이 기자회견에서 '핵무장 가능성'을 언급하자 이를 두고 더불어민주당에서 "말 폭탄, 경솔한 안보 포퓰리즘"이라고 말한 사례도 있다. 심지어 나경원 전 의원은 과거 자신이 해외 정책 사례를 소개한 것뿐인데 "포퓰리즘이라는 허황된 프레임을 씌워 공격" 당했다며 억울함을 호소하기도 했다.

요컨대 우리 정치에서 포퓰리즘은 상대방을 공격할 때 쓰는 말이고, 포퓰리즘이라고 공격을 당한 경우에는 억울해서 잠이 안 오는 그런 말이다. 학자들이야 '진정한 포퓰리즘' 운운하겠지만, 현실정치에서 포퓰리즘은 고상한 욕설 그 이상도 이하도 아니다. 모름지기 정치가라면 상대방의 정책이나 발언에 대해 진지하게 고민하기 전에 이걸 어떤 포퓰리즘으로 불러야 할지 더 고민해야 유명해질 수 있다. '대해적의 시대'가 아니라, '대작명가의 시대'인 셈이다.

이처럼 포퓰리즘 공격을 남발하는 우리 정치의 모습이 한심해 보일 수 있다. 위로가 될지 모르겠지만, 1950년대 중반 미국에서도 비슷했다. 홍철기 박사(서강대 글로컬사회문화연구소)가 지난해 11월 출판한 논문 '포퓰리즘 개념의 냉전 자유주의적 기원'은 본래 19세기 말 농민 정치 운동을 지칭하는 긍정적인 의미로 사용되던 '대문자' 포퓰리즘이 1950년대 중반 미국 학계의 논쟁과 연구과정에서 지금처럼 부정적인 의미를 가지는 '소문자' 포퓰리즘으로 전환되는 과정을 상세히 추적한다.

연구에 따르면, 당시 미국에서 역사학자 호프스태터(Richard Hofstadter), 사회학자 실스(Edward Shils), 사회학자 립셋(Seymour Lipset) 등이 냉전 (반공) 자유주의자의 입장에서 당시 매카시즘을 포퓰리즘이라고 비판하면서 이 표현이 새로운 의미로 유행하게 된 것이다. 대표적으로, 호프스태터는 매카시(McCarthy)를 비롯한 미국의 자칭 보수주의자들이 겉으로는 보수주의의 언어와 수사를 사용하지만 사실 사이비-보수주의에 불과하고, 스탈린 공산주의만큼이나 전체주의적이라는 의미에서 포퓰리즘이라는 표현을 사용했다.

이 짧은 유행 동안 포퓰리즘은 여러 인접 개념(유의어)을 가지게 된다. '기업가적 급진주의' '사이비-보수주의' '지위 정치' '편집증/피해망상 스타일의 정치' '이데올로기 정치' '급진 우파' '중도 극단주의' '반지성주의' 등이 포퓰리즘의 주요 인접 개념으로 사용됐다. 좌우나 중도를 막론하고 극단적이거나 부정적으로 간주될 만한 것은 모두 포퓰리즘의 범위 안에 포함된 것이다. 물론, 이러한 낙인찍기의 이면에는 근대화된 문명사회가 (매카시 같은 사이비-보수주의가 아니라 자신들 같은) 지식 전문가에 의해 주도되어야 한다는 생각이 깔려 있었다.

요컨대 예나 지금이나, 미국이든 한국이든, 포퓰리즘은 상대방을 공격하기 위한 모호한 정치적 개념으로 활용되어 왔다. 그러나 상대방을 포퓰리즘이라고 낙인찍는 행위가 곧 그와 구분되는 자신을 규정하는 과정이라는 점은 거의 잊혀진 듯하다. 1950년대 중반 미국에서 냉전 자유주의자들은 포퓰리즘의 대립쌍으로 '이익정치' '계급 정치' '법의 지배' '시민성' '시민 정치' '다원주의' '중도주의' '세계시민주의' 등을 언급했다. 매카시즘을 포퓰리즘이라고 공격하면서 그 반대편에 있는 자신들은 이런 가치를 수호한다고 말했던 것이다. 2020년대 한국은 어떨까? 창의적인 포퓰리즘 작명가들에게 묻고 싶다. "포퓰리즘이 뭐라고 생각하세요?" 아니, "포퓰리즘의 반대가 뭐라고 생각하세요?"[50]

포퓰리즘(대중주의, populism)은 반(反)엘리트주의적인 민중영합주의이다. 영어로 피플(people)을 뜻하는 라틴어 포풀루스(populus)에서 유래된 말로, 19세기 말 러시아 사회를 풍미했던 나로드니키(narodniki)의 계몽운동과 1890년대 미국 농촌 사회에서의 농민 운동에서 비롯된 것이다.

최근 논의되고 있는 포퓰리즘은 주로 라틴아메리카 연구에서 발달한 개념이다. 일반적인 의미에서 포퓰리즘은 대중 기반과 다계급적(cross-class) 구성을 지닌 정당 또는 정치 운동을 포괄하는 개념으로 '소외된 엘리트들'에 의한 리더십, 대중에 대한 리더십의 직접적인 호소와 일방적 우위, 기존 정당의 취약성, 혁명적이라기보다는 개혁적인 경향, 단순하고 감정에 기반을 둔 대안 제시 등의 특성을 갖는다. 그 핵심은 '엘리트에 대한 불신과 대중에의 직접 호소'다. 포퓰리즘은 사회주의와 비슷한 점이 많지만, 분노에 토대를 두고 있어 분노를 느끼는 대상이 누구인가에 따라 포퓰리즘의 성격이 달라지고, 여기서 좌파 포퓰리즘과 우파 포퓰리즘으로 갈라지게 된다. 좌파든 우파든 근본적으로 반체제적이며, '낙오자들의 목소리(rhetoric of the underdog)'라는 주장도 있다. 실제로 모든 포퓰리즘 유형은 선악 이분법에 근거해 자신의 열악한 처지를 감성적으로 강조함으로써 동정심과 분노를 유발하는 수사적 스타일(rhetorical style)을 공통적으로 지니고 있다.[51]

40. 연준과 시장의 동상이몽

2022년을 우리는 "고물가, 고금리, 고환율"이 만들어낸 이른바 "3고의 시대"라고 했다. 미국발 인플레이션과 이를 잡기 위한 연방준비제도(연준)의 빠른 금리 인상, 그리고 미국과 한국의 금리차가 확대되면서 높아진 달러에 대한 선호도로 원・달러 환율이 한때 1440원을 넘어서기도 했다. 환율의 상승은 국내 수입물가 상승 압력을 높이게 되는데, 이로 인해 국내 고물가 기조가 가중되고 이를 제어하기 위한 한국은행의 기준금리 인상이 이어지면서 2021년 8월 0.5%수준이었던 국내 기준금리 역시 3.5%까지 인상되었다.

그렇다면 3고의 실마리는 어디에서 풀릴까. 결국 3고라는 악재는 그 시발점인 40년 만에 찾아온 미국의 인플레이션을 해소해야 풀릴 것이다. 다행스럽게도 최근 미국의 소비자물가지수가 지난해 6월 9.1%로 고점을 기록한 후 큰 폭으로 하락하면서 최근 6.5% 수준을 기록하고 있다. 시장 참여자들 사이에서는 인플레이션과의 전쟁에서 거의 승리했다는 기대감이 형성되고 있다. 연준의 금리 인상이 멈추고 하반기에는 금리 인하로 돌아설 것이라는 주장이 힘을 얻고 있다. 원・달러 환율 역시 큰 폭으로 하락하며 달러당 1230원 수준으로 내려앉았는데, 이는 국내 수입 물가의 하락을 촉발하면서 국내 인플레이션 우려를 한결 덜어낼 것으로 예상된다.

그렇지만 인플레이션이 안정되고 있다는 시장 참여자들과는 달리 미 연준은 사뭇 불편한 표정이다. 지금의 물가 안정세만으로는 인플레이션이 안정되었다고 확신할 수 없다며 종전처럼 추가 금리 인상을 단행하겠다는 의지를 표명하고 있다. 상반기 중에 2~3차례 추가 인상을 통해 5% 수준의 기준금리를 형성한 후 높은 기준금리를 상당 기간 유지하면서 인플레이션 압력을 지속적으로 억제하겠다는 것이다. 연내 기준금리 인하에 대한 섣부른 기대는 말라고 하고 있다. 똑같은 인플레이션의 둔화를 바라보는 시장 참여자들과 연준의 시각이 왜 이렇게 다를까?

우선 연준은 지금의 인플레이션에 대해 시장 참여자들보다 보수적인 시각을 갖고 있는 것 같다. 지난해 6월 9.1%에서 불과 6개월여 만에 6.5%로 물가가 하락했는데, 이런 흐름을 이어간다면 6개월 단위로 거의 2.5% 수준의 인플레이션 둔화가 나타난다. 연준이 목표로 하는 인플레이션은 약 2% 수준인데, 이 추세라면 내년 상반기 정도면 2%로 되돌리는 것이 가능할 것으로 예상된다. 이 전망대로라면 연준도 굳이 성장을 둔화시키는 현재와 같은 고금리를 유지할 필요가 없다. 그러나 연준은 다른 시각에서 접근하고 있다. 9%에서 6.5%로 물가가 둔화되는 시간과 이후 4~5%에서 목표치인 2%로 물가가 둔화되는 데 소요되는 시간이 다를 수 있다는 점에 주목한다.

국제유가를 비롯한 원자재 가격의 큰 폭 하락과 공급망의 개선은 현재 인플레이션을 둔화시키는 데 상당한 기여를 하고 있다. 그러나 여전히 풀리지 않는 것은 미국의 탄탄한 고용 시장에 기반을 둔 높은 임금 상승률이다. 임금은 한 번 오르게 되면 쉽게 하락하지 않는 강한 하방경직성을 갖는다. 국제유가 상승, 혹은 임대료 상승에 의한 인플레이션보다 둔화시키기가 어렵다는 뜻인데, 이를 끈적끈적한(Sticky) 인플레이션 요소라고 할 수 있다. 즉, 시장의 예상보다 인플레이션이 2%로 되돌려지는 데 걸리는 시간이 상당히 길 수도 있다고 연준은 생각하는 것 같다.

연준이 제압하려는 인플레이션에는 당장 우리가 만나고 있는 인플레이션도 있지만, 인플레이션이 장기간 지속될 수 있다는 믿음을 의미하는 기대인플레이션도 존재한다. 인플레이션이 쉽게 제압되지 않고 장기간 이어진다면 다시 돌아올 가능성이 높아진다. 이는 곧 당장은 인플레이션을 억누르더라도 언제든 고물가 상황으로 되돌아갈 수 있다는 뜻이다. 기대인플레이션은 높은 수준의 물가 상승세가 장기간 이어졌을 때 나타난다. 미국의 소비자물가지수가 연준의 물가 목표인 2%를 넘어선 것은 2021년 3월이었다. 그로부터 2년 가까이 물가 목표를 넘어 있는데, 인플레이션 제압에 더 많은 시간이 소요될수록 기대인플레이션으로 발전할 가능성이 높아진다. 연준은 바로 이를 우려하고 있는 것이다.

같은 인플레이션을 바라보지만 시장은 어느 정도 완화된 만큼 이제 둔화되는 성장에 포커스를 맞추기를 바라지만, 연준은 기대인플레이션 고착화에 대한 경계감을 이어가고 있다. 연준과 시장의 동상이몽은 상당 기간 이어질 것으로 보인다.[52)53)]

41. 난방비 문제와 에너지 대수선

겨울철 혹한이 계속되면서 집집마다 난방비 때문에 난리다. 우리 집도 10만원 정도 올라간 것 같다. 12월 난방비 고지서가 마침 정치적 논의가 폭발하는 설과 겹치면서 정치권 한가운데 논의가 되었다. 아주 정밀하게 내가 못했냐, 네가 못했냐, 그야말로 현미경을 들여다보는 것처럼 몇 원 아니 몇 전 단위까지 들여다보는 정치 논쟁이 되었다.

만약 총선이 1월이나 2월에 있었다면 이 문제에 대한 근본적인 해법이 벌써 나왔겠지만, 우리의 총선은 늘 4월이다. 조상들의 절기는 기가 막혀서, 2월4일 입춘이 지나면 봄의 기운이 시작된다. 꽃이 피기 시작하면 난방비 얘기는 다 잊혀져 간다. 수많은 총선을 보았지만, 난방비가 총선에 영향을 미치는 것은 못 봤다. 이번에도 그럴 것이다. 12월에 있던 대선에서도 난방비가 논란이 된 적이 없었고, 5월 대선에서는 더더욱 그렇다. 여름의 냉방도 마찬가지다. 만약 총선이 더운 8월이었다면 아마 지역 난방이 아니라 지역 '냉난방' 개념이 벌써 자리 잡았을 것이다.

좀 큰 눈으로 보면, 우크라이나 전쟁 이후로 심해진 LNG 시장의 위기 속에서도 물량 확보에 성공한 것 자체가 잘한 거다. 비싼 것과 공급 실패는 질적으로 다른 차원의 위기다. 국가가 해야 할 1차적인 의무는 공급이다. 그런 얘기를 하는 언론은 거의 없지만, 어쨌든 이건 칭찬받을 일이다. 물론 칭찬은 거기까지다.

대통령실에서 에너지바우처를 두 배로 늘린다고 하는데, 이게 그렇게 미리 알기 어려운 급격한 변화인가 싶다. 지난 7~8월에는 이미 올겨울에 이런 일이 벌어질 것이라는 것을 알 수 있었는데, 거기에 대해 아무런 대비가 없었다는 것이 칭찬받을 일은 아니다. 뻔히 혹한기에 어떤 일이 벌어질지 예견되는 상황에서 에너지바우처에 대한 예산을 확보하지 않은 것은 에너지당국과 예산당국의 행정이 제대로 돌아가지 않은 증거다. 그렇다고 누구 물러나라고 하고 싶지는 않다. 그래도 최소한 산업부 장관과 기재부 장관이 고지서를 들고 황당해하는 많은 사람들 특히 난방비를 감당할 수 없는 저소득층에게 사과를 하는 게 좋을 것 같다. 지난여름에 이미 뻔히 알 수 있는 일들을 그냥 손 놓고 쳐다보고 있던 것은 결코 잘한 일이 아니다. 이 모든 게 문재인 정권 때문이라고 하는 국민의힘 얘기는 사태의 본질과는 좀 먼 '딴소리' 다. 행정 능력을 동원해 문제를 풀어야 하는 여당이

할 얘기는 아니다. 비 새는 지붕에서 전 주인 탓하는 격이다.

이제 대통령의 대책에 대해 "언 발에 오줌 누기"라고 말한 이재명의 7조2000억원에 대해 생각해보자. 중산층까지 폭넓게 난방 지원금을 주자는 얘기다. 의미는 알겠지만, 노름 용어로는 7조원의 돈을 그냥 허공에 "태우는" 일이라고 할 수 있다. 매달 주기도 어렵고, 더더군다나 매년 할 수는 없는 일이다. 게다가 온실가스 대책이라는 관점에서 글로벌 스탠더드와도 안 맞는다. 7조원을 쓸 정도의 정책적 의지가 있다면 좀 더 중장기적인 대책을 생각해볼 수 있다.

건설에서는 신축과 구축을 구분한다. 새로 짓는 아파트와 건물들은 '제로에너지건축물' 인증을 실시할 정도로 기준이 많이 높아졌다. 문제는 기존의 건물들 특히 저소득층이 주로 사는 쪽방촌을 비롯해 관리가 아주 어려운 빌라 등 오래된 건물들에 있다. 좀 복잡한 인허가 등 행정적 절차가 있지만, 정부가 마음먹고 한다고 하면 못할 일은 아니다.

증축을 한 아파트들의 경우는 베란다가 없어져 바로 유리로 된 외벽이 외부에 노출되고, 이로 인한 열손실이 크다. 중문을 달면 열효율이 아주 높아진다. 추울 때에는 닫고, 일상적일 때에는 열어놓으면 크게 불편해지지 않는다. 중문만으로도 난방은 물론 냉방 효율도 같이 높아진다. 이런 데 돈을 좀 쓰자. 그냥 개개인에게 손실 보상으로 나누어줄 게 아니라, 국가 차원의 효율성과 개인의 지출 사이에서 타협점을 찾을 수 있다.

오래된 건물이나 저소득층 주거지는 훨씬 복잡하다. 도면 자체가 없는 경우가 많아 지붕 단열 같은 복잡한 대수선이 아예 어렵다. 리모델링같이 크게 벌이지 않아도 할 수 있는 일들이 제도적 미비점으로 추진되지 않는 경우가 많다. 국토부와 산업부 사이에서 아무도 신경 쓰지 않는 이런 기존 건물들에 대해 특별법을 만들어 한시적으로 '에너지 대수선' 같은 것을 추진하면, 7조원 정도면 보다 근본적인 대책을 세울 수 있다. 지붕에 단열 공사를 하면서 태양광 패널을 올리고, 창호 교체 등 단열 시공을 하고 가스보일러를 전기보일러로 교체하면 외부 에너지 의존 없이 자체적으로 냉난방을 해결하는 패시브 하우스 수준의 에너지 대수선도 가능하다.

기술적으로 어려운 게 아니라 행정적으로 어려운 거다. 국토부 장관인 원희룡이 할 수 있는 행정이고, 이재명이 국회에서 처리할 수 있는 법안이다. 유럽에서는 일반화된 기술이지만, 우리가 못한 건 난방비가 너무 쌌기 때문이다. 이제는 국가적으로 해볼 만하다. 구축 건물에 대한 전면적인 에너지 대수선, 그런 게 비 새는 지붕을 고치는 근본적 해법이다.[54]

42. "한국 경제 위기는 대전환의 기회…공공정책이 혁신 뒷받침해야"

유종일 KDI 국제정책대학원장이 지난달 26일 세종시의 대학원장실에서 경향신문과 인터뷰하고 있다. 유 원장은 "한국 경제가 지식・데이터 기반 경제로 본격 전환해야 할 시기"라면서 "이를 뒷받침하기 위해 공공정책도 과학적 분석과 평가에 기반해 창의적으로 설계돼야 한다"고 했다(서성일 선임기자).

서울대 경제학과를 졸업하고 미국 하버드대 경제학 박사 학위를 받았으며, 미국 노트르담대, 영국 케임브리지대, 일본 리쓰메이칸대를 거쳐 1998년부터 한국개발연구원(KDI) 국제정책대학원에서 후학을 양성하고 있다. 개혁적 시각에서 한국경제의 발전 패러다임을 구축하는 방안을 모색해 왔으며 경제 성장, 소득 분배, 경제 민주화 등 분야에서 정책 대안을 제시해 왔다. 공적자금관리위원회, 국회 헌법개정특별위원회, 금융행정혁신위원회, 생활방역위원회 등에서 정책 자문을 했다. 2019년 발표한 '전환적 뉴딜' 보고서가 '한국판 뉴딜' 정책의 밑거름으로 평가받아 국민포장을 수상했다. 저서로는 <유종일의 진보 경제학> <경제119> <위기의 경제> <경제 민주화가 희망이다> 등이 있다.

'퍼펙트 스톰'과 '회색 코뿔소떼'가 몰려온다. 어느 전문가가 진단한 올해 국내외 경제 상황이다. 이미 예고된 경제충격이 동시다발적으로 닥쳐오지만 사실상 속수무책이란 뜻이다. 역대급 물가 상승, 대규모 무역적자, 소비 침체, 난방비 폭등…. 어깨를 움츠리게 하는 뉴스들뿐이다. 러시아・우크라이나 전쟁 충격이 여전한 가운데 미국이 보호무역 기조를 본격화하고 유럽연합(EU)도 뒤질세라 장벽을 세우고 있다. 미국과 중국의 갈등은 반도체, 배터리 등 첨단제품의 공급망 분리가 본격화하면서 중국 비중이 큰 한국의 선택을 어렵게 한다. 지난 30여년간 세계화의 최대 수혜국이던 개방형 통상국가 한국이 중대 기로에 놓여 있다. 이 위기를 어떻게 헤쳐 나가야 할까.

유종일 한국개발연구원(KDI) 국제정책대학원장은 "지금 위기를 한국이 제조업 일변도에서 벗어나는 대전환의 계기로 삼을 필요가 있다"고 했다. 매뉴팩처링 의존 경제에서 지식・데이터 기반 경제로 전환해야 하며, 공공정책도 데이터와 증거에 기반해 추진돼야 한국이 직면한 과제들을 해결할 수 있다고 했다. 유종일 원장은 "첨단산업과 과학기술 못지않게 함께 살아가는 방법을 혁신하는 것도 중요한데 이는 공공정책이 해야 할 몫" 이라며 이런 이유 때문에 공공정책 혁신이 시급하다고 강조했다. 인터뷰는 지난달 26일 세종시에 있는 KDI 국제정책대학원 원장실에서 2시간 동안 진행됐다.

- 올해 한국 경제는 어렵다는 말로는 부족할 정도로 총체적 난국입니다.

"지난해에는 시장 예상보다 조금 더 어려워질 것 같다고 봤는데, 그래도 최악은 피할 수 있겠다는 기대가 생깁니다. 미국의 인플레이션이 잡히는 기미가 보이고, 중국이 코로나 봉쇄에서 벗어나면서 경기가 활성화될 것으로 보이기 때문입니다. 물론, 큰 틀에서 보면 '좋았던 시절은 끝났다' 는 말이 맞아요. 코스트(비용)도 올랐고, 세계시장도 파편화된 데다 기후위기 등 악재가 겹쳐 있습니다. 한국은 일본이 앞서 간 저출생·고령화의 길을 훨씬 더 빠른 속도로 달려가고 있기도 하죠. 성장으로 모든 걸 해결할 수 없는 시대가 됐음을 분명히 인식하고 그에 맞춰 정책 설계를 하면서 다가오는 문제들에 대비해야 합니다."

- 중국 경제 회복이 호재라고 하지만, 가전·휴대폰·화장품 등 한국 제품들이 중국 시장에서 밀려나고 있습니다.

"그렇긴 하지만 중국에는 최종 소비재 수출보다 중간재 수출이 훨씬 많습니다. 한국도 중국 경제가 성장하는 과정에서 산업구조가 업그레이드되면서 중간재 수출 비중이 크게 늘어났습니다. 경제도 생물이어서 여기서 막히면 다른 곳이 뚫리곤 합니다."

- 미·중의 디커플링(탈동조화) 현상이 갈수록 뚜렷해집니다. 한국이 세계화의 가장 큰 수혜자였는데, 이제 그 문이 닫히려는 것 같습니다.

"역사를 보면 1차 세계대전 이후 스페인 독감, 하이퍼인플레이션, 대공황, 금융붕괴를 거쳐 2차 세계대전으로 치달았는데 지금 다시 이런 극한 대립이 일어나게 되면 인류가 핵전쟁으로 공멸할 겁니다. 국제공조 없이는 기후위기도 해결될 수 없고요. 첨단기술 분야에서 분업구조의 블록화 또는 프렌드쇼어링(동맹국들끼리 핵심 기술의 공유 및 공급망 구축) 경향은 강화되겠지만, 블록화가 마구잡이로 치닫지는 않을 겁니다. 글로벌 가치사슬이 너무나 확산돼 있고 그 이익이 막대하기 때문입니다. 세계 경제도 중국을 포기할 수 없습니다. 재닛 옐런 미국 재무장관이 중국 류허 부총리와 1월 스위스에서 만난 것은 국제금융 분야에서 미·중 협력이 불가피하기 때문입니다. 디커플링으로 가려는 힘도 강력하지만 국제협력의 필요성도 그에 못지않게 큽니다. 미·중 경쟁은 첨단기술 패권 경쟁 차원에 국한될 가능성이 높습니다."

- 그렇게 보면 국내에서 디커플링에 대한 공포는 과도해 보입니다.

“지금 상황은 디(de)글로벌라이제이션(탈세계화)이 아니라 리(re)글로벌라이제이션(재세계화)으로 봐야 합니다. 세계시장이 하나가 되고 미국 중심의 금융자본이 리드하던 시대가 2008년 금융위기로 마감한 뒤 포퓰리즘과 보호무역주의가 확산됐습니다. 코로나19를 계기로 세계화에 대한 반성도 일었습니다. 효율만 중시하다 보니 코로나 때 마스크를 공급하지 못하는 상황이 충격적이었던 것이죠. 블록경제가 전면화되지는 않고, 첨단기술 분야에서 블록화·클럽화가 진행되는 정도일 겁니다. 미국 재계도 (디커플링으로 인한) 사업 손실을 우려하며 정부에 탄원하는 실정입니다. ‘중국은 끝났으니 한국이 중국에서 탈출해야 한다’는 건 가능하지도 않고 어리석은 일입니다.”

- 한국은 어떻게 대응해야 할까요.

“첨단산업 중심의 공급망 재편에는 참여할 필요가 있지만, 국익을 위해 주장할 건 해야 합니다. 다자주의 질서의 유지가 한국의 근본 이익이고, 많은 나라들이 공감하고 있습니다. 이들과 연대해 이런 원칙을 천명해야 합니다. 미국 주도의 인도·태평양 경제프레임워크(IPEF) 등에 참여해 이익을 취할 건 취해야겠지만, 세계무역기구(WTO) 중심의 다자무역 질서도 살려나가는 노력을 해야 합니다.”

대외환경의 격변으로 수출이 마이너스 행진을 거듭하는 등 제조업 의존도가 큰 한국 경제에 경고음이 커진다. 지난 1일 부산항 신선대와 감만부두 야적장에 컨테이너가 가득 쌓여 있다(연합뉴스).

유종일 원장은 현재 상황을 한국이 제조업 일변도에서 벗어나는 계기로 삼아야 한다고 했다. 매뉴팩처링 의존도를 낮추고 지식·데이터 기반경제로 본격 전환해야 한다는 것이다. 여러 노력이 필요한데 그중 하나가 ‘증거 기반 공공정책(evidence-based policy)’으로, 공공정책이 데이터에 기반해 치밀하게 짜여질 필요가 있다고 유 원장은 강조했다.

- 한국 대기업들이 미국에 공장을 대거 지으면서 제조업 공동화 우려도 커지고 있습니다.

“제조업 공동화가 걱정이고 피해도 불가피해 보입니다. 하지만 한국이 언제까지나 제조업에만 기댈 순 없고, 이제 큰 그림을 그릴 시기입니다. 한국은 제조 기술에서는 최고 수준이지만, 부가가치가 높은 설계기술, 특히 개념설계 역량은 부족합니다. 지식 기반 서비스를 키워서 이를 바탕으로 산업의 부가가치를 높여야 합니다. 4차 산업혁명은 이걸 고도화하는 방법론인데 그 핵심은 데이터 활용입니다. 이를 위한 좋은 거버넌스(의사결정구조)를 만드는 게 4차 산업혁명 시대의 제도적 기반을 구축하는 것이자 혁신경제의 바탕이 됩니다.”

- 혁신경제는 구체적으로 어떤 것을 말합니까.

"'혁신'에는 기술혁신과 경영혁신 두 가지가 있습니다. 한국에서는 대체로 기술혁신을 떠올리지만 그에 못지않게 중요한 것이 경영혁신입니다. 한마디로 조직 구성원들 간에 효율적인 분업구조를 만들고 소통과 협력을 잘하도록 하는 것입니다. 기술혁신 이상으로 생산성을 올리는 방법이죠. 기업뿐 아니라 사회도 마찬가지입니다. 첨단산업과 과학기술도 중요하지만, 사회가 함께 살아가는 방법을 혁신하는 것도 미래를 위해 긴요합니다. 이게 공공정책이 담당하는 부분이죠. 경영혁신이나 사회적 혁신, 정책혁신을 이루기 위해서도 데이터 활용이 중요합니다."

- 공공정책이 데이터를 기반으로 이뤄져야 하는 이유는 무엇입니까.

"코로나 손실보상, 난방비 지원 같은 사례만 봐도 정책을 효과적으로 하려면 증거에 기반해야 합니다. 대충 큰 그림만 그려서는 효율적이고 치밀한 정책 설계를 할 수 없습니다. 빅데이터를 활용해 개인 특성에 따른 맞춤형 정책을 도출할 필요가 있습니다. 그러려면 개인 단위의 미시 행정자료, 전 국민을 포괄하는 행정 빅데이터가 구축돼야 합니다. 북유럽을 비롯해 주요국에서 이런 작업을 서두르고 있습니다. 한국은 주민등록번호가 있어 행정자료들 간 연계가 쉽고, 전자정부도 잘 구축돼 있어 잠재력이 큽니다. 물론 개인정보 보호가 전제돼야 하겠죠."

- '증거 기반 정책'이 매우 중요하다는 이야기네요.

"정부는 보통 '어떤 목적을 위해 예산을 얼마 투입한다'는 식으로 정책을 설명하는데 투입된 예산이 정확히 어떤 효과를 내는지에 대한 엄밀한 데이터 수집과 분석은 거의 없는 실정입니다. 한국이 선도형 경제로 전환하려면 엄밀한 현실 분석과 정책 효과·효율성의 과학적 평가에 기반한 창의적인 정책이 나와야 합니다. 이런 면에서 국책연구기관의 역할을 재정립하고 공공정책 생태계를 선진화해야 합니다. KDI 대학원은 몇 년 전부터 이런 방면의 모색을 해왔습니다."

한국은 2021년 세계 최초로 데이터기본법을 제정하는 등 정책은 앞선 편이다. 하지만 산업진흥 차원에서 기업들의 의견을 자꾸 반영하다 보니 독점화 경향이나 '감시 자본주의(surveillance capitalism)' 리스크에 대한 대비가 부족하다는 지적을 받는다. 반면 공공정책 설계를 위한 행정 빅데이터 활용은 과도한 규제 탓에 한계가 많다고 유 원장은 지적한다. "자료 보유 기관들이 데이터 제공에 소극적이고, 특히 국세청도 과세 자료에 대한 접근은 규제가 과도한 편입니다."

- 윤석열 정부도 데이터 관련 정책을 추진하고 있지 않습니까.

"대통령 직속 디지털플랫폼정부위원회를 만들었고, '인공지능(AI)·데이터를 기반으로 일 잘하는 정부' 를 지향합니다. 하지만 증거 기반 정책에 대한 인식은 부족해 보입니다. 행정 빅데이터 구축과 활용을 위해 권한과 책임을 지닌 총괄기구가 필요합니다. 북유럽 국가나 영국은 통계청이, 미국은 인구조사국이 이런 역할을 맡고 있습니다. 미국은 2018년 증거 기반 정책 기본법이 통과돼 행정 빅데이터 활용이 더욱 활성화되고 있습니다."

- 데이터 관련 정책이 국민 경제와 어떻게 연관될까요.

"좋은 일자리를 만들어낼 수 있죠. 제조 기술의 우위만으로 일자리 문제를 해결하는 시대는 지났습니다. 데이터 경제는 곧 모든 분야에서 AI를 활용하여 지식기반 고부가가치 서비스 일자리가 생기는 경제입니다. 이를 위해서는 교육이 매우 중요합니다."

김대중 정부 때부터 20년 넘게 지식경제를 외쳐왔지만 안 되는 이유가 교육에 있다는 것이 유 원장의 진단이다. 'AI 쇼크' 는 교육개혁 필요성을 재차 환기한다.

- 챗GPT가 나오면서 AI에 대한 두려움이 커지고 있습니다.

"정확히 말하면 AI가 사람을 대체하는 게 아니라 AI를 활용하는 사람이 그렇지 못한 사람을 대체할 것입니다. 하지만 로봇밀집도가 세계 최고인 한국에서는 AI가 사람을 대체하는 쪽으로 갈 가능성이 높습니다. AI 확산이 실업, 격차 확대 등 사회 갈등의 중대 원인이 될 수도 있습니다. 정부의 산업정책은 고용을 대체하는 쪽이 아니라 고용 창출을 유도하는 방향으로 설계되어야 합니다. AI를 잘 활용하는 생산성 높은 사람들이 두껍게 자리 잡는 사회를 만들기 위해서는 교육이 바뀌어야 합니다."

- 교육은 어떻게 달라져야 할까요.

"시험으로 줄 세우고 선별하는 교육에서 실제 필요한 역량을 기르는 역량중심교육, 그리고 나라가 이를 책임지는 책임교육으로 바뀌어야 합니다. 모든 학생들이 학년에 걸맞은 기초 역량을 갖추도록 국가가 책임져야 한다는 뜻입니다. 학년말에 학생들 역량을 평가해서 미달한 아이들은 그냥 진급시키지 말고 특별 관리를 해야 합니다. 학생들이 최소 역량을 갖추도록 교사가 끝까지 책임지는 구조를 만들어야 합니다. 주의가 산만하거나 공부가 부진한 학생들에게 교사가 적극 관심을 갖고 가정환경이나 교우관계까지도 살피는 교육이 되어야 합니다. 이렇게 학교에서 습득한 역량을 바탕으로 스스로 평생 배울 수 있는 창의적 학습사회를 만들어야 합니다."

유종일 KDI 국제정책대학원장은 인터뷰에서 공공정책 고등교육·연구기관인

'국가정책원' 설립을 제안했다. 유종일 원장은 "2015년 이후 한국의 국가경쟁력이 정체되고 있는 원인 중 하나가 공공정책 부문의 낮은 경쟁력"이라며 국가정책원이 이를 끌어올리는 역할을 할 수 있다고 했다. 국가정책원은 과학기술 분야 국가교육기관인 카이스트(KAIST)의 '공공정책 버전'인 셈이다.

국가정책원은 정책 인재를 육성하는 역할과 별도로 공공정책 지원에서 다양한 역할을 할 수 있다고 유 원장은 강조했다. 정책 효과를 높이는 '정책 프로세싱', 국가전략 어젠다 발굴, 부처 간 협업이 필요한 정책 연구, 효과적인 국무조정을 위한 정책 근거 산출 등이다. 정부 업무평가 지원, 정책 조정 및 갈등 관리 등도 기대할 수 있다. 일본의 경우 문부과학성 소속의 정책대학원대학교(GRIPS)가 비슷한 역할을 맡고 있다.

국내에서는 KDI 국제정책대학원이 공공전문 정책 연구와 인력 양성을 일부 담당하고 있지만 연구기관 부설 교육기관이라는 한계 탓에 운신의 폭이 좁고 정부 지원도 부족한 실정이다. 유 원장은 "세종시는 중앙부처와 국책연구기관이 밀집해 있고 자치단체들의 접근성이 좋다"며 "국가정책원이 세종에 들어서면 공공정책 클러스터의 구심점이 될 수 있을 것"이라고 했다.[55]

대외환경의 격변으로 수출이 마이너스 행진을 거듭하는 등 제조업 의존도가 큰 한국 경제에 경고음이 커진다. 지난 1일 부산항 신선대와 감만부두 야적장에 컨테이너가 가득 쌓여 있다(연합뉴스)

문제의 핵심은 혁신·인재·연구개발(R&D)의 '3대 결핍' 때문이다. 경제 체질을 바꿔 투자 특국(特國), 인재 입국, 혁신 부국, 기업 강국을 만드는 것만이 '잃어버린 30년'을 피하는 길이다. 한국 경제의 진짜 위기는 모두가 다 아는 이 해법을 실행에 옮기지 못하게 막는 '불능 정치' 때문이다. 정치의 함정을 빠져나올 해법이 보이지 않는다.[56]

43. 고난과 저항의 한국 경제 2023년

자유 시장을 옹호하는 경제이론으로 노벨상까지 수상한 거장 로버트 루카스 교수가 더 이상 경기변동에 대해서는 고민할 필요가 없다고 선언하던 시절이 있었다. 바로 2003년 전미경제학회에서의 일이었다. 누군가 거시경제학의 역사를 케인스 혁명과 보수주의 반혁명의 교체로 각색한다면, 아마도 그 선언의 순간이야말로 반혁명의 승리가 공표되는 하이라이트 장면이 될 만했다. 그것이 얼마나 어리석은 선언이었는지 드러나는 데에는 채 5년도 걸리지 않았지만 말이다.

돌이켜보면 그 뒤로는 거꾸로 거의 매년 '경제위기'라는 말이 자연스럽게 들려온다. 그러나 2008년 글로벌금융위기와 2020년 코로나19 위기로 표출된 우리 시대의 체제적 모순을 고민하는 작금의 경제위기 논의가 루카스 교수의 그것처럼 어리석은 빈말일 리는 없어 보인다. 새해 한국 민중 앞에 닥친 고난의 시간 때문에도 그렇다.

세계경제든 국내경제든 2023년 전망에 있어 낙관론이 설 자리는 협소해지고 있다. 본격적인 불황을 내다보는 데에 이견은 별로 없다. 기저에 깔린 장기 정체의 추세적 영향에 최근 인플레이션이 야기한 순환변동 요인이 더해지고 그 위로 정책실패까지 겹치면서 최악의 경제 부진을 벗어나기 힘들어질 공산이 크다. 전문가들은 미국의 경기하강 폭과 브릭스(BRICs) 국가들의 회복 속도가 세계경제 성장경로를 좌우할 것으로 점친다.

최근 인플레이션이 공급 측 요인에 기인하는 점에서 물가 압력이 2023년 내내 해소되기 어려운 것도 문제다. 우크라이나 전쟁과 서방의 러시아 경제 제재는 최근 인플레이션에 완전히 새로운 차원을 더했다. 그것은 중・미 갈등과 함께 북대서양과 아시아태평양 양쪽에서 군사동맹과 방위협력 체계의 재구조화를 촉진하는 배경이 되고 있다. 군사적 균형이 바뀌면서 기존에 빙하가 녹듯 천천히 진행되던 세계경제질서의 변화도 가속되는 중이다. 그 과정에서 지정학적 긴장이 언제든 불거질 수 있는 점은 불확실성을 키우는 요인이다. 주요국 중앙은행들은 금리 인상으로 대응한다지만 그 결과는 실물경제는 침체시키면서 물가는 못 잡는 최악의 것이 되고 있다. 고금리 때문에 남유럽 국채위기가 재연되면 국제금융시장의 후폭풍이 한국도 덮쳐올지 모른다.

한국경제는 작년보다 올해 훨씬 더 나쁠 것으로 전망된다. 금리 인상의 정책 시차를 감안하면 상반기보다 하반기가 더 나쁠 것이다. 화두는 민간부채다. 과잉 부채 상황에서 경기침체는 신용위험을 증폭시킨다. 그러나 정부는 소극적인 대책으로 포괄적인 부담 해소에 실패하고 있다. 자영업자 대출 중에 한계차주 몫은 저축은행과 카드사를 중심으로 작년 3분기 말 100조원에 육박한 상태다. 고금리와 부동산 경착륙을 계기로 부채위기의 뇌관이 폭발할 가능성은 그래서 제기된다. 해법은 채무재조정이 기본이지만 자영업 매출을 늘려 소득 기반 회복을 돕는 정책도 중요하다. 적어도 지금처럼 유통 재벌을 지원하는 방향이어서는 안 된다.

무역수지도 걱정이다. 이미 작년에 사상 최대 무역적자를 기록했지만 그 기록은 올해 다시 깨질 듯하다. 에너지 등의 국내 도입 가격은 높은 수준을 유지할 것이 예상되는데 중국이 공급망 자립화에 나선 효과는 점점 더 커져만 가는 탓이다. 그런 점에서도 윤석열 정부가 미국의 중국 배제에 선제적으로 '올인' 하는 정책은 경제 현실에 맞지 않다. 지금은 중국으로의 수출에 의존해온 2000년대 이후 남한 독점자본의 핵심 축적 전략이 막을 내려가는 산업 전환의 국면이다. 윤석열 정부의 선택은 미국 중심 공급망에 종속적으로 편입되는 것을 전제로 총자본의 활로를 찾아보려는 것이지만, 개별 자본의 이해관계가 총자본의 그것과 일치하라는 법은 없다. 정부가 당장 감세와 민영화, 노동시간 및 임금체계 유연화의 보상을 자본에 반대급부로 제공하려는 맥락이다. 하지만 재편될 공급체계에서 어떤 축적 전략이 가능할지는 아직 분명치 않다. 그런 점에서 한국자본주의는 어느 때보다도 지금이 위기다.

경기침체로 실질임금의 회복도 어려워 저임금 노동자들의 처지는 당분간 개선되기 어려울 전망이다. 특히 이윤 기대가 비관적으로 조정되는 가운데 고용을 털어내려는 자본의 욕구가 분출하면서 올해 한국경제는 하반기로 갈수록 독점자본이 주도하는 구조조정으로 내몰릴 가능성이 커 보인다.

권력기관이 총동원되는 노동조합 탄압과 공안정국 조성, 사회정책의 전반적인 후퇴, 향후 구조조정과 함께 강제될 노동 유연화 등은 민중운동과 정치권력 간에 긴장을 고조시키는 요인이 될 수 있다. 한국민중에게 저항의 시간이 시작되었다.[57]

44. 경제 성장과 은행의 역할

경제 성장과 금융구조, 특히 은행과의 관계는 아주 오래되고 다양한 갈래를 가진 논쟁 주제이기도 하다. 이러한 논의들을 일일이 열거할 수는 없지만, 대다수의 연구들은 경제성장과 은행이 밀접한 정(+)의 상관관계를 갖는다고 평가한다.

개념적으로 은행(그리고 금융시장)은 가계의 저축을 투자로 연결시키는 자금중개기능을 수행함으로써 저축자와 투자자 간에 발생하는 정보 및 거래비용을 줄여준다. 무엇보다 은행의 핵심 기능은 자본의 한계생산성이 가장 높은 투자계획에 자금을 배분하는 것이다. 여러 투자계획들을 평가하기 위한 정보의 수집, 리스크 분산방법을 제공함으로써 상대적으로 더 위험하지만 더욱 생산적인 기술에 대한 투자가 이루어질 수 있게 한다.

좀 더 구체적으로 우리 경제에서 은행은 향후의 기술혁신과 투자 그리고 경제성장에 어떠한 역할을 할 수 있을까. 지금까지 은행은 대출, 자산 형성 및 보전, 무역 거래, 자본시장의 촉진에 있어 핵심적인 기능을 하는 전통적인 금융회사의 역할을 해왔다.

디지털 기술의 발전과 산업 간 융·복합, 기후변화 대응, 미래 성장동력 육성 등이 우리 경제의 지속성장을 위한 당면 과제인 시대에 은행의 역할은 무엇일까? 몇 가지만 살펴보자.

첫째, 지속 가능 경제로의 전환 촉진 역할이다. 은행은 탄소 고배출 기업들이 온실가스 배출량을 줄이면서 녹색 기업으로 전환하는 과정에서 자금 조달을 지원하는 목적특화형 대출 프로그램을 제공하는 방식으로 지속 가능성 실현에 기여할 수 있다. 또한 다양한 산업에 걸쳐 지속 가능성을 달성하기 위한 이니셔티브 관련 R&D 활동을 지원할 수도 있다. 한편, 은행은 주식시장과 채권시장을 통한 자금조달의 촉진자 역할을 할 수 있다. 지속 가능성 관련 프로젝트에 대한 자금은 그린본드(green bond)를 통해 조달할 수 있으며, 은행으로서 ESG 기반 M&A 실사 및 ESG 연계 상품을 활용하여 지속 가능성을 지원할 수 있다.

둘째, 혁신과 핵심산업에 대한 투자 역할이다. 은행은 이미 국내 및 해외기업 모두에게 금융서비스를 제공하는 중요한 파트너이지만, 특히 국제무역 분야에서 단순한 자금공급자 대신에 산업별 전문성을 가진 무역 파트너로 진화할 수 있다. 또한 은행은 블록체인과 같은 분산원장기술(DLT)을 활용하여 국제 무역 비즈니스의 편의성 향상에도 기여할 수 있다. 손님 편의성 개선을 목적으로 DLT를 활용하여 트랜잭션 뱅킹 서비스를 제공하는 외국 은행의 사례를 참고할 만하다.

한편, 혁신초기 단계에 있는 기업 내지 유망기업에 대한 자금조달 지원을 통해 산업혁신을 촉진시키는 역할도 가능하다. 중소기업 및 스타트업을 위한 포괄적인 비즈니스 생태계는 기업의 계좌관리와 신용대출과 같은 전통적인 금융상품 외에도 비즈니스 등록, 마케팅, 회계 지원 및 맞춤형 시장 정보 등의 비금융 서비스도 포함되어 있다. 미국의 실리콘밸리은행과 같이 벤처캐피털과의 협력을 통해 유망한 기업을 대상으로 은행서비스와 비즈니스 전략지원을 동시에 제공하는 모델도 검토할 만하다.

셋째, 고객 계층별 맞춤형 서비스 제공 역할이다. 은행은 통상 연령대와 자산규모가 다른 다양한 고객층에 대한 자산 형성 및 보전을 지원하는 역할을 한다. 그러나 고객의 자산을 유지하고 증식하는 은행의 전통적인 역할은 이제 종합 자산관리 모델로 진화하고 있다. 은행은 광범위한 손님 기반과 노하우를 활용하여 파트너십 및 생태계를 구축하고 포괄적인 자문 프로그램에 필요한 일련의 상품과 서비스를 제공할 수 있다. 예를 들어, 고령층과 준부유층을 위해 퇴직 후 지출관리나 상속 지원 등 자산의 축소 서비스를 제공하거나 젊은 MZ세대를 대상으로 투자상품 리서치 정보를 전달하고 투자 결정을 지원하는 플랫폼을 제공하는 모델을 개발하는 것도 가능하다.

전통적인 자금중개와 상품판매를 넘어서 맞춤형 복합서비스(end-to-end 서비스)와 투자를 통해 경제의 효율성 및 산업 혁신을 촉진하는 은행의 역할 확대 노력이 더욱 필요한 때이다. 은행의 가장 큰 사회적 역할은 여기에 있다.[58]

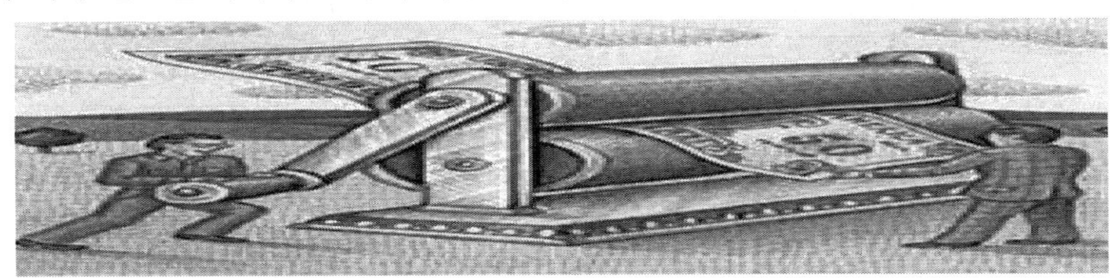

45. '금산분리 완화' 라는 판도라의 상자

금융위원회(금융위)는 올해 업무보고에서 금산분리 규제 완화를 추진하겠다고 밝혔다. 금융규제기관인 금융위가 본연의 목적을 망각하고, 금산분리 완화가 우리 경제에 미칠 부작용을 제대로 인지하지 못하고 있는 것 같아 매우 우려스럽다.

금산분리는 금융·비금융 회사를 동시에 지배하는 것을 금지하는 제도이다. 구체적으로 보면, 은행의 비금융회사 지배와 비금융회사의 은행 지배는 은행법에서 금지되고, 보험회사 등 비은행 금융기관들도 개별법에 따라 부수업무, 위탁업무 및 자회사 출자 규제에 대한 제한을 받고 있다. 이런 금산분리 규제는 거의 모든 선진국들이 채택하고 있다. 그 이유는 바로 금융기관이라는 본질에 있다. 금융기관들이 고객의 예치금을 자산으로 운용함으로써 도덕적 해이가 발생할 수 있고, 금융기관의 부실은 경제위기로 전이되기 십상이다. 따라서 금융기관의 건전성과 소유지배에 대한 규제 그리고 금융소비자 보호를 통해, 사전적으로 이런 위험을 관리하는 것이 금융규제기관 본연의 임무이고, 은행의 시스템 리스크가 훨씬 크기 때문에 더 엄격한 금산분리를 적용하고 있는 것이다.

이에 반해, 산업자본(비금융회사)의 비은행 금융기관에 대한 규제는 비대칭적이다. 공정거래법상의 지주회사체제에 속하지 않는 산업자본은 비은행 금융기관을 소유할 수 있으며 의결권만 제한받고 있다. 그런데 지주회사체제에 속하지 않는 산업자본이 비은행 금융기관을 소유할 수 있도록 허용하고 있는 현행 법체계에 오히려 맹점이 있다. 이 맹점은 이미 동양그룹 사태에서 여실히 드러났다.

2012년 금융권 대출이 완전히 끊긴 동양은 고금리 회사채와 기업어음(CP) 발행을 대폭 늘려 연명하기 시작했고, 결국 동양그룹에 남은 자금조달 창구는 경영진 지시에 따를 수밖에 없는 '동양증권' 뿐이었다. 2013년 금융당국은 10월부터 증권사가 투자부적격 등급 계열사의 채권을 파는 일을 전면 금지한다고 발표했고, 새 규정 시행을 하루 앞둔 9월30일에 동양·동양레저·동양인터내셔널 3개사는 동시에 법정관리 신청을 공시했으며 10월1일에는 "우린 걱정 말라" 던 동양시멘트와 동양네트웍스도 뒤따랐다.

동양증권 제주지점의 한 직원은 10월2일 '제 고객님들 돈을 꼭 상환해주십시오' 라는 내용을 담은 유서를 남긴 채 차 안에서 번개탄에 불을 붙였다. 금융감독원은 동양증권을 통해 동양그룹 CP와 회사채를 매입한 개인투자자가 약 4만

1000명이고 피해금액은 1조6000억원에 달한다고 발표했다. 제2의 동양그룹 사태는 여전히 발생할 수 있다.

미국의 경우에는, 1940년에 이미 투자회사법(Investment Company Act)을 통해, 금융이나 비금융 상관없이 자회사 지분을 50% 미만으로 가지는 지배회사는 투자회사에 준하는 규제를 받도록 한 바 있다. 이런 입법 정신을 최소한이나만 반영해, 금융기관을 지배하는 비금융회사에 대해 그 금융기관과 동일한 규제를 적용하는 입법이 필요하다.

금산분리 규제의 맹점은 보험업법에도 있다. 삼성생명이 삼성전자 주식에 거의 모든 자산을 '몰빵' 할 수 있도록 허용하는 보험업법 감독규정은 여전히 건재하다. 계열사 위험이 보험회사로 전이되는 것을 막는 보험업법의 행위 규제가 유명무실한 것이다. 동양증권의 위기와는 비교할 수 없는 사회적·경제적 파급을 불러올 것이 명약관화한 리스크 관리를 국회도 금융위도 방관하고 있다.

금융환경이 바뀌면, 이에 따른 금융기관의 도덕적 해이와 시스템 리스크에 대한 평가를 우선시하는 것이 정상적인 금융규제기관의 모습이다. 그러나 핀테크 육성을 핑계로 인터넷전문은행을 허용하면서도, 이로 인해 야기될 금융 위험에 대한 관리는 없었다. 금융 위험을 방관하면서 도입한 인터넷전문은행이 과연 핀테크 산업 육성에 도움이 되었는가? 금산분리 완화가 금융회사의 경쟁력에 도움이 된다면, 이미 금산분리가 적용되지 않고 있는, 비지주회사 재벌 소유의 보험회사나 증권회사들이 세계적인 경쟁력을 가지고 있어야 하는 것이 아닐까?

금산분리 완화는 결국 지배력 전이를 통해 내수시장에서 손쉬운 돈벌이만 유인할 것이다. 이런 유인기제는 금융기관의 본연의 경쟁력을 오히려 약화시키고, 금융-비금융 복합 리스크는 확대하는 부작용만 낳을 것이다. 지금 필요한 것은 금산분리 완화라는 판도라의 상자를 여는 것이 아니라, 금융기관을 지배하는 비금융회사에 대한 규제 강화와 삼성생명법으로 불리는 보험업법 개정안을 입법하는 것이다.[59]

46. 에너지 요금 인상, 정말로 필요한가

일상에서 '공공재'라는 말은 공익적 가치가 있거나 정부가 공급하는 재화의 의미로 통용되는 듯하다. 그러나 경제학 책에서 공공재는 그보다 훨씬 더 엄격하게 정의된다. 경제학적 공공재는 그것의 소비에 있어 실제로 누구도 배제되지 않고 누구도 타인과 경합을 벌일 필요가 없는 재화다.

정의가 이렇다 보니 현실의 예는 드물다. 이를테면 한산한 무료도로나 달빛이 공공재인데, 도로가 한산하면 대개 유료고 무료도로는 막히기 십상이다. 시인 이백이 아니고서야 달빛도 딱히 쓸모는 없다. 공공성에 대한 시민들의 일상 속 욕구가 커갈수록 그 의미가 협소하게 고정된 학술용어와의 충돌도 늘어난다.

실은 경제학자들도 공공재 이론으로 현대 정부의 광범위한 경제 활동을 설명하기는 곤란하다는 사실을 오래전부터 인정해 왔다. 재정학의 아버지 리처드 머스그레이브의 1957년 논문은 재정의 3대 기능을 공공재 공급, 소득재분배, 경제안정화로 요약한 기여로 유명한데, 같은 논문에서 저자가 '가치재'라는 개념을 통해 정부 개입의 규범적 측면을 정당화하려고 했던 시도는 훨씬 덜 알려져 있다. 머스그레이브는 공공재는 아니나 의무교육처럼 소비자들이 원하건 원하지 않건 국가가 공급해야 마땅한 재화를 가치재로 이름 붙였다.

이후 가치재를 둘러싼 논의는 주변으로 밀려났지만 미국 예일 대학의 법률가 귀도 칼라브레시의 2016년 저서를 거치면서 제대로 된 해석이 재등장했다. 칼라브레시는 생명 안전의 가치를 돈으로 저울질하는 것이 부당하듯 가치재는 상품화된 여느 시장재화처럼 취급되어서는 안 되며, 오늘날과 같이 심각한 불평등의 시대에는 개별 소비자가 얼마나 가격을 치를지 하는 지불의사를 기준으로 가치재를 배분해서도 안 된다고 주장했다. 이처럼 좁은 의미의 공공재는 아니지만 공익적 가치가 큰 재화라면 시장에 맡겨둘 것이 아니라 공공부문이 제공해 누구도 배제되지 않도록 해야 하고 경합 없이 소비할 수 있도록 해야 한다는 주장은 경제학적 근거가 없지 않다. 공공의료, 공공주택, 공교육에 대한 지지는 의료, 주택, 교육이 가치재라는 인식에 근거하는 셈이다.

그렇다면 가치재의 공급가격은 얼마가 되어야 할까? 가치재는 공공재가 아닌 재화를 공공재처럼 공급하려는 것이므로 머스그레이브의 제언처럼 무상 현물 공급이 원칙이다. 공급에 소요된 원가는 조세수입으로 충당한다. 따라서 가치재 공급 과정에서는 사회연대 원리에 기초한 교차보조가 자연스럽다. 예컨대 아동급식을 제공하면서 대금을 받아 원가와 이윤을 회수하려는 것은 아동급식을 가치재가 아닌 시장재화로 간주하는 태도다. 아동급식이 가치재라면 그것은 누구도 배제되지 않을 낮은 가격 내지는 무상이어야 한다. 아니면 결식아동한테 무상급식을 못 주겠다고 눈물 흘리는 못난 어른이 되면 그만이다. 그러나 가치재를 공급하면서 해당 가치재의 원가만큼을 요금으로 받아야 한다는 경제원리는 없다.

요즘 전기와 가스의 요금 인상을 두고 진보진영 내에 논란이 많다. 필자가 보기에 최근 논란에서 우리가 충분히 고려하지 않고 있는 한 가지 경제학적 질문은, 민중의 경제적 존엄을 지키기 위한 에너지 사용의 사회적 필요 수준을 우리가 합의할 수 있다면 그렇게 한정된 필수적 에너지는 가치재로 보는 것이 타당한지 여부다. 물론 어느 정도의 사용량이 필수적인지는 경제 상황이나 정치 지형, 진보정치의 역량 등에 따라 가변적일 수 있다.

하지만 '에너지 기본권'이 정의 불가능한 개념은 절대로 아닐 것이다. 진보정치가 나서서 에너지 자체가 가치재가 될 수 없다고 주장할 일은 더 더욱 아니다. 에너지 소비를 줄일 여력이 없는 가난한 한계 소비층한테 요금을 더 받아 가격의 시그널 기능을 회복하려는 것이 기후정의인지도 의문이다.

정의로운 전환은 노동운동의 장기 전망이 기후정의와 일치한다는 비전이다. 에너지 공급 부문에서 공적 체계를 확대하고 재공영화로 나아가는 길이 노동운동의 대안이라면 최근 논란은 가볍게 넘길 일만은 아니다. 필수적 에너지의 가치재 특성을 부인하고 에너지 가격을 원가 회수에 초점을 맞춰 정상화하는 과정은 결국 에너지 부문의 전면적 시장화와 민영화 확대로 이어질 위험이 작지 않아서다.

에너지 요금으로 해결할 일이면 세금으로 해결해도 된다. 그러니 혼동하지 말자. 공기업의 재정건전성은 국가 재정으로 책임져야지 서민들이 십시일반으로 그 부담을 떠안을 일이 아니다. 당면한 공기업의 재무적 부담은 횡재세 등 증세에 기반한 재정 투입과 비필수적 에너지 사용에 대한 단계적 요금 인상으로 조절해 갈 수 있다.[60]

47. 은행 위기와 대마불사 자본주의

은행 위기는 자기실현적(self-fulfilling) 속성을 가진다. 은행의 실제적 상황과는 관계없이 예금자들이 은행에 대한 신뢰를 거둬들이면 그 자체로 은행은 파산한다. 은행의 기본적인 비즈니스는 예금을 받아 대출을 하는 일인데, 예금자들이 한꺼번에 인출하면 버텨낼 수 있는 은행이 없다.

은행의 위기는 경제 시스템 전반의 위기로 비화되곤 한다. 은행은 돈의 흐름을 중개하는 경제의 혈관 노릇을 하기 때문이다. 은행이 힘들어지면 대출이 중단되고, 빌려준 자금을 회수하게 된다. 돈이 돌지 않는 금융시장의 경색은 실물경제에도 부정적인 영향을 줘 급격한 경기 하강을 유발하게 되는데, 금융이 매개가 된 이런 일련의 악순환이 시스템 리스크이다. 혹여 은행이 파산하기라도 하면 혼란은 배가된다. 2007~2008년 미국의 서브프라임 모기지 부실과 투자은행 리먼브러더스의 파산 과정에서 경험했던 그 난리통이 시스템 리스크의 전형적인 모습이다.

개별 은행의 위기가 시스템 리스크로 전이되는 것을 막는 것은 중앙은행과 관료들의 책무이다. 2008년 금융위기 당시 미국 중앙은행인 연방준비제도의 수장이었던 벤 버냉키는 2019년 <금융위기에 대처하기(Fire Fighting)>라는 책을 썼다. 이 책은 버냉키의 근심으로 가득 차 있다. 개별 금융기관의 위기가 생기면 정책 당국자들이 과하다 싶을 정도로 강력한 정책을 써서 시스템 리스크로 전이되는 것을 막아야 하는데, 2019년 당시에는 위기 때 쓸 수 있는 중앙은행의 정책 재량권이 너무 제한적이라는 것이 버냉키의 생각이었다. 버냉키는 1920년대 대공황을 깊이 연구한 경제학자이다. 자신이 중앙은행 수장으로 있던 2008년의 금융위기가 대공황 이후 가장 참혹한 경기후퇴(great recession)를 불러왔다는 점을 감안하면 그 근심이 이해되기도 한다.

가. 인플레 억제보다 금융안정 선택

그렇지만 버냉키의 걱정은 기우에 그쳤다. 버냉키의 책이 발간되고, 이듬해 코로나19 팬데믹 초기 국면에서 주요 중앙은행들과 정부는 2008년 글로벌 금융위기 때보다 더 파격적인 정책을 썼다. 양적완화를 넘어 특정 경제주체를 정부와 중앙은행이 사실상 지원하는 질적 완화 정책이 시행됐고, 현금의 직접 지원 등 파격적인 보조금 정책도 잇따랐다.

역병의 전 세계적 확산이라는 미증유의 위기에 대한 불가피한 대응이기도 했지만, 실은 2008년 금융위기 이후 이어져 온 우리 시대 자본주의의 특징적 한 단면이기도 했다. '대마불사' 혹은 '파산 없는 자본주의'가 그것이다.

2008년 리먼브러더스의 파산은 관료와 중앙은행에 큰 트라우마를 남겼다. 부주의한 행동을 한 경제주체가 자신의 행위에 대가를 치르는 건 시장논리로 보면 합당한 일이었지만, 그 파장이 너무도 컸다. 대공황 이후 가장 큰 경기 침체였기 때문에 차라리 구제금융을 통해 리먼브러더스를 살리는 선택을 하는 게 옳았다는 판단을 했을 법하다. 리먼브러더스 파산 이후 AIG · 시티그룹 · BOA 등의 대마(大馬)들은 공적 지원을 받고 줄줄이 살아남았다. 앞서 언급한 버냉키의 책은 리먼브러더스 파산으로 화들짝 놀란 정책 당국자들이 다른 대마를 살려내는 과정에 대한 생생한 기록에 다름 아니다.

금융위기에 대처하기 위한 관료들의 매뉴얼은 확고하게 정립돼 있다고 봐야 할 것이다. 공적 재원으로 민간 금융기관을 지원하는 것에 대해서는 반발이 클 수 있어, 외견상으로는 민간에서 자구책을 찾는 모습이 나타날 것이다. 파산 위기에 몰렸던 크레디트스위스(CS)는 자국의 경쟁자 UBS에 인수됐고, JP모건 등 미국의 11개 대형 금융기관들은 파산 위험이 부각되고 있는 퍼스트리퍼블릭뱅크(FRB)에 무담보로 300억달러를 예치하기로 했다. 공멸을 막기 위한 동업자 의식의 발로일 수도 있지만, 100% 민간의 판단으로만 진행되는 과정은 아닌 것 같다. UBS는 크레디트스위스 인수 과정에서 돌출될 수 있는 부실에 대한 스위스 정부의 보증을 받은 것으로 알려지고 있고, 제이미 다이먼 JP모건 회장은 바이든 행정부의 실세 경제 관료인 브레이너드 백악관 국가경제위원회 위원장과 회동을 가졌다.

연방준비제도도 BTFP(Bank Term Funding Program)라는 은행 지원 프로그램을 가동하고 있다. 민간은행은 유동성이 부족할 경우 기존에 보유한 우량 자산을 담보로 중앙은행에서 대출을 받을 수 있는데, BTFP는 은행이 보유한 담보를 시가가 아닌 액면가로 평가함으로써 쉽게 돈을 빌릴 수 있게 만든 제도이다.

나. 위기는 막지만 장기 활력은 저하

대부분의 금융위기는 경제에 유동성을 충분히 공급함으로써 해결된다. 인플레이션에 대한 우려로 유동성 공급이 여의치 않을 것이라는 관측도 있지만, 모르는 소리다. 작년 가을 영국에서도 금리가 상승해 주요 연기금들이 치명적 손실을 입을 위기에 내몰리자, 중앙은행인 영란은행이 양적완화를 실시해 돈을 풀었다. 당시 영란은행은 금리를 공격적으로 올리고 있었고, 보유 중인 국채를 시장에 팔아 유동성을 줄이는 양적긴축 시행을 예고하고 있었지만, 금융 시스템이 흔들리자 과감히 돈을 풀었다. 흡사 과열을 막기 위해 에어컨을 켜고 있는 와중에 갑자기 보일러를 가동해 온도를 올려놓는 꼴이었다. 향후에도 중앙은행은 인플레이션 억제보다는 금융 안정을 선택할 것이다.

2008년 금융위기와 같은 시스템 리스크가 나타날 가능성은 낮다고 본다. 다만, 이 과정에서 글로벌 경제는 구조조정의 지연과 인플레이션 압력의 지속이라는 비용을 치러야 할 것이다.

파산은 어떤 측면에서는 자본주의의 자정 과정이기도 하다. 리스크 관리에 실패한 플레이어에게 책임을 물어 시스템의 기강을 세우고, 비효율적인 경제주체들이 퇴출됨으로써 시스템의 효율은 개선된다. 2008년 이후의 주류 자본주의는 대마의 '파산'을 막음으로써 위기 발생은 막고 있지만, 장기적인 활력은 떨어지는 길을 걷고 있다. 또한 금융 안정을 위한 유동성 공급 조치는 인플레이션 압력을 지속시킬 것이다. 금주 발표된 영국의 2월 소비자물가지수는 전년 동월 대비 10.4%나 상승했다. 작년 가을 영란은행의 미니 양적완화가 인플레이션 기대심리를 강화시키는 데 영향을 준 결과일 수 있다.[61)]

48. SVB 사태는 찻잔 속의 태풍일까?

인플레이션 불안 속에서도 글로벌 금융시장에서는 경기 침체가 오지 않을 것이라는 이른바 '노 랜딩(No Landing)'에 대한 기대가 힘을 얻고 있었다. 하지만 'SVB(실리콘밸리은행)사태'라는 뜻하지 않은 돌발 악재가 나오면서 이런 기대는 휘청거리고 있다.

SVB사태가 벌어진 이유는 무엇일까? 코로나19 사태 이후 제로 금리와 양적완화에 힘입어 상당한 유동성이 IT 벤처업계로 흘러들어갔고, 이로 인해 벤처기업의 현금 보유는 크게 늘어나게 된다. IT 벤처기업들의 은행 예금도 따라서 대폭 증가하는데, 이들 기업이 주로 거래하는 은행이 바로 SVB였다. SVB는 늘어난 예금을 어딘가에 투자하고 운용을 해야 했다. 문제는 IT업계에 워낙 유동성이 많이 풀려 있어 대출의 수요가 그리 크지 않았다는 점이다. 다른 투자처와 운용 방안을 찾아야 했는데, 그 대안이 국채나 안전한 모기지 채권을 매입하는 것이었다. 하지만 해당 채권들 역시 단기물의 경우는 워낙 금리가 낮기에 장기물을 중심으로 투자하게 된다. 결국 SVB는 단기로 받은 예금을 장기 국채 및 모기지 채권에 투자하는 모양새가 됐다. 전형적인 장단기 미스매칭이 벌어진 셈이다.

이렇게 해도 예금이 계속 유입되면 문제가 없었을 것이다. 그런데 2022년에 접어들면서 연준의 금리 인상이 빨라지자 IT업계 쪽으로 들어오는 자금도 줄어들었다. 해당 기업들은 운전 자금을 확보하기 위해 예금 인출을 시작한다. 그런데 이런 IT업계의 불황은 특정 기업에만 닥치는 게 아니라 해당 산업 전체로 확산하는 특징이 있다. SVB는 IT기업들에 특화된 은행이기에 IT업계가 어려워지자 예금자들의 예금 인출 압력이 급격히 높아지는 상황에 봉착했다. IT업계로부터 예금 유입을 기대하기 어려운 상황에서 기존의 예금을 인출하려면 SVB는 보유한 현금을 내줘야 한다. 하지만 자금 대부분은 장기 국채와 모기지 채권에 묶여 있었다. 이 경우 해당 채권을 매각해서 예금자들의 인출 요구에 응해야 한다.

여기서 새로운 문제가 불거진다. 연준의 빠른 금리 인상에 따라 시중 금리가 급등하는데, 이때 기존의 낮은 금리 상태에서 투자했던 장기 국채의 매력이 크게 떨어진 것이다. 이를 매각하게 되면 상당한 투자 손실이 발생하는데, 이런 손실은 은행 자본을 크게 훼손시킨다. 은행의 자본이 급격히 줄어들면 예금자들의 불안감이 커진다. 은행에서 예금을 대규모로 인출하는 뱅크런이 현실화하게 된다.

SVB도 마찬가지 경로를 걸었다. 은행에 대한 신뢰가 크게 추락하면서 예금 인출 압력이 커진 상황에서 SVB는 국채를 매각하고 발생한 손실을 메우고자 유상증자를 준비했다. 하지만 한번 신뢰가 무너진 은행이 투자금을 유치하는 것은 어려웠다.

SVB 파산 과정에서 보듯, 문제의 핵심은 예금 인출 사태가 닥치면 보유한 장기 국채를 매각할 수밖에 없고, 이 과정에서 매각 손실이 확정되면서 은행의 자본이 위협을 받았다는 것이다. 하지만 SVB와 달리 미국의 대형 은행들은 IT기업들뿐 아니라 다양한 고객층을 확보하고 있다. 이들 은행은 특정 산업이 어려움을 겪어도 다른 산업에 종사하는 사람들의 예금을 유치할 수 있다. 아울러 대형 은행들은 상당한 현금 유동성을 확보하고 있다. 또 리먼 사태의 충격을 기억하고 있기 때문에 상당한 수준의 자본을 쌓아놓았다. 무엇보다 연준과 미 행정부가 한 은행의 위기가 다른 은행으로 전이할 가능성에 적극 대처한다는 것이다. 따라서 이번 SVB사태가 2008년 리먼사태처럼 대형 금융위기로 이어질 가능성은 높지 않다고 할 수 있다.

그렇다면 SVB사태는 찻잔 속의 태풍에 그칠까? 대형 위기는 아닐지라도 투자심리를 전반적으로 악화시켜 실물경기의 둔화를 촉발할 가능성은 높다. 우선 특정 산업의 부진이 SVB에서의 예금 인출 압력을 높였다는 데 주목할 필요가 있다. SVB처럼 특정 산업 혹은 특정 지역에서만 고객층을 갖는 미국의 다른 중소형 은행들에 대한 의구심이 커질 수 밖에 없다. 이들 은행은 자체적으로 안정성을 확보하기 위해 보유 현금을 유지하고자 대출을 줄이게 될 것이다. 이는 대출 자금이 해당 은행의 주거래 대상인 산업이나 지역으로 흘러가기 어려울 수 있다는 것을 의미한다. 지금처럼 유동성 부족이 가시화되는 시기에 대출 부진까지 겹치면 실물경제 성장에 일정 수준 부정적 영향을 미칠 수 있다. 결국 세계적인 금융위기로 발전할 가능성은 낮지만 SVB사태가 다른 중소형 은행이나 기타 산업군 혹은 지역경제의 부진으로 이어질 수 있다는 것이다. 금융권의 향후 움직임에 더욱 주목해야 할 이유이다.[62]

49. 아인슈타인은 옳았다···왜 노동시간을 줄여야 하는가?

인공지능과 로봇, 3D 프린팅이 주도하는 4차 산업혁명이 일자리 킬러가 될 수 있다는 전망이 수년 전부터 꾸준히 나온다. 인간은 물론 사물까지 인터넷으로 연결된다지만 정작 일자리에서는 '로그 아웃' 되는 사람들이 많아질지 모른다. 일자리를 잃지 않게 하거나 잃더라도 인간으로서의 품위를 유지할 수 있는 방법은 없을까. 노동시간 단축으로 일자리를 나누고, 그럼에도 일자리를 잡지 못한 사람들에게는 기본소득을 주면 어떨까.

스위스는 지난해 헌법에 기본소득 조항을 넣는 국민투표를 실시했다. 비록 부결되기는 했지만 기본소득에 대한 관심을 높이는 계기가 됐다. 핀란드는 올해 1월1일부터 유럽 최초로 전국 단위에서 기본소득 실험을 실시하기로 했다. 캐나다와 네덜란드도 기본소득 실험을 준비하고 있다. 지구촌의 주요 관심사가 된 기본소득과 달리 노동시간 단축 논의는 상대적으로 활발하지 않다.

주당 35시간을 규정한 노동법을 개정해 노동시간을 늘리려는 프랑스 정부와 이에 반대하는 시민사회가 격하게 충돌했던 프랑스에서 이와 관련해 주목할만한 책이 나왔다. 지난해 중순 출간된 <아인슈타인이 옳았다>이다. 노동시간 단축이 왜 실업과 저성장의 해법인지 설명하는 책이다.

저자들은 사회당에서 탈당해 새로운 진보 운동을 시작한 경제학자 피에르 라루튀루와 파리 도핀 대학에서 사회학을 가르치는 도미니크 메다 교수이다. 두 사람은 이 책에서 "노동의 양은 그것이 증가 추세를 보이든 감소세를 보이든 세련된 배분의 대상이 되어야지 현재처럼 야만적이어선 안 된다" 라고 주장했다. 제한된 일자리를 두고 서로가 서로를 희생양 삼아서는 안 된다는 주장이다. 이민자에 대한 차별, 비정규직에 대한 차별, 여성에 대한 차별은 이런 희생양 찾기의 결과이다. 저자들은 경제 성장은 물론 사회 통합과 안정을 위해서도 노동시간 단축에 대한 토론을 시급히 재개해야 한다고 봤다.

이 책의 목적은 단순하다. 실업과 고용 불안정을 해결하기 위해 노동시간을 단축해야 한다는 점을 설득하는 것이다. 노동 조건 악화를 체념하며 받아들이거나 노동 규제 완화를 밀어붙이는 모든 담화에 맞서 싸우는 시민들에게 근거를 제공하는 것이다.

책은 아인슈타인이 세계 대공황의 해법으로 노동시간 단축을 주장했던 점을 소개하면서 시작한다. 아인슈타인은 대공황에 대해 이렇게 썼다. "이번 위기는 이전 위기들과는 매우 다르다. 생산방식의 급격한 발전에 따른 완전히 새로운 상황에서 위기가 발생했기 때문이다." 아인슈타인은 1933년 발표한 이 글에서 대량생산에 따른 문제점을 이야기했다. 적절한 부의 분배가 없을 경우 과잉생산과 실업의 문제를 낳을 수 있다는 것이다. 아인슈타인은 이를 해결하기 위해 4가지 방법을 제안했다. "첫째, 실업을 줄이기 위해 법정 노동 시간을 줄이자. 둘째, 상품생산에 비례하는 구매력을 보장할 수 있도록 최저임금을 설정해야 한다. 셋째, 화폐 유통량과 신용화폐의 양을 제한해야 한다. 넷째, 독점과 카르텔로 자유경쟁의 원칙에서 벗어나 있는 상품 가격을 제한해야 한다."

노동시간 단축은 아인슈타인 이전 산업혁명 초기부터 거론되던 문제이다. (1841년 프랑스 정부는 8~12세 아동의 하루 노동시간이 8시간을 넘지 못하도록 법으로 정했다. 노동시간 단축 주장이 실현된 초기 사례이다.) 다만 20세기 들어 좀 더 구체적이고 광범위하게 논의됐을 뿐이다. 아인슈타인과 비슷한 시기 노동시간 단축을 요구한 주요 인물로 포드 자동차를 설립한 미국의 기업가 헨리 포드를 들 수 있다. 포드는 1926년 생산성 향상으로 인한 이익을 더 공정하게 배분해야 한다는 주장을 폈다. 그는 말로만 그치지 않았다.

포드는 '하루 5달러' 라는 구호 아래 직원들의 임금을 두 배로 올린 지 2년 만에 노동시간 단축도 도입했다. 포드는 "인도적인 측면에서만 노동시간 단축 논의가 머물러선 안 된다" 라고 주장했다. 그는 자본주의는 생산을 하는 기업만 필요한 것이 아니라 소비가 가능할 정도의 시간과 소득을 갖고 있는 소비자들도 필요하다고 설명했다. '주 5일 노동에 6일 치 임금' 이라는 제목이 붙은 인터뷰에서 포드는 "대다수 기업들이 하루 10시간 노동으로 돌아가는 한 미국의 산업은 오래 지속할 수 없다" 며 "사람들이 생산품을 소비할 시간을 갖지 못할 것이기 때문이다" 라고 말했다.

그는 임금 인상과 노동시간 단축으로 인한 변화를 이렇게 예상했다. "노동자들은 자동차를 가져야만 새벽부터 황혼까지 쇼핑을 갈 수 있다. 이는 무수히 많은 결과로 이어진다. 자동차는 사람들이 빠르고 쉽게 이동할 수 있도록 해줘 세상에서 일어나는 일들을 발견할 기회를 준다. 이는 더 풍족한 식생활, 더 많고 더 좋은 생산품, 더 많은 책과 더 많은 음악, 즉 모든 것이 더 풍족해지고 더 부유해진 세상으로 이끌어준다." 소비할수록 더 풍요로워진다는 박제가의 '우물론' 을 떠올리게 하는 말이다.

포드는 노동시간 단축은 경제 발전의 족쇄가 아니며 오히려 이 같은 사회 혁신 없이는 경제 발전은 지속 가능하지 않다고 주장했다. 그는 "하루 8시간 노동이 번영으로 가는 길을 열었듯이, 주 5일 노동은 더 큰 번영으로 가는 길을 열게 될 것이다. 여가는 노동자들에게 낭비되는 시간이라거나 일종의 계급적 특권이라는 생각에서 벗어나야 할 때이다" 라고 말했다. 그러나 생산성 향상의 이득을 더 공정하게 배분해야 한다는 포드의 제안은 심각하게 받아들여지지 않았다. 그의 생각을 실천에 옮긴 기업가들은 소수에 그쳤다.

유토피아 같은 발상이라던 포드의 생각은 20여 년이 더 지나 실현됐다. 대공황이 수천만명의 실업자를 낳고 2차 세계대전이 수백만명을 희생시킨 뒤이다. 저자들은 "1926년에 주 5일 노동을 일반화시켰다면 위기가 발생하지 않았을 수도 있고 발생했더라도 이로 인한 피해는 훨씬 더 적었을 것이다" 라고 말한다.

1830년 조사에 따르면 프랑스의 연간 노동시간은 3000시간이었다. 1996년에는 절반 가까이 줄어든 1600시간이다. 노동 시간이 이렇게 줄어드는 동안 노동시간 단축이 노동자를 게으르게 만들고, 경쟁력을 해칠 것이라는 불만은 끊이지 않았다. 그러나 지금까지 노동시간 단축은 삶의 질을 높이고 경제에 역동성을 부여하는 데 핵심적인 역할을 했다.

저자들이 노동시간 단축을 위해 요구한 것은 '주 4일 32시간 노동' 이다. 중요한 것은 주간 노동시간을 몇 시간 줄이는 것보다는 출근일을 주 4일로 줄이는 방식이어야 한다는 것이다. 출근일을 그대로 유지하고 노동시간을 줄이는 것보다 하루를 줄이는 방식이 고용증대 효과가 확실하기 때문이다.

노동시간을 줄이는 과정에서 임금을 삭감해서도 안 된다고 주장했다. 국내총생산에서 노동자들이 차지하는 몫은 과거보다 줄어들고 있기 때문이다. 경제협력개발기구(OECD)의 자료에 따르면 노동자들의 임금이 국내총생산에서 차지하는 몫은 1982년 67%에서 2008년 57%로 줄었다. 국제결제은행(BIS)은 2003년 연례 보고서에서 소비자 부족 시대를 경고했다. 구매력의 하락으로 세계적인 경기 후퇴가 올 것이라는 예상이었다.

비정규직 확대는 노동자들의 몫이 줄어드는 주요 원인이다. 일본 노동자의 32%가 고용 불안정 상태에 있고, 독일의 경우 400만명이 실업 상태에 있고 600만명이 시간제 노동자로 일하고 있다. 일자리를 잃을지 모른다는 두려움 때문에 노동자들은 회사와의 임금 협상에서 불리한 위치에 처하게 된다. 게다가 한 나라의 고용 불안정은 수출을 매개로 다른 나라로 확산될 수 있다. 저자들은 독일을 그 예로 들었다. 독일은 하르츠 법으로 노동유연화를 확대했고 이로 인한 비정규직 확대는 임금 인상을 억제했다. 임금이 상대적으로 낮은 수준으로 유지되면서 독일 수출품은 가격 경쟁력을 갖출 수 있었다. 독일이 수출 증가로 이득을 본 반면 프랑스 등 독일 주변국들은 수출 감소와 성장률 둔화, 실업 증가를 겪어야 했다. 이런 상황에서 주변국들이 독일과 같은 전략을 따르게 될 경우 문제는 더욱 심화될 뿐이다.

그렇지만 오늘날 실업의 가장 주된 원인은 역시 생산성 증가이다. 2011년 경제학자 다니엘 코헨의 연구에 따르면 같은 양의 산업 생산품을 만드는 데 필요한 인력은 매년 4%씩 줄어든다. 코헨에 따르면 일자리 감소의 10~15% 정도만이 세계 무역과 연관된 것이고 나머지는 모두 생산성 향상에 따른 것이다. 도널드 트럼프나 마린 르펜 등 각국의 극우파들이 말하듯 자유무역과 세계화가 일자리를 뺏어가는 주요 원인은 아니라는 말이다.

생산성 향상은 결국 전보다 덜 일해도 된다는 뜻이기에 그 자체로 나쁜 것이 아니다. 줄어드는 일자리를 적절히 나눠 생산성 향상으로 인한 이득을 공정하게 나누는 것이 중요할 뿐이다. 저자들이 보기에 노동자들의 임금을 높이고 노동시간을 줄이는 일은 사회 정의의 일부이다.

저자들은 "일부 사람들은 우리들이 사회 정의를 국가가 위기에서 헤어 나오지 못할 경우 포기해야 하는 사치품의 하나라고 믿길 원한다"며 "그러나 사회 정의는 더 나은 때를 기다리면서 포기해야 할 것이 아니라 확고한 의무이자 절대적인 긴급성을 갖고 있는 것이다. 사회 정의를 재건하는 일은 위기에서 탈출할 수 있는 유일한 방안이다"라고 말했다.

저자들은 지금의 저성장, 실업난이 일시적이며 저금리 정책 등으로 성장세를 회복할 수 있다는 착각을 버려야 한다고도 주장했다. 이들은 "노동시간을 대폭적으로 단축할 경우 몇 년 안으로 대량실업에서 벗어나는 것은 진실로 가능하다"면서 "성장의 기적적인 회복에 기대거나 노동시간의 대폭적 감축에 관한 사회적 합의를 이룰 수 없다면 어떤 위기 탈출도 지속 가능하지 않다"라고 말했다.

노동시간 단축은 생활 전반에 변화를 줄 수 있다. 과도한 노동과 고용 불안정으로 '자기 착취'를 강요받는 노동자들은 노동시간 단축으로 소비자로서는 물론 부모로서, 아내나 남편으로서, 공동체의 삶을 고민하는 시민으로서의 삶에 더 충실할 수 있다. 노동자들의 건강도 더 좋아지고 의료 비용도 줄일 수 있다. 여가 활동이 늘면서 오히려 관련 일자리가 늘어날지도 모른다. 일자리를 뺏어간다고 이민자를 공격하거나 이민자를 공격하는 정치 지도자를 뽑는 일도 줄어들 것이다.

존 메이너드 케인스는 1930년 발표한 에세이 <우리 손주 세대의 경제적 가능성>에서 2030년이 되면 대부분의 사람이 일주일에 15시간만 일하고도 생계를 해결할 수 있을 것이라고 예상했다. 기술 발전으로 시간당 생산량이 증가할 것이므로 조금만 일하고 나머지 시간은 여가에 활용할 수 있을 것이라고 생각했다. 지금 현실과는 상당히 거리가 멀다. 그래도 아직 2030년은 멀었다. 아인슈타인과 포드, 케인스의 주장이 옳았다고 말할 수 있는 시간은 충분하다.

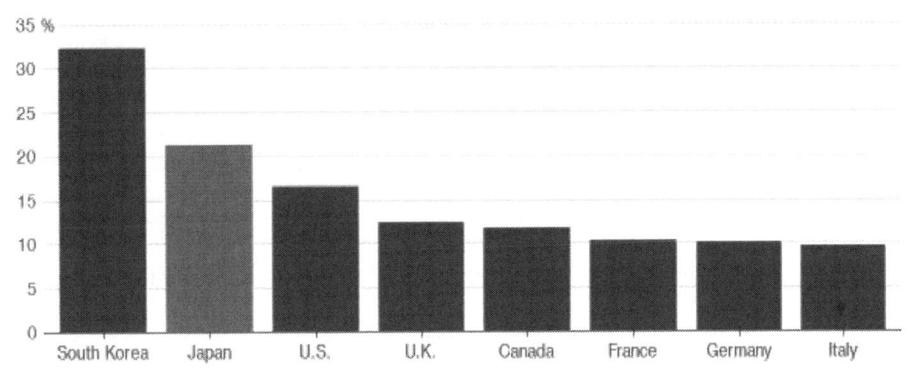

지난달 30일 블룸버그 보도에 따르면 일본은 오는 2월24일부터 매달 마지막 금요일 오후 3시에 조기 퇴근하는 '프리미엄 금요일'을 실시하기로 했다. '과로사'의 원조 국가라는 오명을 벗기 위해서이다. 얼마나 많은 기업들이 참여할 지는 모르지만 일본의 경제인 단체인 '경단련'은 1300개 이상의 회원사들에게 참가를 독려하는 서한을 보냈다. 일본 다이이치생명의 수석 이코노미스트는 대다수 노동자들이 이 제도의 혜택을 받을 경우 민간 소비가 16억달러정도(약 2조원) 증가할 것이라고 예상했다.

블룸버그가 이 기사에서 인용한 일본의 한 연구소 자료에 따르면 한국은 일본보다 주당 49시간 이상 일하는 노동자의 비율이 훨씬 더 높다. 일본보다 더 시급하게 노동시간 단축 논의를 시작해야 하는 상황이다. 이 책을 보면서 나도 한 가지 방안을 생각해봤다. 물가상승에 맞춰 최저임금을 조정하듯이 생산성이 증가할 경우 그에 비례해 의무적으로 노동시간을 줄이는 방안을 사회적 대타협의 하나로 추진하는 것은 어떨까.[63]

50. 노동시간, 더 줄여야 한다

윤석열씨는 “120시간 일해야 한다는 이야기가 아니”라며 “왜곡하지 말라”고 역정을 냈다. 사람들은 ‘120시간 일을 시켜야 한다’고 해서 분노한 게 아니다. 말본새에 빤히 드러난 몰상식에 경악한 것이다. 흥미로운 부분은, 노조나 좌파들보다 민주당과 그 지지자들이 되레 윤씨 발언에 분기탱천했다는 점이다. 하지만 실은 정부와 민주당이야말로 노동자를 위험에 방치한 장본인이다.

유력한 대선주자인 윤석열씨가 주 52시간제를 “실패한 정책”이라며 “한 주에 52시간이 아니라 120시간이라도 바짝 일하고 이후에 마음껏 쉴 수 있어야 한다”고 말했다. 큰 비난이 일자 그는 “120시간 일해야 한다는 이야기가 아니”라며 “왜곡하지 말라”고 역정을 냈다. 이분, 눈치까지 없다. 사람들은 ‘120시간 일을 시켜야 한다’고 해서 분노한 게 아니다. 말본새에 빤히 드러난 몰상식에 경악한 것이다.

흥미로운 부분은, 노조나 좌파들보다 민주당과 그 지지자들이 되레 윤씨 발언에 분기탱천했다는 점이다. 이들은 “아우슈비츠의 98시간 노동”(김영배) “쌍팔년으로 퇴행”(강병원) 등 격한 비난을 쏟아냈다. 말만 들으면 세상 둘도 없는 노동자의 친구 같다. 하지만 실은 정부와 민주당이야말로 노동자를 위험에 방치한 장본인이다. 다른 사례도 많지만 가장 최근인 7월12일 입법예고된 중대재해처벌법 시행령을 보자. 정부는 과로사의 주원인으로 꼽히는 심혈관계 질환, 근골격계 질환, 난청 등 업무상 질병을 법안에서 빼고 삼성 반도체 사례 등 직업성 암도 제외했다. 애초 중대재해(기업)처벌법에는 구의역 김군, 서부발전 김용균씨, 평택항 이선호씨 등 노동자의 참혹한 죽음을 더 이상 반복하지 말자는 간절한 염원이 담겨 있었다. 그 법을 누더기로 만들어 무력화시키는 데 최대 역할을 한 정부와 민주당이 윤석열씨를 공격하며 “노동” “인권” 운운하니 가소롭지 않을 도리가 없다. 윤석열씨나 국민의힘 같은 무리를 ‘일자무식한 깡패’라고 한다면, 민주당 같은 무리는 ‘입만 산 양아치’라 불러야 하지 않을까.

무지몽매한 말, 표리부동한 말에 휘둘리기보다 노동시간을 줄여야 하는 이유를 되새기는 게 생산적이지 싶다. 왜 노동시간을 줄여야 하는가. 긴 노동시간이 인간의 삶을, 직접적으로 생명을 위협하기 때문이다. 인간은 쉬지 않고 오래 일할수록 아프고, 다치고, 금방 죽는다. 이미 수많은 데이터로 증명된 사실이며 일하는 사람이면 누구나 체감하는 진실이다. 19세기 산업사회의 노동시간은 연 3000시간이 넘었으나 오늘날 독일, 프랑스의 경우 절반인 1500시간 이하로 줄었다. 한국은 2019년 기준 1967시간으로, 경제협력개발기구(OECD) 평균인 1726시간보다 상당히 길고 여전히 오이시디 국가 중 최하위권이다.

"마음껏 일할 자유"를 말하는 사람을 본 적이 있다. 내가 더 일하고 싶다는데 왜 국가가 못하게 하냐는 것이다. 이렇게 말해 주었다. "물론 당신이 몸 으스러지게 일하는 건 원칙적으로 자유다. 하지만 당신이 다른 이에게 그렇게 일을 시키면 처벌받을 것이다. 당신의 고용인이 있다면 그가 처벌받을 것이다. 한국 법체계는 전적으로 방임적이지도, 또 전적으로 후견적이지도 않지만 그렇다고 시민이 서로를 망가뜨리는 일이 허용되진 않는다. 정 마음에 안 들면 이민도 방법이다. 다만 소위 선진국에선 주 5일제가 아니라 주 4일제가 도입되고 있음을 염두에 두시라."

아이티(IT) 노동자, 연구직 등은 이른바 '크런치 모드'로 일하기 때문에 예외 적용되어야 한다는 주장도 끈질기게 제기된다. 그러나 이미 선택근로제와 탄력근로제 등의 우회로가 존재할 뿐 아니라, 5~29인 사업장인 경우 특별연장근로까지 가능하다. 이 정도 예외조치로도 생산성이 확보되지 않는다면 그냥 인력이 턱없이 부족한 것이다. 외국을 보면 오히려 노동시간을 줄여 생산성을 높인 사례가 적지 않다. 2019년 마이크로소프트 재팬은 5주 동안 주 4일 근무를 시행한 결과 생산성이 전년 동기 대비 40% 증가했다.(《한국일보》 2021년 3월6일)

과거 주 40시간제 도입 당시(강조하건대 주 52시간이 아니라 주 40시간이 원칙이다), 재벌과 경제신문 등은 생산성이 크게 떨어질 거라며 일제히 반발했다. 시행 후 조사해보니 10인 이상 제조업체 1인당 실질 부가가치 산출이 약 1.5% 향상된 것으로 나타났다.(KDI 정책포럼 자료, 2017년 11월) 줄었다곤 하지만 한국의 노동시간은 지금도 너무 길다. 사람이 계속 죽어나갈 만큼 길다. 과로사 통계가 있는 일본과 달리, 한국은 세계에서 가장 오래 일하는 오이시디 나라임에도 아직 과로사의 법적 개념조차 정립되어 있지 않다. 헨리 포드가 주 40시간 근무제를 선언한 때가 무려 1926년이었다. 노동시간, 더 줄여야 한다.[64]

51. 성장 패러다임 전환이 필요하다

놀랄 만한 뉴스가 없는 날이 없다. 주말 곳곳에서 발생한 산불이 두려움을 주더니, 월요일부터는 국제유가 급등 소식이 다소 잦아들던 인플레이션 불씨를 살렸다. 앞서 글로벌 은행 크레디트스위스(CS)가 유동성 위기를 겪다가 다른 회사에 넘어갔고, 도이체방크도 위기설이 증폭되고 있다. 지구 반대편에서 벌어진 일이지만 그 여파는 한국에 고스란히 전해져 금융시장을 흔들었다. 도처에 '시한폭탄'이 도사리고 있다.

신문 기사에는 폭탄과 같은 군사 용어 사용을 자제하려고 하는데, 언제부터인가 흔한 용어가 됐다. 인터넷 포털 네이버에서 4일 오후 '폭탄'으로 뉴스를 검색하니 1일간 올라온 관련 기사만 200건가량이었다. 세금·난방비·문자·분담금·할인·부동산 PF·역전세·공급·갭투자·범칙금·부실 등 폭탄 종류도 다양하다.

서울 인왕산 인근 주민들은 지난 2일 발생한 산불에 대해 40여년 만에 처음이라며 놀랐다고 한다. 이날 전국에서 34건의 산불이 발생했다. 이는 역대 세 번째 기록이다. 올해 들어 전국에서 발생한 산불은 평년에 비해 50% 이상 많다. 최근 지속된 건조한 날씨 탓으로, 기후변화의 단면을 보여준다. 한국뿐 아니라 지구 전체가 겪는 현상이다.

지구 환경과 경제 현장에 언제 터질지 모르는 폭탄이 난무하고 있다. 서구 학자들은 현재 지배적 경제 시스템인 자본주의가 한계에 이르러 모순을 드러내고 있다고 지적한다. 자본을 확대재생산해 이익을 늘려가며 성장하는 자본주의는 무분별한 채굴로 지구 천연자원 고갈을 초래한다. 화석연료를 비롯한 자원의 채굴과 사용을 줄이지 못하면 인류는 조만간 생사 기로에 놓일 수밖에 없다.

탄소를 내뿜는 내연기관 자동차를 한결 환경친화적인 전기차로 바꾸는 등 기술혁신이 문제를 해결할 것이라고 일부는 주장한다. 재생에너지와 탄소 저감 등 친환경 기술에 대대적으로 투자하는 '그린 뉴딜'이 한 예다. 그러나 성장을 전제로 한 그린 뉴딜은 자본가에게 새로운 이익 추구의 기회가 될 뿐이라는 비판을 받는다. 지금까지 과정을 보면 기후변화는 기술혁신보다 훨씬 빠른 속도로 지구를 망치고 있다. 영국 환경경제학자 팀 잭슨은 〈성장 없는 번영〉에서 "자본주의 아래에서 진행되는 기술혁신이 기후변화를 멈춰줄 것이라는 단순한 상정은 환상

일 뿐" 이라고 단언했다.

'자본주의의 꽃' 이라는 금융은 증식을 거듭하는 괴물이다. 한국 국내총생산(GDP)은 1990년 200조원에서 2021년 2072조원으로 10배가량 늘었다. 반면 금융시장 규모는 같은 기간 158조원에서 5662조원으로 36배 급증했다. 2004년 서울에서 30평대 아파트 한 채를 마련하려면 노동자 월급 18년치를 고스란히 모아야 했다. 지난해에는 36년치로 늘었는데, 이는 금융시장 확대에 따른 자산거품 영향과 무관치 않다.

과거 금융은 실물경제에 필요한 자금을 조달해 산업의 혈맥으로 불렸다. 지금은 각종 파생상품으로 이익을 최대화하는 수단으로 변질됐다. 투자기회 확대라는 명분이 있지만, 금융을 통해 늘어나는 부는 대부분 거대 자산가에게 돌아갈 뿐이다. 일부 글로벌 은행이 위기에 처하는 것은 일이 터지기 전까지는 실타래처럼 얽힌 금융상품의 복잡한 구조가 얼마나 위험한지 알 수 없기 때문이다.

서구에서 탈성장과 새로운 경제체제 논의가 활발한 것은 성장이 정점을 지나갈수록 자본주의 모순이 불거지기 때문이다. 프랑스 경제학자 토마 피케티는 칼럼집 〈사회주의 시급하다〉에서 자본주의가 불평등을 심화시키고 지구 자원을 고갈시키고 있다고 진단했다. 피케티는 자본주의를 극복할 새 방식으로 "참여적이고 지방 분권화된, 연방제 방식이며 민주적이고, 또 환경친화적이고 다양한 문화가 혼종돼 있으며, 여성 존중의 사상을 담은 사회주의" 를 제시했다.

유엔은 2021년 한국을 선진국으로 공식 인정했다. 최근 50년간 지구상에서 한국만큼 빠른 속도로 성장한 '자본주의 모범 사례' 는 없다. 환경오염과 불평등 심화 속도도 그만큼 빨랐다. 하지만 앞으로도 성장을 지속할 수 있을지는 불투명하다. 경제를 떠받쳤던 수출은 지난달까지 6개월 연속 감소했고, 13개월째 무역적자가 이어지고 있다. 게다가 급격한 인구 감소와 주력 산업 침체 등 성장동력마저 약화하고 있다. 한국도 이미 성장의 정점을 지나고 있는지 모른다. 성장 없이도 행복하게 살 수 있는, 포스트 자본주의에 대한 고민을 시작해야 한다.[65]

벤처기업의 역할

52. 외투기업과 고용의 사회적 보장 의제

지난 3월15일, 경기도 반월공단 소재 한국와이퍼 공장에 사측 용역 30여명이 들이닥쳤다. 한국와이퍼는 일본 자본 덴소가 출자한 외국인투자기업(이하 '외투기업')으로 사측의 청산 계획 발표 이후 200명 넘는 이 회사 노동자들은 해고 위기에 내몰렸다.

용역들은 설비 반출을 시도했다. 이튿날 열릴 한·일 정상회담을 예비하며 경찰 7개 중대도 용역을 도왔다. 노동자들은 공장 밖으로 끌어내졌고 연행되었다. 부상자가 속출했다. 권리분쟁 중인 민사 사안에는 불개입한다는 원칙마저 깨고 한국 경찰이 일본 자본의 입장을 폭력으로 관철시키는 장면이었다.

2021년 단체협약에 따라 회사의 청산이나 매각에 대해 노동조합과 합의해야 한다는 결정이 살아 있고 올해 1월 수원지법 안산지원이 해고금지 가처분을 인용했기에 그날 일은 있어서는 안 되는 것이었다. 그런데도 사측은 금속노조 위원장과 한국와이퍼노조 분회장 등을 상대로 출입금지 가처분신청까지 제기했다. 아직 반출 못해 공장에 남아 있는 장비도 반출하겠다는 경고였다. 덴소 자본은 왜 설비 반출을 강행하는가. 사측은 청산 절차에 따른 설비 매각을 말했다. 그런데 노동자들은 사측이 대체생산을 진행하려는 의도도 있다고 증언한다. 노동자들은 사측이 경남 창원 공장에 더해 최근 한 곳 더 대체생산지를 꾸린 정황까지 포착했다. 만약 사측의 설비 반출이 기존 회사를 폐업하는 마당에 다른 사업장에서 동일한 생산을 지속하려는 목적이라면 그것은 단체협약 위반이자 위장폐업이다. 위장폐업에 따른 해고는 부당해고다.

사실 회사의 열악한 수익구조가 청산 사유라는 사측 설명부터 틀렸다. 매출의 80%가 관계사 매출이고 각종 수수료 명분으로 관계사들이 빼간 돈이 상당한 탓이다. 덴소 자본은 회사를 계속기업으로 유지할 의도가 없었다. 사측은 2018년부터는 의도적으로 신차 수주를 피했다. 어쩌면 그들은 온갖 혜택을 다 누렸으니 '먹튀' 할 때라고 여겼는지 모른다. 노동자들은 그래서 '기획청산' 을 의심한다.

그렇다면 갈수록 고용 구조조정의 압력이 커지는 현실에서 우리 사회는 이 외투기업 기획청산에 어떻게 대응해야 하는가. 외투기업 문제는 방법이 없다고 다시 주저앉고 말 텐가. 산업통상자원부가 며칠 전 외투기업 간담회에서 지원 확대와 규제 완화를 약속했고 대통령부터 나서서 "외투기업들이 한국에서 마음껏 경영 활동을 할 수 있도록 세계 최고의 환경을" 만든다고 천명한 상황에서, 우리는 우리 노동자들에 대한 외국자본의 반복되는 유린을 방치할 것인가.

외국인투자제도 개선에 있어 여태 발목을 잡아온 요인은 통상협정이나 국제규범에 따른 내국민 대우 원칙이었다. 국내 기업 말고 외투기업에만 적용되는 규제는 통상협정 등에 저촉된다는 우려였다. 그렇다면 외투기업 먹튀를 규율하려면 국내법상 노동권 보장 수준을 높이는 것이 근본 대책이다. 외투기업 폐업 시 강화된 고용보호 의무를 국내법에 근거해 적용할 수 있다면 통상협정 등과의 충돌은 우회할 수 있다. 주식회사의 해산 사유를 규정한 상법 제571조를 개정해 고용영향이 큰 회사의 해산에 대해 고용보호 조치를 부과하는 조항을 추가하면 가능한 일이다.

국내법에 의해 노동조합이 바지사장 말고 진짜 사용자와 교섭할 권리가 보장되지 않는다면 외투기업 노동자들도 마찬가지다. 실질적인 지배력을 행사하면서 대체생산을 주도하는 덴소코리아가 직접적인 근로계약 당사자가 아니라서 책임을 회피하는 한국와이퍼 사례가 증거다. 노동조합법 제2조는 그래서도 이번에 반드시 제대로 개정되어야 옳다.

한편 우리는 이제 외투기업 고용위기가 노사 간 이슈에 그치지 않고 지역공동체 삶의 터전이 걸린 문제라는 사실에 대해서도 주목할 때가 되었다. 혜택만 누리고 철수하는 외국자본 때문에 피해를 입는 것은 노동자들만이 아니다. 따라서 지역에 대한 외국자본의 사회적 책임을 요구하는 주체도 노동조합에 그쳐서는 안되며 지역사회 차원의 연대를 조직해야 한다.

그렇다면 혹시 우리는 그 일환으로 일종의 지역고용기금을 구상할 수는 없을까. 외투기업에 기금 출연의 조건을 이행하도록 정부가 권고하고 조건 이행 정도에 맞춰 기존의 혜택을 연동시키면 어떨까. 그렇게 조성된 기금을 노동조합과 지역사회가 운영해 지역 고용안전망으로 발전시키는 것이 가능할까. 2020년 독일 탈석탄법 사례처럼 퇴직 보상과 전직 지원을 포함한 제대로 된 적극적 노동시장 정책을 지역사회에서 실현할 수는 없을까. 외투기업 일자리 문제가 고용의 사회적 보장이라는 의제로 확장될 수 있기를 기대한다.[66]

53. 이 기업, 돈 잘 버나 못 버나… '현금흐름표'에 답이 있다

갈수록 경제가 어려워지다 보니 기업이나 개인 모두 현금흐름의 중요성이 커졌다. 우리가 경제활동을 하면서 벌어들인 소득으로 생활비를 쓰고 돈이 남아야 안심이 되듯이 기업 또한 사업을 통해 돈을 벌고 어느 정도 남길 수 있어야 한다. 그래야 힘든 시기도 무사히 넘길 수 있다. 기업이 돈을 잘 벌고 있는지 여부는 어디서 어떻게 확인할 수 있을까?

현금흐름표(Cash Flow Statement)는 현금 및 현금성 자산의 변동을 영업활동, 투자활동, 재무활동에 대해서 적어놓은 재무제표이다.

답은 바로 현금흐름표에 있다. 현금흐름표는 회계 기간 들어온 돈과 나간 돈을 체계적으로 보여주는 재무제표이다. 기업은 현금흐름표를 작성하면서 현금 입금과 출금의 종류를 크게 영업, 투자, 재무 활동으로 구분해서 보여준다. 이 세 개의 활동 중에서 가장 중요한 것은 단연 영업활동 현금흐름이다. 회사가 사업을 통해 얼마나 벌었는지 확인할 수 있기 때문이다.

손익계산서는 1년 동안 발생한 수익과 비용이 표시되는 재무제표로서 기업의 현금흐름을 반영하지 못하는 단점이 있다. 수익과 비용은 입금, 출금 시점이 아닌 거래나 사건이 발생한 시점에 기록되기 때문이다.

예를 들어 회사가 거래처에 외상으로 판매하고 연말까지 대금 회수를 못해도 손익계산서에는 매출로 잡히지만 현금흐름표에는 기록되지 않는다. 또한 현금 지출이 없는 비용인 감가상각비는 회사의 이익을 감소시키는 원인이 되지만 현금흐름에는 영향을 주지 않는다. 이런 이유로 인해 손익계산서상 당기순이익과 영업활동 현금흐름 간에 차이가 발생한다.

영업활동 현금흐름은 양(+)의 숫자가 나오는 것이 바람직하다. 즉 쓴 돈보다 번 돈이 많아야 한다는 얘기이다. 우리가 소득에서 생활비를 쓰고도 돈이 남으면 좋듯이 기업도 그렇다.

돈을 남겨서 다행이기는 한데 과연 어느 정도 이상으로 버는 것이 좋을까? 개인은 소득에서 생활비를 쓰고 남긴 돈을 모아서 수년간에 내 집 장만을 하고 차와 가전제품 등 고가의 자산들을 취득하기를 희망한다.

이는 기업도 비슷하다. 내 집 장만 대신 이익 증가를 위해 토지와 건물, 기계장치 등을 취득해야 하기 때문에 이런 유형자산 투자비 이상으로 버는 것이 가장 바람직하다. 기업들은 매년 일정 수준 이상의 시설투자를 해야 하기 때문에 연간 유형자산취득액보다 더 많은 영업활동 현금흐름을 창출하는 것이 좋다는 얘기이다.

이렇게 영업활동 현금흐름에서 유형자산투자액(CAPEX)을 차감한 것을 가리켜 잉여현금흐름(Free cash flow)이라고 부른다. 즉 사업을 통해 창출한 영업활동 현금흐름에서 향후 사업을 위해 반드시 집행해야 하는 유형자산투자액을 쓰고도 남긴 돈을 잉여현금으로 보는 것이다. 기업들은 잉여현금흐름으로 주주들에게 배당금을 지급하고 차입금도 상환한다. 그래도 돈이 남으면 금융자산에 투자하거나 사내에 유보한다.

SK하이닉스는 2022년 14조원이 넘는 영업활동 현금흐름을 창출했는데 유형자산 취득에 19조원이 들어갔다. 즉 돈을 남기지 못했다. 삼성전자는 같은 기간 동안 62조원을 벌었는데 유형자산 취득에 49조원이 들어가서 다행히 돈을 남겼다.

올해는 많은 대기업이 적자 또는 이익 축소를 예고하고 있어서 경제가 많이 악화할 것으로 예상된다. 어느 기업의 현금흐름이 얼마나 좋은지 아닌지 확인은 이렇게 현금흐름표로 확인해 보기 바란다.

특히 복잡한 회계기준을 알지 못해서 재무상태표나 손익계산서를 분석하는 데 어려움을 겪고 있다면 몇년 치 현금흐름표를 보면서 회사가 얼마의 영업활동 현금흐름을 창출하고, 어느 정도 투자비를 쓴 후 돈을 남기는지 또는 늘 부족한지만 살펴봐도 된다. 회계 지식이 없어도 누구나 이런 분석을 하는 것은 가능하므로 관심 기업이나 이해관계가 있는 회사가 있다면 현금흐름표부터 살펴볼 것을 권한다.[67]

현금흐름표

(20X2년 1월 1일부터 20X2년 12월 31일까지)
(20X1년 1월 1일부터 20X1년 12월 31일까지)

(단위 : 백만원)

	20X2	20X1
영업활동현금흐름	98,484	111,932
당기순이익	59,590	70,518
현금유출입이 없는 비용 및 수익	45,361	34,568
감가상각비	36,912	30,976
무형자산상각비	699	580
외화환산손실(이익)	208	-394
기타	7,543	3,406
영업활동관련 자산부채 변동	-6,467	6,846
매출채권의 감소	-3,494	-1,705
재고자산의 감소	-3,670	-4,164
기타유동자산의 감소	938	-2,014
매입채무의 증가	1,997	1,291
기타유동부채의 증가	-2,237	13,438

당기순이익

손익계산서상 현금이 들어오지 않은 수익과 현금이 지출되지 않은 비용을 취소

손익계산서상 나타나지 않는 현금흐름인 영업자산 및 부채의 취득과 처분을 조정

54. 금융시장 공포조장자들은 걸러내자

금융시장은 자금의 수요자와 공급자 간의 금융 거래가 이루어지는 시장이다. 금융시장이 일반 상품시장과 다른 점은 금융시장에서 매매 대상이 되는 것은 질적으로 무차별한 화폐이고, 그 화폐는 이자를 낳는 자산이며, 기한부의 대출이라는 형식으로 매매된다는 점 등이다.

실리콘밸리은행(SVB) 파산 사태 이후 금융시장에 대한 관심이 커지고 있다. 2008년 미국발 금융위기 같지는 않을 듯하지만 그렇다고 안심할 수는 없는 애매한 상황이랄까. 정말 누가 알겠나 싶다. SVB에서 지난 3월9일 하루 동안 약 55조원이 인출되었다는데 이런 건 예측하기도, 감당하기도 힘들 것이다. 사전적으로 맞히면 '닥터 둠' 으로 등극하는 거고, 틀리면 주기적으로 언론에 소환되어 욕먹는 건데 이런 모험을 감행할 사람은 많지 않다. 그나마 할 수 있는 생산적인 일은 공포조장을 걸러내는 것이다.

미국 유력 종합일간지 중에 하나는 재닛 옐런 미국 재무부 장관이 SVB 전액 예금자보호에 나선 것에 대해 '은행에 대한 시장 규율의 종말' 이라는 제목으로 강한 비판을 했다. 정부 정책은 시장의 기대를 만들어내는데 전액 예금자보호를 해주면 향후 시장에서 은행 경영진, 예금자, 투자자들의 도덕적 해이가 남발될 것이라는 지적이다. 직관적으로 맞는 말 같지만 좀 따져봐야 한다. 사실 미국에서 은행의 대마불사, 구제금융, 도덕적 해이 등과 같은 문제는 오래된 주제이다. 그 중 핵심은 경영에 실패했는데 정부가 구해주면 은행 경영진이 평소에 과도하게 위험 추구를 한다거나 위험 관리에 충실하지 않는 도덕적 해이가 발생한다는 것이다. 여기서 '구해준다' 는 다양한 의미를 갖고 있지만 SVB는 이미 파산했으니 예금자보호만 집중해서 살펴보자. 부분 보호냐 전액 보호냐가 시장 규율의 종말을 언급할 정도로 중요한 문제인지 말이다.

우선 예금을 전액보호하지 말고 보호한도를 철저하게 지켜야 예금자들이 은행을 꼼꼼하게 잘 따져 분산 예치할 것이라는 주장이다. 그런데 전액 보호가 없었던 상황에 이미 SVB의 예금 90% 이상이 예금자보호 대상이 아니었고 주요 예금자는 스타트업, 벤처캐피털(VC), 헤지펀드, 로펌 등 이른바 '선수' 들이었다. 이런 상황에서 선수들은 왜 예금자보호 한도가 없는 SVB에 거액을 집중 예치했는가를 따져볼 필요가 있다. 워낙 선수들이어서 정부의 전액 보호를 예측했다는 추론이 가능하다. SVB가 트럼프 행정부 당시 시스템적 중요은행(SIB)의 범위에서 벗어났다는 것은 널리 알려진 사실이다. 시스템적 중요은행은 명과 암이 있어서 평시에는 강한 규제를 받지만 결정적인 순간에는 정부의 도움을 받을 것이라는 믿음의 끈이 된다. 또 미국 금융시장에서 SVB와 같은 중규모 은행에 대해 '닥치고 예금자보호'를 예상했다는 실증적인 근거를 찾기도 어렵다. 무조건적인 예금자보호를 예상했는데 광속의 뱅크런은 왜 일어났을까?

더욱 중요한 건 이번 사태의 핵심인 경영진의 위험관리이다. 백번양보해서 전액 예금자보호가 기대되는 돈이 대거 SVB에 예치되었다고 치자. 이게 SVB 경영진을 해이하게 만들어 파산에 이른 건가? 경영진의 인센티브에 중요한 것은 기업의 파산 여부, 파산 시 개인 주식·연봉의 손실, 그리고 파산 이후의 커리어 등이다. 파산 시 전액 또는 부분 보호냐가 종말을 부르는 핵폭탄은 아니다. 원래 예금자들은 보호와 상관없이 경영진에게 잔소리하지 않는다. 경영진의 도덕적 해이를 규율하는 건 행동하는 주주, 내부자, 규제당국 등이다. 예금자는 언제나 조용하다. 실리콘밸리 주변에 있는 선수들이 예금자였으니 SVB 경영진과 어떤 사교모임에서 만났을 수는 있겠다. 그러나 비싼 와인과 함께 정보와 덕담을 주고받고 헤어졌을 것이다.

금융시장에 불이 났는데도 이런 주장을 해야 직성이 풀리나 보지만 문제의 본질을 비켜가는 공포 조장일 뿐이다. 차라리 반복되는 은행 위기를 논의하려면 기업의 파산이 해당 경영진에게 얼마나 피해를 주는가를 따져보는 게 더 낫다. 한 실증연구에 따르면 대기업 파산에 책임이 있는 최고경영자(CEO) 중 3분의 1이 살아남고 연봉도 크게 깎이지 않았다. 생각해보자. 경영진의 도덕적 해이에 규제당국의 관대한 규율이 영향을 미칠까, 예금자보호가 더 영향을 미칠까?

한 가상자산 전문가는 SVB 사태 이후 미국의 구제금융 때문에 하이퍼 인플레이션이 발생하고 달러 가치가 떨어질 것이라고 한다. 그래서 비트코인을 사라고 한다. 이분에게는 2008년 미국발 금융위기 때에도 달러 가치가 하락했다가 빠른 속도로 회복했다는 사실은 중요하지 않을 것이다. 그냥 맞히면 '투자의 신'으로 등극하고, 틀려도 그만인 게다. 아, 그러고 보니 공포조장자들의 공통점이 있다. 경제가 괜찮을 때는 규제에 대해 혐오적인 발언을 쏟아내다가 어려울 때는 정부에 손을 내민다. 경제를 진흙탕으로 만드는 데 공포조장자들의 기여가 상당한 셈이다.[68] 은행들은 스트레스 DSR 2단계 적용 대신 주택담보대출 가산금리를 올리는 방식으로 조이기에 나섰다. 그러나 금융채 금리가 계속 떨어지면서 효과는 미미한 상황이다.

55. 고금리의 그림자-한·미의 다른 행보

미국 연준의 금리 인상은 세계 각국의 경제정책, 거시경제와 소득분배, 고용시장 향배에 지대한 영향을 미친다. 지구촌 시민들 모두가 숨죽이고 연준의장 제롬 파월의 입을 쳐다본다. 고금리 기조라 해도 해당 국가의 맥락과 조건, 정책혼합 방식에 따라 그 의미와 효과가 다르다. 미국의 금리 인상과 달러화 강세는 자국 인플레 압력을 완화하고 다른 나라에 전가하는 효과를 낳는다. 비기축통화국이면서 대외의존도가 높고 경제체력이 약한 나라에서 고물가·고금리·강달러의 3고(高)가 가하는 타격은 한층 심하다.

고물가가 과잉수요 때문이라 진단하고 고금리로 고물가를 잡겠다고 나선 세력들의 외눈박이 처방책의 결과로 한국에선 거대과점 은행들이 이자장사로 돈잔치를 한 반면 미국에선 실리콘밸리은행발 은행위기가 닥쳤다. 금융 규제완화, 미실현손실이 가져올 위험을 무시한 은행의 행태와 함께 급격하게 금리 인상을 밀고 간 연준의 통화정책 탓이 실로 크다. 연준의 기준금리는 2022년 1월 0.00~0.25%에서 2023년 3월 4.75~5.0% 구간까지 치솟았다. 은행위기와 마주해 금융안정이라는 큰 숙제가 떨어졌다. 소비자물가 상승률 둔화에 이어 생산자물가 상승률이 크게 하락했고 연준 스스로 하반기 완만한 경기침체를 전망했다. 그런데도 연준은 물가안정 제일주의에 집착해 또 한 번 추가적 금리 인상을 강행했다.

연준이 신주 모시듯 하는 이상한 목표가 있는데 그것은 물가상승률을 2% 목표치까지 낮추는 것이다. 이를 위해 치러야 할 비용이 없지는 않지만 그런 비용은 물가안정이라는 대의를 위해 감수해야 한다, 이것이 확고한 연준 및 거기에 깔린 경제학의 입장이다. 한국은행의 기조도 연준과 대차는 없다. 한은은 외환위기 직후인 1998년 물가안정목표제를 도입했고 중기 물가안정목표치도 미국과 같은 2%다. 그런데 이번에 한은은 두 차례 연속으로 금리를 동결했는데 이는 그만큼 한국의 경기하강 정도가 심각함을 방증한다.

조 바이든의 미국과 윤석열의 한국은 가는 길이 아주 다르다. 바이든 정부는 고금리 긴축통화정책의 타격을 즉각적인 초과수요를 일으키는 대규모 재정확장정책으로 만회하는 신정책조합을 시행한다. 긴축재정과 완화적 금융의 조합에서 뒤바뀐 '정책역전'이다. 그러면서 기후위기 대응, 반도체 등 제조역량의 재구축을 위한 신산업정책을 공격적으로 추구한다. 또한 보조금 지원조건으로 초과이익공유를 강제하고 부자 및 대기업 증세정책을 추진한다. 미국은 고금리에 따른 인플레 압력을 타국에 전가하고 반도체 기밀까지 요구하는 깡패짓도 불사하는 한편 이렇게 신뉴딜적 경제정책을 펴고 있다. 탈세계화와 글로벌 공급망 변화, 고물가·고금리시대 제국이 구사하고 있는 이 양면적 정책혼합을 잘 들여다봐야 한다.

다른 한편 한국의 윤석열 정부는 고금리 금융긴축과 재정긴축의 악성 조합을 밀고 간다. 대기업에 무조건 퍼주기식 감세와 지원을 할뿐더러 부자감세, 복지 축소, 노조 때리기와 고강도 노동시장 유연화를 감행한다. 이는 나라경제 활력을 죽이고 서민, 노동자와 취약한 중산층 살림살이를 숨막히게 하는 최악의 궁핍화 정책조합이다. 불안정노동 및 가계부채에 결박된 불평등체제와 경기침체가 맞물리는 악순환을 벗어나기 어렵다.

이미 그림자가 어두운데 고금리로 고물가를 잡겠다는 행진은 언제까지 지속될까. 이 정책에 대한 의문점은 한둘이 아니다. 통화정책은 최소 6개월에서 2년까지 시차가 있는데 지난달 동향을 보고 금리정책을 결정하는 게 말이 될까. 물가안정 목표 2%의 근거는 무엇인가. 오늘의 인플레이션은 수요 측 요인보다 공급 측 요인이 더 우세하지 않나. 통화정책은 우하향하는 필립스곡선(실업률과 물가상승률 간 상충관계)을 가정하는데 이 곡선이 평평해졌다는 증거가 많다. 금리 인상으로 경제활동수준을 위축시키려 하는데 그 민감도가 약할 수 있다.

따라서 경제가 침체되고 실업률이 높아질 때까지 금리를 반복적으로 인상하게 되는 것이고 그 비용은 크다. 중앙은행의 고금리정책은 금리불로소득을 활성화하는 반면 실질경제와 고용, 노동소득을 공격한다. 피케티식으로 말해 이자수익률(i)이 경제성장률(g)이나 임금상승률보다 더 높은 사태가 나타날 수도 있다. 문제는 미국이 인플레 압력을 세계에 전가하면서 신뉴딜적 정책조합을 구사하고 있는 데 반해 한국은 그 압력을 그대로 받아안으면서 최악의 정책조합으로 나라와 국민의 살림살이를 죽이고 있다는 것이다. 탄식이 절로 나온다.[69]

고금리가 당초 예상보다 더 긴 기간 지속될 것으로 예상되는 가운데 고금리의 여파는 이미 미국 경제 곳곳에서 나타나고 있는 점을 감안하면 S&P500지수가 사상 최고치에서 불과 2-3% 안팎 밖에 하락하지 않았다는 점은 아귀가 잘 들어 맞지 않는다.

또한, 주식시장 변동성 지수(VIX)는 근래 최저 수준인 14 언저리에 묶여 있고 하이일드 채권 신용스프레드는 사상 최저치에서 꼼짝하지 않고 있다. 연준이 맞다면 시장이 틀렸다는 결론이다.[70]

56. 금융시장 악재는 호재가 될 수 있나

미국 실리콘밸리은행(SVB) 파산 사태 이후 은행 시스템 위기에 대한 경각심이 금융시장 전반에 여전히 남아 있다. 그런 경각심과는 달리 주식, 채권, 외환시장 등 글로벌 자산시장의 분위기는 다시금 뜨거워지고 있다. 미국 나스닥지수는 단기간에 저점 대비 20% 이상 급등했고, 유럽 주식시장은 미국의 긴축에 따른 충격이 다가오기 직전이었던 2021년의 고점에 육박해 있다. 코스피지수 역시 2500선을 상회하는 등 강한 흐름을 이어가고 있다.

이런 흐름은 외환·원자재시장에서도 확인할 수 있다. 국제유가는 서부텍사스유 기준으로 배럴당 80달러를 다시 넘어섰고, 미국의 기준금리 인상에도 불구하고 원·달러 환율은 지난해 고점(달러당 1440원)에 비해 한참 낮은 1300원 수준에 머물러 있다. 주목할 것은 채권시장이다. 미국의 기준금리 인상에도 불구하고 중장기적인 경기둔화를 반영하면서 미국의 10년 만기 장기 국채 금리는 큰 폭으로 하락해 3.4% 수준으로 되돌려졌다. 1일짜리 초단기 금리인 미국 기준금리가 4.75~5.0%인데 비해 10년 만기 장기 국채 금리는 3.4%를 기록하면서 장단기 금리가 역전된 것이다. 왜 이런 일이 벌어지고 있는 것일까?

금융시장에는 'Bad is Good(악재는 호재가 된다)'이라는 말이 있다. 좋은 않은 소식이 금융시장에는 좋다는 의미인데, 코로나19 팬데믹 당시만을 봐도 직관적으로 이해가 된다. 코로나19 팬데믹은 인류 역사에 남을 악재로 기록된다. 하지만 코로나 팬데믹을 극복하기 위해 전 세계 정부와 중앙은행이 진행했던 경기 부양책은 주식·부동산 등 자산가격의 급등을 초래했다. 악재 자체가 자산시장에 좋다는 의미보다는 악재가 발생했을 때 실물경기가 침체되는 것을 막기 위해 도입한 경기부양책이 자산가격 상승에 도움을 줬다고 분석할 수 있다.

글로벌 금융위기가 발생했을 때, 유럽 재정위기가 빚어졌을 때, 미·중 무역분쟁으로 금융시장 혼란이 가중됐을 때에도 미국을 비롯한 전 세계의 통화 완화정책이 이어지면서 자산시장은 꾸준한 상승세를 보였다. 수차례의 악재가 발생할 때마다 시행됐던 경기부양책을 통해 금융시장은 반복적인 학습을 하게 된 것이다. 그 과정에서 만들어진 단어가 'Bad is Good'이다. 다만 악재가 호재가 되는 역설은 인플레이션이 심해졌던 2022년에는 작동하지 않았다. 실물경기 둔화 우려에도 불구하고 미국 연방준비제도(연준)는 인플레이션을 제압할 수 있다면 일정 수준의 경기침체를 받아들일 수 있다는 입장을 취했다.

지난해 3월 0%였던 미국 기준금리는 1년여 만에 상단을 기준으로 5.0%까지 빠른 속도로 인상됐다. 그렇지만 급격한 금리인상의 부작용으로 빚어진 SVB 파산 사태는 일반적인 성장의 둔화와는 궤를 달리한다.

은행의 위기는 강한 전염성을 갖고 있기에 다른 은행으로 번져나가는, 이른바 '연쇄적 뱅크런'과 금융위기로 진화될 수 있다. 성장둔화 우려에도 빠른 금리 인상 기조를 이어갔던 연준이었지만 SVB 파산 사태로 빚어진 은행 위기 앞에서는 제롬 파월 의장이 공언했던 0.5%포인트 인상을 포기할 수밖에 없는 상황에 몰리게 됐다.

은행 위기가 이어질수록 연준은 기준금리 인상을 멈출 수밖에 없다. 외려 금융시장에서는 연준의 기준금리 인하까지 예상하는 분위기다. 연방기금 금리 선물시장에서는 올해 7월부터 연준의 기준금리 인하가 시작돼 내년 하반기까지 1.5~2.0% 수준으로 떨어질 것으로 예상하고 있다. 연준 피벗(통화정책 전환)에 대한 기대가 커지면서 자산시장이 뜨겁게 반응하게 된 것이다.

다만 과거와 다른 것은 미국을 비롯한 전 세계 주요국의 물가상승률이 높다는 점이다. 인플레이션 우려가 커진 상황에서 경기부양을 위해 유동성 공급을 늘리게 되면 물가 상승세를 부채질할 수 있다.

SVB 사태는 찻잔 속의 태풍일까?

미국의 소비자물가지수는 지난해 6월 9.1%를 기록한 이후 빠른 속도로 하향 안정화되면서 현재 5.0%까지 낮아졌다. 하지만 자산가격의 급격한 상승 또는 경기부양을 위한 유동성 공급 확대 등이 재개되면 둔화하고 있는 인플레이션이 고개를 들 수 있다.

이창용 한국은행 총재는 지난 11일 금융통화위원회 정례회의 직후 기자간담회에서 "시장에서 연내 금리인하까지 기대하는 분위기가 형성되고 있다. 금통위원들은 그러한 견해가 과도하다고 생각한다"고 밝혔다. SVB 파산 사태 이후 금융시장에선 'Bad is Good'을 기대하고, 중앙은행은 'Bad is Bad'를 우려한다. 중앙은행과 금융시장의 동상이몽이 더욱 뚜렷해진 만큼 향후 흐름에 대한 불확실성도 커질 가능성을 염두에 두어야 한다.[71)]

금융시장은 자금의 수요자와 공급자 간의 금융 거래가 이루어지는 시장이다. 금융시장이 일반 상품시장과 다른 점은 금융시장에서 매매 대상이 되는 것은 질적으로 무차별한 화폐이고, 그 화폐는 이자를 낳는 자산이며, 기한부의 대출이라는 형식으로 매매된다는 점 등이다.

57. 선진경제 빛 속에 깃든 어둠…부의 편중 심화된 반민주공화국

경제는 인간의 공동생활을 위한 물적 기초가 되는 재화와 용역을 생산・분배・소비하는 활동과 그것을 통해 형성되는 사회관계의 총체를 가리키는 경제용어이다. 생산에서는 생산력이 핵심 요소인데, 생산수단의 질에 의해 좌우된다. 분배에서는 생산물을 누가 소유하느냐가 핵심 요소로, 보통 생산수단의 소유자가 생산물의 소유자가 되며 이에 따라 생산관계가 결정된다. 사회관계의 총체는 생산력과 생산관계의 형태에 따라 변화하는데 이 두 요소가 결합된 방식을 생산양식이라 한다. 생산양식에 따라 생산・분배・소비하는 활동의 양상이 달라지며 경제생활의 방식도 달라지게 된다.

최근 들어 최절정의 기세가 약간 꺾이고는 있지만, 길게 볼 때 한국 경제는 오래도록 지속적인 초고속 발전과 번영을 보여주었다. 한국의 기술과 상품은 세계 공급망의 선두권에 서거나, 정점을 보여주고 있는 것들이 적지 않다. 세계 어디를 가든 한국 물품이 없는 곳을 찾기란 힘들다. 해외여행 도중 아주 드물게 한국 상품이 보일 때마다 신기한 듯 눈길을 주곤 했던 경험은 어느덧 한 세대 전의 이야기가 되었다.

한국의 어떤 기술력은 세계 경제에 심대한, 또는 결정적인 영향을 끼치고 있다. 세계의 해당 산업을 앞서 이끌고 좌우하기도 한다. 날로 심각해지는 미・중 대결의 한복판에 한국 반도체가 놓여 있다는 점만 보아도 한국의 한 산업, 한 기술, 한 상품, 한 기업이 크게는 국제질서와 패권경쟁, 그리고 작게는 세계 산업 흐름과 공급망에 중대한 영향을 끼칠 정도가 되었다는 것을 알 수 있다.

한국 경제는 약소국・중진국・중견국을 거쳐 이제는 선진국과 선도국을 말하는 단계에 진입해 있다. 놀라운 점은 이러한 발전 자체와 함께 전광석화와 같은 그 속도의 빠름에 있다. 즉 약소국 단계도, 중진국 단계도, 중견국 단계도 모두 매우 짧고 빠르게 통과했다는 점이다. 2021년 유엔무역개발회의(UNCTAD)는 한국을 개발도상국 그룹에서 선진국 그룹으로 변경했다. 이러한 변경은 이 기구 설립 이후 한국이 유일했다.

한국 경제는 '원조경제' 단계나 '후후발산업화'(late-late industrialization) 경로는 말할 필요도 없고, 더 이상 '수입대체 산업화'나 '따라잡기 발전모델'이 아닐뿐더러 그것들을 훨씬 넘어서고 있는 사례로 평가받고 있다. 자주 언급되는 말로 추격형 경제에서 선도형 경제로 바뀌고 있는 것이다. 실제로 전자・반도체・배터리・스마트폰・바이오 헬스・미래 자동차・조선・해운・철강 산업의 기술과 경쟁력은 세계를 선도하고 있다. 이제 제조업 비중은 경제협력개발기구(OECD) 주요 국가들 중 최선두권이다. 국제특허 출원에서도 한국은 세계 선두권이다. 한국의 혁신지표나 디지털 지표들은 거의 항상 세계 최상위권이다. 주요 경제지표에서 한국의 앞에 서 있는 나라는 손에 꼽을 정도이다.

한국은 세계 10위 경제대국이 분명하다. 수출과 무역은 그보다 더 앞선다. 군사력도 이제는 세계 6~7대 군사강국으로 평가받는다. 오래도록 국력을 평가하던 두 지표인 경제력과 군사력, 즉 전통적인 국가 평가의 핵심 기준인 부국강병에 관한 한 한국은 절대적으로 성공한 국가임에 틀림없다. 부국도 강병도 모두 그러하다. 그것은 추호도 의심할 수 없다. 불과 두 세대 전 한국은 가난에 허덕이고 원조를 받는 나라였으나, 이제 주요 7개국(G7)에 초청받는 것은 익숙하며 선진국으로 불리는 것도 어색하지 않다.

가. 고속 성장과 고속 불평등 병진

지표상 어느 부분은 G7의 일부 나라들을 종종 제치기도 한다. 이를테면 1인당 국내총생산(GDP), 또는 구매력 기준 1인당 GDP의 경우가 그러하다. 모두 한국의 놀라운 경제 발전 덕분이다. 한 나라가 자본주의를 받아들인 이후 이토록 빨리, 이렇게 지속적으로 발전한 사례를 찾기란 쉽지 않다. 그것도 특별히 민주주의 체제를 유지하면서 그러한 성취를 이루었다는 점에 한국은 자랑할 만한 역사를 가졌음에 틀림없다. 민주주의를 통해 선진국 대열에 성큼 합류한 사례는 찾기 어렵기 때문이다. 정말 빛의 속도로 발전한 것이다. 오늘의 인류 가능성을 보려면 한국 사회를 보면 될지도 모른다.

그러나 불행하게도 한국 경제는 빛의 밝기만큼이나 어둠도 깊다는 점을 깨닫지 않으면 안 된다. 우리는 지금 두 개의 현실, 두 개의 한국과 마주하고 있는 것이다. 고속 성장의 이면에 고속 불평등이 놓여 있음을 보지 않으면 안 된다. 고속 성장과 고속 불평등의 병진을 말한다. 한국 사회는 초고속 발전과 함께 거시적으로 사회의 거의 전 영역, 전 부문, 전 세대, 전 계층, 전 지역에 걸쳐 불평등이 악화되어 왔다. 하나씩 살펴보자.

먼저 민주화 이후 한국 사회의 소득불평등은 개선되지 않았다. 개선되기는커녕 더 나빠졌다. 소득분위별 가구당 가계수지를 보면 하위 계층의 소득은 거의 증가하지 않거나 약간만 증가하였음에 비해 상위 계층은 막대한 폭으로 증가해 왔다. 부자들의 소득은 더욱 늘어나고, 가난한 사람들의 소득은 거의 늘어나지 않거나 더 줄어드는 소득불평등 현상이 심화되고 있는 것이다. 이것이 한국 번영의 한 객관적 단면이자 속살인 것이다.

불평등을 악화시키는 한 중요한 요인은 임금소득의 차이다. 주지하듯 한 사회의 경제가 성장을 하게 되면 단지 상층 부자들만이 아니라 사회 전체의 부는 함께 증가한다. 그것이 곧 발전과 성장의 의미다. 그러나 빠른 발전·성장과 함께 한국 사회에서 부자와 빈자의 격차는 나날이 증가하고 있다. 말할 필요도 없이 이때 증가는 곧 분배의 악화를 의미한다. 고소득층에의 소득 집중은 놀라울 정도인 것이다.

한국 사회의 상위 0.1%, 1%, 10%의 임금소득은 재빠르게 증가해 왔다. 소득 상위 0.1%가 전체 개인소득에서 차지하는 비중은 1976년, 1997년(외환위기 직전), 2021년 각각 2.39%, 2.17%, 5.85%를 기록하였다. 1976년에서 1997년까지 20년 동안 거의 차이가 없거나 약간 개선되던 수치는 2007년에 처음 5%를 넘긴 이후 2021년에는 1976년의 거의 2.5배에 달하고 있다. 같은 시기 소득 상위 0.5%가 차지하는 비중은 각각 5.52%, 5.30%, 9.38%로 증가하였다. 상위 0.1%의 소득점유율과 유사한 양상으로, 2007년 처음 6%를 돌파한 이후 이제는 10%에 근접하고 있다. 같은 시기 상위 1%의 경우 각각 7.88%, 7.76%, 11.70%로 증가하고, 상위 5%는 각각 17.73%, 20.22%, 25.08%로 증가하였다. 번영의 속도 못지않게 부의 집중과 불평등이 악화되었음이 확연하다. 다른 말로 하여 소득의 상위 계층 집중과 하위 계층 감소가 함께해왔음을 알 수 있다.

나. 임금·자산 불평등이 중요한 요인

실제로 월평균 근로소득의 추이를 보면 악화의 심각성을 한눈에 알 수 있다. 소득 10분위별 가구당 가계수지의 2003년과 2022년의 '전체 평균' '1분위' '10분위'를 각각 보면 놀랄 만한 수치가 나온다. 전체 평균(2인 이상) 근로소득은 2003년 170만7657원에서 2022년 390만9167원으로 2배 이상 증가하였다. 그러나 1분위는 같은 기간 19만6814원에서 28만2592원으로 44%가량 증가하였다. 절대 액수도 아주 미미하다. 반면 10분위는 413만6106원에서 1012만1081원으로 2.5배 늘었고 절대 액수도 막대하게 증가하였다. 증가 비율 자체가 1분위의 5배에 달한다. 근로소득 격차가 비율과 액수 면에서 기록적으로 확대되어 왔음을 알 수 있다.

2인 이상이 아니라 1인 이상을 기준으로 삼으면 격차는 더욱더 벌어진다. 전체 평균, 1분위, 10분위가 2022년 현재 각각 312만910원, 9만4887원, 883만3642원(이전소득은 추후 논의)이다. 월평균 근로소득이 10분위는 1분위의 거의 100배에 육박하는 것이다. 성장과 발전의 과실은 명백히 부익부 빈익빈, 다익다 소익소(多益多 少益少)로 귀결되었음을 알 수 있다. 그런데 이 흐름은 전혀 나아지지 않고 있다. 즉 더욱 나빠지고 있다.

그리하여 2021년 기준 OECD 내에서 한국보다 1인당 GDP가 높으면서 상위 1% 소득점유율이 더 높은 국가는 이스라엘, 미국 두 나라밖에 없다. 상위 1%의 소득점유율이 최상위권인 칠레·멕시코·튀르키예·콜롬비아·코스타리카는 OECD 내에서도 1인당 GDP가 가장 낮은 국가군이다. 즉 OECD 내에서는 상대적으로 더 못사는 나라들이다. 따라서 적어도 (한국이 속한 잘사는) OECD 국가들을 기준으로 살펴볼 때는 불평등한 국가들이 평등한 국가들보다 더 잘살지 못한다는 점이다(이 문제는 뒤에 다시 살펴본다).

다. 공화국의 공동복리 의미 되새길 때

자산의 불평등 역시 계속 악화되어 왔다. 실제로 가계소득의 중간값 대비 평균값보다 가계자산의 중간값 대비 평균값은 불평등이 훨씬 더 심각하다(물론 가계자산 불평등도의 경우 한국은 OECD 평균보다는 나은 상태이기는 하다). 실제 소유 현황을 보면 매우 심각하다는 점을 한눈에 알 수 있다. 대한민국 국토의 총 70%를 민간이 소유하고 있는 현실에서 소득 상위 10%(10분위)가 77.2%를 차지하고 있으며 상위 20%가 90%를 차지하고 있다. 나머지 80% 국민들은 민간 소유의 10%를 차지하고 있을 뿐이다.

한국 가계자산의 가장 큰 비중을 차지하는 것은 토지와 주택을 중심으로 하는 부동산 자산인데 이 정도의 극심한 불평등도를 나타내고 있는 것이다. 한 조사에 따르면 한국의 불평등(지니계수)은 총자산 0.5836, 금융자산 0.6402, 실물자산 0.6491, 부동산자산 0.6655, 거주주택자산 0.6684에 달한다(국토연구원, 2020/2021). 같은 해(2020) 한국의 처분가능소득 기준 불평등(지니계수)이 비록 스웨덴(0.276)·캐나다(0.280) 보다는 높으나 미국(0.378)·영국(0.355)보다는 낮은 수준(0.331)이라고 해도, 부동산 불평등지수(0.6655)는 무려 두 배에 달할 정도로 압도적으로 높음을 알 수 있다.

그러다 보니 부동산 불평등은 최악이다. 소득 차이는 즉각 더 크고 더 긴 주거 차이로 연결된다. 최저임금의 약간의 상승에도 불구하고 부동산 가격 폭등으로 인해 최저임금으로 서울에서 중위가격 아파트를 구매하는 데는 학업 이후 한 사람의 생애 모든 기간(2017년 37년, 2020년 43년)이 걸리게 되었다. 소득분위별 서울 중위가격 아파트 구매 소요 기간을 보면, 1분위는 72년, 5분위는 10년이 걸린다(경실련, 2020). 1분위와 5분위가 무려 62년의 차이가 날 뿐만 아니라 1분위의 경우 한 사람이 자신의 삶을 두 번이나 살아도 서울 중위가격 아파트 한 채를 사지 못한다는 비극적인 얘기가 된다. 우리가 초등학교 때부터 인간 생활의 3요소, 또는 3필수요소라고 배우는 '의식주'의 하나인 집 문제에 대해, 미래의 청년들과 태어날 세대에게 우리는 대체 어떻게 설명해야 할지 모르겠다.

한국에서 소득 하위 10%에 속하는 가구가 평균소득 가구로 이동하는 데는 무려 다섯 세대의 기나긴 기간이 필요하다. 이는 오랜 시간 발전해온 OECD 국가들의 평균보다도 더 길다. 국가의 번영과 발전은 곧 구성원들에게 더 많은 기회의 창출을 의미한다고 할 때, 이토록 빠르게 발전하는 한국의 이 지표는 대체 무엇을 의미하는가? 솔직히 이건 너무 심하지 않은가? 민주주의와 경제 발전을 자랑해온 하나의 인간공동체로서 말이다. 국가의 빠른 번영의 과실의 누적에 맞추어, 삶의 수준과 부의 심각한 편중 및 고착 현상도 마찬가지로 빠른 시간 내에 난공불락으로 견고해진 것이다. 즉 너무 나빠진 것이다.

이제 한두 세대 내에는 계층이동의 사다리가 거의 완전히 막혀 있음을 알 수 있다. 그 빠른 발전의 성과를 함께 나누면서 발전할 수는 없었던 것일까? 해답은 당연히 그렇지 않다. 즉 길이 있다. 그럼에도 경제가 계속 발전한 지난 시기 동안 우리의 불평등은 지속적으로 악화되어 온 것이다. 지금까지와 같은 정책으로는 이 문제는 해결은커녕 더 악화만 될 것이다.

라. 민주주의의 법치 규율에 정치 사법화의 해법이 있다

여기서 강조하려는 것은 빛과 어둠의 불가피한 공존이 결코 아니다. 즉 우리의 오늘의 현실은 빛을 위한 당연한 어둠이 결코 아니라는 얘기다. 찬찬히 안을 들여다보면 찬란한 빛이 낳은 짙은 어둠이라는 것이다. 한국 경제의 빛 속에 어둠이 들어 있다. 우리는 이제 빛의 발전이 낳은 구조적 불평등을 근본적으로 치유하지 않으면 안 된다.

근대에 들어와 인류가 처음 공화국을 불러올 때의 이름은 'common wealth'였다. 그것은 '재화'와 '행복'을 포함하여 귀족과 평민, 주인과 노예, 부자와 빈자가 모두 함께 복리를 누리는, 요컨대 '공동 복리'를 뜻했다. 본래 의미와 지혜 역시 같았다. 절정의 선진을 구가하는 민주공화국 대한민국의 오늘을 보며 우리는 지금 그 이름값의 내실을 엄히 따져 묻게 된다.[72][73]

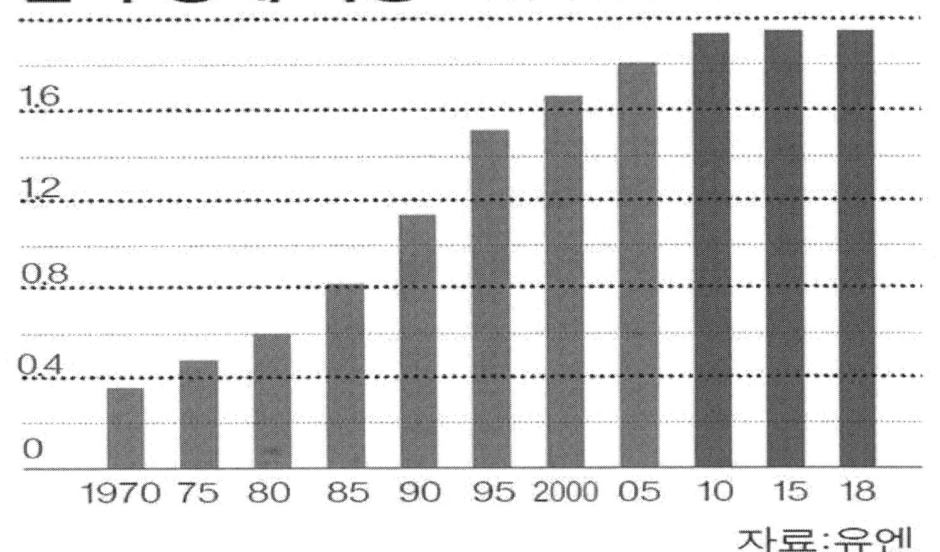

58. 행동하는 주주들

A사는 소비자들에게 익숙한 유제품을 만들어 파는 회사이다. 오랫동안 영업을 잘해온 우량 기업이었고, 주가도 한때 116만원까지 상승해 황제주 대접을 받기도 했다. 이렇게 좋았던 회사가 10여년 전부터 나락으로 떨어지기 시작했다. 대리점에 대한 갑질과 고객 개인정보 유출, 오너 일가의 회삿돈 유용 의혹이 잇따라 터져나오다가 급기야 자사 제품이 코로나19 억제 효과가 있다는 허위과장 광고를 했다가 치명타를 맞았다. 코로나19로 온 국민이 공포에 떨고 있을 때 돌출된 스캔들이라 더욱 큰 공분을 샀다.

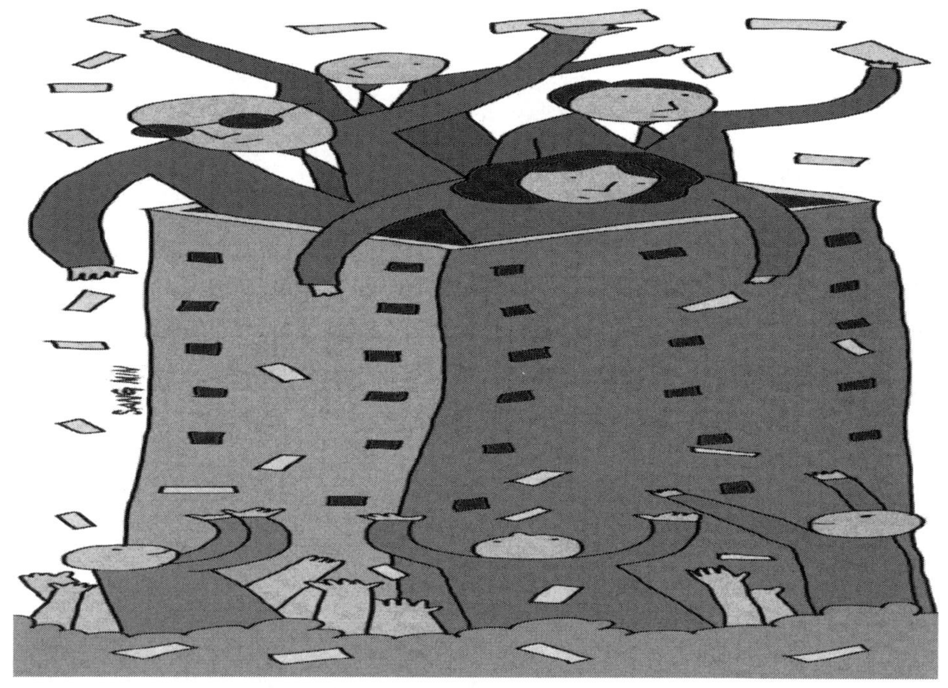

영업실적도 추세적으로 악화됐다. 2022년까지 3년 연속 적자를 기록했고, 최근 10년 동안 자기자본이익률(ROE)은 평균 -1.6%였다. A사는 장기적으로 경제적 부(富)를 파괴해왔다고 볼 수 있다. 은행에 예금을 해도 부가 조금이라도 증식되는데, 장기간의 기업 활동이 결과적으로 부를 축소시켰기 때문이다.

이 과정에서 피해를 본 이들은 누구일까? 소비자는 다른 대체 상품을 선택했기에 피해를 봤다고 보기는 어렵고, 경쟁사는 반사이익을 누렸다. 주주들이 손해를 봤다. 경영권을 가지고 있었던 지배주주들은 평판 추락과 실적 악화의 원인 제공자였기 때문에 할 말이 없을 테고, 불특정 다수의 소액주주들이 온갖 스캔들의 불똥을 맞았다.

A사는 최근 10년의 실적은 안 좋았지만, 과거에 오랫동안 영업을 잘해왔으므로 회사에 쌓여 있는 자산 규모는 크다. A사의 부채는 1600조원대이지만, 자기자본은 7300억원대에 이른다. 부채에 대해 이자를 내고, 만기 때 갚을 돈은 있기 때문에 A사 채권자의 부가 파괴될 가능성은 거의 없지만, 주주의 몫인 자기자본의 가치는 지난 10년처럼 엉망으로 경영하면 궁극적으로 줄어들 것이다.

가. 주주행동주의 단기성은 경계해야

이런 상황을 타개하기 위한 대안은 두 가지가 있다. 적극적 대안은 경영진을 바꾸는 것이다. 10년 동안 헛발질을 해왔다면 기존 경영진의 무능은 충분히 입증됐다. 실제로 A사는 한 사모펀드에 매각되는 절차를 밟고 있다. 소극적 대안은 배당을 늘리는 것이다. 낮은 ROE를 내는 기업이 배당을 적게 하는 것은 사회 전체적으로 경제적 효율성을 해치는 행위이다. 경제적 자원이 수익성이 낮은 분야에 묶여 있기 때문이다. 오히려 적정 배당을 실시하면 사외로 유출된 자본이 수익성이 더 높은 분야에 투자될 수 있고, 배당은 자기자본 규모를 줄여 해당 기업의 ROE를 높이는 효과도 기대할 수 있다.

특정 기업의 사례를 이야기했지만, 장기간 부를 파괴하거나, ROE가 극히 낮아 부를 효율적으로 증식시키지 못하는 기업들이 많다면 국가 전체적인 자원 배분이 잘못돼 있다고 평가할 수 있다. 부를 증식시키지 못하는 기업이 경제적 자원을 쥐고 있기보다는 다른 생산적인 부문으로 돌려지면 국가 경제 전반의 효율이 높아질 수 있다. 일본의 아베 신조 내각이 이런 문제의식을 가졌다.

2012년 집권한 아베의 경제정책, 이른바 '아베노믹스'는 장기간 정체돼 있던 일본 경제를 깨우기 위한 일종의 모르핀이었다. 집권 초기 일본은행(BOJ)의 적극적 양적완화와 엔화 약세 유도, 공격적 재정지출, 거시적 구조조정 등을 축으로 한 '세 가지 화살' 정책을 썼고, 2014년부터는 이토 모토시게 도쿄대 교수가 저술한 '이토 리포트'가 거시적 구조조정의 구체적인 각론으로 제시됐다. '이토 리포트'에는 주주권 강화를 통한 지배구조 개선이 일본 경제에 활력을 불러일으킬 수 있다는 내용이 담겨 있다.

능력 없는 지배주주·경영진이 경제적 자원을 움켜쥐고 있는 상황에 대한 문제 제기였다고 볼 수 있는데, 이후 일본에서는 주주행동주의가 활성화됐다. 2014년 7

개에 불과했던 일본 내 주주행동주의 펀드 수가 2020년엔 44개까지 늘어났다. 일본 상장사들의 배당과 자사주 매입 등 주주환원 규모도 늘고 있어 일본 주식시장에서는 나름의 변화가 나타나고 있다.

물론 주주권 강화가 절대적 선은 아니다. 주식시장에서 주식을 사고파는 주주들의 시야는 '단기' 적인 경우가 많기 때문이다. 유통시장에서 주식을 매수한 주주들의 주식 보유 기간이 극단적으로 짧아지는 현상은 전 세계적으로 나타나고 있다. 기업의 경영은 긴 호흡으로 이뤄져야 하는데, 쉽게 주식을 사고파는 주주들에게 휘둘리면 장기적 기업가치가 훼손될 수 있다는 지적은 일리가 있다.

나. 주주행동주의에 대한 관심 커져

삼성전자의 배당에 대해 생각해보자. 삼성전자는 2018년부터 주주환원 규모를 획기적으로 늘리고 있다. 상장사로서 주주를 배려하는 것은 칭찬받을 일이지만, 사회 전반의 경제적 효율과 장기적 주주가치 제고라는 관점에서는 삼성전자와 같은 기업은 배당을 늘리지 않아도 된다는 생각이다. 최근 10년 삼성전자의 ROE는 평균 16.9%에 달했다. 성장이 둔화되고 있는 경제 상황에서 매우 효율적으로 부를 증식시켜왔다고 볼 수 있다. ROE가 높은 기업은 배당을 통해 경제적 자원을 사외로 유출시키는 것보다 자본을 재투자해 이익의 규모를 늘리는 것이 올바른 선택이다.

경제 전체적으로 보더라도 배당으로 유출된 자본이 16.9% 이상의 증식을 이루기는 평균적으로 어려운 일일 것이다. 주주 입장에서는 '먼 미래에 높아질 기업가치' 보다 당장 쓸 수 있는 '현금' 을 선호할 수도 있겠지만, 2020년처럼 특별배당을 실시해 삼성전자 당기순이익의 77%를 배당에 쓰는 행동은 과했다. 반도체 산업이 주기적인 대규모 투자가 요구되는 특성을 가지고 있다는 점을 고려하면 더욱 그렇다.

이래저래 우리 증시에서도 주주행동주의에 대한 관심이 커지고 있다. 주주자본주의에 내재된 단기성은 경계해야겠지만, 한국 증시의 풍토에서는 주주행동주의의 순기능이 더 큰 게 아닌가 싶다. 기업에 쌓여 있는 자산은 많은데, ROE는 낮고, 주주환원에는 소극적인 기업들이 많기 때문이다. 미국의 다수 기업처럼 벌어들이는 이익보다 더 큰 규모의 주주환원을 하는 행태는 주주자본주의 과잉이라고 생각하지만, 한국은 주주자본주의 결핍에 따른 소액주주의 피해와 경제 전반의 비효율적 자원 배분에서 비롯되는 폐해가 더 크다고 본다.[74]

59. 세입자는 '채권자' 다

갭투자 피해자들의 손해는 금융시장 손실과는 성격이 다르다. 그들은 그저 '주거를 마련' 하고자 했을 뿐이다. 이들이 곤경에 처한 것은, 부동산 금융화와 한국 특유의 전세 제도가 결합된 독특한 행태가 제약 없이 기승을 부린 결과물이다. 이들의 삶을 지켜주는 특단의 조치는 물론, 보다 근본적 차원에서의 제도 및 법률의 정비가 있어야 할 것이다.

과도한 갭투자 행태의 집주인을 만나 전세금이 위태로워진 세입자들이 무수히 양산되고 있다. 한 조사에 따르면 그 잠재적인 피해자의 숫자가 5만가구에 달할 것으로 추정되기도 한다. 하루아침에 알토란 같은 전세금을 날리고 자칫하면 가족이 길바닥에 나앉을 위험에 처한 이들이 무척 많다는 이야기로, '사회적 재난' 이라는 말까지 나온다. 더욱이 이들의 전세금 중 상당 비중은 전세대출에 의존하고 있었을 터이니, 살 곳이 막연해졌을 뿐만 아니라 서민들 입장에서 감당하기 힘든 거액의 빚까지 지게 된 이들이 많을 것이라는 이야기이다. 비단 '빌라왕' 과 같은 엽기적인 갭투자 행태에 걸려든 이들만의 이야기가 아닐 수 있다.

살고 있는 집이 '깡통주택' 이 된 전세 세입자들이 전세금에 큰 피해를 보거나 아예 날리게 될 수 있는 위험이 있다. 우리나라의 주거 형태에서 전세가 차지하고 있는 큰 비중을 생각할 때, 지금의 사태는 그 자체로서 '사회적 재난' 일 뿐만 아니라 더 크게는 잠재적으로 더 큰 혼란을 예고하는 '빙산의 일각' 일 수 있다.

먼저 우리나라 전세 제도의 특징에 대해 생각해 보아야 한다. '전세는 한국에만 있는 제도' 라는 통념은 절반만 맞는 말일 것이다. 민법에 규정된 물권의 각종 범주에 '전세(joense)' 권이 들어 있는 나라는 한국밖에 없다는 의미에서는 맞는 말이겠으나, 역사적으로 또 지역적으로 살펴보면 그 비슷한 제도를 찾을 수 있다는 점에서는 부족한 이야기이다. 우리나라 전세 제도가 역사적으로 갖는 보편성과 특수성을 따져 보는 것도 의미있는 일일 것이다.

고대 그리스와 메소포타미아에서 시작되어 성행하던 '안티크레시스' 라는 제도를 전세 제도의 원형으로 생각할 수 있다. 이 제도는 비잔틴 제국에서도 성행했을 뿐만 아니라 오늘날에도 남미의 볼리비아에서 '안티크레티코' 라는 제도로 내려오고 있다. 여기에서는 돈, 즉 전세금을 꾸어준 이가 채권자가 되며, 그 대가로 제공된 부동산은 채권자의 담보로 여겨진다.

고대 그리스에서 그 부동산은 주로 경작지와 같은 토지였고, 채무를 제대로 변제하지 못했을 때 그 토지의 소유권이 자동적으로 채권자에게 넘어가게 되어 있었다. 채무를 갚기까지의 기간 동안 그 토지를 경작하고 소출을 가져갈 권리가 채무자에게 계속 남아있는 경우와 그 권리를 채권자에게 넘기는 경우로 구분했는데, 후자의 '미스토시스' 가 우리의 전세 제도와 흡사한 경우라고 볼 수 있다. 이때 그 토지에서 나오는 소출은 채권자에게 지급되는 이자의 형태로 이해되었다. 즉 이러한 '안티크레시스' 는 일종의 담보 대출이라는 금융 행위로 이해되고 있으며, '세입자' 는 사실상 채권자로서의 여러 권리를 갖는 존재로 여겨졌다.

가. 일제 이후 '갑을' 관계 역전 뒤 고착

구한말에 나타났던 우리나라의 전세 제도 또한 '안티크레시스' 와 마찬가지로 담보대출의 성격을 강하게 띠고 있었다. 세입자는 전세로 들어간 집의 주거권을 양도 매매할 수도 있었다. 집주인은 세입자의 동의 없이는 집을 함부로 매매할 수 없었다. 그런데 이러한 '갑을' 관계의 역전이 벌어지게 된 계기는 일제강점기에 전세 제도를 담보 대출이 아니라 (사물의) 임대차로 보는 관점으로 이뤄진 법 개정이었다. 요트나 자동차의 임대, 즉 리스와 마찬가지로 주택의 사용권을 일정 기간 내주는 대가로 일정 액수의 돈을 담보로 잡고 그 이자를 수취하는 행위로 이해하게 된 것이다.

그리하여 1920년대에 시행된 일제의 민사령에서는 세입자가 함부로 전세를 매매 양도하는 것을 금지했고, 1943년 조선고등법원의 판례는 아예 집주인에게 세입자의 동의 없이도 마음대로 집을 매매할 수 있는 권리를 인정했으며, 세입자는 새로운 집주인과 새롭게 전세 계약을 맺도록 했다.

해방 이후 여러 번 임대차 제도의 정비가 이루어지는 과정에서 이렇게 일방적으로 기울어져 불리한 위치에 선 세입자를 보호하기 위한 여러 장치가 마련되었지만, 이렇게 전세를 담보 대출이 아니라 임대차로 보는 관점이 우리나라에 고유한 '전세권'의 기본적 틀로 안착되었다. 집주인이 받는 거액의 전세금은 어디까지나 집을 담보로 잡은 대출금이 아니라 주택 임대차에 대한 사용료일 뿐이니, 세입자는 원칙적으로 집의 소유권 등에 대해 아무런 권리를 가질 수 없게 된 셈이다.

한편 1990년대의 금융 자유화와 함께 부동산 시장의 이른바 '금융화'는 전 세계적인 추세가 되었다. 더 이상 주택을 사람이 주거하는 '사용가치'의 대상으로 보는 것이 아니라 다른 자산들과 마찬가지로 수익을 창출하고 시세 차액에 따라 거래되는 '교환가치'의 대상으로 보는 관점과 관행이 일반화된 것이다. 우리나라에만 있다는 '전세권'은 여기에서 아킬레스의 발꿈치가 된다.

전 세계의 보편적인 부동산 시장의 금융화 추세에 따라 자본 시장에서 사모펀드가 즐겨 행하는 기업 인수 방식인 차입 매수(leveraged buy-out) 거래가 아주 비슷한 형태로 복제되어 들어온 것으로 갭투자를 이해할 수 있다. 물론 우리나라 부동산 시장에서도 아주 적은 자기자본을 근거로 '레버리지'를 이용하여 집을 매입하는 행태는 훨씬 전부터 있었다.

이른바 '전세 끼고 산다'는 방식은 1970년대 서울 강남의 부동산 투기 붐 가운데에서도 빈번하게 나타난 행태였다. 하지만 그렇게 해서 매입한 주택을 철저하게 금융 자산으로만 이해하여 연쇄적인 갭투자 행위의 근거로 삼는 행태가 본격적으로 행해진 것은 주택 가격이 급등하고 (초)저금리가 일상화된 2010년대 후반으로 보아야 한다.

나. 정부, 세입자 피해 최소화 조치 외면

차입 매수나 갭투자는 대단히 리스크가 높은 투자 행위이다. 하지만 차입 매수에서 돈을 꾸어주는 주체인 은행과 갭투자에서 돈을 꾸어주는 주체인 세입자는 큰 차이가 있다, 전자는 화폐 형태로 이자를 수취하고, 추가적인 차입에 대해 결정권을 행사할 수 있으며, 전체 투자 계획에 대한 정보를 요구하여 전모를 파악할 수 있다.

하지만 세입자는 용익권 이외에 아무런 화폐 이자도 받지 못하며, 전세금의 일방적 인상에 사실상 응할 수밖에 없고, 집주인의 투자 계획은 물론 전세금 변제 능력에 대한 기본적인 정보에 대해서까지 완전히 '깜깜이'인 상태에 놓여 있다. 즉 레버리지를 활용한 투자에 따르는 높은 리스크를 고스란히 떠안을 수밖에 없는 처지에 놓여 있는 것이다.

어째서 이런 일이 벌어진 것인가? 부동산의 금융화라는 전 세계적인 추세와 임대차 개념에 근거해 집주인에게 오롯이 소유권을 인정한 한국의 전세 제도가 결합되면서 벌어진 '잘못된 만남'이라고 할 것이다. 이러한 관점에서 본다면 갭투자 행태가 물의를 일으키기 시작한 2010년대 후반부터 정부와 당국이 해야 했던 조치는 분명하다. 전세 제도를 주택 제도의 일환으로 보아 갭투자와 같은 과도한 금융적 행위에 대해 제한을 가하든지, 부동산의 금융화를 보편적 경향으로 인정한다면 그에 맞게 세입자를 '채권자'로 보아 그에 걸맞은 여러 권리를 인정하든지 했어야 한다.

이러한 조치가 너무나 근본적이고 부담스러운 변화를 수반하는 것이기에 당장 취하기 어렵다면, 우선 예상되는 세입자들의 잠재적 피해를 최소화하기 위한 노력을 했어야 한다. 한 예로, 몇 채 이상의 연쇄적 갭투자를 행하는 이들에게는 자기자본 등의 재무 정보를 (잠재적) 세입자들에게 공개하도록 의무화하는 조치를 들 수 있다.

하지만 이렇게 뻔히 보이는 위험에도 불구하고, 정부와 당국은 어느 쪽으로든 이러한 규제와 조치를 취하지 않았다.

갭투자 피해자들이 입은 손해는 일반적인 금융시장의 손실과는 성격이 다르다. 그들은 그저 '주거를 마련'하고자 했을 뿐, 주식이나 코인처럼 큰 리스크를 감수하며 이익을 노리는 투자 행위를 한 것이 아니었다. 이들이 지금과 같은 곤경에 처한 것은, 갭투자라고 하는 부동산의 금융화와 한국 특유의 전세 제도가 만나면서 나타난 독특한 행태가 별 제약 없이 기승을 부린 결과물이다. 이들의 삶을 지켜주는 특단의 조치는 물론, 지금이라도 보다 근본적인 차원에서 제도 및 법률의 정비가 있어야 할 것이다.

가뜩이나 높은 우리나라의 가계부채에서 전세금이 차지하는 비중을 생각하면 더욱 절박한 문제이다. 전세는 담보 대출인가, 임대차 행위인가? 부동산은 '교환가치'인가, '사용가치'인가? 집은 '금융자산'인가, '물건'인가?[75][76]

60. 한국 경제, 고성장 과거를 잊어야 산다

한국 경제가 심상치 않다. 한국은행이 지난 25일 올해 국내총생산(GDP) 성장률 전망치를 0.2%포인트 내린 1.4%로 조정했다. 전망치를 1.1%까지 낮춘 기관도 있다. 대표적 경제지표인 성장률이 낮아진다는 건 경제 전체의 활력이 떨어진다는 뜻이다. 기업 매출과 고용, 개인소득 등에도 악영향을 미친다. 기획재정부는 지난 2월 이후 4개월째 경기둔화가 지속되고 있다고 진단했다. 심각한 것은 경기순환 사이클의 한 국면이 아닐 수도 있다는 점이다. 한국 경제가 구조적 장기 침체에 들어섰다는 분석이 나온다.

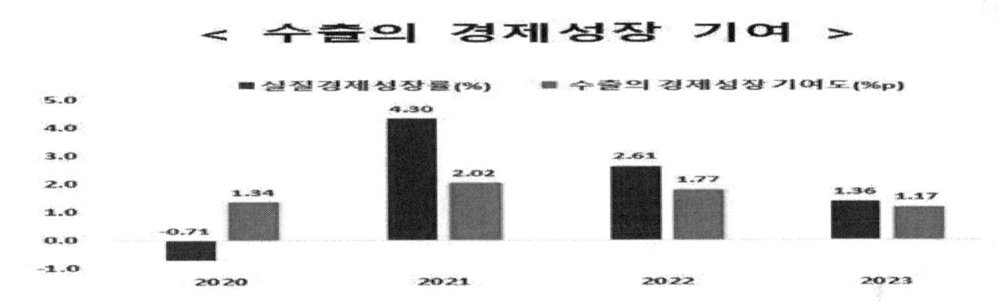

수출은 더 이상 한국 경제 버팀목이 아니다. 관세청 자료를 보면 5월1~20일 수출액은 지난해 같은 기간보다 16.1% 감소했다. 수출은 8개월 연속 마이너스 성장, 무역수지는 15개월 연속 적자가 확실시된다. 10대 수출품목 중 지난해보다 수출이 늘어난 품목은 자동차뿐이다. 2000년 이후 줄곧 흑자였던 대중국 무역수지는 올 들어 4월까지 101억526만달러 적자로 돌아섰다.

가계부채가 역대 최대폭 감소했다는 한은 발표가 있었지만 전혀 긍정적이지 않다. 1분기 가계신용 잔액은 전 분기에 비해 13조7000억원(0.7%) 줄어든 1853조 9000억원이었다. 여기에 한국에만 있는 제도인 전세 보증금 1058조원을 합하면 실제 가계부채 총액은 3000조원에 근접한다. GDP 대비 가계부채 비율은 경제협력개발기구(OECD) 국가 중 압도적 1위다.

금리 상승으로 대출이자를 갚지 못하는 사람이 늘면서 연체율마저 오른다. 지난 3월 말 기준 은행 연체율은 0.33%로 3개월 새 0.08%포인트 상승했다. 서민이 많이 이용하는 저축은행 연체율은 1.66%포인트 급등한 5.07%였다. 오는 9월 말에는 코로나19 상환유예 대출 상환이 시작된다. 자영업자와 영세 중소기업 등에 상환을 미뤄준 대출 5조3000억원은 부실 우려가 크다.

외부 환경도 나쁘다. 러시아의 우크라이나 공격 장기화로 국제 원자재값은 고공행진 중이다. 미국 실리콘밸리은행(SVB)과 스위스 크레디트스위스(CS) 파산 위험에서 촉발된 금융위기 우려도 잦아들지 않고 있다.

경제가 어려워지면 취약계층의 고통이 커질 수밖에 없다. 은행에서 돈을 빌리기 어려운 계층에 빌려주는 '소액생계비대출'은 연 15.9% 고금리에도 출시 한 달 만에 2만5000여명이 몰렸다. 대출 용도는 병원비가 가장 많았다고 한다. 올해 1분기 해외여행객은 497만9386명이었다. 지난해 1분기의 10배 넘게 폭증했다. 병원비가 모자라 안절부절못하는 가난한 사람과 코로나19 통제가 풀리자 해외여행을 떠나는 부자가 그만큼 많다는 의미다. 양극화의 골이 깊어지고 있다.

한국 경제는 지난 30년간 가파른 성장을 거듭했다. 천연자원이 없어도 인적자원 투자가 성공적이었고, 낮은 원자재 가격과 중국 시장 확대에 힘입어 활황을 맛봤다. 저금리를 이용해 부채를 지렛대 삼아 경제 규모도 팽창했다. 세계 각국은 한국 경제를 모범생이라고 평가했다. 하지만 수출과 산업구조, 금융 등 경제 전 영역에서 익숙했던 질서가 무너지고 있다. 성장 시대가 저물고 있는 것이다. 앞으로는 1%대 성장도 장담하기 어렵다. 세계 최고 속도의 인구 감소는 2030년대부터 잠재성장률을 0%대로 떨어뜨리고, 2050년대 이후 마이너스로 추락시킬 것으로 우려된다.

누리엘 루비니 뉴욕대 스턴대학원 명예교수는 올해 초 펴낸 <초거대 위협>에서 부채, 생산인구 감소, 저금리, 금융불안 등 10가지 위협을 제시했는데, 한국은 사실상 모든 위협에 직면하고 있다. 루비니 교수는 최근 경향신문과 인터뷰하면서 초거대 위협을 해결하려면 정부의 대응과 역할이 중요하다고 강조했다. 루비니 교수는 "교육과 건강관리, 연금 등 공공서비스나 부의 불균형을 최소화하려는 정책을 제공하는 정부 역할이 중요하다"면서 "인류의 미래가 디스토피아 또는 유토피아 시나리오에 도달할지는 국가 및 국제적 정책 조치에 달려 있다"고 말했다.

성장이 사실상 한계에 이르렀음을 받아들여야 한다. 이른바 '잘나갔던 과거'는 돌아오지 않을 것이다. 생산량만 늘리는 성장을 꾀할 게 아니라 시민들의 삶의 질을 높일 수 있는 질적 성장을 도모해야 한다. 정부는 최근 경기둔화 속에서 성장에 매달리느라 감세와 공공서비스 축소를 추진하고 있다. 이는 장래에 불균형 심화와 민생 파탄이라는 '디스토피아'로 가는 길이다. 정부뿐 아니라 기업, 가계도 성장정체 시대에 걸맞은 새 패러다임이 필요하다.[77]

61. 신념과 아집의 혼동

경제학의 기본 가정은 인간은 합리적이라는 것이다. 인간이 경제적인 편익과 비용을 비교해서 행동한다는 건 협소하고 건조하다는 비판을 들을지언정 가정치고는 과히 나쁘지 않다. 꽤나 많은 인간의 행동을 설명할 수 있기 때문이다. 그런데 이것만큼 인간의 행동을 잘 설명하는 건 자기합리화이다. 자기합리화를 잘 묘사해주는 것은 영화에 나오는 불법 무기상의 대사이다. "자동차로 얼마나 많은 사람이 죽는지 알아? 사람들이 자동차를 팔지 않으면 나도 무기 안 팔아. 적어도 내 총은 안전장치라도 있어."

자신의 행동을 사후적으로 정당화시키는 것이 자기합리화인데 이는 다양한 이유가 있다. 그럴듯한 논리를 개발해 나의 자존심을 지키기도 하고, 뭔가 책임이 필요한 행동에는 자기합리화가 따르기 마련이다. 합리적인 듯 보이는 이유가 있어야 본인이 책임을 면하는 데 도움이 된다. 좋게 생각하면 적당한 자기합리화는 세상을 살아가는 지혜다. 듣는 사람이야 '아, 저 인간은 왜 또 저렇게 억지를 부리나' 짜증나겠지만 자신의 모든 행동에 양심의 가책을 느끼면 피곤해서 못 산다. 그러나 이게 적정선을 넘어서면 사회적 피해는 생각보다 크다. 자신의 행동과 말이 결코 틀리지 않았다고 우기기 시작하면 집착에 가까운 자기합리화가 잇따르기 때문이다. 이런 자기합리화와 권력이 합쳐지면 무서운 현상이 나타나는데 그게 마음에 안 드는 집단을 찍어내는 것이다.

현 정권의 표적 중에는 노조·시민단체가 있고, 그들을 싫어하는 이유는 기득권화, 내로남불 등이다. 그런데 어떻게 노조·시민단체가 30년 전만큼 순수할 수 있겠나? 군사정권 이후 진보가 정권을 세 번 잡았는데 거기에 그들이 참여했다. 거리에서 시위만 하는 게 평생의 업이 아니었다면 당연히 거쳤어야 할 현실정치 참여의 과정이었고 그 와중에 권력과의 네트워크도 형성되었다. 오해는 마시길 바란다. 마구잡이로 그들을 방어하자는 것도 아니고 국민의 돈을 허투루 썼다면 그만큼의 책임을 지면 된다. 또 검찰 등을 통해 상대방을 찍어내는 악습에는 그동안 과하게 고소·고발에 기댄 노조·시민단체의 책임도 있다.

다만 내가 하고 싶은 말은 겉으로 드러내는 이성적 이유가 항상 진실을 말해주지는 않는다는 것이다. 끼리끼리 네트워크의 중요성에 누구보다도 목숨 거는, 현실에 닳고 닳은 현 정권의 정치인들이 노조·시민단체를 향해 초심을 찾아 순수하게 사회를 바꾸라고 훈계를 하고 싶은 것일까? 아닐 것이다.

인간 행동의 내면에는 자존심·콤플렉스·질투·멸시라는 감정이 있다. 현 정권의 노조·시민단체에 대한 분노와 청산의 감정이 걱정된다. 이들이 북한의 지령을 받는 주사파 빨갱이라서 싫은 건 적어도 전쟁의 아픈 기억이 강하게 남아 있는 세대의 감정일 테니 현 정권 핵심의 마인드는 아닐 것이다. 그럼 순수함을 잃어버린 그들에게 너무 실망해서? 노조·시민단체 등과 동시대를 살아오면서 같이 못해 미안했고 심정적인 지지를 했으나, 이제 기득권처럼 보이는 그들에게 반감을 가지는 분들이 있다는 것을 알고 있다.

그런데 이런 감정을 현 정권은 끊임없이 이용할 뿐이다. 현 정권 핵심들은 사회를 바꾸기 위해 싸우는 사람들에게 기대를 가져본 적이 없는 사람들이다. 그들에게 애초부터 세상은 살 만했고 노조·시민단체는 자기보다 못난 비딱한 집단이었을 뿐이다. 그들은 이런 자신들의 생각에 대한 자기합리화를 반복하고 있는 것이다. 능력도 안 되는 것들이 권력을 잡더니 꼴값을 떨었다고 말이다.

자기합리화가 남들에게 들키기 쉬운 이유는 무리한 논리를 끌어오기 때문이다. 노조·시민단체가 무오류 집단도 아니지만 이들을 때려잡지 않으면 한국 사회의 미래가 없다는 논리는 당황스럽다. 하나만 보자. 미국 경제성장 최전성기인 1940~1960년대에 노조가입률은 30%를 웃돌았으나 계속 떨어져 2000년 14%, 2021년에 10.4%이다. 한국은 1977년 25.4%에서 2000년부터 최근까지 꾸준히 10% 언저리이다. 그런데 2000년대 들어 미국 및 선진국의 생산성 정체는 널리 알려져 있다. 이 정체의 원인을 찾아 경제학자들은 여러 가설을 제시하고 있는데 여기에 노조는 핵심이 아니다. 국가 운영에 있어 언어는 정확하고 근거는 명확해야 한다.

그러나 현 정권은 자신의 신념을 의심하지 않고 선의와 아집을 혼동하고 있다. 더욱 암울한 것은 자존심은 강하나 책임은 회피해야 하는 집단은 아집을 끝까지 밀고 나가기 십상이다. 내년 총선에 사활을 걸었지만, 딱히 하고 싶은 게 없는 2년차 집권 여당이 이 조건을 모두 만족한다.[78]

62. 한한령과 탈한국

한한령(限韓令)은 2017년 초부터 주한미군 THAAD 배치 논란으로 중국 정부가 자국 내 중국인들에게 대한민국에서 제작한 콘텐츠 또는 한국인 연예인이 출연하는 광고 등의 송출을 금지하도록 명한 한류 금지령이다. 금한령(禁韓令)이라고도 한다. 이와 함께 비공식적인 행정명령으로 한국 상품에 대한 불매운동을 유도한다거나 혹은 중국에 진출한 한국업체에 대해 불이익을 주는 행위를 말한다.

소비자시장을 다루는 유통담당 기자의 경우 독특한 아이템이나 유별난 사건이 없으면 신문 앞면에 실리는 기사를 쓰는 일이 많지 않다. 그런데 2017년 유통 기자들은 하루가 멀다 하고 1면에 내보낼 기사를 찾아야 했다. 중국이 한국의 고고도미사일방어체계(사드) 도입을 이유로 그해 초부터 '한한령(限韓令·한류금지령)' 에 돌입했기 때문이다. 중국에서 한국 배우나 가수들의 출연과 공연이 취소되고, 한국에 오는 '유커'(중국인 단체관광객)의 발길이 거짓말처럼 뚝 끊어졌다. 한국산 게임 서비스가 하루아침에 중단되고, 현지에 진출한 한국 기업의 매장들이 줄줄이 문을 닫았다. '왕훙'(중국 온라인 인플루언서)들은 한국산 제품을 외면했고, 파리 날리는 면세점 사진이 신문 앞면을 장식했다.

중국의 몽니가 심해지면서 정부에서 공식 피해신고센터까지 운영했는데 신고실적이 줄어들자, "거래가 다 끊어져 더 신고할 것도 없어졌기 때문" 이라던 담당자의 말이 아직도 기억난다. 잊고 지내던 '한한령' 이 갑자기 떠오른 것은 한국의 탈중국이 무역적자를 심화시켰다는 중국대사의 발언을 접하면서다. 중국은 한때 주식시장으로 치면 지금의 2차전지에 버금가는 최고의 테마주였다. 왕훙이 제품을 집어들기만 해도 매출이 수직상승하고, 수천명의 중국 직원들이 전세기로 한국에 단체관광을 오던 시절이었다. 그리고 한한령이 이어지는 동안에도, 그 이후에도 우리는 탈중국 비슷한 것조차 해본 적이 없다.

대중 무역수지 전선에 이상신호가 도드라지기 시작한 것은 최근 몇년의 일이다. 흑자 규모가 200억달러대로 쪼그라들더니 올 들어서는 최대 적자국으로 반전됐다. 코로나19 때문만이라고 치부하기도 뭣한 것이 애초에 한국에서 중국의 흑자국 순위 자체가 2018년 1위에서, 2019년 2위, 2020년 3위로 갈수록 떨어지는 추세다.

그동안 한국에서 그 어떤 탈중국 움직임이 있었는지 구체적으로 설명할 수 있는 사람을 찾기란 쉽지 않다. 짚고 넘어가야 할 대목은 중국의 한한령이 비록 단편적이긴 하지만, 따지고 보면 전체를 구성하는 통일성 있는 조각의 하나였다는 점이다. 대중 무역적자의 본질이 탈중국이 아니라 탈한국이었다는 점에서 특히 그렇다.

1992년 수교 후 중국은 사실상 한국의 '달러박스' 였다. 세계의 공장 중국이 열심히 돌아가던 시절의 유산이었다. 우리는 중간재를 수출해 돈을 벌었고 중국은 세계에 완제품을 납품했다. 그동안 중국은 꾸준히 내수시장을 돌보고 국산화율을 높였다. 결과적으로 부가가치가 낮은 저·중위 기술제품 비중은 점점 덜 수입하고, 자급이 어려운 반도체 같은 고위 기술제품의 수입만 늘렸다. 이렇게 중국과 한국은 보완관계가 아니라 경쟁관계로 접어들었다.

중국이 2015년 내놓은 '제조 2025 전략' 을 보면 중국은 제조업에서 한국을 가장 먼저 따라잡을 '목표' 로 정하고, 2025년까지 한국을 뛰어넘겠다는 탈한국 전략을 명확히 했다. 대한상의가 최근 대중 수출기업들을 대상으로 조사한 결과를 보면 '중국과의 기술격차가 비슷하거나 뒤처진다' 는 응답이 40%를 넘었고, '3년 이내에 따라잡힐 것' 이란 응답도 36.6%나 됐으니 얼추 시기도 맞아떨어지는 셈이다.

소비재도 마찬가지다. 북미 시장을 질주하는 현대차는 중국에서 팔리지 않는다. 한때 중국 시장을 20% 넘게 점유했던 삼성의 휴대전화도 더 이상 중국에서는 맥을 못 춘다. 중국이 자동차 수출 세계 1·2위를 다투고, 비보나 아너, 오포 같은 자국 제조사들이 내수를 지배하고 있기 때문이다. 탈한국 운운할 것도 없다. 이제 한국 입국장에서 일제 코끼리표 밥솥을 사들고 들어오는 여행객을 볼 수 없는 것과 같은 이치다.

문제는 지금부터다. 일국의 대사쯤 되는 사람이 이런 사실들을 몰랐을 리 없다. 그럼에도 있지도 않은 탈중국과 무역적자를 엮어 윽박지른 것은 경제를 지렛대로 앙갚음에 나설 수 있다는 노골적인 경고다.

출범 후 일방적으로 미국과 일본에 치우친 행보를 보여온 윤석열 정부의 입장에 변화가 생길 가능성도 크지 않아 보인다. 아니나 다를까 양국 정부의 입은 갈수록 거칠어지고 있다.

막는 것이 최선의 선택지다. 하지만 '중국의 승리에 베팅' 하라고 강요하는 중국과 진흙탕 싸움이 벌어질 가능성도 염두에 두고 준비해야 한다. 우리는 과거 달러박스 중국의 위세에 눌려 무력하게 두들겨 맞은 적이 있다. 지금의 우리는 과연 어떨까? 선택할 시간이 가까워지고 있다.[79]

63. 타다 금지법, '혁신경제 시대' 진보의 미션

1789년 프랑스 혁명이 일어났다. 이후 1797~1815년 기간 동안, 나폴레옹 전쟁이 벌어진다. 나폴레옹 전쟁은 초기엔 프랑스 혁명을 방위하는 성격을 가졌다. 점차 유럽 침략의 성격을 갖게 된다.

나폴레옹 전쟁 과정에, 영국은 1815년 곡물법을 제정한다. 당시 영국은 산업이, 프랑스는 농업이 발달해 있었다. 곡물법은 값싼 프랑스산 곡물의 수입금지를 타깃으로 했다. 쉽게 말해, 프랑스의 값싼 곡물 수입을 막기 위한 보호무역 정책이었다.

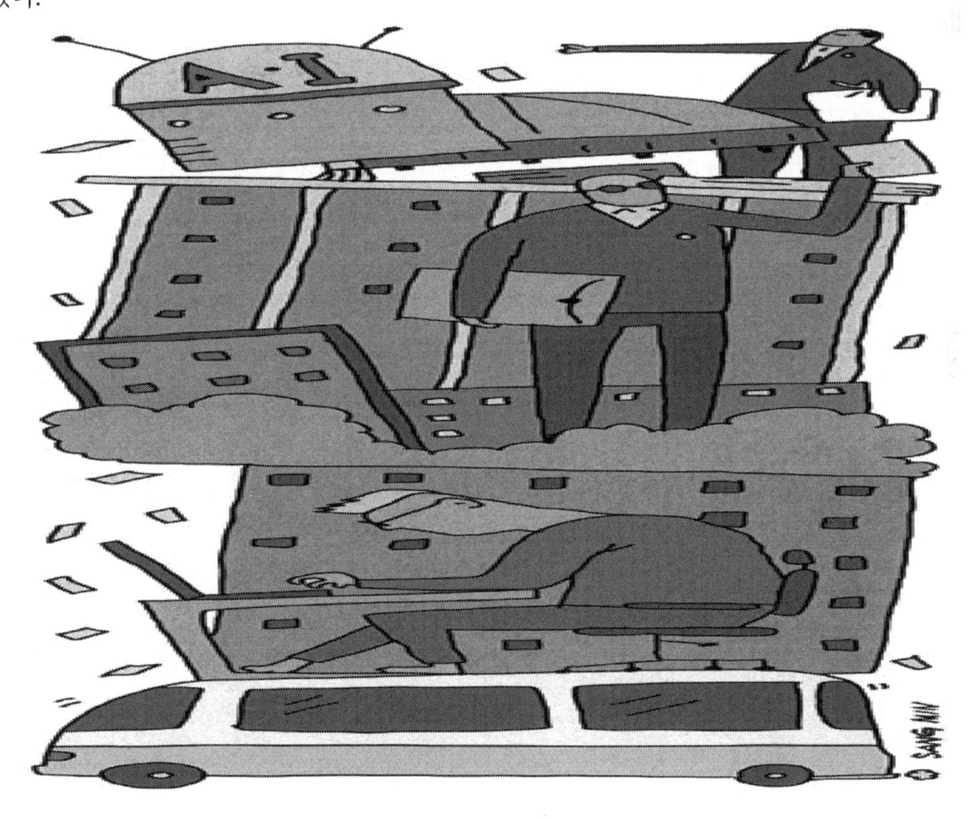

가. 영국의 곡물법 폐지 관련 계급투쟁

영국에서 곡물법은 계급투쟁의 장(場)이었다. 곡물법 폐지 여부를 둘러싸고 각 계급들은 입장이 달랐다. 4개의 계급이 등장한다. ①지주 ②농민 ③산업자본가 ④

산업노동자다. 곡물법 폐지를 반대했던 집단은 어디일까? 곡물법 폐지를 찬성했던 집단은 어디일까?

역사를 지배 계급과 피지배 계급의 투쟁으로 이해하는 계급투쟁적 세계관에 의하면 ①지주와 ③산업자본가가 '지배계급 연합' 이다. ②농민과 ④산업노동자가 '피지배계급 연합' 이다.

그러나 실제 곡물법 폐지를 둘러싼 계급 연합 구도는 완전히 달랐다. ①지주와 ②농민이 한편이었다. 이들은 모두 곡물법 폐지를 반대했다. 농업에 대한 보호무역을 주장했다. ③산업자본가와 ④산업노동자가 한편이었다. 이들은 농업에 대한 자유무역을 주장했다. 지주와 농민은 '농업 세력' 이라는 점에서 이해관계가 일치했다. 해외의 값싼 농산물 수입을 막을수록 국내 농산물을 더 비싸게 팔 수 있었다. 보호무역을 옹호하는 이유다. 이 경우 소비자는 손해를 보게 된다.

산업자본가와 산업노동자 계급은 '산업 세력' 이라는 점에서 이해관계가 일치했다. 해외의 값싼 농산물이 수입될수록 생필품 가격을 낮출 수 있었다. 자유무역을 주장한 이유다. 내용적으로 볼 때 지주와 농민은 '전통경제 연합' 이었다. 산업자본가와 산업노동자는 '혁신경제 연합' 이었다.

곡물법은 1846년 폐지된다. 영국 역사에서 곡물법 폐지는 영국의 산업자본가 계급이 지주 계급에 대해 '정치적으로' 승리한 의미를 갖는다. 흥미로운 것은 곡물법 폐지 논쟁이 있던 시점에 영국 사회주의자들과 영국 노동운동의 입장이다. 영국 사회주의자들과 노동운동은 산업자본가들과 연대하여 '곡물법 폐지동맹' 을 만들었다. 산업자본가와 연대투쟁을 했다.

사회주의 이론가인 카를 마르크스(1818~1883)는 곡물법 폐지 논란이 있던 시대의 사람이다. 마르크스가 유럽에서 셀럽이 된 계기였던 <공산당 선언> 발간은 1848년이었다. 당시 마르크스와 엥겔스는 모두 '곡물법 폐지' 를 적극 찬성했다. 이유는 두 가지였다. 산업노동자 계급의 이익에 부합했다. 다른 하나는 생산력 발전에 부응한다고 봤기 때문이다. 요즘 식으로 표현하면 '혁신경제의 편' 이 되기 위해서였다.

나. '레프트 진보' 아닌 '퓨처 진보' 로

최근 대법원은 '타다 베이직 서비스' 에 대해 무죄를 선고했다. 2020년 2월 타다 베이직 서비스는 1심에서 무죄를 받았다. 당시 국회는 1심에서 무죄가 나오자 아예 '타다 금지법' 을 발의하고 통과시켰다. 2020년 4월 총선을 앞둔 시점이었다. 타다 금지법은 더불어민주당이 주도하고, 국민의힘이 동조했다. 타다 금지법은 '혁신경제를 죽이는' 상징적인 법안이 됐다.

오늘날 한국 정치에서, 정의당과 민주당을 흔히 '진보' 라고 표현한다. 그런데 도대체 '진보' 가 무엇인가? 우리는 진보의 개념 자체를 짚고 넘어갈 필요가 있다. 자본주의 출현 이후 진보 개념은 크게 두 가지 흐름이 존재했다.

첫째, 좌파(Left)다. 프랑스 혁명 이후 의장석을 기준으로, 급진파인 자코뱅당은 왼쪽에, 온건파인 지롱드당은 오른쪽에 앉았던 것에서 유래한다. '진보, 좌파, 급진주의' 는 같은 의미로 사용된다. 이 경우, '더 센 주장' 은 항상 진보적이다. 최저임금 1만원보다 2만원이 더 진보적이고, 2만원보다 3만원이 더 진보적이다. 그러나 생산성을 과도하게 초과하는 최저임금 인상은 반드시 큰 부작용을 일으키게 된다. 이러한 접근의 특징은 '경제학적 원리' 와 상충되거나, 최소한 무관심하다.

둘째, 미래(Future)다. 진보 개념의 핵심을 미래로 보는 것은 마르크스주의 정치경제학의 전통이다. 마르크스가 자본주의를 높이 평가하고, 생산력을 중시했던 것은 모두 미래를 중시 여겼기 때문이다. 이 경우, 진보의 핵심 미션은 '혁신경제의 편' 이 되는 것이다. 유럽에서 복지국가를 주도했던 정당은 사회민주당(사민당) 계열이다. 사민당의 정체성은 두 가지였다. 하나는 산업노동자 계급을 대표하는 것이었다. 다른 하나는, 민주적 방법을 사용하되 자유와 평등의 가치를 실현하는 것이었다. 앞의 것은 '대표' 에 관한 문제이고, 뒤의 것은 '가치' 에 관한 문제다.

오늘날 한국 자본주의는 뭐라고 표현할 수 있을까? '혁신경제 자본주의' 라고 표현해도 무방할 것이다. 혁신경제 시대에 진보성향 정당은 누구를 대변하고, 어떤 가치를 지향해야 할까?

한국 정치사에서 민주당의 핵심 정체성은 '민주화' 였다. 지금은 혁신경제 시대다. 한국의 진보성향 정당들은 '지식노동자들을 대변하는' 정당으로 거듭날 필요가 있다. 영국에서 곡물법 폐지 이전, 산업노동자와 산업자본가는 한편이었다. 마찬가지 원리로 전통 산업이 강력한 상황에서 혁신경제 노동자와 혁신경제 기업가 역시 한편이 될 수밖에 없다.

혁신경제는 '기존 경제' 로 먹고살던 사람들에게 불이익을 주게 된다. 혁신경제의 다른 표현은 갈등경제다. 진보는 혁신경제를 지원하되, 사회통합의 가치를 실현하기 위한 갈등조정 역할을 해야 한다. '레프트(Left) 진보' 를 버리고, '퓨처(Future) 진보' 가 되어야 한다.[80]

64. 탈성장보다 지속 가능한 성장을…북유럽 '생태복지국가 모델'이 현실적 대안

역성장(degrowth), 탈성장 또는 성장후 경제학(post-growth economics)은 인간과 경제 발전의 척도로서 국내총생산(GDP)의 성장 개념을 비판하는 학문적, 사회적 운동이다. 역성장 이론은 경제학, 경제인류학, 생태경제학, 환경과학, 개발 연구 등 다양한 학문 분야의 아이디어와 연구를 기반으로 한다. 이는 총재와 서비스의 금전적 가치 측면에서 성장에 대한 현대 자본주의의 단일 초점이 광범위한 생태적 손상을 초래하며 인간 생활 수준의 추가 향상에 필요하지 않다고 주장한다. 역성장 이론은 학문적 호평과 상당한 비판을 모두 받았다.

역성장 이론은 자유 시장 자본주의에 대해 매우 비판적이며 광범위한 공공 서비스, 돌봄 노동, 자기조직화, 커먼즈(commons), 공동체 및 일자리 나누기의 중요성을 강조한다.

2001년 닷컴 버블의 붕괴와 2008년 글로벌 금융위기, 2020년 팬데믹은 현 자본주의의 한계를 적나라하게 드러냈다. 불평등, 양극화 심화, 금융거품과 금융위기의 빈번한 발생, 환경과 생태 파괴, 전 세계적 감염병 발생 등으로 인해 적어도 진보 진영 내에서는 현재의 시스템, 신자유주의적, 성장지향적, 불로소득 추구형 자본주의에서 빨리 벗어나야 한다는 광범위한 동의가 형성돼 있다.

그런데 새로운 대안이 무엇인가, 그리고 그것이 성장지향성을 버린 것이어야 한다는 데에도 일정 수준 동의가 형성돼 있는지는 의문이다. 한국 경제는 외환위기 이후 보통 저성장, 양극화라는 수식어로 설명되는데 저성장이라는 용어는 성장률 하락을 우리 사회가 부정적으로 인식하고 있다는 것을 의미한다. 즉 일부 경제학자들은 성장률 하락을 산업화 성공의 결과로 받아들이지만 이런 시각이 지배적이지는 않다. 아직도 선진국을 충분히 추격 혹은 추월하지 못했다는 생각이 지배하고 있기 때문일 것이다. 아니면 지금까지 한번도 성장 이외에 다른 것을 목표로 이야기해본 적이 없어서 그럴 수 있다. 복지 확대를 추진할 때도 '생산적' 복지라는 용어를 사용해온 것이 현실이다.

선진국에서는 1970년대부터 환경, 생태 중심의 지속 가능한 성장과 탈성장 논의가 시작돼 오랫동안 축적돼왔지만 한국에서는 극단적 성장주의자들과 온건한 성장주의자들이 대치하고 있는 형국이다. 전자는 복지 확대가 성장을 해칠 것이라고 보고 환경도 성장의 수단으로 이용하려는 태도를 가지고 있고, 후자는 복지 확대가 성장에 기여할 수 있고 재생에너지 확대는 성장과 분배를 동시에 달성하게 해준다고 이야기하고 있다. 게다가 최근 국내 상황은 온건한 성장론이라도 지켜낼 수 있을지 우려될 정도로 후퇴한 상태다.

이런 상황에서 탈성장론은 너무나 먼 비전으로 여겨질 수밖에 없다. 이 주장에 따르면 현재의 자본주의 시스템이란 과도하게 자원을 낭비하고 있는 선진국의 소위 '발전한' 생활수준을 개도국이 따라잡으려 하고 있는 체제인데, 그 목표는 지구가 감당할 수 없는 수준의 자원 이용을 의미하는 것이기 때문에 근본적으로 방향성이 잘못 설정된 시스템이라는 것이다. 모두가 잘못된 방향을 향해 뛰는 사이 자원 파괴와 수탈은 심해지고 선진국과 개도국 간 격차는 더욱 벌어지고 있다.

따라서 바람직한 해결책은 방향성을 바꾸는 것이라는 주장이다. 이 진단에 100% 동의한다. 문제는 어떻게 이 시스템에서 벗어날 것인가이다. 자원 낭비의 주체이자 시스템의 수혜자인, 선진국 기득권 집단의 기득권을 어떻게 내려놓게 할 것인지가 관건이다. 그들에게 절반 정도 생산과 소비를 줄이고 그 남은 것에서 절반을 개도국에 양보하게 할 방안이 있을까.

현 상황에서 현실적인 대안을 제시한다면, 탈성장보다는 지속 가능한 성장, ESG 경영, 이해관계자 자본주의, 스티글리츠의 '더 나은 세계화' 모델들이다. 한국 경제가 직면한 위험은 탈성장하지 못해 직면하게 되는 위험이라기보다 그린워싱, 노동인권의 실종 사회로 전락할 수 있다는 위험이다. 그러한 점에서 탈성장이 아니라 지속 가능한 성장을 잘 추진하는 것이 현시점에서 우리가 추구할 수 있는 최선의 바람직한 대안이다. 그 대안은 북유럽 국가들의 '생태복지국가 모델'로서 현실 사례가 있다는 매우 큰 장점이 있다.

그러나 이 대안이 국민의 행복을 높일 수 있을지 검토할 필요가 있다. 물질적 성장을 통해 우리가 근본적으로 추구해온 것이 궁극적으로는 국민 행복일 것이라는 점에서 이것을 중심에 놓고 사고할 필요가 있다. 과거에는 물질적 삶의 수준 제고가 행복도를 올리는 데 크게 기여했겠지만 어느 정도 그 목표를 이룬 지금 우리 국민들에게 행복한가를 물어봤을 때 선뜻 그렇다고 대답할 사람이 많을 것으로 기대하기 어렵다. 물질적 삶의 수준 제고가 행복을 보장해주지 못하는데 왜 그런 목표를 열심히 추구해야 할까? 다행인 것은 북유럽 국가 시민들의 삶의 만족도가 높다는 점이다. 우리가 행복을 논의하는 과정에서 역시 생태복지국가가 가장 현실적으로 유력한 대안 모델로 제시되지 않을까 생각한다.[81]

65. 경제 성장이 더 이상 정답이 아닌 시대에 우리는 산다

경제성장을 논의하는 과정에서는 크게 2가지 어려움에 직면하게 된다. 첫째, 경제성장의 주요인과 조건에 대해서는 상당한 정도로 의견이 일치해 있지만, 이러한 요인들이 어떻게 상호작용을 일으키는지에 대해서는 경제학자들간에도 큰 의견차이를 보인다. 둘째, 경제성장이 정확히 어떤 내용으로 구성되는 것인지에 대한 합의가 이루어져 있지 않다.

일국의 경제성장 척도로 가장 널리 사용하는 것은 재화 및 용역 총생산액의 실질증가율, 즉 인플레이션을 반영해서 산정한 국민총생산 증가율이다. 그러나 1인당 국민소득이나 1인당 소비 또는 그밖의 다른 척도들이 경제성장을 가장 적절하게 나타내준다고 주장하는 사람들도 있다.

경제학자와 경제사학자들은 오래전부터 각국의 경제성장 과정 또는 경제성장률이 현저한 차이를 나타내는 원인을 파악하고자 노력해왔다.

그와 같은 노력의 목적은 경제모형을 개발해서 경제성장을 극대화시키는 최선의 방법을 제시하는 것이었다. 18세기에 이미 애덤 스미스는 경제의 작동 원인과 방식을 밝히려고 시도했다. 그는 연구과정 속에서 노동의 역할과 제약받지 않는 시장력의 역할을 상당히 강조했다.

경제 성장을 멈추지 않는다면 자원고갈과 환경파괴, 식량부족 등으로 인해 인류 존속 자체가 위협받게 될 것이다. 1972년 유엔 산하 연구팀에서 내놓은 보고서 내용이었다. 이 경고는 무시됐다. 대신 '전 지구적 자본주의화'가 진행됐다. 1980년 이후 세계적으로 1인당 생산은 30% 넘게 증가했다. 날마다 새로운 상품이 생산되니 멀쩡한 물건도 유행이 지났다고 쓰레기가 됐다. 일회용 물건도 날로 늘어났다.

자국의 경제위기를 돌파하기 위해 저렴한 노동력과 자원, 새로운 시장을 찾고 있던 국가들과 식민 치하와 내전 등으로 빚어진 가난에서 벗어나 '선진국처럼 잘살고 싶은' 국가의 이해관계가 만난 사례 중 하나였던 1970년대 초 한국. '잘살아보세'라는 슬로건을 내걸고 '수출 자유무역 지역'에서 노동법 보호도 못 받는 10대 여성 청소년 노동자들의 피와 땀까지 쥐어짜내 '한강의 기적'을 이루며 50여년이 흘렀다. 대한상공회의소에 따르면 1974년 195억4000만달러였던 한국의 국내총생산(GDP)은 2022년 6643억3000만달러로 85.2배 상승해 경제규모순위는 세계 30위에서 10위가 됐다. 수출은 2022년 6835억8000만달러를 기록, 1974년보다 153.3배 증가하며 한국은 세계 시장점유율 7위가 됐다.

그리고 우리가 받아든 대차대조표. 경제 성장은 번영과 행복을 약속했다. 그러나 대부분의 선진국에서 GDP는 증가했지만 '참진보지수(GPI)' 나 '지속가능경제복지지수(Index of Sustainable Economic Welfare)' 같은 복지 지표는 1970년부터 정체 상태다. 한국의 자살률은 2021년 기준 인구 10만명당 26명으로 경제협력개발기구(OECD) 평균보다 2배, 남녀임금격차는 OECD 평균보다 3배 더 높았다. 최상위 소득계층 10%가 한국 사회 전체 소득의 34.4%를 가져가는 등 불평등 정도는 가파르게 증가하고 있다. 평균 노동시간은 2021년 기준 OECD 평균보다 199시간 많았으며 노동시간이 상대적으로 적은 독일에 비하면 566시간이 더 많았다. 2022년 가임인구 출산율은 0.78명으로 세계에서 가장 낮았다. 유엔 산하 자문기구가 발표한 '2022 세계 행복보고서' 에 따르면 한국인의 행복지수는 전 세계 146개국 중 59위였다.

지난 50년 동안 지구 평균온도는 1도 높아졌다. 1980년대부터 전 세계적으로 이산화탄소 배출량이 급증해서다. 부유한 나라일수록 더 많이 배출했다. 2020년 한국은 온실가스 배출량 8위였다.

지구온난화로 인해 해수 온도가 올라가고 극지방의 빙하가 녹아내려 해수면이 상승하고 있다. 폭우, 폭염, 산불도 갈수록 심해지고 있으며 생물종들이 연이어 멸종되면서 생물 다양성은 심각하게 파괴되고 있다. 우리가 살아남기 위해서는 2030년까지 0.5도 추가 상승을 막아야만 한다.

기후위기 영향으로 식량이 무기가 되는 상황이 발생하고 있다. 한국은 세계 7대 곡물 수입국이다. 곡물 자급률은 20%에 불과하다. 정부는 쌀보다 밀가루를 많이 먹으니 쌀 생산을 그만하라는 말을 하고 있지만 밀 자급률은 겨우 0.5%다.

상황이 이런데 여전히 경제 성장 타령을 하고 있어야 할까. 해마다 새로운 재화와 서비스를 생산해야만 할까. 인구 증가세가 이미 마이너스로 떨어졌다는 이유로 1인당 노동시간을 더 늘려 노동자들을 최대한 더 쥐어짜야 할까.

안정적인 보금자리, 생명을 먹여 살리는 음식, 신선한 물, 깨끗한 공기, 따뜻한 옷, 공동체, 사랑과 보살핌이야말로 번영과 행복의 필수 요소다. 이를 위해서는 상품이 아니라 삶이 생산돼야 한다. 이윤을 위한 생산이 아니라 사용을 위한 생산, 비임금 일에 대한 제대로 된 가치부여, 축적과 확장이 아니라 공존과 연대가 최우선인 사회로 나아가야 한다. 나눔, 단순함, 공생, 돌봄, 공유를 기반으로 하는 재생경제와 지역 자급경제로 나아가야 한다. 지금이 아니면 너무 늦을 것이다.[82]

66. 인플레이션 고착화에 대한 경계

지난달 발표된 미국의 6월 소비자물가지수(CPI)는 전년 동월 대비 3.0% 상승을 나타내면서 연방준비제도(Fed · 연준)의 목표치(2% 상승)에 바짝 다가서는 모습을 보여주었다. 지난해 6월 CPI가 전년 동월 대비 9.1% 상승했다는 점을 고려하면 1년 만에 빠른 속도로 안정됐다고 볼 수 있다.

이런 추세라면 연말 이전에 목표치에 이를 것이란 기대감을 갖게 한다. 일부 전문가들은 이런 기대감을 확대 해석하며 "인플레이션이 사실상 끝났다"는 주장을 내놓기도 한다. 물가 상승 국면이 거의 종료된 만큼 이제는 성장에 초점을 맞추면서 연준이 적극적인 금리 인하 등 경기 부양에 나서야 한다는 논리로 이어지며 자산시장에 열기를 더해주고 있다.

그러나 여전히 연준은 지난달 0.25%의 추가 금리 인상을 통해 기준금리를 2001년 이후 가장 높은 수준인 5.25~5.5%까지 높였다. 시장 참여자들은 인플레이션이 사실상 끝났음을 기대하고 있는데 연준은 2001년 이후 가장 높은 수준으로 긴축의 강도를 높인 것을 보면 시장 참여자들과 연준이 서로 다른 생각을 하고 있다는 것을 알 수 있다. 연준은 왜 긴축을 이어가는 것일까?

현재 하향 안정세를 보이고 있는 것은 CPI다. 하지만 연준은 가격 민감도가 높은 에너지와 식료품 등을 제외하고 산정한 '코어 CPI(핵심 소비자물가지수)'를 눈여겨보고 있다. CPI보다 코어 CPI에 중점을 두고 있는 것이다. 가장 큰 이유는 국제유가를 비롯해 금융시장에서 가격이 결정되는 에너지나 농산물 등은 가격 변동성이 큰 데다 금융투기 세력의 영향을 상당 부분 받고 있어 이들 가격의 변화만으로 전체 CPI가 크게 변화하는 착시현상을 일으킬 수 있기 때문이다.

코어 CPI는 여전히 전년 동월 대비 4.8% 상승을 기록하며 연준의 목표치와는 상당한 거리를 두고 있다. 거리가 멀기도 하지만 내려오는 속도 역시 CPI에 비해

느린 편이다. 연준은 2024년 말~2025년 초에야 코어 CPI가 목표치에 근접할 것으로 예상하고 있다. 목표치에서 멀리 떨어져 있고, 내려오는 속도가 느리다면 강한 긴축을 통해 끌어내려야 하기 때문에 연준은 2001년 이후 가장 높은 수준으로 기준금리 인상을 이어가고 있는 것이다.

연준은 인플레이션과의 전쟁에서 무너지며 경기 침체를 불러왔던 1970년대의 '아픈 기억'을 생생히 기억하고 있다. 1950년대 초부터 1960년대 말까지 미국 경제는 저물가·고성장 국면을 이어가고 있었다. 장기간 물가가 안정되며 인플레이션에 대한 경계감이 사라지면서 당시 미국 대통령이었던 리처드 닉슨을 중심으로 강력한 경기부양에 나섰다. 하지만 경기 부양으로 인해 수요가 늘어나며 물가 상승 압력이 높아졌다. 게다가 제4차 중동전쟁 등의 악재가 겹치면서 인플레이션은 걷잡을 수 없을 정도로 심해졌다. 1970년대 석유파동으로 인한 인플레이션이 발생한 것이다.

주목해야 할 점은 연준의 대응이었다. 당시 연준 의장인 아서 번스는 물가가 올라갈 때는 빠른 금리 인상으로 대응했으나 물가가 내려오자 곧바로 경기 부양에 초점을 맞추면서 빠른 금리 인하를 단행했다. 인플레이션이 완전히 제거되지 않은 상태에서 단행된 금리 인하는 인플레이션이란 경제의 병을 키우게 됐다. 이후 연준은 인플레이션이 극심해지자 이를 제압하기 위해 금리 인상을 이어가는 이른바 '스톱 앤드 고(Stop & Go)'의 실수를 1970년대 내내 반복하게 된다.

인플레이션이 10년 이상 이어지면서 미국의 CPI는 1970년대 말~1980년대 초 10% 넘는 상승을 지속했다. 이렇게 강해진 인플레이션을 제압하기 위해 새롭게 임명된 폴 볼커 연준 의장은 당시 기준금리를 20% 이상으로 끌어올리며 물가와의 전쟁에 나서기도 했다. 20%대의 기준금리를 감당하지 못한 기업이나 가계는 잇달아 파산했다. 실업률도 급격하게 치솟는 등 당시 미국 경제는 극심한 경기침체에 시달렸다.

1970년대의 고통스러운 기억은 연준이 인플레이션의 불씨를 제대로 꺼뜨리지 않고 '스톱 앤드 고'를 반복하면 인플레이션 고착화가 나타날 수 있다는 것을 일러준다. '인플레이션 고착화'라는 단어는 1970년대 인플레이션 파수꾼을 자처하는 연준에 큰 상처를 남겼을 뿐 아니라 이를 해결하기 위한 장기간의 경기 침체라는 희생을 필요로 했다. 이에 연준은 안정세를 보이는 CPI 상승률에도 불구하고, 코어 CPI 흐름에 집중하며 인플레이션에 대한 경계심을 풀지 않고 있는 것이다. 인플레이션 고착화 가능성을 염두에 두고 있는 연준은 시장의 기대보다는 다소 높은 금리를 오랜 기간 이어갈 것으로 보인다.[83]

67. 기재부, 이러다 우리 다 죽어!

윤석열 정부가 못하는 게 많지만 그중에서 제일 못하는 게 예산 관리 아닐까 한다. 제대로 쓰는 돈도 없는데, 세수에 문제가 생겨서 여기저기 칼질하느라고 난리도 아니다. 칼자루를 쥔 기획재정부의 칼질이 전례 없이 투박하다. 선무당이 사람 잡는다고, 국가 설계 및 운영 전반에 경제만 아는 사람들이 무시무시한 완장질을 하는 중이다.

대통령의 검사 시절 별명이 칼잡이였다더니, 요즘 경제 당국이 칼잡이처럼 예산을 난도질하고 있다. 이번에는 과학자와 엔지니어들이 가장 큰 희생자가 되었다. 크게 떼돈 버는 일도 아닌 연구·개발(R&D)을 오랫동안 했던 사람들은 단지 정부 연구를 했다는 이유로 어느 날 갑자기 '카르텔'이 되었다. 앞에서는 예산 당국이 칼질을 하고, 뒤에서는 감사 당국이 몇년 치 영수증을 탈탈 털며 실정법을 들이대고 있다. 만약 어느 엔지니어가 백지에 가까운 영수증을 제출하면서 한동훈 법무부 장관처럼 "잉크가 휘발돼 보이지 않을 수 있다"고 말한다면? 상상도 못할 일이다. 수년째 진행되던 연구 과제들이 결실을 못 보고 칼질 앞에 휴지 조각이 되고, 새로운 과제는 낙타가 바늘귀에 들어가야 하는 형국이다.

올해 3월 정부는 제1차 국가연구개발 중장기 투자전략을 수립하면서 "5년간 170조원의 R&D 예산을 투자하여 정부 총지출 대비 5% 수준을 유지하는 것이 목표"라고 하였다. 아직 반년도 안 지났는데 신규 연구는 물론 진행 중인 연구사업 예산도 일괄 삭제하려고 한다. 하던 과제는 줄이고 새로운 과제는 못하게 하는 것도 큰일인데, 국책 연구소 예산도 대폭 줄이는 기관 예산 삭감 계획이 만들어지는 중이다.

한국 정부의 R&D 투자는 글로벌 금융위기 때도 늘었다. 심지어 국제통화기금(IMF) 경제위기 때에도 민간 R&D 투자는 줄었지만 정부 투자는 증가했다. 1997년 3조3000억원, 1998년 3조5000억원을 투입했다. 군사정권이라고 욕은 하지만, 박정희 시절에는 개도국으로서는 전례 없이 공격적으로 과학기술에 투자했다. 그동안 정권교체가 여러 번 있었지만 지금처럼 무턱대고 R&D 예산을 삭감하는 정권은 진보·보수를 막론하고 일찍이 없었다. 과학자와 엔지니어들에게는 지금이 지난 세기 IMF 경제위기 때보다 더 가혹한 보릿고개가 되었다.

정부의 R&D가 이렇게 중요해진 것은 세계무역기구(WTO) 출범으로 기존 각종 수출 보조금 등 수출 관련 지원이 불가능해졌기 때문이다. 미국 등 많은 나라는 수출 예산을 R&D로 돌렸고, 그 결과물을 공공 기술이전 등으로 민간에 지원하는 것을 산업 정책 중심축으로 삼았다. 우리도 그렇게 했다. 연구의 부정부패를 없애는 것은 좋은 일이지만 지금처럼 아예 예산 자체를 일괄 삭감하는 것은 '예산 갑질' 일 뿐이다. 일부 부정한 연구팀에 벌을 주는 것은 필요하지만 연구비와 기관운영비 자체가 줄어드는 것은 산업 경쟁력을 장기적으로 갉아먹는 일이다.

R&D 예산에서 공공이 차지하는 비율은 1990년 16%에 불과했다. IMF 경제위기 한가운데인 1998년에 처음으로 30%를 넘어섰고, 글로벌 금융위기 직후인 2009년에도 29%로 많이 늘었다. 요즘은 23~24% 수준이다. 역대 정권은 경제위기 때면 위축된 민간 R&D 공백을 메우기 위해 공격적으로 투자했다. 우리가 그렇게 기술 선도국이 된 거지, 정부가 뒷짐 지고 빨간펜 노릇이나 하면서 여기까지 온 게 아니다. 경제가 어려우면 다른 것을 줄이고 R&D에 더 돈을 들여서 IMF 경제위기를 극복하고 글로벌 금융위기도 넘어온 건데, 윤석열 정부는 경제가 어렵다고 R&D 예산부터 곶감 빼 먹듯이 빼 먹을 생각이다.

삼성, LG 등 한국 대기업들이 요즘 이래저래 어려운 건 사실이지만, R&D 예산을 윤 정부처럼 줄이려는 곳은 없는 것 같다. 오히려 늘리거나 그게 정 어려우면 현재 수준을 유지라도 하겠다는 게 주요 기업들 입장이다. 정권이야 망하면 그만이지만 기업은 그럴 수가 없다. 민간에서는 R&D에 공격적으로 투자해서 새로운 경쟁력을 만들려고 하는 게 기본 전략인데, 정권은 예산·감사 당국을 동원해 R&D 예산을 빼서 세수 부족을 막으려고 한다. 과학자들 눈으로 보면 IMF 경제위기보다 더 큰 예산위기가 온 셈이다.

이렇게 1~2년만 더 하면 한국 경제는 진짜 망한다. 안 그래도 척박한 연구 생태계가 산불 난 것처럼 대규모로 초토화되는 중이다. 윤 정부가 지금 펼치는 과학기술 정책에는 <오징어 게임>의 저 유명한 대사가 딱 들어맞는다. "이러다 우리 다 죽어!"

R&D 투자는 금액이 모든 것을 말해주지는 않고 질적인 측면도 중요한 건 맞다. 그렇지만 기술 로드맵이 뭔지도 모르는 사람들이 연구 예산 일괄 삭감이라는 칼을 휘두르는 것은 '공업 입국' 을 목표로 여기까지 온 이 나라의 기반을 무너뜨리는 일이다.[84]

68. 약자복지라면 '소득 기준' 바로잡아야

가난한 사람을 위한 복지에서 가장 중요한 항목을 꼽으라면 단연 '기준 중위소득'이다. 이는 정부가 계층별로 복지정책을 시행할 때 기준으로 삼는 소득이다. 현재 생계급여·주거급여·재난적 의료비·국가장학금·행복주택 등 총 73개 사업에 적용된다. 기준 중위소득이 오르면 이와 연동해 현금 급여도 늘어나고, 대상도 확대될 수 있다.

지난달 중앙생활보장위원회에서 내년 기준 중위소득이 6.09% 인상됐다. 정부가 강조하듯이 국민기초생활보장제도가 맞춤형 급여체계로 전환된 이래 최고 증가율이다. 특히 추가로 생계급여는 내년에 선정액이 기준 중위소득 30%에서 32%로 상향된다(대선 공약은 35%). 이에 생계급여는 둘의 효과가 합쳐져 4인 가구 기준 13.16% 오른다. 생계급여 수급자의 80%를 차지하는 1인 가구는 가구균등화 지수 조정으로 인상률이 14.4%로 더 높아, 금액으로는 올해 62만3000만원에서 71만3000원으로 9만원 증가한다.

윤석열 정부의 사회정책이 퇴행하는 상황에서 기준 중위소득과 생계급여 인상은 주목할 만하다. 약자복지를 주창하면서도 공공 임대주택 예산을 대폭 삭감하고 불안정 저임금 노동자의 실업급여마저 깎으려 해 말문이 막혔는데 그나마 전향적으로 논의할 주제가 생겼다. 이번 인상은 시작일 뿐이다. 약자복지를 말하려면, 복지정책에서 격차를 방치하는 '소득 기준'을 임기 내에 바로잡아야 한다. 그러면 다른 사회정책과 별개로 이 분야에서만은 긍정적 평가를 받을 수 있을 것이다.

현재 보건복지부가 다루는 소득 기준은 세 가지이다. 하나는 정부의 공식 소득 통계인 가계금융복지조사의 '가구소득'이다. 표본조사에 행정자료까지 적용하였기에 가구의 실제소득이라 볼 수 있다. 두 번째는 복지부가 고시하는 '기준 중위소득'이다. 정부가 정책 대상과 급여액을 정하는 데 사용하는 정책적 소득이다. 세 번째는 복지 대상 가구의 소득수준을 평가하는 '소득 인정액'이다. 가구별로 실제 소득에 재산을 소득으로 환산한 금액과 부양의무자의 소득까지 합산한 가구의 소득이다. 여기서 두 가지 큰 문제가 존재한다. 하나는 가계금융복지조사의 가구소득과 정부 복지정책의 기준 중위소득이 다르다는 점이다. 2021년 기준 중위소득은 가계금융복지조사의 중위소득에 비해 4인 가구는 16.2%, 1인 가구는 24.0%나 낮다. 이 격차만큼 복지급여가 과소 책정되고 있다는 의미이다.

문재인 정부는 2021년부터 2026년까지 이 격차를 해소하기 위해 기준 중위소득 결정에서 기본 증가율에 추가 증가율을 적용하는 산식을 만들었다. 가구 실제소득과 기준 중위소득을 일치시키려는 조치이다. 그런데 정작 문재인 정부는 코로나19 등을 이유로 2년 연속 인상률을 산식보다 낮게 책정했다. 윤석열 정부는 지난해에 이 산식을 지켰으나 이번에 내년 기준 중위소득 결정에선 인상률을 다시 산식보다 낮게 잡았다.

이런 추세라면 2026년 격차 해소는 어려워 보인다. 정부는 이 문제를 방치할 것인가? 전임 정부를 탓하지도 말고 역대 최고 인상률에 안주하지도 마라. 여전히 실제소득보다 낮은 기준 중위소득이다. 약자복지를 주창한다면, 이제라도 임기 내에 격차 해소를 달성할 계획을 밝혀야 한다.

또 하나의 문제는 기준 중위소득과 소득 인정액의 차이이다. 정부가 기준 중위소득에 맞춰 복지급여를 준다지만 수급자의 소득 인정액은 실제소득보다 부풀려져 계산된다. 예를 들어 소득이 없어도 서울에서 1억5000만원 전셋집에 살면 월 45만원 소득이 있다고 인정해 버린다. 올해 1인 가구 생계급여의 기준 중위소득 30%가 62만원이지만, 이 세입자는 소득 인정액이 45만원이기에 수급액은 17만원에 그친다. 복지정책에서 재산을 고려한다 해도 현재의 재산 환산액은 지나치다. 윤 대통령이 주거용 재산의 소득환산을 폐지하거나 대폭 완화하겠다는 약속을 대선 공약집에 담았어도 개선은 미미하다. 의료급여에서 계속 부양의무자를 적용하는 것도 구태의연하다.

내년 기준 중위소득이 결정된 이후 정부는 이를 적극 홍보하고 있다. 윤 대통령은 올해 국회 예산안 시정연설에서 내년 생계급여 인상을 전면에 내세울 듯하다. 물론 예전에 비해서는 높은 인상률이지만 복지정책에서 소득 기준이 지닌 격차를 고려하면 아직 갈 길이 멀다. 이번달에 3년마다 수립하는 기초생활보장 종합계획이 발표될 예정이다.

복지(福祉, welfare)의 사전적 의미는 '행복한 삶', '좋은 건강, 윤택한 생활, 안락한 환경들이 어우러져 행복을 누릴 수 있는 상태'로서, 유의어로는 후생(厚生) 또는 복리(福利)가 있다. 개인이 본인의 '좋은 상태'를 달성 및 유지하려면 크고 작은 많은 조건들을 달성해야 하고 또 지속적으로 신경을 써줘야 한다.

정말 약자복지를 표방하는 정부라면, 복지정책에서 소득기준을 완전히 바로잡겠다고 선언해야 한다. 임기 내에 기준 중위소득 격차를 해소하고 재산의 소득환산과 부양의무자 조항을 대대적으로 정비하겠다고 말이다.[85]

69. 연구개발과 진보 정치

한국은 '공업입국' 정신으로 지금의 나라를 만들었다. 많은 논란에도 박정희의 확실한 공적은 카이스트를 비롯해 공업이 경쟁력을 가질 수 있는 수많은 주변 장치도 같이 만들었다는 점이다. 전후 아무것도 없는 나라에서 기술자를 우대하고, 기술이 모일 수 있는 여건을 만들었다.

한국에서 최초의 인터넷 회선실험을 한 사람은 카이스트 교수였던 전길남이었다. 그는 일본 교포였다. 일본에서 미국으로 유학을 갔고, 나사(NASA)에서 일했다. 그가 한국에 온 것은 박정희 정권의 기술 우대 정책 때문이었다. 결국 1982년 한국은 미국 다음으로 인터넷 연결에 성공한 나라가 되었다. 그리고 전길남의 제자들이 삼보컴퓨터와 넥슨, 엑스엘게임즈(리니지 개발), 아이네트 등을 창업했다. 아무것도 없던 곳에서 한국이 그냥 IT 강국이 된 것은 아니다.

WTO가 출범하면서 금융을 통해 수출에 주던 지원금은 금지되었다. 미국을 비롯한 많은 나라들은 수출 지원을 연구·개발 지원으로 전환하였다. 그렇게 10년 정도 지나고 나니까, NIS(National Innovation System)라는 용어를 쓰기 시작하였다. 공공기술을 비롯해 이제는 개별 기업의 혁신 시스템이 아니라 국가가 어떤 혁신 시스템을 가지고 있는가가 경제의 핵심이 되었다.

1997년 정권 교체가 되었지만, 김대중 정권은 이 흐름을 승계하였다. 외환위기로 기업은 물론 국가도 초유의 위기에 빠졌다. 민간이 연구·개발비를 줄인 만큼 정부는 더 많이 투자해야 한다는 절박함이 있었다. 외환위기 한가운데에서 정부의 연구·개발 지원금은 늘어났다. 한국은 그 이후 위기에서 탈출하였다. 2008년 글로벌 금융위기 때에도 기업이 연구·개발비를 줄이지는 않았다. 이제 기업도 다른 건 줄이더라도 연구·개발비를 줄이지는 않는다. 이명박 정부도 세계적인 경제위기 국면에서도 연구·개발 투자를 늘렸다. 우리는 지금까지 이렇게 생존했고, 수많은 세계적 위기에도 버텨왔다.

공업을 무시하는 사람들은 서비스업으로 더 높은 부가가치를 만들 수 있다고 주장하기도 한다. 그렇지만 스웨덴, 스위스 등 1인당 국민소득으로 앞줄에 선 나라 중 그렇게 한 나라는 없다. 유럽과 달리 서비스업 비중이 더 높았던 미국도 오바마 이후로 공업 경쟁력을 회복하기 위해 많은 정책을 도입하고, 심지어 편법에 가까운 국수주의 정책도 과감히 도입한다. 인플레이션에 대처하기 위한 정책이 변신에 변신을 거듭해 결국은 미국에 공장을 짓지 않으면 안 되는 IRA(Inflation Reduction Act), 인플레이션 감축법이 되었다. 반도체 경쟁력을 회복하기 위한 미국의 노력은 눈물 날 정도다.

상황이 이런데, 윤석열 정권은 그 어떤 정권도 하지 않은 연구·개발비를 대폭 삭감하는 정책을 과감히 제시하였다. 그전에 연구·개발비를 대폭 증대해 기술경쟁력을 높이겠다는 청사진을 제시하지 않았던 것은 아니지만, 예전에 자신이 한 얘기도 다 까먹었다. 과거 어느 왕이 침대에서 왼발로 내려온 날은 조용했지만, 오른발로 내려온 날은 피바람이 불었다는 얘기와 다를 바가 없다. 과학자와 엔지니어들은 공동의 투쟁 경험도 없고, 분야도 워낙 달라서 전혀 힘을 쓰지 못하고 있다. 그렇다고 이게 그들만의 일은 아니다.

연구·개발 분야에서 젊은 연구자와 대학원생들이 그 삭감의 피해를 온통 뒤집어쓰고 있다. 인건비가 줄면, 젊은 연구진과 비정규직 연구진부터 해고한다. 프로젝트가 사라지면, 그들 중 상당수는 하던 일을 그만두고 새로운 일을 찾게 된다. 아무 생각 없이 그냥 막 줄인 거라서, 우주항공 분야는 물론이고 코로나 백신 연구 같은 데도 일괄 삭감의 대상이 되었다. 공업은 그냥 죽어라고 일하면 되는 분야가 아니다. 결국은 지식의 일인데, 그 연구 인프라가 지금 붕괴되고 있다.

이제 공은 민주당으로 넘어간다. 다른 것은 건별로 증액할지 감액할지 그렇게 살피지만, 연구·개발 분야만은 정부 최종안 이전의 초안부터 종합적으로 살펴보는 일이 필요하다. 근본적으로는 진보 정치에서 연구·개발은 무엇인지, 그 철학의 재정립과 청사진을 지금 만들어야 한다. 그래야 뭘 살리고, 뭘 더 강화할지 체계적으로 검토할 수 있다. 이 분야만큼은 민주당 내에 별도의 태스크포스를 만들고, 예산 검토에 들어가기 전에 현장 과학자와 엔지니어들의 목소리를 길게 듣는 프로세스를 만들면 좋겠다. 서류만으로 그 상황을 알 수 있는 것은 아니다.

연구·개발은 원래 정치의 영역은 아니다. 그렇지만 연구·개발 예산 삭감과 함께 정치의 영역, 여의도의 영역으로 넘어왔다. 진보 정치 1번지가 과학과 기술에서 최전선을 형성하는 것이 저성장 국면으로 넘어간 윤석열 경제가 아사(餓死)하지 않는 유일한 방법이다. 박정희 이후의 국가혁신시스템을 그냥 죽일 것인지, 아니면 개혁안을 만들 것인지 지금 갈림길에 서 있다.[86]

70. 극우파의 '슬픈 정념'이 몰려온다

극우파(極右派)는 극단적으로 보수주의적이거나 국수주의적인 경향을 가진 당파이다. 유럽과 남미에서 극우파 정당이 약진하고 있다.

지난 11월19일 아르헨티나 대통령 선거에서 극우파 하비에르 밀레이가 당선됐고, 11월22일 네덜란드 하원 선거에서는 헤이르트 빌더르스(오른쪽)가 이끄는 극우정당 자유당이 제1당으로 올라섰다(AP · AFP연합뉴스).

지금 전 지구를 휩쓸고 있는 극우파 정치의 바람은 새로운 현상이 아니다

새로운 삶의 질서가 태어나지 않는 가운데, 세상 에너지가 '슬픈 정념'으로 변질되고 썩고 있는 현상일 뿐이다

안토니오 그람시의 말대로, '낡은 것은 죽었는데 새로운 것은 태어나지 않고 있는 순간, 그때가 위기'인 셈이다

전 세계, 특히 유럽과 남미에서 벌어지고 있는 극우파 정당의 약진에 관해 함께 생각해보도록 한다. 이런 일들이 왜 벌어지는지, 앞으로 어떤 세상이 펼쳐지게 될지에 대해 좀 더 긴 역사적 시각에서 그리고 철학적인 관점에서 부족한 생각을 나누어보고자 한다.

지난 11월19일(현지시간) 아르헨티나의 대통령 선거에서 극우파 하비에르 밀레이가 당선되었다. 아르헨티나 하면 떠오르는 두 단어, 즉 페론주의 이후의 좌파 포퓰리즘 정치 그리고 끝도 없이 계속되는 경제위기를 밀레이는 연결시켰다. 현재 경제위기의 모든 책임을 좌파 정권으로 돌리면서, 중앙은행을 폐쇄해버리고 자국 통화인 페소도 폐지하고 대신 미국 달러를 통화로 쓰겠다는 파격적인 정책을 내걸었다. 지난 11월22일 네덜란드의 하원 선거에서 헤이르트 빌더르스가 이끄는 극우정당 자유당이 제1당으로 올라섰다. 빌더르스는 이민을 완전히 봉쇄하고, 이슬람 사원인 모스크를 폐쇄하고, 이슬람 경전인 쿠란을 금지 서적으로 만들겠다는 입장을 가진 인물이다.

이 두 나라만이 아니다. 지금 유럽은 극우파의 물결이 높게 출렁이고 있고, 조만간 서유럽 대부분 나라의 정치에서 중심적인 위치를 차지하게 될 것으로 보인다. 이탈리아는 이미 극우파 정권이 들어선 상태이며, 프랑스에서는 극우파 마린 르펜 후보가 지난해 대통령 선거 결선에서 무려 득표율 41.4%를 기록한 바 있다. 심지어 북유럽의 스웨덴과 핀란드에서도 극우정당이 제2당을 차지하고 있으며, 독일에서도 극우파 독일대안당이 집권여당 사민당 지지율을 제치고 제2당 자리에 올라섰다. 스페인 역시 극우정당이 집권여당의 위치를 넘보고 있는 상황이다.

좀 엉뚱하다 싶지만, 지금의 극우파 창궐 사태를 이해하기 위해서는 철학자 스피노자가 말한 '슬픈 정념'이라는 개념에서 시작해보는 게 좋을 것이다. 모든 사람에게는 '코나투스', 즉 버티는 힘이라는 게 있다. 그런데 이 힘이 발현되는 방식을 놓고서 스피노자는 사람의 정념을 '기쁜 정념'과 '슬픈 정념' 두 가지로 나눠놓았다.

먼저 '기쁜 정념'이란 그 사람이 힘을 더 바깥으로 크게 뻗치게 만드는 감정이다. 예를 들어서 사랑, 희망, 자신감, 헌신, 감사 같은 감정들로서 이런 감정에 빠진 사람들은 자기 존재를 넘어서서 삶을 더 크게 만드는 쪽으로 본인의 힘을 쓰게 된다. 기쁘고 좋으니까.

그런데 반대로 '슬픈 정념'은 사람을 아프게 만드는 감정들이다. 공포, 질투심, 증오, 죄의식, 수치심 같은 것들이다. 이 경우에는 사람이 갖고 있는 힘이 몽땅 그 고통과 괴로움을 견디는 쪽으로 들어간다. 그래서 이런 감정과 싸우다 보면 자기 존재가 커지기는커녕 갈수록 쪼그라들고 삶은 피폐해져가다, 결국 죽어 없어지기까지 한다고 스피노자는 말한다.

가. 2010년대 좌파는 정치경제학 부재

나는 정치 운동도 '기쁜 정념'으로 움직이는 경우와 '슬픈 정념'으로 움직이는 경우가 있다고 생각한다. 전자는 제도도 바꾸고 정책도 바꾸어서 새로운 세상을 만들고 창조해나간다는 힘으로 움직이는 운동이지만, 후자는 무엇에 대한 증오와 분노와 공포 혹은 죄의식 같은 것으로 움직이는 운동이다. 전자는 갈수록 사람들도 많이 모이고 세상도 실제로 바뀌면서 개인과 공동체가 다 풍요해지는 쪽으로 이바지하지만, 후자는 갈수록 사람들 사이에 싸움과 반목을 만들고 돌이킬 수 없는 상처를 남기는 쪽으로 나아가게 되어 있다.

그렇다면 정치 운동이 '기쁜 정념'의 운동이냐 '슬픈 정념'의 운동이냐를 가르는 결정적인 계기는 무엇일까? 나는 사회에 대한 과학적 분석에 기반하여 새로운 대안적인 실천 계획이 있느냐 없느냐라고 믿는다. 이게 있다면 그걸 하나하나 실현해나가면서 더 많은 사람과 만나고 하나가 되는 일이 가능하지만, 그게 없으면 모여서 다른 무언가를 욕하고 저주하는 쪽으로 힘을 쓰게 되니까. 지금 전 세계를 휩쓸고 있는 극우파 정치는 후자로 '슬픈 정념'의 운동에서도 가장 나쁜, 하지만 전형적인 예일 것이다.

하지만 사람들이 흔히 간과하고 있다. 극우파 정치는 진보 좌파 정치의 실패로 나타난 결과이며, 그 연속선에 있다는 점이다. 특히 '슬픈 정념'의 운동이라는 점에서 더욱 그러하다.

잠깐 시간을 돌이켜서 2010년대 초로 가본다. 2008년 세계 경제위기가 터진 뒤 좌파에 기회가 오는 듯싶었다. 2011년에는 미국 월스트리트 점령 운동도 있었고, 스페인에서는 '분노한 자들' 운동도 있었다. 또한 세계 경제위기와 함께 대규모 정치 운동이 각국에서 터져나왔고, 그리스와 스페인 등지에서는 시리자나 포데모스와 같은 새로운 유형의 좌파정당들도 나타났으며, 사회민주당이나 노동당과 같은 기존 좌파정당 내에서 정당 혁신 운동이 거세게 일어나기도 했다. 그래서 2010년대 초까지만 해도 정치·경제 주도권과 기회는 진보와 좌파 쪽에 있었다.

그런데 그것으로 끝이었다. 진보 좌파가 이렇다 할 만한 행동 플랜을 내놓는 데 실패했기 때문이다. 불평등을 감소시키기 위한 기본소득이라든가 생태위기에 대응하기 위한 녹색뉴딜 같은 이야기들이 나왔지만, 뾰족한 실천 운동 방침이 제시된 것도 아니었고, 당장 사람들 삶의 고통을 해결해줄 수 있는 유능한 정책이나 제도가 마련된 것도 아니었다. 그저 말만 많고 요란했을 뿐이고, 좀 냉소적으로 이야기하자면 그런 이야기로 마이크를 잡은 개인들이 정치가·지식인 등 셀럽이 되고 출세하는 일만 벌어졌을 뿐이다.

나. '화풀이'로 극우 정치인에 표 던져

진보 좌파는 왜 2010년대에 자신들에게 온 천재일우의 기회를 이렇게 날려버린 것일까?

우리가 살고 있는 사회경제 시스템에 대한 객관적이고 현실적인 분석이 없었기 때문이다. 요컨대 정치경제학이 없었기 때문이다. 기본소득이나 그린뉴딜 같은 막연한 구호만으로 정책과 제도가 만들어지지는 않는다. 많은 연구와 계획이 필요하고, 이를 사람들에게 자세히 알기 쉽게 설명해서 힘을 모으는 작업이 필요하다. 하지만 이러한 노력은 사실상 관심을 받지 못했다.

그리하여 스피노자가 말한 '기쁜 정념'이 사그라들게 되자 모여 있던 힘은 '슬픈 정념'으로 변하게 된다. 2010년대 후반이 되면 진보 좌파 운동은 사회경제적 모순이나 생태위기 문제를 가지고 싸우는 게 아니라 엉뚱하게 백인, 남성, 이성애자 등등에게 싸움을 거는 극단적인 PC주의, 즉 '워키즘'으로 변질된다. 그래서 이른바 문화 전쟁의 수렁 속으로 빠져들게 된다. 이러한 '슬픈 정념'의 운동만을 가지고 세상을 바꿀 수는 없다. 오히려 사회 전체에 깊은 상처만 남기기 십상이다.

2023년 지금 극우파 발호의 기초가 되는 중대한 쟁점으로 네 가지를 꼽을 수 있다. 첫째는 이민자 문제, 둘째는 물가 인상과 생활고 문제, 셋째는 기후위기 대응 정책에 대한 반발과 저항, 넷째는 전쟁 등으로 인한 안보 불안이다. 이는 현실을 살아가는 서민 대중에게는 정말로 크고 심각한 문제이지만, 기존 정치권이나 제도에서 풀 수 있을 것이라고 기대하는 사람이 많지 않은 문제이기도 하다. 그러다 보니 무책임하게 극단적인 주장과 요구를 질러대는 극우 정치인이 사람들을 끌어간다는 이야기이다.

문제는 이게 '슬픈 정념'이라는 데 있다. 극우 정치인에게 표를 준 사람들도 마음속으로는 잘 알 것이다. 저 사람들도 기존의 무능하고 부패한 정치인들과 근본적으로 다른 종자들은 아니라고. 그래서 저기에 표 던져봐야 뾰족하게 뭔가 해결되는 게 아니라는 것도. 그냥 기존 정치, 질서에 대한 부정과 '화풀이'로 표를 던지는 것에 가깝다.

신자유주의 질서가 빈사 지경에 처하여 새로운 정치경제 질서를 만들어가는 일에 착수해야 했던 2010년대를 그냥 말잔치로 날리고, 되레 극단적 PC주의 같은 '슬픈 정념'만 키운 결과가 이러하다. 그래서 지금 전 지구를 휩쓸고 있는 극우파 정치 바람은 새로운 현상이 아니다. 새로운 삶의 질서가 태어나줘야 하는데 그러지 않고 있는 가운데, 세상의 에너지가 또 인류의 에너지가 '슬픈 정념'으로 변질되고 푹푹 썩고 있는 현상일 뿐이다.

잘 알려진 안토니오 그람시의 말대로 "낡은 것은 죽었는데 새로운 것은 태어나지 않고 있는 순간, 그때가 위기"인 셈이다.[87][88]

71. 2024년 경제, 희망의 싹은 보인다

올해도 어느새 한 달이 채 남지 않았다. 돌이켜보면 어려운 한 해였지만 다가오는 새해는 경제 여건이 나아졌으면 하는 희망을 품어본다. 그리고 그 희망을 이루기 위해 계획을 세우고 경제를 전망해볼 때가 됐다. 예상치 못한 새로운 일의 발생을 족집게처럼 예언하는 능력은 없지만 현재 경제 상황을 바탕으로 다가오는 새해 경제를 조심스럽게 전망해보려고 한다.

먼저 한국 경제에 영향을 미치는 대외 여건을 살펴보자. 미국의 경우 지난해 한때 9%를 웃돌던 인플레이션율이 많이 진정됐지만 아직 3% 밑으로 내려오지는 않고 있다. 2%인 목표 인플레이션율과 비교하면 여전히 갭이 있지만 인플레이션이 많이 안정돼 미국 중앙은행의 추가 금리 인상 가능성은 낮아졌다. 그렇다고 당장 금리를 인하하는 통화정책의 기조 전환을 기대할 수는 없다. 미국의 소비 및 노동시장이 이끄는 견조한 성장세와 아직 목표 인플레이션에 충분히 근접하지 못한 점을 고려한다면 미 중앙은행이 단기간에 금리를 인하할 가능성은 낮다. 따라서 현재의 금리 유지 또는 한 번 정도의 추가 인상 후 금리 유지의 상황이 상당 기간 지속될 것으로 보인다.

미국과 함께 한국 경제에 큰 영향을 미치는 중국의 경우 국제통화기금(IMF), 세계은행(WB) 등과 같은 국제기구들이 올해는 5.1%, 내년에는 4% 중반대의 경제성장률을 예상하고 있다. 중국은 2000년대 초반까지만 해도 경제성장률이 9%를 쉽게 넘겼다. 과거 중국의 고성장을 감안하면 예상보다 빠르게 성장률이 둔화되고 있음을 알 수 있다. 현재 중국 경제의 둔화는 중국 내 부동산 경기 침체, 내수시장 위축, 그리고 지속되는 미중 갈등이 원인으로 보인다. 최근 미국과의 갈등이 조금씩 줄어들고 중국 정부의 부동산 부양 조치로 부진이 다소 완화되겠지만 10여 년 전과 같은 고성장을 재연하기는 어려울 것이다. 따라서 중국 경제의 고성장으로부터 이익을 보던 한국의 기업들은 점진적인 전략 수정이 불가피해 보인다.

일본 경제는 올 상반기 물가가 반등하고 1% 내외의 경제성장률을 기록하며 장기 침체에서 벗어나는 조짐을 보였다. 그런 일본 경제도 같은 추세를 이어가지는 못할 것으로 전망된다. 이미 지난 3분기에 일본 경제는 다시 마이너스 성장률을 기록하며 장기 침체 시기와 같이 역성장으로 돌아섰다. 유럽 상황도 밝지 않다.

러시아·우크라이나 전쟁이 장기화되며 에너지 수급의 차질이 이어지고 물가 안정을 위해 고금리가 지속되는 긴축적 통화정책이 계속될 것으로 예상된다. 서비스업이 중심인 스페인과 프랑스는 경기가 상대적으로 나아지겠지만 제조업 중심 국가인 독일의 침체가 지속돼 유럽 전체적으로 경제 상황이 활력을 되찾기에는 시간이 필요할 것 같다.

경제의 대외 의존도가 높은 한국에 미국의 고금리 지속, 중국의 성장 둔화, 일본과 유럽의 침체는 내년에도 대외 여건이 대체적으로 좋지 않을 것임을 의미한다. 지난해 5.1%를 기록한 물가 상승률이 올해 3.6%로 안정을 찾아가고 있지만 여전히 한국은행의 목표치와는 거리가 있다. 따라서 한국은행의 통화정책 기조도 단기간에 확장하는 방향으로 전환될 것으로 보이지 않는다. 하지만 현재의 통화정책 기조를 유지한다면 내년에는 물가 상승률이 더욱 안정돼 목표치에 근접할 것으로 예상된다.

호의적이지 않은 대외 여건, 국내 통화정책 기조 속에서도 희망의 싹들은 보인다. 지난해 하반기부터 부진에 빠졌던 세계 반도체 시장이 올 3분기부터 반등하고 있다. 반등세는 내년에도 유지될 것이다. 최근 역대급 수출 실적을 올리고 있는 자동차 산업도 친환경 자동차를 앞세워 성장이 지속될 것이다. 전쟁으로 유전 시설이 파괴되지 않는다면 미국을 제외한 세계 경기 침체는 유가를 하향 안정화시킬 것이다. 이러한 점들을 바탕으로 한국 경제가 세계 공급망 재편에 대한 적응력을 키우고 경쟁력을 개선한다면 내년이 의미 있는 시기로 바뀔 수 있다. 하늘은 스스로 돕는 자를 돕는다고 하지 않던가. 내년은 여러 좋지 않은 여건에 좌절하지 않고 딛고 일어서는 한 해가 되면 좋겠다.[89]

72. 카오스 시대의 한반도경제

얼마 전 어느 지인에게서 질문을 받았다. 필자가 논의한 '한반도경제론' 이 지금도 유효하냐는 것이다. 남북관계는 물론 한·중, 한·러 관계가 파탄 지경이니, 한반도경제라는 접근법은 공허해진 것 아니냐는 물음이다.

한반도경제론은 글로벌화 시대를 지나오면서 다듬어온 담론이다. 그런데 세계와 한반도는 2019년, 2022년 이후 극심한 역전이 가시화되었다. 필자는 이전부터 '뉴노멀 시대' 로의 전환을 논의한 바 있다(《뉴노멀 시대의 한반도경제》, 2019). 그러나 최근의 상황 전개를 보면, (뉴)노멀 차원을 넘어선 카오스 시대가 열렸다 할 만하다. 담론을 다시 살피고 보완할 시점이다.

한반도경제론은 분단체제론의 인식방법을 계승했다. 분단체제론은 기본적으로 세계체제론의 일환이다. 분단체제론을 제기한 백낙청 교수는, 이미 1991년에 "경제의 기본단위를 국민경제로 보지 않는다, 세계경제를 기본단위로 봐야 한다" 고 논의했다. 한반도경제론에서도 세계경제를 기본단위로 본다. 이 관점에 의하면, 한국경제는 세계경제-분단경제-국내경제의 세 개 층위를 가지면서, 정치적·군사적 영역과 상호작용을 한다.

한반도경제론에 대한 대표적인 오해는 이 논의가 민족주의적 경제통합을 규범적으로 지향한다는 것이다. 그렇지 않다. 한반도경제론은 세계체제-분단체제에 연동된 복합적 현실을 인식하는 데 주된 관심이 있다. 일국 단위, 민족 단위를 넘어 연결된 체제·구조 전체를 인식하고자 한다.

남북한은 각기 주권을 가진 독립국가로 유엔에 가입해 있지만, 남북관계는 "나라와 나라 사이의 관계가 아닌" 특수한 관계이기도 하다(남북기본합의서). 한반도에서는 분단과 전쟁을 거치면서 두 개의 국가가 성립되었다. 한국은 세계경제와 연결된 개방경제를, 북한은 세계경제와 차단된 폐쇄적 군사경제를 형성했다. 남북한은 서로를 극도로 의식하고 경쟁하면서 불균형 체제를 발전시켰다. 각자의 내부에서는 분단체제와 연관된 복합적 불균형·불평등 요소가 체제화되었다.

최근 정세와 관련, 한반도경제 차원에서 점검해야 할 쟁점은 크게 두 가지다. 첫째는 윤석열 정부의 성격 문제다. 경제정책을 보면, 윤 정부는 재정정책엔 소극적이면서 시장과 산업에 자의적으로 개입했다. 체계적 정책 비전 제시 대신, 미국의 정책에 영합하는 '이념' 전략을 앞세웠다. 윤 정부는 자국 위주의 산업정책과 군사동맹을 활용하는 미국 입장에 적극 동조했다. 반공 이념으로 미국의 보호주의에 동승했다. 1990년대 이래 작동하던 국제분업구조와 동아시아 네트워크를 공격했다.

그런데 윤 정부의 정책 퇴행은 한반도경제 악화의 '연속선' 상에서 이루어진 것이기도 하다. 2008년 세계경제 위기 이후의 세계체제 무질서는 한국형 성장모델을 불안정화하는 압력으로 작용했다. 필자는 미·중 간 모순의 격화가 분단체제의 계기를 강화하고 한국 내부의 총체적 악화를 자극하는 구조적 환경이라고 말한 바 있다(경향신문, 2023·10·3).

필자의 견해에 대해, 백낙청 교수는 분단체제가 다시 공고해지긴 어렵다는 견해를 밝혔다. 미국은 과거의 냉전체제를 작동시킬 능력이 없고, 촛불혁명으로 고양된 민중의 힘이 분단체제의 재공고화를 제약한다는 것이다. 윤 정부의 퇴행은 '변칙적' 사건에 불과하다는 것이다(백낙청TV, 2023·12·8). 이는 민중 역사 관점의 분단체제론이다. 경제 역사에 주목하는 한반도경제론과는 인식의 차가 있을 수 있다. 좀 더 세밀한 논의가 필요한 대목이다.

두 번째는 카오스에 대처하는 실천 방안의 문제다. 필자는 뉴노멀 시대의 발전 전략으로 동아시아·태평양연합, 남북연합, 도시연합 등 3개 차원의 네트워크를 제안한 바 있다. 그런데 카오스의 난국은 한국이 적극적 네트워크 전략을 운용할 수 있는 입지를 축소했다. 중국이 너무 커졌고, 미국·중국 모두 아·태를 분열시키는 주요 행위자가 되었다. 윤석열 정부는 중간지대를 열어갈 잠재력을 스스로 훼손했다. 북·중·러 연결은 강화되었고, 한국이 북·미, 북·일 관계에 간여할 여지는 줄었다. 또 극단적 수도권 집중과 지역소멸 경향이 성장·재생산의 기반을 와해시키는 중이다. 사회와 정치는 분열했고, 지식은 방향을 잃었다. 어려운 상황이다. 그럼에도 카오스에 대처하려면, 체제 전체에 대한 중도적·공화적 인식과 실천 이외에 다른 길이 있을까 싶다.

그간 지면을 내주셔서 감사했다. 고뇌를 함께 나눈 독자들께 절을 올린다. 호흡을 가다듬고 공부를 돌아보려 한다. 부디, 새해에는 절망을 태우고 남은 재가 다시 희망을 지피는 기름이 되기를 염원해본다.[90]

73. 검사정권과 경제민주화

군사정권은 개발도상국에서 군인이 상대적으로 교육을 잘 받는 엘리트 집단인 경우 벌어지는 일이다. 한국도 마찬가지였다. 특정 직업이 국가를 장악하는 게 자연스러운 일은 아니다. 한국에도 두 번의 쿠데타가 있었다. 정당성이 문제가 되니, 공작정치와 언론장악이 중요했다.

검사정권이라는 용어가 지금의 한국을 분석하는 데 유효한 개념일까? 단순히 검사가 대통령이 되었다고 그런 말을 하기는 어렵지만, 법무부 장관을 하던 한동훈이 집권여당 비상대책위원장이 된 지금, 생소했던 검사정권이라는 말이 현실이 되었다고 하지 않을 수 없다.

검사정권의 극명한 폐해로 볼 수 있는 두 장면을 떠올린다.

첫 장면은 연구·개발(R&D) 예산 삭감이다. 올해만 해도 2023년 대비 4조6000억원을 삭감했다. 군사정권 때에도 카이스트를 설립하는 등, 개도국 중 공격적 연구·개발을 한 나라가 한국이다. 지금 연구 현장에선 실험을 담당하는 실무 연구진들의 해고가 대대적으로 진행되고 있고, 공공연구를 떠나 기업이나 외국으로 진로를 모색하는 흐름이 생겨났다.

연구·개발에 대한 이러한 몰이해는 외국과 공동 연구·개발을 중점적으로 추진하겠다는 기이한 방침과 연결된다. 세계무역기구(WTO) 가입 이후 대폭적으로 연구·개발비를 늘린 이유는 기존의 수출 보조가 어려워지자, 이걸 연구의 공공성으로 보완하기 위해서였다. 이때부터 국가 혁신체계라는 용어가 사용되기 시작했다. 폼이 난다고 그냥 외국 연구기관에 대대적으로 개발과제를 주는 것은, 이런 전략과 맞지 않는다. 민감한 연구 성과는 비밀 유지가 핵심인데, 외국과 공동개발하는 것이 제도 혁신이라는 것은 갖다붙인 말이다. 외국과의 공동연구는 어디까지나 국가 연구체계의 보완재이지, 핵심이 될 수도 없고, 되어서도 안 된다.

두 번째 장면은 검사 출신인 이복현 금융감독원장의 월권이다. 태영건설의 워크아웃 과정은 SBS 방송국의 소유주라는 점에서 일반 기업과는 성격이 좀 다르다. 물론 나도 태영이 잘했다고 생각하지는 않는다. 그렇지만 이건 채권단이 논의할 일이지, 금감원장이 나서서 이래라 저래라 할 일은 아니다. 정부 부처인 금융위와 달리 금감원은 엄연히 민간기구다. 금감원의 업무는 은행 등 금융의 일탈을 감시하는 일이지, 민간기업의 구조조정을 담당하는 곳이 아니다. 아무리 관치금융이라 해도 뭔가 앞뒤가 안 맞는다. 금융업무도 검사들이 하는 게 되었다는 거 말고는 설명하기 어렵다. 부산에 재벌 총수들이 대거 몰려가 떡볶이를 먹은 사건과 연결하면, 정권과 기업의 수직적 상하관계가 드러난다. 은행들도 검사들 말 한마디에 이자를 대폭 내리거나 사회기금을 내놓는다. 관치금융이라는 한국 경제의 약점이 금감원장과 함께 더욱 강화되고 있다. 독립적으로 움직여야 할 금융 시스템이 검사들의 놀이터가 되었다.

한국의 민주주의는 군인들에게 국가 장치를 되돌려 받는 것으로 요약할 수 있다. 긴 세월이 흘렀다. 이제 다시 민주주의를 생각하지 않을 수 없다. 행정기구와 정당이 검사들에게 장악된 지금, 마지막 남은 건 국회다. 국회도 검사들이 장악하면, 명실상부 검사정권이 완성될 테다.

많은 사람이 경제민주화를 분배의 강화 정도로만 생각하지만, 나는 경제민주화에서 더 중요한 것은 '과정'이라고 본다. 보수 경제학자인 하이에크는 시장의 미덕을 강조하면서 사회주의보다 자본주의가 우수한 것은 바로 이 '과정' 때문이라 했다. 그는 사회주의는 상명하복 시스템이어서, 서로 토론하고 결정하는 시장 과정을 이길 수 없다고 했다. 지금 한국 경제를 장악한 검사들이 망가뜨리는 것은 바로 이 '과정'이다. 누구든 잡아갈 수 있다고 잔뜩 겁을 준 다음, 일방적으로 결정하는 게 검사식 경제운용의 핵심이 되었다. 연구·개발비 삭감도 아무도 그 이유와 기준을 알지 못한다. 카르텔로 몰릴까봐 핵심 연구진들이 벌벌 떠는 사이, 장관 대신 차관들이 용산 '오더 처리'를 한 게 한국의 과학기술이 지금 연구진 대량해고에 내몰린 사건의 실체다.

코로나19 팬데믹 기간 한국 경제는 일본 경제를 1인당 경제성과로 추월하기 직전이었다. 검사정권과 함께 아마 다시 일본과 한국의 격차가 벌어질 것이다. 인플레이션과 국지전 위기는 똑같이 겪었지만, 검사들의 상명하복 시스템으로 이 위기가 한국에서 더 증폭된 것이 현실이다. 경제 과정의 상명하복화, 이게 검사정권의 가장 큰 문제다. 밀실경제와 관치금융이 돌아오는 중이다.

한국 경제는 군사정권도 극복했듯, 검사정권도 언젠가는 극복할 것이다. 여전히 핵심은 경제민주화다. 과정을 생략한 상명하복 경제로는 과학생태계도, 산업생태계도, 그리고 지역생태계도 위태롭다. 이런 상태로 "마음껏" 뛰기엔 한국 경제 규모가 너무 커졌다. 검사들의 호통만으로는 이 시스템이 돌아가지 않는다.[91)]

74. 올해 한국 경제 불확실성과 재정압박

2023년의 거시경제와 재정부문 성적표는 매우 당혹스럽고 안타깝다. 작년 경제 성장률은 최종적으로 1.4%(추정치)가 될 것으로 보인다. 경제위기가 아닌 상태에서 1%대의 성장률은 우리에게 익숙하지 않다. 재정 측면에서도 2021년과 2022년의 대규모 초과세수(61조4000억원과 52조5000억원)에 이어 작년의 54조~59조원의 세수결손 역시 당혹스럽긴 마찬가지다. 세수예측이 이렇게 들쭉날쭉하면 국가의 재정운용은 변칙적이고 불투명하게 될 가능성이 높다. 이런 상황에서 2024년 새해가 되었다. 그런데 올해 경제와 재정상황은 작년보다 개선될 것인가?

우선 경제상황부터 살펴보자. 지난 1월4일 발표된 정부의 '경제정책방향'에서는 올해 실질경제성장률 2.2%, 소비자물가 상승률 2.6%, 경상수지 흑자 500억달러를 전망하고 있다. 성장률은 작년의 1.4%보다 좋고, 물가상승률 역시 지난해 3.6%보다 한결 낮아지는 모습이다. 더욱이 작년 310억달러보다 대폭 늘어난 경상수지 흑자도 실현되기만 하면 좋은 모습이다. 필자는 다음 세 가지가 올해 경제전망 개선 여부에 필수적이라고 생각한다.

첫째, 금리와 물가의 고공행진 지속 여부이다. 여전히 불안정한 국제정세로 인한 국제공급망의 불확실성, 하방경직적인 물가, 가계부채 뇌관, 미국과의 금리차이가 불러오는 긴장관계 등으로 금리 인하 시점을 예측하기 쉽지 않다. 미국보다는 높지 않지만 우리나라 금리도 당분간은 장기간 높은 수준(higher for longer)이 지속될 수 있다. 둘째, 중국경제의 회복 여하이다. 2024년에도 미국과 중국의 치열한 경쟁과 갈등은 세계경제환경을 형성하는 가장 중요하고도 본질적인 요인이며 이러한 과정에서 중국경제의 회복 여부는 한국경제 회복의 키가 됨은 두말할 필요가 없다. 마지막으로 한국 반도체 기업들이 비메모리 신제품 개발과 고대역폭 메모리(HBM)와 같은 AI 특수 목적 메모리 반도체와 양산기술 개발을 얼마나 효율적으로 이루어낼 수 있는가이다. 만약 이러한 요소들이 긍정적으로 작용하지 못하면 작년처럼 '상저하고' 와 같은 희망고문을 1년 내내 받게 될 것이다. 자칫하면 2년 연속 1% 성장세에 갇혀 저성장 기조가 정착되는 한 해가 될 수도 있다.

재정상황은 어떠한가? 2024년 재정지출 증가율 2.8%는 최근 10년 내 가장 낮다. 글로벌한 통화긴축·재정확장의 흐름과는 달리 우리나라에서는 충분하지 않은 재정지출이 경기를 더 떨어뜨려서 가뜩이나 좋지 않은 세입여건에 불리하게 작용할 수 있다. 또한 이례적으로 대폭 삭감된 연구·개발(R&D) 지출뿐만 아니라 미래 먹거리에 대한 재정투자가 부족하여 중기적으로 미래 성장기반이 걱정될 지경이다.

그런데 정작 문제가 되는 것은 세입 측면이다. 2022년부터 시작된 감세정책이 2023년을 넘어 새해 벽두부터 연일 발표되고 있다. 2022년 세법개정안을 통한 감세조치는 법인세율 인하, 가업상속 지원, 주식양도소득세 대주주 기준 완화, 증권거래세 인하, 종합부동산세 세율 인하와 공제폭 확대 등 매우 넓고 크다. 국회예산정책처에서는 2023년부터 2027년까지 총감세규모가 약 64조원이 될 것이라고 전망했다. 2023년에도 콘텐츠/연구·개발/시설투자 세액공제, 반려동물 진료 용역에 대한 부가가치세 면제, 혼인에 따른 증여재산 공제폭 확대 등의 감세조치가 연이어 도입되었다. 이 역시 국회예산정책처의 추계에 따르면 2024년부터 2028년까지 총감세규모가 약 4조8000억원에 이른다. 2023년의 반도체, 디스플레이 등 투자 및 연구·개발 등 세액공제 확대의 감세효과는 계산하지도 않은 수치이다. 또한 2025년부터 시행할 예정이던 금융투자소득세를 폐지하겠다는 대통령의 발표도 있었다.

통상 자산에 대한 과세는 '낮은 거래세율, 높은 보유세율' 원칙이 많은 경제학자들에게 지지되고 있다. 그런데 증권거래세(거래)도 낮추고 금융투자소득세(보유)는 아예 폐지한다는 것은 원칙에도 맞지 않고 특정계층에 유리한 조치라고 생각한다. 또한 정부가 매년 놀랄 만한 감세조치를 쏟아내고 있는 지금의 상황에서 4월10일 총선을 앞두고 치밀한 재원확보 계획 없이 쏟아내고 있는 정치권의 멋진 공약발표는 매우 그로테스크하다. 너덜너덜해진 세입기반과 감세정책으로 건전재정은 고사하고 재정의 지속 가능성은 큰 도전을 받고 있다.

2024년 한국경제는 이러한 불확실성과 재정압박에 직면하여 경기침체를 극복하고 지속 가능한 성장을 위한 정책적 대안 모색이 시급한 상황이다.[92]

75. 경제가 안보다

국제정치는 급변하고 있다. 안보우위(냉전)-경제우위(탈냉전) 시대는 종언을 고하였고 경제안보(미·중 전략경쟁)의 시대로 전환하였다. 경제안보의 시대란 안보우위 시대이면서도 경제가 안보가 되는 시대이다. 각국은 기존의 경제적 효율성 추구보다는 경쟁력 강화와 안보를 결합한 새로운 산업정책을 추진하고 있다. 경제 및 기술 경쟁은 심화하고 보호주의의 양상으로 흐르고 있다. 그 결과 냉전 시기와 같이 국가와 산업정책의 귀환 현상이 강화되고 있다. 지정학적 동인의 중요성도 부활하였다. 각국의 핵심 전략인 '전략적 자율성' 강화는 탈중국화로 이해되지만, 역으로 탈미국화의 추세 강화도 의미한다. 가치에 기반한 지정학이 대두되었으나, 세계 어느 국가도 순수 가치에 기반하여 대외정책을 추진하지는 않는다. 정책의 핵심은 미래 생존과 경제발전을 위한 경제이익과 역량 확보다.

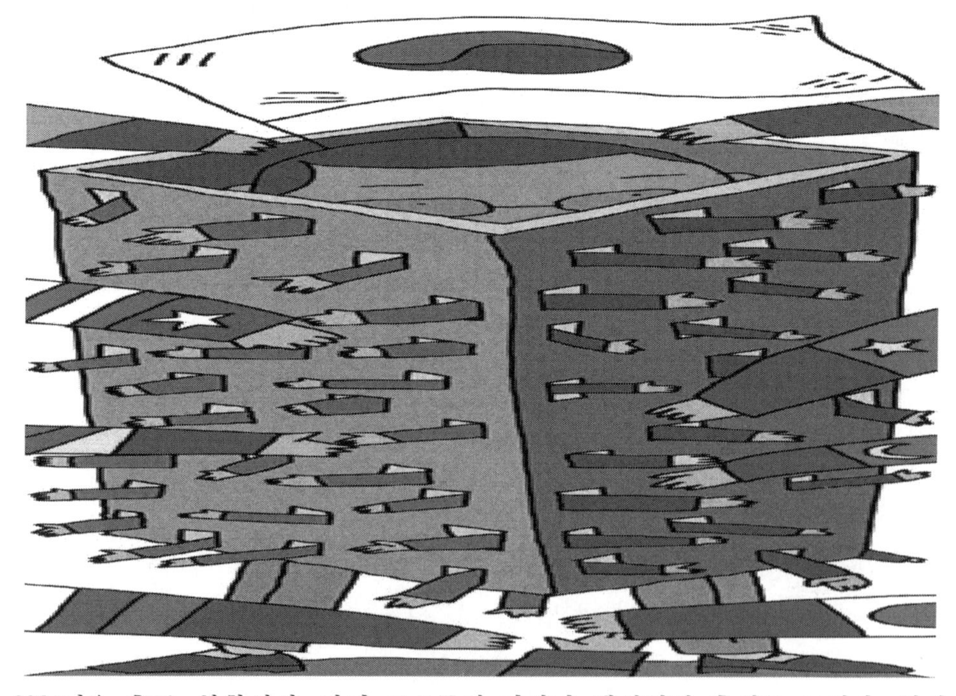

2024년은 혼돈, 불확실성, 자기 보호주의 강화가 핵심적인 추세로 보인다. 세계 76개국에서 진행될 각종 선거 흐름은 대체로 보수주의로 기울고, 자기 보호주의가 핵심일 것으로 판단된다. 대만 총통선거 결과가 양안관계의 현상 유지 방향으로 귀착되었지만, 언제든 미·중 군사적 충돌이 가능하다. 우크라이나·러시아 전쟁, 하마스·이스라엘 전쟁은 국제전으로 번질 수 있는 상황이며, 전황은 미국·서방에 불리하게 돌아가고 있다. 미국은 이들 양면 전쟁은 물론이고, 양안과 한반도에서의 군사적 충돌에 개입할 여력이 부족한 형편이다. 도널드 트럼프가 대통령에 당선될 경우, 현 대중정책의 두 축인 '동맹과 더불어' '리쇼어링'(Reshoring·미국 내로 생산기지 전환) 정책 간 충돌이 명확하다. 후자가 우선시되면서 한국의 산업에도 큰 도전을 안겨줄 것이다. 서유럽, 일본, 인도 등 세계 주요국들은 '전략적 자율성' 강화를 꾀하면서 각자도생 전략을 추진 중이다.

가. 한국 안보 우위에 도전요인 급부상

윤석열 정부는 '가치 동맹'에 방점을 두고 경제와 산업부문에 대한 안보우위를 추구하였다. 2024년 정세는 윤석열 정부의 정책을 향한 도전요인들이 급부상하고 있음을 말해준다. 첫째, 세계는 미국·서방의 영향력보다는 중국·러시아의 영향력이 강화되는 추이에 놓인 것으로 평가된다. 이는 영국 케임브리지 대학에서 2022년 11월 발간한 'A World Divided' 보고서, 2023년 말 미국 Hamilton Index(ITIF), 2024년 호주 전략정책연구소의 '글로벌 핵심기술 현황' 보고서에서도 잘 드러난다. 둘째, 미·중 전략경쟁 편승 정책의 경우 상대방으로부터 야기되는 비용도 그만큼 확대된다. 러시아와 중국의 관계 악화가 초래할 비용이 예상보다 클 것이란 개연성이 증대하고 있다. 글로벌 사우스(Global South)와의 관계도 도전요인이다. 셋째, 디리스킹(Derisking·위험회피) 정책 시대는 안보를 단선적으로 강조하기보다는 유연하고 복합적인 외교·안보·산업 정책을 요구한다. 경제안보 시대에는 경제이익을 수호하는 것이 안보가 될 정도로 중요하다. 다만, 이를 획득하긴 더욱 어려워지고 있다. 고도의 외교적·지정학적 역량이 필요하다. 넷째, 트럼프 2.0 등장 가능성이 높아짐에 따라 조 바이든 정부의 정책에 초점을 맞췄던 윤석열 정부는 대단히 곤혹스러운 상황에 직면할 우려가 커졌다. 마지막으로 북한의 핵미사일 고도화 및 새로운 국가 대 국가 관계로서의 대남정책이 등장했다. 남북 양측이 국내정치적 여건상 강 대 강 정책을 구사하고 상호 적대적 공생관계를 형성하고 있어, 우발적 충돌이 핵전쟁 및 국제전으로까지 확산될 위험도 커지고 있다.

역사의 진보라는 희망적 사고는 허구일 수도 있다. 적어도 지금은 프랜시스 후쿠야마가 'The End of History'라 선언하면서 가졌던 서구문명에 대한 낙관적 확신이 더 이상 작동하기 어려운 국면이라는 점을 인정해야 한다. 단선론·낙관론적 시대에서 이탈하여 비선형적 혼돈의 시대로 (일시적이건 구조적이건) 전환하고 있는 과도기일 수도 있다는 생각이다.

나. 윤석열 정부 '화용외교' 땐 기회

2024년 국제정세는 이념과 가치에 따라 다른 강대국들과의 갈등을 불사하는 기존 윤석열표 외교안보 정책의 전환을 요구하고 있다. 모든 강대국과의 조화와 협력을 중시하면서 실리를 챙기는 '화용외교(和用外交)'를 추진할 것을 권고한다. 안보의 단선론적 우위 정책에서 보다 실용적이고 유연한 원칙에 기반하여 경제이익을 중시하는 산업정책을 시행해야 한다. 미국에서 정부 주도 산업정책과 대중 기술 제재는 확대될 것이므로, 미국 내 새로운 입법규제와 행정명령 추이를 면밀히 검토하고 기민하게 대응할 수 있어야 한다. 윤석열 정부와의 마찰로 적어도 올해 상반기까지는 중국이 한국을 압박하기 위한 조치를 내놓을 개연성이 다대하다. 우선 그 대상은 산업 및 핵심광물 영역에서 나타날 것이다. 정부와 기업들은 이에 대한 대비책이 필요하다.

2024년 세계 각국에서 안보 불안정성이 확대됨에 따라 기업의 비용과 경제 부담 확대로 이어질 수 있다. 한국 경제위기 우려가 커지고 있다. 기업은 그 비용에 대비하고, 정부는 우선적으로 경제 보호 전략을 수립하는 것이 어느 때보다 중요하다. 안보와 동맹의 남용을 경계하고, 경제가 안보인 시기에 경제의 붕괴는 곧 안보와 동맹의 붕괴를 초래하는 함수관계가 존재한다. 경제안보 시대 정부의 가장 중요한 역할은 경제·기업의 안정성을 확보하고 발전을 돕는 것이다. 국가와 산업정책의 회귀 시기에 정부는 자주 간여하거나 획일적인 지도형 정책 추구보다는 민간의 자발성과 창의성을 최대한 고양하고, 기업을 보호하는 정책을 추진해야 한다.

한국은 통상국가로서 국가 정체성에 기반해 새로운 글로벌 경제 거버넌스 형성에 적극 참여해야 한다. 미국 경제·산업 정책에 대해 협력을 강화하면서도, 중국·러시아·중동·글로벌 사우스와의 협력 방안을 고민해야 한다. 보수화 흐름이 이어지며 주요국들은 글로벌 거버넌스 구축 경쟁에서 자국 유불리에 따른 현실적 행보를 할 가능성이 크다. 이로 인해 통상국가인 한국엔 비용 문제가 부각될 수 있다. 하지만 이러한 추세를 잘 활용하는 '화용' 정책은 오히려 기회를 제공할 수도 있다.[93]

76. 코리아 디스카운트 키우는 정부 리스크

한국 증시가 좀처럼 기를 펴지 못하고 있다. 6일 주식시장에서 코스피지수는 2576.20을 기록해 이틀 연속 하락했다. 올해 들어 26거래일 중 하락한 날(16일)이 훨씬 더 많다. 코스피와 흐름이 비슷하다던 미국 나스닥은 딴판이다. 올해 상승한 날(15일)이 하락한 날(9일)보다 훨씬 많다. 지난해 말 대비 이날까지 코스피는 3.0% 떨어졌다. 해외 주요 증시는 대부분 오름세를 보인다. 미국은 나스닥과 S&P500이 3%대 후반 상승률을 기록 중이고, 장기간 거의 움직이지 않던 일본은 8% 넘게 뛰어올라 강세가 두드러지고 있다. 한국과 시가총액 규모가 비슷한 독일과 대만도 소폭 올랐다.

한국 증시에는 세계적인 기업이 적지 않다. 삼성전자는 세계시장에서 스마트폰과 메모리반도체, TV 등의 점유율이 선두권이고, 현대차그룹은 지난해 일본 도요타, 독일 폭스바겐에 이어 세계에서 세번째로 많은 자동차를 판매했다. 2차전지도 한국 기업들이 각광받고 있다. 한국 조선업은 중국과 수주량 선두 싸움을 벌인다. 그럼에도 한국 증시는 오래전부터 이른바 '코리아 디스카운트(저평가)'에 시달리고 있다.

주식투자에서 가장 많이 쓰는 지표인 주가순자산비율(PBR)과 주가수익비율(PER)을 보자. 미래에셋증권 자료를 보면 1월29일 기준 한국 증시 PBR은 0.99였다. PBR이 1 미만이면 주가가 장부상 순자산가치(청산가치)에도 못 미친다는 뜻이다. 세계 증시 평균은 2.80이었다.

자본시장연구원이 45개국 증시 PBR을 조사한 결과, 한국은 선진국의 52%, 신흥국의 58%에 불과한 41위였다. 전 세계 PER 자료를 집계하는 <WorldPerRatio>를 보면 2월5일 기준 한국의 PER은 10.4로 세계 평균(12.1)보다 낮다. PER은 주가가 한 주당 수익의 몇 배가 되는지 나타낸다. 20년 평균 PER도 한국 9.6, 세계 12.2

로 한국 증시가 장기간 저평가 상태임을 확인할 수 있다.

정부가 나서서 증시 저평가를 해소하겠다고 한다. 최상목 경제부총리 겸 기획재정부 장관은 이달 초 "우리 증시의 고질적 문제로 지적돼 온 저평가 현상이 지속되고 있다"며 "이달 중 기업 밸류 업 프로그램의 구체적 방안을 발표할 것"이라고 밝혔다. 주주가치 제고와 공정한 시장 질서 확립, 수요기반 확충 등 세 축으로 대응하겠다고 했다. 시장은 즉각 반응했다. 투자자들은 지주회사 등 PBR 낮은 종목 찾기에 나섰고, 매수세가 쏠려 테마를 형성하기도 했다. 최 부총리의 발언이 전해진 뒤 이틀간 한화와 LG가 10% 넘게 급등했다. CJ와 SK, 롯데지주 등은 7% 안팎 크게 올랐다. 삼성물산도 8% 가까이 오르는 등 저PBR 종목들이 강세를 보였다.

최 부총리가 저평가 대응의 세 축을 지목한 것처럼 한국 증시는 기업이 주주를 제대로 대접하지 않고, 시장의 질서마저 오락가락한다. 주주보다는 '오너'로 불리는 총수 일가 이익을 우선시하는 한국의 기형적인 지배구조 문제도 심각하다. 그러다 보니 투자자들이 떠나가는 상황마저 빚어진다. 저평가의 원인은 단순히 PBR이나 PER 같은 지표에만 있는 게 아니다.

애플 시가총액은 3845조원으로 삼성전자(444조원)는 물론 한국 증시 시총(2478조원)보다 많다. 2022년 기준 매출이 512조원으로 삼성전자(302조원)의 1.7배 수준인데 시총은 9배 가까이 크다. 애플은 설계만 하고 제조는 하청을 통해 해결하는 플랫폼 기업에 가깝다. 반면 삼성전자는 이익을 끊임없이 투자해야 하는 전통적인 제조업체이다. 이런 차이가 있더라도 주가 격차는 너무 크다. 2022년 애플 자기자본이익률(ROE)은 175%로 삼성전자(17.1%)를 크게 웃돈다. 게다가 주주 배당에서도 삼성전자를 크게 앞선다. 이익을 잘 내고 주주친화적인 경영이 고평가를 받고 있는 것이다.

정부가 조만간 내놓기로 한 기업 밸류 업 프로그램은 단기 처방에 그쳐서는 안 된다. 기업 체질을 개선하고 장기적으로 증시 투자자를 붙잡아둘 수 있는 근본 대책이라야 한다. 총선을 앞두고 인위적인 주가 부양만 꾀했다가는 시장을 왜곡해 심각한 후유증을 남기게 된다. 한국은 가계부채 비율이 GDP 대비 105.1%, 가처분소득 대비 203.7로 세계 상위권 가계부채국이다. 정부가 서둘러 내놓은 증시 부양책이 빚 투자를 유인하지 않을까 우려스럽다. 저평가 원인 중 빼놓을 수 없는 것은 북한과 대치하고 있는 지정학적 리스크다. 북한을 자극하지 않고 상생 방안을 찾아야 한다. 최근 상황을 보면 정부가 오히려 리스크를 키우는 것만 같다.[94]

77. 전환의 시대 케인스의 '일깨움'

기후 변화가 전 지구를 집어삼키고 있다. 그것이 자연 생태와 인류 생활에 초래할 되돌리기 힘든 파괴적 위협은 이미 우리 목전에 도달해 있다. 불평등이 야기하는 사회적 위험도 지속 가능한 수준을 넘어섰다. 대자본이 지배하는 오늘의 생산체제는 인간 노동력을 실업과 '긱 경제'(사용자의 필요에 맞춰 정규직 대신 초단기 임시직만 고용하는 경제)로 내몰고 신자유주의 민영화로 공공서비스를 망가뜨려 분배를 악화시켜 왔다. 도처에서 지정학적 위기를 고조시키며 제국주의의 전쟁 위협도 불길처럼 번져온다. 팔레스타인과 우크라이나 민중의 목숨값으로 정작 판돈을 챙기는 쪽은 이번에도 미국 군산복합체이다.

인류는 과연 중첩된 어려움을 극복하고 생명, 평등, 평화의 가치를 회복할 수 있을까. 문제는 오늘의 세계가 그와 같은 과제 해결에 도저히 부적합할 정도로 심각하게 균열된 데에 있다. 더욱이 그 균열은 20세기 말 신자유주의 세계화 과정에서 증폭된 것이기에, 우리는 앞으로 마주할 사태들에 대한 불안한 기시감에 사로잡힌다. 19세기 말 번영의 세계화 물결이, 수많은 희생을 낳은 20세기 초 제국주의 전쟁과 대공황을 거쳐 종결된 역사를 떠올리게 되는 탓이다. 기실 지금의 세계화도 교역량 기준으로든 국제투자 기준으로든 이미 정점을 찍고 축소되는 중이다. 역사는 불행을 반복하고 말 것인가.

20세기 초 당시 지식인들은 자신들의 시대를 어떻게 이해했을까. 그 점과 관련해 특히 영국의 경제학자 존 메이너드 케인스가 대공황이 최악으로 치닫던 1933년 4월 아일랜드 더블린에서 강의한 것으로 전해지는 내용은 오늘 우리에게 던지는 시사점이 작지 않다. 그것은 저자의 사고의 깊이와 시대를 앞서간 이단적 주장으로 인해 관심의 대상이 되곤 했다. 주류경제학자들만 그것을 무시해왔다.

"국가적 자급"이라는 제목의 그 짧은 글에서 케인스는 주류경제학자들의 오랜 신앙에 의문을 제기했다. 그는 자유무역과 자본의 자유로운 이동을 옹호하는 경제적 국제주의는 쉽게 제국주의로 변질되어 평화 수호라는 인류의 과제를 그르치기 쉬운 반면 경제적 관계가 복잡하게 얽혀 있지 않은 나라들끼리는 서로 갈등할 일도 없으리라고 예견했다. 평화를 위해서는 각국이 자급하는 편이 오히려 나을 수 있다는 통찰이었다. 해외 자본의 이탈이 염려될수록 국내적으로 바람직한 정책의 시행이 어렵다는 사정도 지적했다. 현대적 대량 생산하에서는 나라별로 특정 재화에 특화하는 이득이 클 리 없으니 "재화는 비용이나 편의성이 허용한다면 국내에서 만들어 쓰고 무엇보다도 금융만큼은 주로 국내적인 것이 되도록 해야 한다"는 주장이었다.

케인스가 당시의 자본주의에 대해 정의롭지 않고 도덕적이지도 않아 실패했다고 언급한 대목은 흥미롭다. 미래 이상적인 사회적 공화국을 꿈꾸며 다양한 경제체계를 실험하려는 시도에 대해 긍정적으로 평가하고 자유방임 자본주의라는 단일 이상에 집착하는 것을 비판한 부분도 인상적이다. 적어도 대안 체계를 찾아가는 "전환의 국면에서는 우리는 우리 자신에게 주인이 되고 싶고 외부 세계의 간섭으로부터 가능한 자유롭고 싶은 것"이라는 그의 진술보다 더 명확하게 경제적 자립의 미덕을 설파하기는 어려울지 모른다.

프랑스 사회과학고등연구원의 경제학자 자크 사피르에 따르면 케인스의 논의는 자본이동의 자유 때문에 공동체가 지닌 사회적 선택의 자유가 제한되어서는 안 된다는 점을 분명히 한 것이었다. 미국의 포스트 케인스학파 경제학자인 토머스 팰리 또한 각국은 주권국가로서의 발전전략을 재수립할 필요성이 있으며 그 경우 케인스의 국가적 자급에 대한 담론이 개념적 단초를 제공할 수 있다고 내다봤다. 평화와 함께 경제적 자립도 오늘날 여전히 중요한 가치라는 인식이다.

케인스는 같은 글에서 자기파멸적으로 "금융적 결과"에 스스로를 종속시킨 사람들은 "자연의 광채는 전유되지 않는 한 경제적 가치가 없다면서 시골의 아름다움을 파괴"하고 있으며 빵 한 덩어리를 1원 더 싸게 수입할 수 있다고 농부를 망하게 하고 농사에 수반된 오랜 전통을 파괴하는 것이 정말 옳은지 묻기도 했다. 그것은 생명과 녹색, 농업의 가치에 대한 확인이자 동시에 문명의 진정한 변혁은 회계적 이윤 계산에 대한 불복종으로부터 시작되어야 한다는 담대한 주장을 담은 도전이었다. 그것이야말로 위대한 경제학자가 20세기 초 위기의 시대를 살며 후대에 남긴 일깨움이었다. 이제 경제체계를 그 방향으로 근본적으로 전환시키는 과제는 온전히 우리 시대의 몫이다.[95]

케인스(John Neville Keynes)는 『정치경제학의 범위와 방법』에서 방법론에 대한 다양한 접근법을 연역적 또는 귀납적인 것으로 분류하면서 종합적 견해도 취했다. 한때 독일어권에서 카를 멩거가 이끄는 오스트리아 경제학파와 독일의 경제학자 구스타프 슈몰러의 추종자 사이에 격렬한 방법론 논쟁이 벌어졌는데, 멩거는 연역적 접근법을 매우 중시하면서 순수이론의 중요성을 강조한 반면 슈몰러는 귀납적 연구의 중요성을 주장했다. 그러나 이 논쟁에서 케인스는 연역과 귀납이 모두 필요하다고 주장했다.

78. 기업 밸류업 프로그램이 성공하려면

지난해 말부터 주식시장과 관련해 이런저런 대책들이 쏟아져 나오고 있다. 전격적인 공매도 금지와 주식 양도차익 과세 기준 완화 등이 발표됐고, 내년 시행 예정인 금융투자소득세 폐지와 상속세 기준 완화 등이 논의되고 있다. 한국은행의 발권력을 동원해 주식시장 부양을 도모했던 과거 관치경제 시절의 무지막지한 증시지원책이 있기도 했지만, 단발성 정책을 넘어 요즘처럼 주식시장과 관련한 이슈들이 연이어 사회적 의제로 부각됐던 기억은 없다.

이런 논의들이 벌어지고 있는 이유는 최근 수년 사이 주식시장 등락에 이해관계가 노출된 국민은 급증했는데, 한국 증시의 성과는 신통치 않은 탓일 게다. 한국의 주식투자 인구는 2019년 말 618만명에서 2022년 말에는 1441만명까지 늘어났다. 한국 증시의 장기 성과는 매우 부진한데, 종합주가지수(코스피)는 최근 10년(2014년 2월8일~2024년 2월7일) 동안 36% 상승하는 데 그쳤다. 같은 기간 각각 178%, 150% 오른 미국 S&P500지수, 일본 닛케이225지수와 비교하면 초라한 성과이고, 장기 정체에 빠져 있는 중국 상하이종합지수 상승률 38%에도 미치지 못하고 있다.

총선을 앞두고 1400만명에 달하는 주식투자자들에게 어필하려는 의도가 없진 않겠지만, 정치가 다수 국민의 이해관계에 답할 의무가 있다는 점을 감안하면 색안경을 끼고 볼 일은 아니다. 여러 정책 중 가장 반응이 뜨거운 것은 설 연휴 이후 구체적 내용이 발표될 예정인 '기업 밸류업 프로그램' 이다. 주가가 기업의 자산 중 장부상으로 주주들에게 귀속되는 몫인 순자산가치를 하회하는, 즉 주가순자산비율(PBR)이 1배를 밑도는 종목들의 주가 부양을 골자로 하고 있다.

정책이 명하면 주가가 답할까? 정책 외끌이만으로는 한계가 명확하다. 7년 전으로 시간을 돌리면 기관투자가들의 적극적 주주권 행사로 '코리아 디스카운트' 를 완화할 수 있을 것이란 기대가 컸었다. 자본시장의 전문적 플레이어인 기관투자가들이 자신들에게 돈을 맡긴 고객 편에 서서 의사결정을 내리도록 하는 '스튜어드십 코드' 가 광범위하게 확산됐기 때문이다. 스튜어드십 코드는 문재인 정부의 국정과제이기도 했다.

주지하다시피 스튜어드십 코드는 큰 성과를 내지 못했다. 한국 증시에서 기관투자가들이 가지고 있는 힘이 너무 약했기 때문이다. 주식시장은 1인1표의 정치적 평등주의가 작동하는 장이 아니라 1주1표라는 비례적 힘의 논리가 관철되는 곳이다. 스튜어드십 코드가 힘을 발휘하려면 한국 기관투자가들이 의미 있는 수량의 주식을 보유하고 있었어야 했는데, 그렇지 못했다. 어느 나라나 기관투자가의 핵심은 주식형 펀드를 운용하는 자산운용사들인데, 적극적인 주주권 행사가 가능한 한국 액티브 펀드의 시가총액 대비 점유율은 3%에도 이르지 못하고 있다.

국민들의 강제 저축으로 커지고 있는 공적 연기금만이 주주권을 의미 있게 행사할 수 있는 기관투자가인데, 본질적으로 공무원 집단인 이들이 적극적으로 주주권을 행사하는 데는 많은 제한이 있다. 공적 연기금의 주주권 행사는 '연금사회주의' 라는 비난을 받기 십상이다. 중요한 일부 의사결정은 연기금 독자적으로 할 수 있겠지만, 큰 틀에서는 민간에서 주주권 행사 흐름을 주도하고 공적 연기금은 이를 추인하는 방향으로 전개돼야 스튜어드십 코드가 작동할 수 있는데, 한국에서는 민간 기관투자가들의 물적 토대가 너무도 취약했다.

최근 정부는 '밸류업 프로그램' 인센티브의 일환으로 세 가지 지원책을 발표했다. 직전 3개년 평균 대비 주주환원(배당 및 자사주 소각)을 확대한 기업에게 5% 초과분에 대해 법인세 5% 감면하고 기업가치 제고 상장기업에 투자한 주주들에 대한 배당소득세 저율 분리과세 적용하는 안, 최대주주의 상속세 20% 할증 폐지 등이다. 이 같은 지원책은 지분 상속 등의 이슈가 예정돼 있는 상장기업에게는 적지 않은 긍정적 영향을 미칠 것으로 보인다. 다만 이들 지원책이 대부분 국회 입법 과제인 점을 고려하면 구체적인 안으로 나올 때 까지는 다소 시간은 필요해 보인다.

'기업 밸류업 프로그램' 에서 저PBR 종목들이 주가 부양 계획을 내놓지 않으면 어떻게 이들을 강제할 수 있을까? 정책적으로 해결할 수 있는 방법은 딱히 없다고 본다. 주가 부양 프로그램은 아니었지만, 2014년 박근혜 정권은 '기업소득 환류세제' 라는 정책을 도입했다. 기업에 쌓여 있는 부를 가계로 돌리기 위한 계획이었는데, 당기순이익의 일정 부분 이상을 노동자들의 임금 인상이나 설비투자, 배당금 지급 등에 사용하지 않으면 징벌적 과세를 하는 법안이었다. 지키지 않을 경우 과세라는 페널티가 부과되는 법이었지만, 한시적으로 운용되다가 폐지됐다. 보수정부는 자신들의 정체성에 맞지 않는 정책을 지속시키고자 하는 의지가 약했다.

저PBR 종목군의 재평가를 골자로 하는 '기업 밸류업 프로그램' 이 성과를 내기 위해서는 주주들의 힘이 필요하다. 주가 상승에 가장 강력한 이해관계를 가진 이들이 주주이기 때문이다. 지난해 4월 도쿄 증권거래소가 PBR 1배 미만 종목들의 주가 부양 계획을 밝히라고 요구했던 것처럼, 우리 정부의 정책은 일본의 경험을 벤치마크하고 있다. 일본은 주주행동주의를 통해 정책을 실현해나가고 있다.

한국이나 일본은 주주행동주의가 활성화되기 힘든 사회이다. 지연·학연 등으로 얽혀 있는 관계지향적 사회이기 때문에 지배주주 혹은 경영진과 척을 지는 주주행동주의에 대한 수용성이 약할 수밖에 없다. 일본은 이를 극복하기 위해 외국 자본의 힘을 빌렸다. 아베 정권은 영미계 주주행동주의 펀드를 일본으로 끌어들이는 정책을 썼고, 일본에 연고가 없는 외국 자본은 일본 금융시장을 뒤흔드는 메기로 활동했다. 흡사 국제통화기금(IMF) 외환위기 직후 김대중 정권이 급진적인 자본시장 개방을 통해 한국 증시에 들어온 외국인 투자가들의 힘으로 재벌개혁을 도모했던 것과 비슷한 효과를 보고 있다.

주주행동주의가 늘 선일 수만은 없다. 주식을 매도함으로써 언제든지 기업과의 관계를 끊을 수 있는 주주들의 이해관계는 단기주의적인 경향을 띠는 경우가 많다. 일본에서는 주주 등쌀에 못 이겨 자발적으로 상장폐지를 선택하는 기업이 늘어나고 있다. 일본의 대기업을 대변하는 게이단렌은 아베 정권 때부터 활발해진 주주행동주의에 불편한 시선을 거두지 않고 있다. 요컨대 공짜는 없다. 지배적인 정서에 반하는 행동을 수용할 수 있어야 궁극적인 변화를 가져올 수 있다. 예를 들어 주주 이익을 중시하는 조항이 상법 개정안에 들어가는 정도의 변화가 나타나야 '기업 밸류업 프로그램' 이 성공할 수 있을 것이다.[96]

79. 역동성 상실한 시장 어떻게 살릴까

가끔씩 투자부진을 걱정하는 이야기들이 나오기도 하지만 실은 주요국들 중 가장 활발하게 투자하는 국가가 한국이다. 2023년 기준 한국 GDP에서 투자가 차지하는 비중은 32%에 달한다. GDP 대비 투자 비중이 30%를 넘어가는 국가는 흔치 않다. 한국보다 투자를 많이 하는 나라는 중국 정도밖에 없다. GDP에 잡히지 않는 기업들의 해외직접투자(FDI)까지 감안하면 한국은 '왕성한 투자국가' 이다

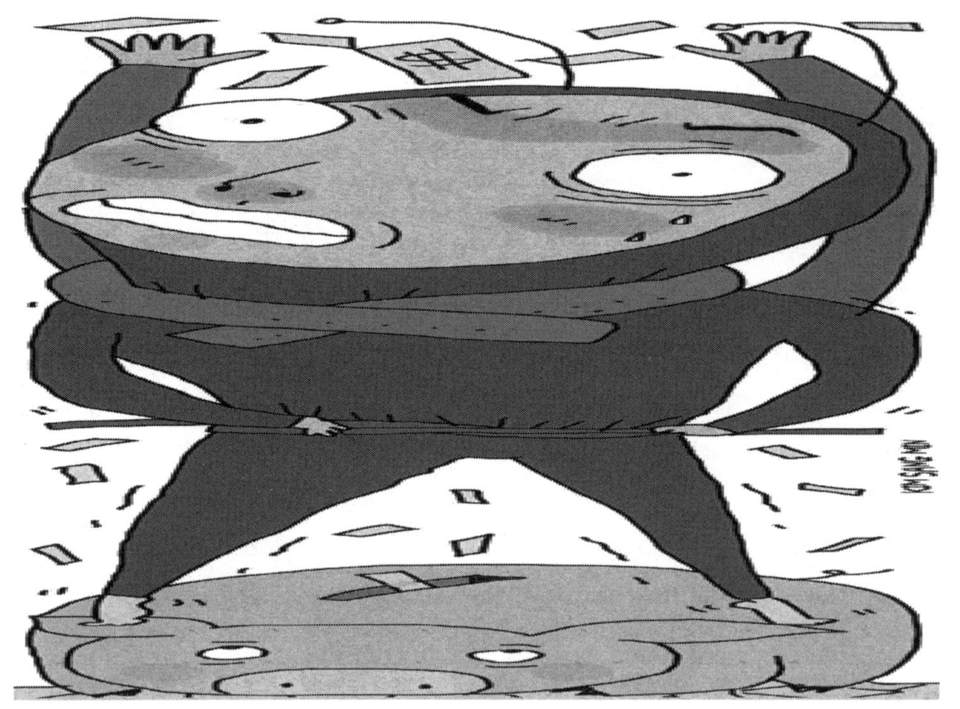

투자는 '현재의 욕망을 미래로 이연' 하는 행위이다. 다른 표현으로는 '보유하고 있는 경제적 자원을 당장 쓰면서 효용을 누리기보다는, 미래에 파이를 더 크게 키워 소비' 하고자 하는 경제적 활동으로 부를 수도 있을 것이다. 뭔가 검약 · 근면한 느낌이고, '개미와 배짱이' 우화에서의 개미가 떠오르기도 한다.

투자는 미래에 대한 꿈이 적극적으로 투영되는 행위라는 점에서 긍정적인 면이 크지만, 다른 방향에서의 해석도 가능하다. 현재의 욕망을 끊임없이 미래로 이연시키지만, 그 성과는 제대로 누리지 못하는 경우가 있을 수 있기 때문이다. GDP 구성항목들 중 경제주체들이 누리는 당장의 효용을 측정할 수 있는 지표는 민간

소비인데, 2023년 한국의 GDP 대비 민간소비 비중은 49%에 불과하다. 국가 간 비교에서 한국 경제의 투자 의존도는 압도적으로 높고, 민간소비 비중은 평균을 하회하고 있다.

한국과 비슷한 '개미형 경제'의 극단이 중국이고, 그 대척점에는 미국이 있다. 2023년 중국의 GDP 대비 투자 비중은 41%이고, 민간소비 비중은 39%이다. 투자 비중은 극단적으로 높고, 민간소비 비중은 극단적으로 낮다. 미국은 민간소비 비중이 67%에 달하고, 투자 비중은 21%다. 미국의 GDP 대비 투자 비중은 오랫동안 15% 내외에서 움직이다가, IRA(인플레이션방지법안) 발효 이후 반도체와 배터리 등 전 세계 공장을 미국으로 끌어들이면서 그나마 20%대에 올라섰다.

가. 한국, 20세기 초 선진국 반열 유일

혹자는 말한다. G2의 반열에 오른 중국 경제가 5% 성장하는 것도 놀라운 일이라고. 절반은 맞고, 절반은 다르게 생각할 여지가 있다. 성장의 내용이 다르다. 미국처럼 충분히 소비하면서, 즉 당장의 즐거움을 누리면서 2%대로 성장하는 경제와 집단적으로 욕망을 억제하면서 5% 성장하는 경제를 수치만 가지고 비교할 일은 아니다. 일반적으로 한국과 중국, 대만 등 동아시아 국가들의 성장률은 높지만, 국민들의 만족도가 높지 않은 이유도 민간소비의 비중이 낮기 때문이 아닌가 싶다.

다만 투자 중심으로 돌아가던 경제가 민간소비로 순조롭게 전이됐던 사례를 찾긴 힘들다. 미국만이 거의 유일한 성공 사례이다. 한때 저축률이 마이너스를 기록했을 정도의 왕성한 소비 문화, 이를 가능하게 한 기축통화국으로서의 이점 등이 작용한 결과일 것이다. 1억 내수를 외쳤던 일본도 민간소비 중심 경제로의 전환에 실패했고, 중국도 전망이 밝아 보이지 않는다.

미국이 예외적인 사례라면 한국이 그래도 투자로 일가를 이룬 국가라는 점을 긍정적으로 평가할 수도 있다. 투자 중심 국가는 '제조업 강국'의 다른 표현이다. 장기적인 걱정은 미국 주도로 글로벌 밸류체인이 재편되면서 동아시아 국가들이 담당했던 제조 공정을 미국이 하겠다고 나서는 데 있다. 1970년대 이후의 글로벌 경제는 미국은 아이디어를 내고, 생산은 동아시아 국가들 주도로 이뤄지는 분업체제로 이뤄져 왔다. 미국은 '열 번 틀려도, 한 번만 맞으면 대박을 치는' 고부가가치 경제로, 동아시아 국가들은 '한 치의 오차도 허용되지 않는 빡빡한' 제조업 공정에서 비교우위를 가지고 살아왔다. 미국이 동아시아 국가들처럼 제조업 공정을 잘 운용할 수 있다는 보장은 없지만, 그래도 오랫동안 우리에게 익숙했던 판이 바뀌고 있는 만큼 한국 경제도 다양한 가능성을 타진해야 한다.

뜬금없는 이야기로 들릴 수도 있지만 한국 경제가 새로운 길을 모색하는 데 가장 큰 걸림돌은 '불평등'이라고 본다. 세세하게 분위별 소득 증감 등과 관련된 불평등 진위 논쟁을 하고 싶은 마음은 없고, 앞서 언급한 것처럼 한국 경제에 대해 열등감을 가지고 있지도 않다. 다만 20세기 초 피식민지 국가에서 선진국의 반열에 오른 거의 유일한 사례가 대한민국인데, 우리의 성공 스토리는 평등에 기댄 경쟁과 이에 따른 역동성에 의해 가능했다는 점을 말하고 싶은 것이다.

나. 평등하게 경쟁하는 사회가 밑거름

발터 샤이델은 저서 <불평등의 역사>에서 인류사의 경향적 추세는 불평등이 강화되는 흐름에 다름 아니었다고 주장한다. 그래도 중간중간 불평등이 완화되는 시기가 도래하곤 했는데, 평등한 사회는 기존 질서가 철저하게 파괴되는 국면에서 나타났다는 주장을 편다. 책은 전쟁과 혁명, 대규모 역병 등이 나타난 이후에 평등한 사회가 나타났다고 서술한다.

나는 한국전쟁 직후의 극빈국 한국이 그런 사회였다고 본다. 36년의 일제 식민 지배는 기존 봉건왕조의 기득권 세력을 축소시켰다. 이승만 정권의 토지개혁을 거치면서 봉건제 경제의 지배층이었던 지주들의 힘이 빠졌다. 곧바로 비극적인 전쟁이 뒤이었다. 그야말로 '그라운드 제로'였고, 모두가 동일한 출발점에 섰다. 서울대 사회학과 이재열 교수는 전쟁 직후의 한국이 고만고만한 '프티 부르주아'의 사회라고 이야기했는데, 공감이 간다. 좋은 직업은 공무원과 은행원 정도였고, 나머지는 농촌의 소규모 자영농이나 영세 자영업자였다는 것이다. 대체로 비슷한 이들이 비교적 평등하게 경쟁을 했다. 현재의 재벌 집단들을 보더라도 유력한 봉건지주가 성공한 자본가로 변신한 사례는 거의 찾기 힘들지 않은가. 교육이 계층 이동의 유력한 사다리였지만, 대학을 나오지 않더라도 성취가 가능했다. 대학을 졸업하지 않은 상고 출신의 대통령 두 사람을 배출했다는 사실은 한국 사회가 지닌 역동성의 산물이 아닐 수 없다. 한국 전쟁 이후 수십년의 시간이 흐르면서 다양한 성취와 실패가 누적됐고, 이를 반영한 질서는 공고화됐다. 안온한 개미로 사는데도 불확실이 커지고 있는 요즘과 같은 상황에서는 한국의 고착화된 질서와 역동성의 상실이 큰 핸디캡이 되고 있다는 생각이다.[97]

80. 초저출산 위기를 극복할 수 있을까

한국의 합계출산율은 해마다 놀라울 정도로 세계기록을 경신하고 있다. 국가의 흥망성쇠 중 '망'과 '쇠'를 걱정해야 할 정도로 낮은 수준이다. 2012년 1.3명에서 2022년 0.78명으로 세계 최저수준으로 하락했으며, 2016년 이후 한 번의 반등도 없이 하락세를 지속하고 있다. 2024년은 출산율이 0.6명대의 불길한, 하지만 실현될 것 같은 전망이 득세하고 있다. 또한 출생아 수는 2012년 48만명에서 2022년 25만명으로 절반으로 급감하였다.

국회 예산정책처의 2023년 '중장기 재정현안 분석-인구위기 대응전략'에 따르면 합계출산율이 0.7명으로 지속되면 15년 후 2040년부터 0% 성장을 하게 된다고 한다. 경제성장 둔화는 그 모든 것이 집약적으로 나타난 예일 뿐이다.

2004년 이후 17년간 정부는 300조원 이상의 재정지출을 했지만 출산율이 개선되기는커녕 오히려 더 하락했다. 물론 300조원의 막대한 재정지출이 온전히 출산율을 높이기 위한 직접적인 지출로만 구성된 것이 아니라 그와 관련 없는 복지지출이 큰 몫을 했다는 볼멘소리도 있다. 일례로 2023년의 저출산 대응 예산은 47조5000억원인데 그중 45%인 21조4000억원은 주거지원 예산이라는 것이다.

그런데 이런 논란은 차치하고서라도 정부의 저출산 대응정책은 근본적으로 사전적(before birth) 정책과 사후적(after birth) 정책을 혼용한 것이 문제라고 생각한다. 그동안의 저출산 예산과 대책은 대부분 출산 후 사후적 지원에 집중되어 있다.

한국사회에서 출산은 결혼 이후 출산만을 인정하고 있어 출산율을 높이는 것은 결혼 비율을 높이는 것과 직결되어 있다. 즉, 혼외출산은 사회적 인식에서 자유롭지 못할뿐더러 출산을 하더라도 법적·제도적 지원을 받는 것이 어렵다. 따라서 기존의 저출산 대응정책은 결혼-출산 등의 과정에 임팩트를 줄 수 있는 사전적 정책은 아닌 것이다.

한국의 청년들이 주거, 고용, 입시를 포함한 교육 문제 등을 얼마나 공포스럽게 생각하는지는 주택 마련을 위한 영끌투자와 취업준비를 위한 온갖 스펙 준비를 떠올리면 충분하다. 사교육은 어떤가? 교육부 발표에 따르면 2022년 한 해 사교육비는 26조원이다. 학령기 학생 78.3%가 사교육에 참여하고 있고 학생 1인당 사교육비는 월 40만원이며, 주당 7.6시간 사교육을 받고 있다.

이런 상황에서 한국의 청년들은 주거, 고용, 교육 문제 등 현재와 같은 극심한 경쟁상황 속에서 결혼할 엄두를 내지 못하고 있다. 아무리 많은 재정을 쏟아붓는다고 해도 청년들이 결혼을 하고 자녀를 출산하여 '저녁이 있는' 행복한 삶을 계획할 것 같지 않다. 따라서 앞으로의 저출산 대책은 청년들이 미래를 바라보고 결혼계획을 할 수 있도록 '사전적' 대책에 보다 집중되어야 한다.

저출산 위기는 어떤 한 분야를 부분적으로 고쳐 해결될 문제는 아니다. 사회·경제·정치·문화 등 전방위적인 역대급 개혁 어젠다로 밀고 나가야 한다. 물론 그렇다고 개혁 어젠다의 우선순위가 없을 수는 없다. 한국은행의 2023년 보고서 '초저출산과 초고령사회 극단적 인구구조 원인·영향·대책'에 따르면 출산율을 결정하는 6개 핵심 지표(가족 관련 재정지출, 육아휴직이용률, 청년고용률, 도시인구 집중도, 혼외출산 비중, 실질주택가격지수)가 OECD 평균수준으로 개선될 때 한국의 출산율은 현재 0.78명에서 1.63명으로 대폭 개선될 수 있다고 한다.

6개 지표 중 도시인구 집중도(0.41명 개선효과)와 혼외출산 비중(0.16명 개선효과)을 제외한 4개 지표들은 막대한 재정투자와 노력으로 그런대로 개선될 여지는 있다. 하지만 도시인구 집중도(한국 431.9, OECD 95.3)와 혼외출산 비중(한국 2.3%, OECD 43%)은 단기간에 변화되기 매우 어렵다. 그런데 이 변화하기 어려운 지표들의 출산율 개선 효과가 전체의 68%로 대부분을 차지하고 있다. 가장 높은 효과를 가져오는 도시인구 집중도의 개선은 인구밀도(한국 530.4, OECD 122.6)와 도시인구 비중(한국 81.4%, OECD 77.7%)을 크게 낮출 때만이 가능하다. 즉, 지난 20년 동안 지역 균형발전을 위한 재정적, 정책적 노력을 적어도 4배 이상 더 해야 한다는 말이다. 그렇지 않고 지금과 같은 서울과 수도권 집중 추세로는 출산율을 조금이라도 올리는 것은 불가능하다.

지금 초저출산은 어쩔 수 없다고 하더라도 앞으로 15~20년 후의 미래는 지금 어떻게 해볼 수 있다. 이 시간 동안 되돌리지 못하면 곳곳에서 나라 망한다는 소리가 계속 들려올 것이다.[98]

윤석열 대통령이 공언한 부총리급 '인구전략기획부' 신설을 두고 "부처간 담당 영역 사전 조율이 중요하다"는 제언도 나왔다. 이상협 미국 하와이대 경제학과 교수는 "어떤 목적을 갖고 정부 조직을 할 때 다른 부처와 중복될 수 있다"며 "이를 미리 고려해야 한다"고 말했다. 차기 한국재정학회장에 선출된 전병목 IBK기업은행 상임감사는 현재 저출산 대책을 두고 "개별 부처들이 개별 정책을 갖고 움직이다 보니 우선순위에 대한 비교가 어렵다"며 전담 조직의 중요성을 강조했다.[99]

81. 국가재정법이 나아갈 옳은 방향

지난달 23일 국회 대정부질의에서 경제부총리는, 감세로 인해 대기업이 일차적 혜택을 보면 결국 고용을 창출해 노동자에게 득이 된다면서도 "그것이 낙수효과라고는 믿지 않는다" 고 발언했다. 부총리는 윤석열 정부 들어 "부자 감세를 한 적이 없다" 고도 했다. 하지만 부자 감세나 낙수효과가 복잡하거나 신비로운 개념일 리 없다. 부유층이나 대기업에 혜택을 주는 감세가 부자 감세이고 그 결과로 빈곤층이나 노동자도 득을 본다는 것이 낙수효과 아닌가. 부총리의 어설픈 궤변이 부끄럽다.

다행인 것은 일반 시민의 인식이 그런 궤변보다는 수준 높다는 사실이다. 그 점은 3월3일 발표된 참여연대의 조세재정정책 국민여론조사 결과를 통해 확인되었다. 조사 결과, 시민들 가운데 62%는 경제력에 걸맞게 세금 부담을 나누는 공정과세 원칙이 지켜지지 않고 있다는 의견이었다. 부자 감세라는 지적에는 36%만이 부총리와 의견이 같았고 낙수효과에 대해서는 59%가 부총리와 의견이 달랐다.

부자 감세를 밀어붙이며 재정건전성을 강조하는 윤석열 정부의 모습은 일견 모순적이다. 세입이 줄면 재정건전성이 악화되기 쉬운 탓이다. 하지만 그것은 국가재정을 대하는 보수 정치의 관점에 충실한 것이기도 하다. 보수 정치로서는 자본가들과 부자들의 세금 부담을 최소화하는 것이 중요하다. 그들이 벌이는 계급투쟁에서는 부자 감세로 줄어든 재정자원의 범위 내로 공동체의 필요에 따른 재정소요를 제한하는 데에 초점이 맞춰진다.

재정건전성이 강조되는 맥락은 그런 것이다. 국가도 가계와 똑같은 '예산제약' 에 직면한다는 거짓말이 등장한다. 기존에 공공부문이 공급해온 서비스가 제한되기도 한다. 대신 민영화와 아웃소싱의 길이 열린다. 상품화되지 않았던 영역이 상품화되면서 자본의 가치 증식을 위한 무대가 된다. 돌봄도 에너지도 심지어는 연금도 예외가 아니다. 공동체의 생존은 점점 더 이윤과 축적의 불안정한 리듬에 내몰린다. 감세와 결부된 재정건전성은 가진 자들의 이해관계에 맞게 공동체의 지출을 억누르는 이데올로기인 셈이다.

우리 재정 운영의 기본 골격인 국가재정법도 국가재정 운용 방향에 있어 재정건전성을 강조한다. 제1조부터 "건전재정의 기틀" 확립을 동 법의 목적으로 규정했고, 제7조 국가재정운용계획의 수립이나 제16조 예산 원칙에 대한 조항 등에서 정부가 재정건전성의 확보를 위하여 최선을 다하여야 한다고 밝혔다. 동 법은 또한 건전재정 유지를 위한 제도들도 제공한다. 추가경정예산 편성요건 제한, 세계잉여금의 국가채무 상환 우선사용 의무화, 국가채무관리계획의 수립 의무화 등이 대표적 내용이다. 다만 윤석열 정부가 거의 지킨 적 없는 국세감면율 법정한도는 재정건전성을 지출 통제가 아니라 세입 기반 유지 측면에서 고려하는 점 때문에 별도의 의의를 가진다.

기실 현행 국가재정법은 적극재정의 근거가 결여되어 있고 재정건전성을 지나치게 강조하는 편향이 있어 재정운용상의 보수주의와 소극성을 뒷받침해왔다는 비판을 받아왔다. 국가재정법은 2020년 법 개정 과정에서 제1조 목적 조항이 부분적으로 개정되기도 했다. 하지만 재정건전성과 당시 새로 포함된 "재정운용의 공공성"이라는 두 목적은 어디까지나 전자에 강조점이 주어진 채 병렬적으로 나열되었을 뿐이며 후자의 실체적 내용이 불분명한 약점이 있었다.

코로나19 국면에서 미국 경제정책연구소(EPI)의 조시 비벤스 박사는 재정정책의 가장 중요한 목표는 완전고용의 달성과 불평등의 완화에 있으며 그와 같은 사회경제적 가치의 실현을 위해서는 재정의 '책임성' 담론이 복원되어야 한다는 점을 역설했다. 재정의 책임성이란 국가재정은 국민경제에 대한 책임을 다해야 한다는 원칙에 다름 아니다. 재정정책을 규범적으로 규율하려는 국가재정법은 법 개정을 통해 재정운용의 공공성이 갖는 의미를 재정의 책임성과 재정민주주의의 두 방향으로 확장하고 국가재정 관리에 있어 재정의 책임성과 지속 가능성 간 조화를 기한다는 원칙을 분명히 하는 편이 바람직하다.

오늘 한국경제는 다면적 불확실성과 대전환의 시대를 맞아 만성적인 유효수요 부족이 야기한 회복 지체와 심각한 불평등이라는 구조적 난제에 제대로 손써보지도 못한 채 좌초하는 중이다. 저출생 대응과 에너지 전환 과제에 있어서는 한숨만 쉬는 실정이다. 늦은 만큼 지금부터라도 더 적극적인 재정 역할이 절실하다. 재정건전성의 낡은 도그마로부터의 탈출과 재정의 책임성에 대한 근본적인 인식 변화도 필수적이다. 그 길이 앞으로 국가재정법이 나아갈 옳은 방향이다.[100]

82. 공시가 현실화 폐지 예고, 부자감세로 빈 곳간은 안 보는가

정부가 19일 부동산 공시가격의 시세 반영률을 2035년 90%까지 끌어올리는 '공시가격 현실화 로드맵'을 폐기하기로 했다. 2020년 11월 문재인 정부에서 이를 도입한 지 3년여 만이다. 지난해 공시가격 현실화율을 로드맵 도입 이전인 2020년 수준(공동주택 69%)으로 낮추더니, 아예 폐기를 공식화한 것이다.

문재인 정부는 부동산 시세와 공시가격 사이에 괴리가 커 조세 형평성에 문제가 있다고 보고 공시가격의 시세 반영률을 매년 단계적으로 높이는 로드맵을 제시했다. 그러나 윤석열 대통령은 이날 21번째 민생토론회에서 '국민의 보유세 부담 완화'를 이유로 전면 폐지로 방향을 틀었다. 이 사안은 '부동산 가격 공시에 관한 법' 개정이 수반돼야 해 여소야대 국회나 총선 후에 어떻게 될지 불확실하다. 정부가 로드맵 폐지의 수혜 대상·시점을 정확히 밝히지 못한 이유일 것이다. 장기적으로 추진될 부동산 정책이 손바닥 뒤집듯 바뀌면서 정책 신뢰도와 시장 안정성에는 혼선이 불가피해졌다.

부동산 공시가격은 조세·복지 등 67개 행정 목적에 활용되는 중요한 지표다. 재산세·종합부동산세 등 보유세, 건강보험료, 기초연금 등의 기준이 된다. 하지만 시세를 제대로 반영하지 못한 공시가격은 자산 양극화와 부동산 시장 불안정성만 키워왔다. 가격이 오르더라도 다주택자들의 세부담이 크지 않아 부동산 가수요를 부추겼고, 집값 폭등과 서민 주거 불안을 낳는 주요 원인으로 지목됐다. 결국 '공시가격 현실화 로드맵'에는 고가 주택 보유자의 세부담을 현실화시켜 과세 공평성과 부동산 시장 안정이란 두 마리 토끼를 잡겠다는 의지와 구상이 담긴 셈이다.

공시가격 현실화 폐지는 '소득 있는 곳에 세금 있다'는 조세정의를 흔든다. 장기적으로 세수 감소는 사회적 약자들의 복지축소로 이어질 수밖에 없다. 이미 지난해 불경기에 법인세·종부세 등 '부자 감세'까지 겹치며 정부의 세수결손액은 역대 최대인 56조원을 기록했다. 이 여파로 지난해 의료급여와 고령층에 지급되는 기초연금 지원 예산 등의 불용액 규모만 1조원을 넘었다. 이런 악순환 속에서 윤 대통령이 세수 펑크를 키우고, 실현 여부도 불투명한 '부자감세' 카드를 총선 앞에 또 내민 것이다. 정부는 텅 비어가는 곳간은 언제까지 눈감을 것인

가. 국회는 공시가 현실화 로드맵의 효과 · 이행과정 · 부작용을 충분히 검토한 뒤 폐지 문제를 매듭짓기 바란다.[101]

윤석열 대통령이 19일 서울 영등포구 문래예술공장에서 '도시혁신으로 만드는 새로운 한강의 기적'을 주제로 열린 스물한 번째 국민과 함께하는 민생토론회에서 발언하고 있다(대통령실 제공).

윤석열 정부의 법인세 감세 정책 등이 '부자감세'로 인해 세수가 부족한 것이 아니냐는 지적이 이어졌다. 최 부총리는 "예측보다 기업들의 실적이 좋지 않아서 세입 결손이 발생한 것"이라며, "법인세나 자산 시장의 세수 추계는 어느 나라든 어렵고 불확실성, 변동성이 커지고 있어, 단기적인 세수도 중요하지만 일회일비하긴 어렵다"고 말했다.

그러면서 "부자 감세는 '부자를 위한 감세'라는 뜻으로 이해하는데, 절대로 그렇지 않다"며 "경제활동을 위한 세제 지원, 민생 안정과 경제활동 감세라고 감히 말씀드리고 싶다"고 반박했다.

정부의 상속세 감세 기조에 대한 비판이 이어지자 최 부총리는 "우리나라는 상속세와 소득세가 둘 다 높은 나라"라며 "상속세가 1997년 이후 큰 개편이 없었기 때문에 논의를 해보자는 게 정부 입장"이라고 말했다.

가난의 대물림 '에 대한 문제의식을 묻는 더불어민주당 최기상 의원의 질의에 최 부총리는 "가난의 대물림은 당연히 있으면 안 되는 것"이라며 "정부가 가난의 대물림에 대해 관심을 갖고 의무를 다 해야된다고 생각한다"고 했다.

이어 "부(富)라는 것이 기업이고 기업의 연속성이나 지속가능성 측면에서 상속세 등 부분을 관심 갖는 것이지 부의 대물림에 관심있는 건 분명히 아니"라며 "현 세대 가난한 사람들, 미래세대의 가난한 사람들도 인간의 존엄성을 최대한 지키기 위해서 지속가능성이 필요하다는 것"이라고 강조했다.[102]

83. 좋은 중소기업을 찾습니다

최근 직장인들의 심금을 울린 콘텐츠로 회자된 것은 웹드라마 〈좋좋소〉입니다. 열악한 중소기업 직장인들의 경험과 제보들을 지속적으로 발굴하여 알려온 '중낳괴(중소기업이 낳은 괴물)' 이과장 채널에서 새로 선보인 이 드라마를 총감독한 분은 여행 유튜버로 유명한 '빠니보틀' 님입니다. "가난하고 힘들고 어렵고"를 기치로 오지와 험지를 여행해 총 조회수 1억을 넘긴 유튜버가 코로나 시대, 이 땅의 오지에서 하이퍼 리얼리즘 오피스 드라마를 만들어내고 있습니다.

첫편은 "실제 사연을 각색한 내용입니다"라는 쉰들러 리스트급의 비장함으로 시작합니다. 당일 전화로 면접을 오라해 가본 회사에는 면접자가 올 것을 아는 사람도 제대로 없습니다. 사무실 한쪽 소파에서 시작한 면접은 취업 준비가 덜 된 지원자와 아예 면접을 볼 준비조차 안 한 면접관들 사이의 아무말 대잔치로 점철됩니다. 면접 중간 자신의 성공담을 늘어놓던 사장님이 이력서에 노래가 취미라는 것을 발견하고 면접자에게 노래를 시킵니다. 과장님이 전깃불을 껐다 켜며 만든 수동 사이키 조명 아래 무반주 열창이 끝나자 바로 '산지직송 합격통보'를 하는 것으로 끝이 납니다.

tvN의 드라마 〈막돼먹은 영애씨〉 속 짠한 내용조차 낭만적으로 보일 만큼 열악한 작은 기업의 현실 고발이 촘촘히 쌓여 만들어진 이 웰메이드 드라마는 '웃픈' 우리네 일상을 이스터 에그처럼 심어놓았습니다. 누가 잔뜩 입다 퇴사한 듯한 조끼를 입고 사무실 청소로 하루를 시작하며 컴퓨터 화면에는 소프트웨어가 정품인증이 되지 않았다는 경고문이 뜨고, 신입은 컴퓨터조차 없어 집에서 쓰는 기계를 당분간 가져오라 하는 이야기까지 부조리한 일화들로 가득 차 있습니다. 문제는 이 이야기들이 상상력으로 만들어진 것이 아니라 열악한 중소기업에서 벌어지고 있는 일들을 깨알같이 고증해서 나온 것이라는 사실입니다.

디테일이 살아있어 "〈미생〉이 판타지라면 〈좋좋소〉는 다큐"라는 반응이 나오며 시작한 지 채 한 달도 되지 않았는데 직장인 커뮤니티부터 대학생들의 게시판에 이르기까지 온통 토론에 불이 붙습니다. 고교시절 웹툰 〈복학왕〉을 보고 공부를 열심히 하게 되었다는 우스갯소리처럼 〈좋좋소〉를 보고 대기업이나 공공기관 취업 준비를 더욱 가열차게 하겠다는 각오들이 올라옵니다.

이 드라마가 현실을 폄하하는 것이 아니라 고발하는 것이라 믿고 싶습니다. 아이에게 기차역 앞에서 노숙하는 분들을 보여주며 너도 공부하지 않으면 저렇게 된다는 협박을 하던 예전 부모님의 비정함은 이제 당연하지 않습니다. 어려운 분들의 삶을 바라보며 적어도 나는 그처럼 전락하고 싶지 않다는 위안을 얻는 것 역시 옳지 않습니다. 상대에 대한 존중과 배려가 금전과 비례하는 것은 아니듯이 작은 기업의 상황이 어렵더라도 다니고 있는 사람의 인격과 존엄을 함부로 할 수는 없습니다.

게시판을 훑어보다 아래의 문장에서 서늘함을 느꼈습니다. “봉준호의 기생충급이다. 한국 사회의 치부를 극사실주의로 표현한 명작임.” 영화 〈기생충〉은 우리 시대의 불합리와 결핍을 세계에 공명시켰습니다. 젊고 멋진 상속자 실장님들이 언제나 주인공인 주말과 아침 드라마들보다 사실적이라 호평받은 〈미생〉보다 더 사실적인 〈좋좋소〉를 전 국민이 보았으면 합니다. 보고 나서 그냥 지나치지 않기를 바랍니다. 지나간 시절의 부족함은 추억이 되기도 합니다. 그렇지만 지나간 시절의 잘못됨을 지금도 반복하는 것은 부당함 말고는 설명할 수 있는 단어가 없습니다. 자신은 큰 기업 출신으로 이 회사를 일구느라 부단히 노력했다는 〈좋좋소〉 사장님의 공허한 연설을 뒤로하고, 모든 회사의 사람들에게 사장님이 처음 다녔다는 큰 기업에서와 같은 처우를 만들어주기 위해 모두가 노력하는 우리 사회를 꿈꾸어 봅니다.[103]

한경닷컴. 2019. 5. 20. 경규민, SBA 제공

84. 연금 말고 코인, 우리에게 내일은 없다

얼마 전 온라인 커뮤니티에 '압구정 현대 바로 사러 갑니다' 라는 제목의 글이 올라왔다. 작성자는 비트코인 자산 내역을 올렸다. 개당 5600만원에 산 비트코인 가격이 1억원을 돌파하면서 20억원이던 평가액이 35억원으로 불어난 내용이었다. 또 다른 커뮤니티에는 "집도 없는 흙수저인 나한테 이런 날도 오네. 이번 사이클에 3억원 찍으면 퇴사하겠다" 는 글도 올라왔다.

비트코인 가격이 상상을 초월하는 수준으로 급등하면서 코인으로 얼마를 벌었다더라는 무용담과 함께 나도 한번 해볼까 고민하는 사람들이 많다. 개당 1억원까지 찍었다가 최근 조정 국면을 맞고 있지만 투자 수요는 계속 몰리는 분위기다. 미국이 비트코인 현물 상장지수펀드(ETF)를 승인하며 제도권 자산시장과 가상자산시장 간의 경계가 허물어지자 글로벌 기관투자가를 중심으로 대규모 자금이 유입되고 있다. 여기에 비트코인 공급이 줄어드는 반감기가 다가오면서 비트코인 시가총액은 한때 은 시가총액을 넘어서기도 했다.

전 세계에서도 유독 한국의 투자 열풍이 거세다. 1~3% 정도이던 '김치 프리미엄' 은 10%대까지 치솟았다. 국내에서 비트코인을 살 때 해외보다 10%는 비싸다는 것으로, 그만큼 국내 투자 열기가 강하다는 의미다. 전 세계에서 원화로 거래된 비트코인 물량은 달러로 거래된 물량에 이어 두 번째로 많다고 한다. 가상자산시장에선 이미 원화가 기축통화처럼 됐다.

그 중심에는 2030 청년들이 있다. 가상자산시장은 투자자의 개인정보가 모두 암호로 돼 있어 연령대별 투자 비중을 수치로 확인할 순 없다. 다만 각종 온라인 커뮤니티와 단체채팅방 등에서 가상자산 투자 여론을 주도하는 부류, 청년 관련 금융상품이나 주식시장에서 돈이 빠져나가고 가상자산시장에는 자금이 몰리는 흐름 등을 종합해보면 2030세대가 코인 투자 열풍의 한가운데에 있음을 추정할 수 있다.

이들이 주식이나 부동산이 아니라 실제 가치를 가늠할 수도 없는 코인으로 몰려드는 것은 저성장 기조 속에 기업들 실적 상승세가 예전만 못하고, 그렇다고 내 집 마련을 도모하기에는 여전히 집값이 너무나 비싸다는 점이 주요하게 고려됐을 것이다. 정부는 청년 실업률이 역대 최저, 고용률은 역대 최고라고 자부하지만 청년 취업자 10명 중 1명은 소득과 고용상태가 불안정한 단순노무직이다. 현실이 팍팍하니 노후 대비 등 미래를 위한 투자는 뒷전으로 밀린다. 청년층 10명 중 4명은 국민연금, 개인연금, 퇴직연금, 직역연금 중 어느 하나에도 가입돼 있지 않다. 보험업계에선 평균수명이 늘어나 종신보험, 연금보험 가입자에게 나가는 보험금은 매년 많아지는데 젊은층의 보험 가입은 줄어 업계 전반에 위기감이 크다고 한다.

비트코인 열풍은 기성세대가 이미 과실을 모조리 따먹어버린 제도권에서 희망을 찾지 못하는 청년들이 새로운 룰이 지배하는 세상에서라도 한 번쯤 성공해보리라는 절실함이 투영된 것이라고 생각한다.

과거에도 그랬듯 선거철이 다가오자 정치권은 청년 공약들을 내놓는다. 다양한 이름의 장학금부터 집・결혼・출산 지원까지 청년과 관련된 모든 영역을 망라하고 있다. 비트코인 현물 ETF 발행을 포함한 디지털자산 제도화 공약도 나왔다. 몇년 전 정부 당국자가 청년층의 코인 투자 열풍을 두고 “(청년들이) 잘못된 길을 가고 있으면 잘못됐다고 어른들이 얘기해줘야 한다” 는 꼰대 같은 말을 했다가 청와대 국민청원에 사퇴 요구가 빗발쳤던 것에 비하면, 청년들이 처한 현실을 진지하게 받아들인다는 점에선 진일보했다고 생각한다.

다만 입만 열면 ‘청년’ 을 외치면서도 이번 총선에서 여야 거대 양당의 청년 공천 비율은 한 자릿수에 그친다. 청년들이 선거 때만 반짝 소환되고 끝나는 것이 아니라, 청년을 위한 정치와 정책이 꾸준히 관철되려면 국회에서 당사자들이 목소리 낼 기회가 많아져야 한다.

세계 최저 수준의 출생률, 세계 최고의 자살률이 함축하는 구조적인 문제들에 대한 해법을 모색해야 한다. 비트코인 제도화 여부는 금융 시스템과 자산시장의 관점에서 논의될 사안이지 청년 대책으로 툭 던져놓을 문제가 아니다. 무한경쟁에 내몰리고, 공정과 상식이 자의적으로 소비되고, 다양한 가치가 존중받지 못하는 사회가 계속된다면 아무리 솔깃한 공약을 쏟아내도 그들에게 희망이 될 수 없다. 내일이 있다는 확신을 주지 못하는 한 제2, 제3의 코인 열풍은 계속될 것이다.[104]

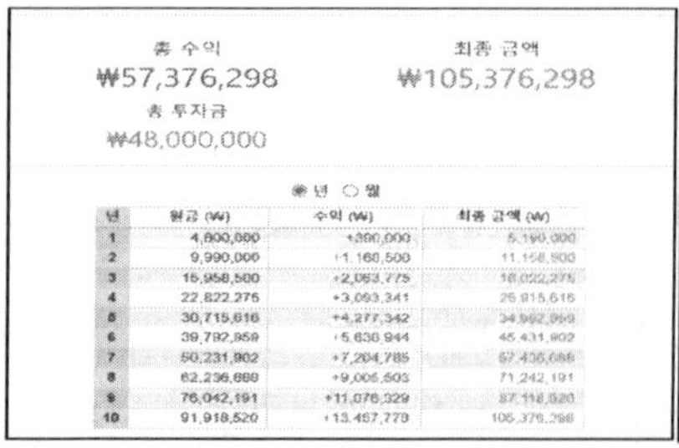

총 수익 ₩57,376,298
총 투자금 ₩48,000,000
최종 금액 ₩105,376,298

◉ 년 ○ 월

년	원금 (₩)	수익 (₩)	최종 금액 (₩)
1	4,800,000	+390,000	5,190,000
2	9,990,000	+1,168,500	11,158,500
3	15,958,500	+2,063,775	18,022,275
4	22,822,275	+3,093,341	25,915,616
5	30,715,616	+4,277,342	34,992,958
6	39,792,958	+5,638,944	45,431,902
7	50,231,902	+7,204,785	57,436,686
8	62,236,686	+9,005,503	71,242,191
9	76,042,191	+11,076,329	87,118,520
10	91,918,520	+13,457,778	105,376,298

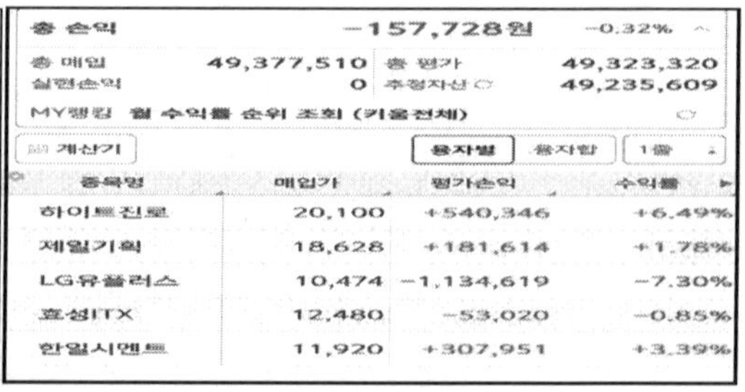

총 손익 -157,728원 -0.32%
총 매입 49,377,510 총 평가 49,323,320
실현손익 0 추정자산 49,235,609
MY랭킹 월 수익률 순위 조회 (키움전체)
계산기 종목별 종자합 1줄

종목명	매입가	평가손익	수익률
하이트진로	20,100	+540,346	+6.49%
제일기획	18,628	+181,614	+1.78%
LG유플러스	10,474	-1,134,619	-7.30%
효성ITX	12,480	-53,020	-0.85%
한일시멘트	11,920	+307,951	+3.39%

85. ELS에는 '깨알 글씨'라도 있었나

"노총각(중소기업)이 '롤렉스 시계(키코)가 있으면 색싯감(환위험 회피)이 생길 것'이라는 마을이장(은행)에게 속아 넘어갔다."

어느덧 16년 전 일이다. 당시 중소기업 쪽을 담당하던 기자는 낯선 단어와 마주쳤다. 환위험 회피용 통화옵션상품 키코(KIKO). 위 비유는 환헤지피해공동대책위원회가 '옵션계약 효력정지 가처분 신청' 소장에 적은 말이다. 2008년 사건을 다시 꺼낸 이유는 키코가 국내 금융 역사에서 파생상품 위험을 사실상 처음 적나라하게 보여줬기 때문이다.

지난 15일 서울 서대문 NH농협은행 본점 앞. 홍콩특별행정구를 상징하는 '양자형기'가 새겨진 깃발이 등장했다. 홍콩H지수 주가연계증권(ELS) 투자 손실을 성토하는 피해자들 모임이다. ELS에 앞서 우리는 홍콩H지수부터 볼 필요가 있다. 이는 홍콩증권거래소에 상장한 텐센트, 알리바바, BYD, 중국건설은행 등 대표 50개 종목을 묶어 산출한 것으로, 중국 경제 상황을 상징하는 수치다.

ELS 상품은 2021~2023년 집중 판매됐는데, 이 시기 홍콩H지수 즉 중국 기업들의 형편이 어찌했는지는 가히 추측할 만하다. 12000을 넘던 지수가 지금은 5800대까지 추락했다. 앞서 홍콩H지수는 2015년 고점을 찍고 이듬해 약 50% 폭락한 전례도 있다. 이런 사실을 고객에게 제대로 알렸을까. 아니 판매창구 직원은 알고나 있었을까.

이번 사태는 사실 예견된 사고였다고 해도 과언이 아니다. 수년 전 외국금리연계 파생결합펀드·증권(DLF·DLS) 사태의 판박이다. 기본 구조는 과거 키코를 닮았다. 즉 일정한 조건이 되면 손실은 무한대로 커져버리고, 혜택은 유한한 구조다. 파는 사람이나 사는 사람이나 계약 시점엔 좋은 점만 보려는 심리가 작동한다. '확증편향의 함정'이다.

또 판매처 중에선 은행이 특히 논란거리다. 은행이란 어떤 곳인가. 낮은 이자율이라도 믿고 맡기는 곳이다. 심지어 일본은 마이너스 금리에도 은행에 예금을 하는 것도 이런 연유이다. 이런 은행에서 '큰돈을 벌 수 있다'며 ELS 가입을 적극 권유했다니 70대 노인 같은 이들이 혹하지 않을 방도가 있겠나.

앞서 금융당국은 2019년 DLF 사태 때 은행은 원금 손실률이 20%를 넘을 수 있는 고난도(고위험) 상품을 팔지 못하게 하는 원칙을 세웠다. 그러나 1개월 만에 판매 허용으로 돌아섰다. 현재 벌어진 손실률을 보면 기가 찰 노릇이다. 금융감독원의 자체 조사로는 한계가 있다. 은행의 입김이 작용한 것인지, 감사원이 즉각 공익감사에 나서야 한다.

이런 파생상품은 극단화된 금융자본주의가 낳은 돌연변이이자, 어쩌면 '귀태' 이다. 2008년 세계를 혼란에 몰아넣은 금융위기의 뿌리 또한 금융공학이 만들어낸 파생상품이었다. 파생금융상품을 아예 팔지 못하게 하기 어렵다면 어떤 조건에서, 누가, 어떤 이에게, 어떻게 팔 것인지, 이참에 기준안을 마련토록 해야 한다. 이복현 금감원장은 "ELS를 충분히 보상하면 금융회사 제재를 경감하겠다" 고 했다. 안일한 태도다. 보상과 제재는 별개로 가야 한다. 그래야 외양간이라도 고쳐서 '제2, 제3의 소' 를 잃지 않는다.

파생상품을 팔 때는 최소한 '깨알 글씨' 라도 위험거리를 적어두고, 정확히 알려야 한다. 금융소비자보호법 제22조에 투자성 상품은 '손실보전 또는 이익보장이 되는 것으로 오인하게 하는 행위' 를 금하고 있다. 물론 투자의 기본 원칙은 자기책임성이다. 마을이장의 말이라도 우선 걸러 들어야 하고, 선택은 결국 본인 몫인 게 맞다. 부동산 분양을 받다보면, 미처 간과했던 쓰레기소각장이나 축사, 묘지 등이 집 근처에 있는 경우가 있다. 그러나 분양 안내책자 끄트머리에는 늘 깨알보다 작은 글씨로 이러저러한 것들을 적시해둔다. 수억원짜리 집을 사면서 일명 '임장' 도 한번 하지 않는 건 사실 문제다.

불완전판매의 주체가 현장 창구 직원만일 순 없다. 금융사들은 관련 임직원들의 책임을 묻길 바란다. 금융위나 금감원 또한 마찬가지다. 정책실명제에 따라 ELS 관련 정책 담당자들의 이름을 공개하고, 수장 이하 핵심 책임선상의 담당자는 책임져야 한다.

외환위기 사태 이후 금융위(금감위)와 금감원으로 분리된 체제가 근본 원인은 아닌지도 들여다보자. 특히 '반민간기구' 인 금감원은 은행, 증권 같은 금융사들이 내는 감독분담금 등으로 운영되는 맹점이 있다.

반복되는 금융사고와 감독 부실을 보건대, 감독권을 '공공의 통제' 아래로 오롯이 되돌리는 게 낫다. 22대 국회에선 반드시 무슨 수를 써야 할 판이다.[105]

금융사고가 났을 때 금융사 최고경영자(CEO) 등의 책임 소재를 명확하게 하는 '책무구조도' 가 3일부터 도입된다. 배임, 횡령 등 개인 일탈이라도 금융사고가 반복적으로 발생하면 은행장 등 CEO까지 금융당국의 제재를 받을 수 있게 되는 것이다. 일각에서는 금융 당국이 금융사의 업무 분장과 조직 체계에 지나치게 개입하는 것 아니냐는 지적도 나온다.[106]

86. 많이 벌면서 덜 내는 비상식적 세상, 제대로 돌려놓자

월급쟁이는 매달 꼬박꼬박 일정 비율의 세금을 자동적으로 내지만, 다국적 대기업은 내야 할 세금의 비율을 역외 조세회피 기법을 통해 대폭 낮추기도 한다. 구글은 세계 최고 IT 기업이라는 명성만큼 조세회피 기업으로도 악명이 높다. 구글의 조세회피 기법은 '더블 아이리시 위드 더치 샌드위치' 로 알려져 있다. 세금을 줄이기 위해 세율이 낮거나 세금이 아예 없는 조세회피처를 이용하는 방식이다. 구글은 아일랜드(아이리시)에 해외 법인을 만들고, 네덜란드(더치)에 세운 자회사와의 송금을 통해 세금을 줄였다. 이 같은 방식으로 구글은 2017년 약 6%의 법인세율(당시 미국 법인세율 35%)만을 적용받으며, 한 해에만 세금 십수조원을 절감했다는 비판을 받았다.

미국에서는 더 많이 버는 집단이 더 낮은 세율을 적용받는 일도 발생한다. 책 <그들은 왜 나보다 덜 내는가>에서는 미국 전체 인구를 소득 구간에 따라 15개 집단으로 나눠 소득세율을 계산한 결과를 소개했다. 저자들은 각 그룹이 낸 세금을 세전 소득으로 나눠 소득세율을 계산했다. 2018년 기준으로 소득집단 각각의 소득세율은 25~30%가량이었다. 하지만 최상위층 '슈퍼리치' 들의 소득세율은 20% 정도에 불과했다.

책 〈그들은 왜 나보다 덜 내는가〉에 따르면 미국의 소득 최상위층에 있는 '슈퍼리치' 들은 평균적인 집단보다 실질적으로 더 낮은 소득세율의 혜택을 누리기도 한다. 부자들의 소득 중 많은 항목이 면세 항목으로 빠지는 데다 기업의 법인세율이 점점 낮아지는 추세 등으로 인해 더 많이 버는 사람이 더 적은 세금을 내는 일이 발생하고 있다.

돈을 더 많이 벌면 더 많은 세금을 내야 한다는 것은 상식으로 여겨진다. 하지만 위의 사례들을 보면 더 많이 버는 기업과 개인이 오히려 더 적은 세금을 낸다. 미국의 조세 제도는 일부 누진적으로 설계됐을지라도 전체를 놓고 보면 역진적이다. 〈그들은 왜 나보다 덜 내는가〉의 저자인 미국 캘리포니아대학교 버클리캠퍼스 경제학 교수 이매뉴얼 사에즈와 게이브리얼 저크먼은 경제적 불평등과 조세 제도 문제를 집중적으로 연구해왔다. 이들은 1900년대 초반부터 약 한 세기 동안 연방정부, 주정부, 지방정부에서 낸 모든 세금 데이터와 미국 다국적기업이 해외 지사에서 벌어들인 장부상 기록 등을 모두 모아 분석했다. 저자들은 "1970년대 가장 부유한 미국인들은 모든 세금을 통틀어 소득의 50퍼센트 이상을 세금으로 내고 있었" 으나, 2018년에는 "지난 100년 이래 처음으로 억만장자들이 철강 노동자, 교사, 퇴직자들보다 세금을 덜 내는 세상이 되고 말았다" 고 지적한다.

왜 가장 많이 버는 사람이 실질적으로는 낮은 세율을 적용받는 일이 발생하는가. 책은 기본적으로 세 가지를 원인으로 짚는다. 첫째, 슈퍼리치들의 소득 중 많은 항목이 면세 항목이다. 페이스북 대주주인 마크 저커버그의 경우 페이스북 영업이익이 늘어 그가 보유한 주식의 가격이 상승하더라도 이를 환매하기 전에는 세금을 한 푼도 내지 않아도 된다. 설사 환매하더라도 이에 부과되는 양도소득세가 근로소득세보다는 세율이 훨씬 낮다. 둘째, 슈퍼리치들이 내는 세금 가운데 법인세가 차지하는 비중이 큰데, 법인세율은 점점 낮아지고 있다. 2018년 미국의 법인세율은 35%에서 21%로 뚝 떨어졌다. 셋째, 자본소득에 부과되는 세율은 점점 줄어드는 반면 노동소득(임금)에 부과되는 세율은 점점 증가하고 있다. 근로소득의 경우 최상위 구간의 소득세율이 37%인 데 반해, 사업소득은 최상위 구간 세율이 29.6%에 불과하다.

"미국의 조세 체계를 망가뜨린 폭발물의 구성 성분은 단순하다. 자본소득을, 다양한 층위에서, 면세 소득으로 만들어버린 것이다. … 부자들은 그들이 가지고 있는 재산의 성격 덕분에 여러 측면에서 혜택을 보게 된다. 대부분의 경우 큰 기업의 주식을 가지고 있으며 그것으로부터 소득을 얻는 슈퍼리치들이 이 경쟁에서 압도적인 승자가 되는 것은 너무도 당연한 일이다."

1990년대 이후 본격화한 역외 조세회피는 슈퍼리치들이 합법적 탈세를 하는 수단으로 활용되고 있다. 미국 다국적기업들은 회사의 이익이 네덜란드, 싱가포르, 케이맨제도, 바하마 등 법인세율이 낮은 지역에서 발생한다고 신고하는 방식으로 그 지역의 낮은 세율을 적용받는다. 책에서는 이 지역들을 '버뮤랜드(Bermuland)'라고 칭하는데, 버뮤랜드에서 미국 다국적기업이 올린 수익은 2016년 기준으로 영국, 일본, 프랑스, 멕시코에서 발생한 수익을 합친 것보다도 많다. 저자들은 각 국가가 조세 수입을 올리기 위해 "주권국가의 주권을 상품화" 함으로써, 기업들의 탈세를 부추기고 있다는 점도 지적한다.

조세 제도가 과거에도 이렇게 불평등했던 것은 아니다. 1930~1980년대 미국의 부자들은 지금은 상상하기도 힘들 정도로 높은 소득세율을 적용받았다. 이 기간 동안 미국 내 소득 최상위 구간의 소득세율은 78%였다. 특히 1951년부터 1963년까지 최상위 구간의 소득세율은 무려 91%에 달했다. 19세기 말부터 20세기 초까지 전 세계 주요국들 사이에는 세금의 누진적 성격을 강화하려는 분위기가 형성됐다. 독일, 스웨덴, 일본은 1870~1880년대 전쟁 비용을 마련하기 위해 다른 비상수단과 더불어 누진적인 소득세를 도입했다. 미국은 소득세의 누진율을 신속하게 높였다. "1913년 미국 최상위 소득 구간의 세율은 7%였지만, 1917년 초에는 67%에 달했다. 그때까지 지구상의 그 어떤 국가도 부유층에게 그토록 무거운 세금을 물려본 적이 없었다. … (이 같은 흐름은) 1880년대와 1890년대에 대두한 지적, 정치적 변화의 산물이기도 했던 것이다."

특히 1933~1945년 재임한 프랭클린 루스벨트 대통령은 누진적 세제에 대한 확고한 철학이 있었다. 그는 피라미드 정점에 있는 부자가 무한정 돈을 버는 사회는 옳지 못하다고 생각했다. 루스벨트 대통령은 1942년 4월27일 의회 연설에서 "매우 낮은 소득과 매우 높은 소득 사이의 격차는 반드시 완화되어야 할 것"이라며 "미국 시민이라면 그 누구라 할지라도 모든 세금을 내고 난 후에는 연 2만5000달러 이상을 벌 수 없어야 한다고 생각하는 바이다"라고 말하기도 했다.

이 같은 조세 제도의 흐름은 로널드 레이건 대통령 때 반전됐다. 1986년 최상위 소득 구간에서 최대 90%까지 적용되던 세율이 28% 선으로 뚝 떨어지는 세금개혁법이 통과됐다. 레이건 대통령은 그간의 조세 체계가 "비미국적"이라며 "현행 세법의 가파른 누진율은 개인의 경제적 활기의 심장을 옥죄고 있었다"고 말했다. 저자들은 레이건 대통령 이후로도 미국의 정치·경제·지식 엘리트들이 법인세 인하 등을 통해 '경제적 활기'를 북돋고, 트리클 다운(부의 낙수효과)이 가능하다는 세계관을 가지고 있었기에 조세 제도가 불평등하게 짜였다는 점을 지적한다. "자본에 대한 조세 부담을 경감시켜 준다는 것은, 소득 중 큰 부분을 자본을 통해 얻는 부유한 이들이 더 많은 자본을 축적할 수 있도록 구조적으로 뒷받침해 준다는 말과 같다. … 상위 1%가 소유하고 있는 부의 비중은 1980년대 말 22%였지만, 2018년 현재 38%로 폭증했다. 반면 하위 90%에 속하는 이들이 소유한 부는 같은 기간 40%에서 27%로 줄어들었다." 모두가 알다시피 지난 몇십년간 트리클 다운은 없었고, 소득 격차는 더 벌어졌으며, 불평등은 심화했다.

그렇다면 그들(슈퍼리치)이 나보다 '더' 내게 할 수 있는 방법은 무엇일까. 책에서는 최상위층의 평균 세율을 현재 30%에서 60% 수준으로 두 배 정도 높이고, 부의 피라미드 정점에 있는 이들에게 누진적인 부유세를 매기는 것을 주요 해법으로 제시한다.

또 납세 수단을 다양화해 현금이 아닌 주식으로 세금을 내게 하는 방법까지도 생각하자고 한다. 희망적이지만, 동시에 너무 이상적으로 느껴지기도 한다. 저자들이 제시한 해법에 쉽게 동의하지 못하더라도, 책을 다 읽은 후에 지금의 조세 제도를 어떻게 바꿔나가면 좋을지 생각해보는 의미가 있을 것 같다. "조세 정책의 변화는 대중들이 어느 날 불현듯 부자들의 짐을 덜어주겠노라고 마음을 먹어서 만들어진 것이 아니다. 세금 문제에서 불의가 승리하고 있는 것은 결국 민주주의를 부정하는 것이다. … 이것은 경제학자들이 대답할 수 있는 문제가 아닌 것이다. 모든 사람들이 민주적으로 숙고하고 투표하여 결정을 내리고 응답해야 할 일이다."[107]

87. 지속 가능한 ESG, 시장 감시 시스템부터 확립돼야

최근 ESG(환경・사회・지배구조) 이슈가 뜨겁게 달아올랐다. 2010년 사회적 책임 국제 표준(ISO 26000)과 수년 전 4차 산업혁명이 화두가 될 때와 같이 어딜 가나 ESG란 말이 들린다. ESG란 말 그대로 기업이 환경과 사회적 책임 경영을 다하고, 건전하고 투명한 지배구조를 가져야함을 의미한다.

세계적으로 기후위기 등 환경문제가 극심해지고, 무역장벽과 기업 투자 지표로 ESG가 강조되면서 세계 이슈의 큰 축으로 조명 받고 있는 측면이 크다. 이 때문에 우리나라 역시 민간 금융업계와 기업, 정부와 연기금, 국회까지 가세해 이슈를 띄우고 있다. 특히 정부의 그린뉴딜 재정지출, 한국거래소 ESG 공시 확대 계획, K-ESG 지표 정립 등의 정책 추진이 불을 더욱 지핀 측면이 있지만, 재정과 금융이 많이 몰렸기 때문으로 보인다.

ESG 열풍은 오랫동안 기업의 사회적 책임 평가와 확산 운동을 해온 시민사회 입장에서는 반가운 측면이 있지만, 정부 주도 정책에 대해서는 몇 가지 우려스러운 측면이 있다.

첫째, 정부의 역할 설정과 K-ESG 지표의 실효성 문제이다. 물론 ESG 관련 평가지표와 가이드라인이 국내외적으로 600개 정도라서 정부가 혼선을 줄이기 위해 최소한의 가이드라인을 제공할 수 있다.

하지만 ESG는 자발적 실천이 중요한 만큼, 너무 전면에 나서면 취지와 다르게 해석될 여지도 있다. 실효성이 없으면 더욱 그렇다. 지표 앞에 'K' 라는 글자를 붙였으면 완결성이 있어야 하지만 해외와 국내 지표 간의 정합성, 국내 기업이 속한 산업과 업종의 특수성 고려, 평가 잣대의 수준 등이 아직은 설익었다. 추후 진행 상황을 지켜봐야 하겠지만 결국 정부가 지표와 평가를 빌미로 기업 규제를 완화하거나 우수 등급 기업들에 과도한 인센티브를 부여하려는 게 아닌가 하는 의구심이 든다.

둘째, 한국거래소의 ESG 공시 확대와 국회에 발의된 공시 의무화 법안, K-ESG 지표 간의 관계 설정 문제이다. 지난 1월 거래소 발표에 따르면 오는 2030년까지 일정 규모 이상 기업 의무 공시, 2030년 이후 모든 코스피 상장사 의무 공시를 도입한다고 했다. 현재 총자산 2조원 이상 코스피 상장기업에 대해 지배구조(G)만 공시토록 되어 있어, 환경과 사회 부문으로 조속히 확대하고 대상도 늘려야 한다는 목소리가 높으나 이를 더욱 늦춘다는 것이다. 이 때문에 K-ESG 지표가 도입되면 거래소 의무 공시 확대와 국회에 발의된 공시 법안들이 조용히 사라지는 게 아닌가 하는 우려도 있다.

ESG 경영은 기업시민으로서의 책임이자 경쟁 및 생존 전략이다. 열풍이 냉풍이 되지 않으려면 시장에서 자율적으로 감시될 수 있도록 공시체계부터 확립해야 한다.

정부가 나서겠다면 투자자와 시민들이 기업의 리스크를 확인할 수 있도록 거래소 공시계획을 앞당기고, 비공개되고 있는 환경 관련법, 노동 관계법, 공정거래 및 금융 관련법 위반 기업 등 준법 정보부터 투명하게 공개해야 한다.[108]

한국 주식시장이 저평가돼 있다는 것은 지난 2000년대부터 끊임없이 지적돼 왔다. 소위 '코리아 디스카운트' 로 불리는 이 현상에 대해 지금까지 많은 분석이 있었다. 취약한 한국 기업의 지배구조, 과도한 세금 부담, 지정학적 리스크 등이 주요한 원인으로 지적되고 있다. 정부도 이러한 문제점을 인식하고 지난 2월 기업지배구조 개선 및 법인세·상속증여세 등의 개편을 골자로 한 코리아 디스카운트 해소방안을 밝힌 바 있다.

한국은 1997년 외환위기 이후 외부로부터의 강제적 조정을 통해 기업지배구조 변화를 요구받아 왔다. 어찌 보면 미국에서 보여진 형태의 강제성을 통한 발전을 도모해 왔다고 볼 수 있다. 문제는 소유와 경영이 분리되지 않은 한국 재벌체제가 유지되고 있는 상황에서 이러한 강제적 변화는 그 한계를 분명히 보여주고 있다.

한국 재벌 가문의 가장 큰 관심은 아마도 경영권을 다음 세대에 어떻게 안정적으로 전달할 것인가가 아닌가 싶다. 정부는 상속증여세율을 경제협력개발기구(OECD) 평균 수준으로 낮추는 방안을 검토하고 있으며 코리아 디스카운트 해결의 한 방안으로 제시하고 있다. 이러한 방향은 크게 봐서는 틀리지 않았고 필요하다고 보인다. 문제는 이러한 당근에 대한 대가가 어떻게 지불될 수 있느냐 하는 것이다. 실제 정부는 상속증여세율 인하와 더불어 각종 기업지배구조 개선책을 함께 내놓았으나 기업들의 반응은 그리 적극적이지 않다.

한미재무학회(KAFA)는 지난 1991년 미주지역 재무 연구자들의 학술적 발전 및 상호교류 증진을 목적으로 발족한 학술단체다. 30여년간 발전을 거듭해 현재 미주는 물론 한국을 비롯한 아시아 지역과 유럽·호주 지역 한인 연구자들의 모임으로 발전했다. 파이낸셜뉴스는 지난 2007년부터 한미재무학회의 학문적 성취를 장려하기 위해 KAFA를 후원하고 있다.[109]

88. 골목은 백종원도 구원 못한다

바이러스 대처법이 나라마다 다를 리 없지만 같은 것도 다르게 해석할 수 있는 문화의 힘은 엄청나다. 마스크 착용을 개인 자유의 억압으로 받아들이고, 백신 접종 권고를 국가의 폭력으로 이해하면 방역정책이 옳은들 효과는 미진하다. 그런데 이게 수백년을 거쳐서 형성된 정서인지라 논리적으로 설명한들 고정관념은 견고하다.

거리 두기는 자영업자들이 영업제한을 받아들일 때 가능하다. 여러 나라에서 '한국에서 볼 땐 파격적인' 지원금을, 그것도 여러 번 지급하면서 불씨의 번짐을 막았다. 파격을 파격이 아니라고 해석하니까 소모적인 논쟁도 없었다. 사회에 반드시 필요한 사람들이, 일할 자유를 빼앗겼으니 저들을 더 지원하는 건 당연하다는 태도였다.

한국이었다면 같은 정책이 순항했을까? 들리는 이야기론 그렇게 하지 않은 정부에 대한 원망이 큰 것 같다. 영업제한을 받는 업종에 팍팍 돈을 주지도 않고 거리 두기만 강화하니 효과가 없다는 원성과 25만원 준다고 생색내지 말고 진짜로 힘든 이들을 도우라는 지탄이 자자하다. 그럼, 한국의 자영업자들에게 묻지도 따지지도 않고 몇 천만원이 지급되면 사람들은 박수를 칠까? 글쎄다. 그 돈은 지금까지의 손실에 비하면 결코 많은 금액도 아니겠지만, 이건 논리의 영역이고 대중의 감정이 이와 일치할지는 의문이다.

한국 사회에서 '장사하는 사람들'이 소비되는 방식은 너무나도 탈사회적이다. 잠시만 TV 채널을 돌려도 이들을 초인, 달인, 고수들로 포장하기 바쁜 영상들을 볼 수 있다. 고군분투했으니 고진감래 아니겠냐는 천편일률적인 서사도 반드시 언급된다. 갑부가 되었다는 아무개의 생애과정은 유사하다. 식당 몇 개가 망하면서 극단적인 생각도 했으나 이를 악물었고, 결국 지금의 부를 이룬 신화의 주인공은 외친다. "땀은 배신하지 않는다!"

무용담만이 부유하는 곳에서 이들은 성공해서 대박이 난들, 실패해서 쪽박을 차든 다 자기 선택에 따른 결과라는 울타리 속에 갇힌다. 장사하는 사람들을 위한 사회안전망을 마련하자고 하면 어딘가 앞뒤가 맞지 않는 느낌을 풍기는 이유다. 그러니 힘들다는 이들의 하소연까지는 경청하지만, 백 단위가 아닌 천 단위의 돈이 필요하다고 하면 반응이 날카롭다. "장사하면서 위험을 감수하는 건 당연한 거 아니야?" "솔직히 가게 차렸다는 건 원래 잘산다는 거지, 팔자 좋게 카페 차려 편하게 살았던 사람을 왜 세금으로 도와줘?" 등등의 반응들이 불쑥불쑥 등장한다. 소상공인 대부분은 이런 대접을 받아서는 안 될 사람들이지만, 일반인들 머릿속에 입력된 정보는 이분법적이기에 특정 상황에 대한 해석도 투박하다.

자영업자가 너무 많다는 것부터가 잘못된 단추였을 거다. 경쟁이 필연적이고 그렇기에 성공과정은 전투적이다. 이 양념에 길들여진 대중은 더 자극적인 것을 원하고 결국 고통은 극복기의 소재로서만 반짝한다. 웅장하고 감동적인 서사는 누군가를 이 지옥으로 끌어들이는 유인책이 된다.

임금노동이 불안정해서 이 지경이 되었는데, '새롭게 출발하겠다!' 는 사람들이 많은 곳에서 잘못된 구조는 은폐된다. 모든 것은 선택일 뿐이라는 곳에선 강자만 살아남는 오징어 게임만이 '공정하다면서' 반복된다. 골목은 백종원이 구원할 수 없다.[110]

골목 상권은 주택가의 골목 따위에 위치한 소형 슈퍼마켓이나 재래시장의 세력이 미치는 범위를 말하는데, 대형 마켓이나 백화점이 들어서면서 이러한 상권이 어려움에 처하고 있다.

전통시장과 달리 기존 정책에서 소외됐던 소규모 골목상권과 소상공인을 지원하기 위한 것으로 특성 있는 골목상권을 발굴하고 체계적인 육성을 통해 소상공인의 지역공동체 기반 조성 및 경쟁력 있는 지역 상권 구축을 목적으로 하고 있다.

각 골목상권만의 특성에 맞는 사업들을 골목상권 스스로 개발해 자생력을 강화할 것이며, 앞으로도 골목상권과 소상공인들을 위한 다양한 지원 사업들을 추진해야 한다. 중소기업들은 영세 기업과 골목 상권의 고사가 불가피해 생계형 적합 업종의 법제화가 반드시 필요하다는 입장이다.

89. 불평등 완화 · 코로나 이후 대전환 준비해야

코로나19 팬데믹은 경제에도 심대한 타격을 입혔다. 글로벌 공급망 차질은 국내 기업들의 생존을 위협하고 있으며, 내수는 부진의 늪에서 헤어나오지 못하고 있다. 집값 급등과 일자리 부족으로 시민의 고통은 날로 커지고 있다. 10년 뒤 잠재성장률이 1% 아래로 떨어진다는 전망이 나왔다.

차기 대통령은 팬데믹으로 무너진 경제를 회복하면서 모든 경제 주체가 고르게 경제활동의 성과를 가져가도록 하는 경제민주화까지 이루는 막중한 책임을 져야 한다.

서울 통인동 참여연대에서 지난달 9일 열린 '불평등끝장 2022대선유권자네트워크' 발족 기자회견에서 노동·시민단체 회원들이 구호를 외치고 있다. 대선유권자 네트워크는 사회보장 국가책임 강화, 부동산 투기 근절 및 주거 불평등 해소, 비정규노동자의 고용안정 및 차별해소 등 3대 방향 13개 정책과제를 제시했다(연합뉴스)

가. 집값 안정과 가계부채 감소가 발등의 불

2022년 대선의 중요한 의제 중 하나는 갈수록 심화되는 사회·경제적 불평등의 해소이다. 문재인 정부의 부동산 정책 실패는 주거권을 위협하는 것을 넘어 자산 불평등까지 심화시켰다.

서울 아파트 평균 매매가격은 2017년 4월 5억6774만원에서 지난 10월 11억4066만원으로 103% 올랐다. 같은 기간 코스피지수는 30%가량 상승했고, 소득 증가율은 17.8%에 그쳤다. 지방의 집값 상승률은 서울의 절반 수준이다. 집값 급등은 부익부 빈익빈을 심화시켜 사회 갈등을 야기한다. 차기 대통령의 가장 중요한 책무로 집값 안정이 떠오른 이유이다. 문재인 정부 들어서만 30% 넘게 불어나 1845조원에 이르는 가계부채 규모를 줄여나가는 것도 숙제다.

코로나 팬데믹은 모든 경제 주체들을 어렵게 했지만 그중에서도 유독 약자들을 고통으로 몰아넣었다. 자영업자 도산이 잇따르고 청년은 일자리를 구하지 못하고 있다. 고용 불안은 플랫폼·특수고용 등 제도권 밖 새로운 형태의 노동자를 양산했다. 한국고용정보원은 11월 기준 플랫폼노동자가 전체 취업자의 8.5%인 220만명에 이를 것으로 추산했다. 1년 만에 약 40만명이 늘었다. 고용보험에 가입한 특수고용노동자는 50만여명뿐이다. 이들을 보호하는 법적·제도적 장치 마련은 발등의 불이다.

취약계층에서도 노인 빈곤은 더욱 두드러진다. 한국의 65세 이상 고용률은 2020년 기준 34.1%로, 경제협력개발기구(OECD) 평균(14.7%)의 두 배 이상으로 회원국 중 1위다. 고령층 노동은 청년층과 일자리를 두고 다투는 '세대 갈등'으로 비화하고 있다. 고령층과 청년 등 취약계층 빈곤을 해소할 대책이 필요하다. 이번 대선에서 후보들이 기본소득에 대해 활발한 토론을 벌이고, 차기 대통령이 이를 보완해 정책으로 실현하기를 기대한다.

사회 최약자인 5인 미만 사업장 노동자에 대한 대책 없이는 불평등 완화를 논의할 수 없다. 전체 사업장의 70%, 전체 노동자의 4분의 1을 차지하는 이들은 노동자로서 누려야 할 당연한 권리조차 누리지 못한다. 산업재해로부터 보호도 받지 못하고 있다. 근로기준법 개정과 내년 1월27일부터 시행될 중대재해처벌법 개정을 서둘러 이들에게 법적 보호망을 씌워주어야 할 이유이다.

유엔무역개발회의(UNCTAD)가 올해 한국을 선진국으로 분류했지만, 노동 분야는 여전히 후진국이다. 그런데 대선 후보들의 인식 수준은 낮다. 윤석열 국민의힘 후보는 최근 "정부의 최저시급제, 주 52시간 제도 등은 대단히 비현실적"이라며 "철폐하겠다"고 했다. 주요 제도를 두고 개선이 아닌 철폐를 언급한 것은 노동에 대한 무지를 드러낸다. 이런 관점으로 허다한 노동 현안과 불평등 문제에 어떻게 대처한다는 것인지 의문이 든다.

차기 정부의 현안 중 대표적인 게 노동시간 단축이다. 유럽은 1993년부터 주 35시간제를 채택했고, 주 4일제도 확산되고 있다. 이재명 더불어민주당, 심상정 정의당 후보가 주 4일제 도입을 공약으로 내건 만큼 제도 도입 논의를 차분히 진행할 필요가 있다.

나. 탈탄소, 노동자 피해없게 정의로운 전환을

코로나 팬데믹은 패러다임의 대전환을 요구한다. 기후변화에 따른 산업 전환(탈탄소 전환)은 사회·경제 전반에 큰 변화를 초래할 것이다. 그 과정에서 노동자나 지역사회에 피해가 돌아가지 않도록 교육훈련과 재정지원으로 뒷받침하는 '정의로운 전환'을 실현해야 한다.

주력 산업의 구조 변화도 시급하다. 2001년 김대중 대통령은 정보기술(IT), 바이오기술(BT), 문화콘텐츠기술(CT) 등을 차세대 성장산업으로 육성하기로 했다. 지금 한국 경제 주력 산업의 청사진은 20년 전에 나온 것이다. 국가 차원에서 성장동력을 발굴하고 정책적으로 지원해야 한다.

최근 요소수 품귀 사태에서 보듯 글로벌 경제전쟁에서 생존하려면 기업과 정부의 협업이 중요하다. 세계 8위 무역대국에 걸맞은 통상외교력을 강화하는 방안도 모색해야 한다.

비상상황에서는 정부 재정의 역할을 확대해야 한다. 코로나 방역과 치료에 만전을 기하고, 형편이 어려운 시민을 보호하고, 기업의 생산활동을 지원하려면 당연히 재정이 더 들어간다.

경제관료들은 여전히 재정건전성을 앞세우고 있다. 치열한 토론과 설득을 통해 확대재정을 이끌어내는 대통령이 되어야 한다. 여야 대선 후보들의 공약이 매우 모호하다. 포스트 코로나 시대에 어떻게 경제를 살리고 불평등을 완화할지 구체적인 공약을 제시해야 한다. 대전환기에 맞는 청사진을 제시하는 것이 차기 정부를 이끌어가겠다는 대선 후보의 책무임을 명심하기 바란다.[111]

90. 잘못된 소셜미디어 이용…또 전쟁보도 난맥상

클라우제비츠는 <전쟁론>에서 전쟁을 정치와는 다른 수단으로 수행하는 정치의 연속이라고 했다. 그러나 정치학이나 전쟁학에서의 개념 정의와는 별개로 전쟁을 정치로 보기에는 너무 가혹한 것이 인류사의 경험이다. 피해는 말할 것도 없고 결과에 따라 패자는 승자에 복종해야 하는 전쟁은 어찌 보면 가장 잔인한 정치 행위이다. 지난 2월25일 러시아의 우크라이나 침공은 자국 이익을 둘러싼 국제정치의 냉혹함을 다시 보여주었다.

2022년 벽두에 전 세계를 놀라게 한 우크라이나 침공은 우리나라 언론의 몇몇 문제점을 다시 보여주었다. 그동안 국제분쟁 과정에서 무수히 나타난 한국 언론의 현지 취재원 부족, 여론 인식, 전쟁 위험성 인식, 국제정세 오판 등 난맥상이 또 드러났다. 충격적인 것은 전쟁으로 고통받는 우크라이나 시민에 대한 공감보다 정치권의 전쟁 책임론, 선거 책임론까지 고스란히 언론이 중계했다는 것이다.

이번 전쟁에서 크게 주목받는 플랫폼은 유튜브, 틱톡, 트위터 등 소셜미디어이다. 위성인터넷으로 지상 네트워크가 붕괴되어도 소셜미디어가 전 세계와 연결되어 있기 때문이다. 그런데 이 소셜미디어의 언론 이용법에도 문제가 드러났다. 대표적으로 KBS, MBC는 유튜브를 통해 교전 중인 우크라이나 수도 키이우(키예프)의 CCTV 영상을 실시간으로 송출했다. 사실을 전달하여 시민들에게 알권리를 보장하겠다는 취지이지만 전쟁이 게임과 영화, 오락처럼 비치는 것은 어쩔 수 없다. 심지어 댓글창에는 전쟁게임을 하는 듯한 대량살상무기와 핵무기 사용, 국가 비하, 인종 차별적인 댓글이 게시되는데도 전혀 관리하지 못했다.

뿐만 아니라 언론사들이 제공하고 있는 소셜미디어의 인용 뉴스도 문제점이 크다. 전쟁이 시작되면서 국내 언론사들은 소셜미디어에 올라온 러시아 탱크의 진격, 전투 장면, 건물 폭격, 피해상황 등을 중계하고 있다. 공식 취재나 검증 없이 소셜미디어 동영상이 책임 있는 언론사의 뉴스로 바뀌고 있는 것이다. 언론사들은 동영상 정보로 시민들에게 생생하게 뉴스를 제공하려 했겠지만, 근본적으로 전쟁의 맥락이나 해설 없이 자극적인 전쟁 모습만 전달하는 것이 무슨 의미가 있을까? 거기에 더해 일부 소셜미디어 정보는 러시아 정부가 개입된 가짜뉴스로까지 의심받고 있다. 연합뉴스는 2월24일자 '핵무기' 관련 속보 기사가 연합뉴스와 관련이 없다고 해명했다. 전쟁이란 혼란상을 악용한 가짜뉴스 확산조차 걸러

내기 힘들게 되었다.

이와 달리 시민들의 소셜미디어 이용법은 달랐다. 전쟁 원인과 과정에 대해 지적하고, 결국 러시아와 우크라이나 시민이 이번 전쟁의 가장 큰 피해자라는 데 초점을 두었다. 시민들이 올린 무장하지 않은 시민이 탱크를 막아서는 모습, 평화를 호소하는 시민들의 인터뷰, 피란행렬과 방공호의 참상, 전쟁에 참여하기 위해 가족들과 이별하는 동영상은 소셜미디어를 타고 전 세계에 소개되면서 전쟁이 개인, 사회와 국가에 얼마나 큰 비극인지 알려주었다. 여기에 전 세계 시민들도 가세했다. 소셜미디어로 우크라이나 전쟁 상황을 국내외에 알리고 있고 부당한 침략에 항의하고 있다. 전쟁 중단과 평화를 기원하는 세계인들의 직접행동으로 소셜미디어 해시태그(#) 릴레이도 진행 중이다.

전쟁의 가장 큰 피해자는 민간인이다. 어린이와 노약자, 여성들은 심각한 위험에 처할 수 있다. 비단 우크라이나만이 아니라 젊은이들을 파병한 러시아 역시 마찬가지이다. 전쟁이란 인류사의 비극에서 언론이 전쟁정보 제공에 좀 더 신중을 기해야 하는 이유이다. 그리고 전쟁이란 비극에서 언론이 손쉽지만 검증되지 않은 소셜미디어 인용에 빠지기보다 심도 있고 체계적 정보 전달이 필요한 이유이기도 하다.[112]

한국일보

2022년 03월 07일
03면 (정치)

부실선거 맞지만, 부정선거로 보긴 어려워

코로나19 확진자·격리자의 사전투표가 지난 5일 극심한 혼란 속에서 진행됐다. 중앙선거관리위원회의 안일한 준비와 부실한 현장 대응을 두고 질타가 거센 가운데 일각에선 '부정선거' 의혹도 제기됐다. 선관위와 정치권의 설명, 공직선거법 규정 등을 바탕으로 대혼란의 원인과 부정선거 가능성 등을 살펴봤다. 결론부터 말하면 선관위의 오판에 따른 '부실선거'임은 분명하지만 '부정선거'로 보긴 어렵다.

-확진·격리자가 기표한 투표용지를 정식 투표함에 직접 넣지 못한 건 왜인가.

감염 확산을 막기 위해 확진·격리자와 일반 선거인의 동선을 나눴지만, 투표함을 별도로 설치할 순 없어 불가피했다. 선거법에 '투표구마다 선거구별로 동시에 2개의 투표함을 사용할 수 있다'고 돼 있기 때문이다(관내 선거인과 관외 선거인 투표함은 선거구가 다르기 때문에 따로 둘 수 있었다).

-투표용지를 제3자가 대신 넣은 것은 '직접 선거 원칙 위배 혹은 선거법 위반 아닌가.

선거법은 선거인이 투표함에 투표용지를 넣어야 한다고 규정하고 있다. 선관위는 "특수한 상황에서 확진·격리자 투표를 위해 선거법에 따라 마련한 투표방법이었으니 불법이 아니다"라는 취지로 설명한다. 2020년 총선과 지난해 4·7 재보궐 선거 때도 마찬가지였다는 반례도 든다. 당시엔 격리 중 투표자가 적어서 논란이 생기지 않은 것으로 보인다.

직접 선거 원칙 위배 논란의 소지를 감안해 중앙선관위는 9일 본투표에서는 임시 기표소를 없애고 확진·격리자가 비감염자 투표가 끝난 뒤 일반 기표소에서 투표하게 하는 방안을 검토 중이다.

사전투표 '부정' 소지있나 Q&A

운반과정 오해 방지 위해 박스 사용
사무원 대리 투입, 지난 총선과 동일
보관함 준비·위법성 확인 소홀 문제

확진·격리 선거인 수 너무 적게 잡아
"기표 용지 배부는 사무원 실수" 해명

-투표용지를 왜 바구니, 택배상자, 비닐백 같은 허술한 곳에 담아 옮겼나.

선관위가 "바구니나 상자를 쓰라"는 지침을 내려 보냈다. 투표용지 운반 도구(임시보관함)의 내부를 들여다볼 수 있어야 부정선거 소지가 없다는 게 선관위 설명이다. 밀폐된 '007가방' 등을 썼다면 의심이 더 커질 수 있다는 것이다. 그럼에도 선관위가 안전하고 규격화된 임시보관함을 도입하지 않은 건 문제다.

-확진·격리자 사전투표가 참관인 없이 진행된 투표소도 있다.

투표소별로 경위 조사가 필요한 부분이다. 선관위는 확진·격리자용 임시기표소 참관인을 대선후보별로 1명씩, 총 2~6명 지정할 수 있게 지침을 내렸다. 확진·격리자가 몰려든 일부 투표소의 경우 일반기표소와 임시기표소에서 투표를 동시에 진행하는 바람에 참관인이 부족했을 수 있다. 선관위는 참관인용 방호복을 투표소 1곳당 6벌씩만 지급하는 등 기본적 대비에도 소홀했다.

-확진자들이 몇 시간씩 야외에서 줄을 섰다는 불만도 속출한다.

선관위가 확진·격리자 선거인 수를 과소 예측한 탓이 크다. 전국 어느 곳에서나 투표할 수 있는 사전투표의 특성상 일부 투표소에 확진·격리자가 몰릴 수 있다는 점도 간과했다. 더 근본적인 원인은 확진·격리자의 사전투표 시간을 별도로 정하지 않은 데 있다. 지난달 여야는 확진·격리자가 본투표일인 9일 오후 6시~7시30분에 투표할 수 있도록 선거법을 개정했다. 윤호중 더불어민주당 원내대표는 6일 "사전투표도 본투표처럼 확진·격리자를 위한 별도 투표시간을 내달라'고 선관위에 요구했지만 선관위가 '철저하게 준비하면 문제없을 것'이라며 시종일관 반대했다"고 전했다.

-임시기표소가 투표소마다 제각각이었다.

투표소 사정에 따라 임시기표소 설치가 가능한 공간에 임의로 설치하도록 지시한 선관위 지침에 따른 것이다. 투표소 건물 구조가 제각각이기 때문이라는 해명이지만, 이로 인해 확진·격리자들이 야외에서 장시간 대기하는 문제가 생겼다. '탁상 행정'이라는 비판이 나온다.

-서울 은평구 투표소에선 특정 대선후보로 이미 기표된 투표용지가 배부돼 부정선거 의혹을 키웠다.

선관위는 "정확한 사실관계 조사가 필요한 부분"이라고 답했다. 해당 선관위는 "선거사무원의 착오로 인한 실수"라고 해명했다고 한다. 고의성이 확인되면 선거법상 투표위조죄나 선거의 자유 방해죄로 처벌받게 된다.

-핵심은 부정선거 여부다. 가능성이 있나.

총체적으로 부실했던 것은 맞지만, 그것이 부정선거 가능성과 직결되는 것은 아니다. 여야도 파장을 우려해 '부정선거'를 입에 올리지 않고 있다. 다만 개표 결과 1, 2위 후보의 득표율에 큰 차이가 없을 경우 패배한 쪽에서 부정선거 의혹에 불을 지필 가능성이 우려된다.

이성택 기자

(17.8×21.9)cm

91. 하이브리드 워크의 그늘

유럽 각국에서는 코로나19 대유행이 잠잠해지면서 원격근무와 사무실 근무를 병행하는 하이브리드 워크가 보편화되고 있다.

출근과 재택을 병행하는 '하이브리드 근무'를 하는 직장인들이 더욱 행복하고 건강하며, 의욕과 생산성도 높다는 조사·연구 결과가 잇따라 나왔다. '하이브리드 근무'가 회사와 직장인 둘 모두에게 좋은 '윈윈(Win-Win)'이라는 것이다.

프랑스 장조레 재단의 조사에 따르면, 2021~2022년 독일 노동자 중 51%, 이탈리아 노동자 중 50%, 영국 노동자 중 42%가 주중 최소 한 번은 원격근무를 한 것으로 나타났다. 독일에서는 코로나19 이후 재택근무에 대한 노동자의 권리를 보장하고, 노사 간 협의를 강조하는 재택근무법을 세계 최초로 도입하고자 하였으며 이는 노동자의 재택근무 사용 권리를 법률로 보장하려는 선제적인 조치로 평가받았다.

사진=게티이미지뱅크

영국에서도 코로나19 이후 하이브리드 근무가 새로운 근무 형태로 떠오르고 있다. 유고브(YouGov Poll)가 실시한 조사에 따르면 영국 금융업계 종사자 중 86%는 사무실이 더 이상 주 업무장소가 되지 않을 것이라 응답하며 하이브리드 근무로의 전환을 일의 미래로 전망했다. 이는 영국 노동자들의 거세진 하이브리드 근무 요구를 보여준다. 이 밖에도 이탈리아, 에스토니아, 몰타, 포르투갈 등은 원격근무 중인 타 국민이 자국에 일정 기간 거주할 수 있도록 하는 디지털 노마드 비자를 발급하여 하이브리드 근무를 장려하고 있다.

이처럼 유럽 내 하이브리드 근무가 확산되고 있지만 역기능도 확인되고 있다. 조직문화의 약화, 재택근무를 택한 직원들에 대한 괴롭힘 증가, 사무실 근무자와 재택근무자 간 승진 기회 및 급여 협상 시 불평등 등이 대표적인 예로 꼽힌다. 최근 발표된 다수의 연구는 하이브리드 근무의 증가가 사무실 근무자와 재택근무자 간의 유대감 약화를 가져오고, 조직문화의 유지를 저해한다고 주장한다. 또한 이전의 사무실 근무와는 다르게 하이브리드 워크 도입 이후, 중간관리자의 직접적인 관리, 감독이 줄어들면서 하이브리드 근무자들이 직장 내에서 소외되고, 의사결정 과정에서 배제되는 경향이 있다는 것이 확인되었다. 이 밖에도 하이브리드 근무자와 사무실 근무자 간의 승진 기회 격차를 지적하는 조사 및 연구도 발표되었다.

퓨처포럼(Future Forum)의 조사에 따르면, 최고경영자 10명 중 4명은 하이브리드 근무 확대 시 사무실에서 자주 보는 사람들을 선호하여 이들을 하이브리드 근무자보다 승진 시 우대하는 근접 편향에 대한 우려를 내비쳤다. 즉 사무실 근무자와 원격근무자 간에 평가, 승진 기회가 불평등할 수 있다는 것이다. 게다가 이러한 편향성이 여성에게 불리하게 작용한다는 시각도 있다. 일반적으로 남성에 비해 돌봄 및 가사에 많은 시간을 쓰는 여성은 하이브리드 근무, 유연근무를 선호하는 경향이 있다. 여성이 사무실 근무를 적게 했다는 이유로 승진 기회를 제한한다는 것은 하이브리드 근무가 여성의 경력 개발에 독이 될 수도 있다는 사실을 보여준다.

최근 한국에서는 네이버가 직원들의 부분 및 전면 원격근무를 허용하는 '커넥티드 워크(Connected Work)' 제도를 도입한다고 밝혔다. 네이버의 이번 결정은 코로나19 이후 근무 형태를 고민 중인 국내 다른 기업에도 영향을 미칠 것으로 전망된다. 장시간 노동과 경직된 조직문화를 갖고 있다고 평가받는 한국 기업들이 하이브리드 워크와 같은 근무환경 다양성을 어떻게 이해하고 받아들일지 귀추가 주목된다.[113][114]

사진 = 뉴시스

92. 대기업과 부자만을 위한 '나쁜 자유'를 경계한다

'판교의 등대'가 다시 불을 밝힐 가능성이 커졌다. 게임업계는 이미 변형된 주 52시간제를 시행 중이다. 일이 많은 주에는 노동시간을 늘리고, 적을 때는 줄여 주 평균 52시간만 맞추면 되도록 했다. 게임업계 경영진이 최근 이 같은 선택근로제와 탄력근로제의 단위기간을 늘려줄 것을 정부에 요청했다. 앞서 고용노동부가 주 52시간제 연장근로시간을 월 단위로 바꾸는 것을 핵심으로 한 '노동시장 개혁 추진방향'을 내놓자 기업들이 발빠르게 민원을 제기한 것이다.

윤석열 대통령이 취임사에서 35차례 언급했던 '자유' 개념이 점차 명확해지고 있다. 신자유주의 사회·경제 시스템이 말하는 자유였다. 윤 대통령은 밀턴 프리드먼의 <선택할 자유>를 감명 깊게 읽었다고 했다. 프리드먼은 신자유주의의 아버지로 불리는 경제학자이다. 작은 정부를 지향하고 규제를 완화해 민간주도 성장을 하겠다는 정부의 경제정책 방향은 신자유주의 기조를 따르고 있다.

정부의 노동개혁 추진에 따라 게임업계 선택·탄력 근로제 단위시간이 연장되면 어떻게 될까. 새로운 게임 출시가 중요한 게임업체로서는 원하는 시기에 새 상품을 내놓을 수 있어 수익이 늘어날 수 있다. 반면 게임 개발자들은 '나중에 쉬게 해주겠다'는 지시에 따라 집중적인 고강도 노동에 시달릴 수밖에 없다. 판교의 게임업체들은 밤새 불이 꺼지지 않는 등대가 될 가능성이 높다. 노동자에게서 자유를 빼앗아 기업에 주는 꼴이다.

노동자의 죽거나 다치지 않을 권리도 침해받을 위기에 처했다. 중대재해처벌법은 시행한 지 5개월밖에 안 됐음에도 기업들의 요구를 받아들여 완화하는 쪽으로 방향을 잡았다. 국민의힘은 안전 인증을 받은 사업주와 경영책임자에게는 중대재해가 발생했을 때 처벌을 낮춰주는 내용의 개정안을 발의해놓고 있다. 실제 처벌도 미약하다. 노동부는 법 시행 이후 지난 27일까지 중대산업재해가 사망사고 84건(91명), 질병사고 2건 발생했다고 밝혔다. 중대재해법 위반 혐의로 수사 중인 사건은 절반이 안 되는 40건뿐이고, 그나마 기소된 사건은 1건에 그친다. 나머지는 산업안전보건법 위반으로 입건됐다.

법인세 최고세율을 22%로 인하해 투자를 늘리고 경제를 활성화하겠다는 구상은 일부 대기업에만 혜택이 돌아갈 우려가 크다. 나라살림연구소가 최근 내놓은 '법인세 최고세율 인하 정책에 대한 평가' 보고서를 보면 현재 최고세율 25%

를 적용받는 기업은 80여개뿐이다. 2020년 기준 법인세를 신고한 83만8000개 기업의 0.01%이다. 정부는 대기업 법인세를 깎아주면 투자와 이익이 증가하고, 중소기업에도 혜택이 돌아가는 낙수효과를 기대한다. 그러나 과거 이명박·박근혜 정부의 친기업 정책에 따른 낙수효과는 거의 없었던 것으로 이미 드러났다.

일부 고가 주택 보유자가 내는 종합부동산세도 부담이 내려간다. 종부세 과세대상자는 절반 가까이 줄어들 것으로 보인다. 정부는 집주인에 대한 혜택을 늘리는 내용의 '임대차 시장 안정 방안'도 내놨다. 한결같이 부자들의 세부담을 낮춰주는 정책이다.

대기업과 고소득 개인의 세부담을 낮추면 세수가 줄어들 게 뻔하다. 정부는 법인세 최고세율 인하로 세수가 2조~4조원 감소할 것으로 추산했다. 과표구간 조정으로 최저세율 적용 대상이 확대되면 세수 감소폭은 더 커질 수 있다. 세수 감소는 정부 재정여력을 약화시켜 복지에 쓰일 예산마저 줄어들게 한다. 취약한 시민과 기업의 자유를 증진할 공적 기능이 축소되는 결과를 가져올 수 있다.

경제사회학자 칼 폴라니는 〈거대한 전환〉에서 자유는 좋은 의미와 나쁜 의미가 있다고 썼다. 나쁜 의미로는 무제한으로 동료를 착취하려는 자유, 과도한 수익을 올리려는 자유, 과학기술 발명을 공익에 이용하지 못하도록 막는 자유 등을 꼽았다. 국가 규제가 대거 풀린 신자유주의 시장경제에서 횡행하는 자유를 오래전에 예견했다. 반면 양심·언론·집회·결사·직업선택 등은 입법활동을 통해 지켜야 할 좋은 자유이다.

지난 한 세대를 휩쓸었던 신자유주의는 수탈과 착취의 깊은 상처를 남긴 채 퇴장을 준비 중이다. 그래서 윤 대통령이 〈선택할 자유〉를 추천하자 1980년대 사고에 머물고 있다는 비판이 나왔다. 하지만 더 과거인 1940년대로 돌아가 〈거대한 전환〉에서도 영감을 얻을 수 있으니 비판만 할 일은 아니다. 윤 대통령이 대학시절 심취했다는 철학자 이마누엘 칸트의 '인간은 수단이 아닌 목적'이라는 명언도 새기길 바란다.[115]

93. 공공성이냐 기업성이냐, 공기업의 딜레마

매년 6월 중순이 되면 공기업 종사자들의 신경이 곤두선다. 6월 중순에서 하순 사이의 어느 날, 공기업 경영평가 결과가 발표되고 이에 따라 임직원 성과급 액수가 결정되기 때문이다. 경영평가 결과는 S부터 E까지 6개 등급으로 제시된다. 올해는 36개 공기업 중 동서발전이 최우수등급인 S를 받았으며 절반인 18개 공기업이 C 이하 등급을 받았다. C 이하 등급을 받은 공기업의 면면을 보자. 작년에 엄청난 적자를 봤고, 그래서 최근 요금인상으로 논란이 되었던 한국전력은 C를 받았다. 작년 직원들의 부동산 투기로 물의를 빚었던 한국토지주택공사(LH)는 D를 받았다. 그리고 작년과 올해 초 열차탈선사고가 발생한 코레일은 유일하게 최하등급인 E를 받았다.

민간기업의 경영성과는 시장에서 판가름 난다. 수익을 많이 내면 성과가 좋은 것이고 반대면 나쁜 것이다. 별도의 평가를 할 이유가 없다. 그런데 왜 공기업은 별도로 경영성과를 평가해야 할까? 시장에서 올리는 수익만으로 성과를 판단하기는 어렵기 때문이다.

공기업은 대부분 독점기업이다. 동일 업종에서 다수 기업이 경쟁하는 민간과는 다르다. 게다가 이들이 공급하는 재화와 서비스는 국민 생활에 필수적이다. 전기요금이 비싸도 이용하지 않을 도리는 없다. 해외에 나가려면 인천공항을, 제주도에 가려면 제주공항을 이용해야 한다. 부산에 가려면 열차를 타거나, 자가용을 몰고 가더라도 고속도로를 이용해야 한다.

가. 정부 정책에 동원돼 수익성 뒷전

필수재를 독점하는 기업이 수익을 많이 내는 방법은 간단하다. 가격을 올리면 된다. 가격이 올라가도 다른 방도가 없으니 울며 겨자 먹기로 구매해야 한다. 기업이야 좋겠지만 소비자인 국민은 피해를 본다. 그래서 필수재 독점기업은 민간 대신 공공이 소유하고 운용한다.

공공이 맡으면 수익을 내려고 일부러 가격을 올릴 염려는 없다. 하지만 충분히 예상되는 부작용이 있다. 열심히 일하지 않는 것이다. 경쟁이 없고 주인도 없다. 기업은 망할 위험이 없고 직원은 잘릴 염려가 없다. 도대체 열심히 일할 이유를 찾을 수 없다. 직원이 설렁설렁 일하는 것도 문제지만, CEO를 비롯한 임원진이 혁신을 위해 노력하지 않는다는 게 더 큰 문제다.

공기업 경영평가는 1980년대에 시작되었으니 거의 40년의 역사를 지닌다. 애초에는 공기업들이 주관부처 지시대로만 움직이고 능동적인 경영 마인드가 부족하다는 문제의식에서 비롯되었다. 그래서 경영에는 자율성을 부여하되, 성과를 평가하여 책임을 묻겠다는 취지로 시작했다. 이후 경영평가는 CEO와 임직원이 가장 신경 쓰는 업무가 되었다. 평가 덕에 실제로 얼마나 부지런히 일하게 되었는지는 모르겠다. 하지만 점수를 잘 받기 위해 무진 애를 쓰게 된 것만은 확실하다.

경영성과가 높은 공기업은 어떤 모습일까. 경쟁이 치열한 민간기업처럼 움직일 것이다. 치열한 경쟁 속에 소비자 선택을 받으려면 제품의 질은 높이고 가격은 낮춰야 한다. 그러려면 끊임없이 혁신을 고민하고 효율화를 위해 노력해야 한다.

흔히 공기업은 공공성과 기업성을 갖춰야 한다고 얘기한다. 기업성의 핵심은 수익을 내는 것이다. 공공성의 핵심은? 소비자인 국민에게 질 좋은 제품을 효율적으로 공급하는 것이다. 즉 공공성의 대상은 국민이고 목적은 국민의 효용 극대화이다. 물론 소비자뿐만 아니라 생산자도 국민이다. 그래서 공기업 직원의 복지 향상, 협력기업에 대한 적정한 처우 등도 공공성 항목에 포함된다. 그러나 핵심은 질 좋은 제품을 효율적으로 제공하는 것이다.

경영평가는 공공성과 기업성을 높이는 데 얼마나 기여했을까. 뜻밖에도(혹은 예상대로?) 그다지 성공적이지 못했다. 가장 중요한 이유는 정부가 공기업 공공성을 왜곡한 데 있다. 역대 정권 중 몇몇은 정부 정책에 동원하는 것을 공공성이라고 강변했다. 이명박 정부는 4대강 사업을 진행하면서 수자원 공사한테 8조원짜리 사업을 떠넘겼다. 또 광물자원공사, 석유공사, 가스공사를 자원외교에 동원했다. 문재인 정부 시절 공공부문 비정규직 제로 정책은 소위 인국공 사태를 야기했다. 탈원전 정책에 적극 동참한 한국수력원자력은 경영평가에서 줄곧 높은 점수를 받았다. 정부 정책목표 달성에 동원되다 보니 '질 좋은 제품의 효율적 제공' 은 뒷전으로 밀렸다.

나. 경영평가 개편 초점 수익성에 둬야

공공성과 기업성 비중도 정권마다 달랐다. 공공성은 '사회적 가치' 항목에서 주로 평가한다. 기업성은 '재무관리' 항목에서 중요하게 평가한다. 박근혜 정부 때는 '사회적 가치' 와 '재무관리 항목' 의 비중이 1 대 2였다. 문재인 정부에서는 5 대 1로 바뀌었다.

공기업 행태는 경영평가에 크게 좌우된다. 마음만은 국민에게 최상의 서비스를 제공하고 싶을지라도, 평가점수에 의해 성과를 인정받고 급여가 달라지니 어쩔 수 없다. 공공성, 아니 정확히는 공공성으로 포장한 정권의 정책목표를 강조하면 수익성은 떨어지기 쉽고 비용 절감 노력은 옅어지기 마련이다. 이명박 정부와 문재인 정부에서 공기업 부채가 대폭 늘어난 데는 정부 정책목표 달성에 동원되느라 어쩔 수 없이 진 빚 탓이 크지만, 거기에 편승한 느슨한 경영도 영향을 미쳤다.

정부는 경영평가 개편작업을 진행 중이다. 초점은 수익성 강조이다. 이전 정부에서 사회적 가치를 너무 중시한 탓에 수익성을 경시했으므로 이는 필요하다. 덧붙이자면 본래 의미의 공공성 회복, 즉 국민에게 질 높은 제품을 효율적으로 제공하는 것도 강조했으면 싶다. 그리고 무엇보다 40년 전 경영평가를 도입한 목적인 '자율적 경영 보장과 결과에 대한 책임' 을 구현할 수 있으면 좋겠다.

사족. 경영평가는 기획재정부가 담당한다. 비록 정치권의 주문 때문이라고는 해도 어쨌든 공기업 경영이 왜곡된 데는, 그렇게 경영평가를 설계하고 운용한 기재부 책임이 크다. 나는 기재부가 정치권의 요구에 좀 더 의연했으면 좋겠다. 끝까지 거부할 수는 없겠지만 최대한 설득하기 위해 노력했으면 좋겠다. 아울러 공기업을 존중했으면 좋겠다. 그래야 국민에게 최상의 서비스를 제공하려는 의욕이 높아지기 때문이다. 인지상정이다. 내가 존중받아야 남을 존중한다.[116]

94. 복합위기 시대와 회복탄력사회

코로나19 사태라는 전대미문의 충격이 채 가시기도 전에, 우크라이나 전쟁을 비롯해 공급망 차질과 에너지난 등 온갖 불확실성이 중첩되면서 이른바 복합위기가 도래하고 있다. 본래 위기가 끔찍한 것은 그 충격이 한 번에 그치지 않고 꼬리를 물고 또 다른 위기의 원인으로 작용하곤 하는 탓이다.

지금도 코로나19에 맞선 대규모 경기부양책에다 코로나19 장기화에 따른 공급 차질이 맞물리면서 고강도 인플레이션이 빚어지고 있고, 또 이에 맞선 공세적 금리 인상, 게다가 그 여파로 경기침체 위험이 뒤를 잇는 상황이다. 아울러 코로나19라는 자연재해 충격은 더욱 본질적인 기후변화의 위험을 절감케 하며, 코로나19 대응 과정에서 드러난 각국 간 갈등은 이미 그 이전부터 들끓던 국제적 긴장을 한층 증폭시키고 있다.

세계적 경제석학인 마커스 브루너마이어 교수(프린스턴대학)는 최근에 국내 번역된 <회복탄력 사회>를 통해 복합위기의 시대에 '회복탄력 사회'라는 처방을 제시한다. 포스트 코로나 사회를 설계할 길잡이로서 '회복탄력성'(resilience)에 주목한 것이다. 회복탄력성은 충격 이후에 다시 일어서는 능력을 의미한다. 우리는 통상적으로 위기를 막아낼 '견고성'에 집착한다. 하지만 브루너마이어 교수는 '떡갈나무와 갈대'의 비유를 댄다. 견고한 떡갈나무는 웬만한 강풍도 견뎌내지만 정작 태풍 같은 거센 충격에 직면하면 부러진다. 반면에 갈대는 가벼운 바람에도 흔들리지만 태풍이 불어도 꺾이지 않고 다시 일어서는 속성을 지닌다.

이처럼 갈대와 같은 회복탄력성은 원상 복귀 능력을 중시하는 '안정성' 개념도 넘어선다. 안정성은 주로 일상적이고 사소한 충격에 국한되는 반면, 회복탄력성은 견고성의 벽을 뚫고 들어오는 충격도 받아들인다. 사실 때로는 위기를 아예 회피하기보다는 어느 정도 대가를 치르더라도 위기를 감내하는 편이 낫다. 위기는 평소에 필요하던 조정을 실행에 옮길 기회이기 때문이다. 조정이 없으면 시간이 지날수록 불균형이 누적되고 그만큼 위기는 더 심각해진다. 반대로 소소한 위기에도 회복력이 좋다면 사회는 한층 강화된다. 이런 현상을 '변동성 역설'이라고 한다. 변동성이 매우 낮은 상황일수록 가장 조심해야 할 때다.

물론 회복탄력성에도 대가가 따른다. 회복탄력성은 위기 충격을 완충할 수 있는 '가외성'(redundancy)을 필요로 하는데, 그런 만큼 효율성이 희생될 수 있기 때문이다. 지금까지 기업이나 국가 경영, 국제무역 등의 영역에서 효율성에 초점을 맞춘 '적기대응 전략'이 각광받아왔다. 하지만 이제 코로나 위기, 나아가 각종 지정학적 갈등과 같은 불확실성의 심화는 '비상대응 전략'의 상시화를 요구한다. 단기적인 비용편익 측면에서는 부담이 크겠지만, 기업이나 사회, 국가의 존망이 위태로운 상황에서는 장기적인 유연성이나 회복탄력성에 더 중점을 둘 수밖에 없다.

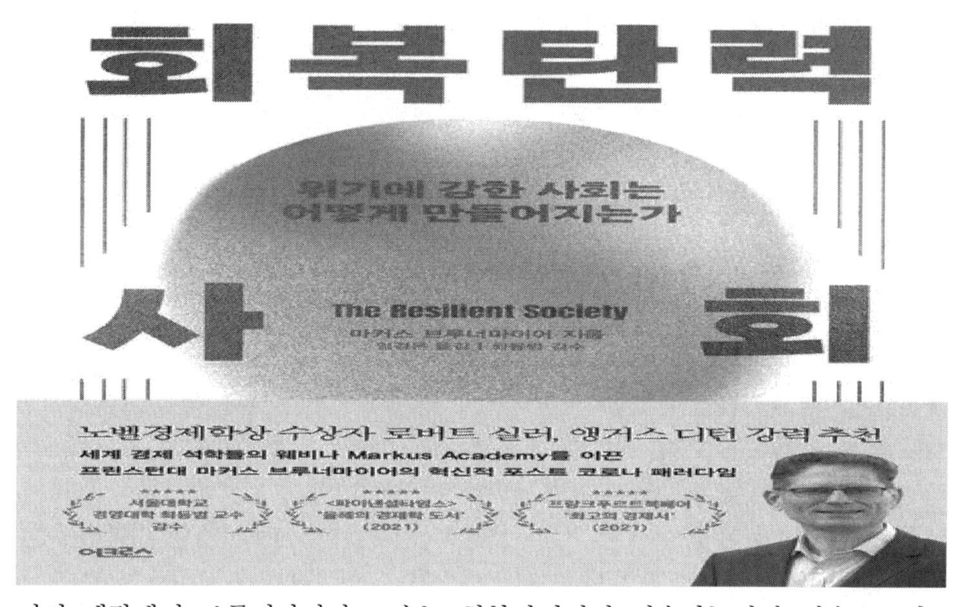

이런 맥락에서 브루너마이어 교수는 회복탄력성이 지속가능성의 필수요소라고 진단하고, 포스트 코로나 시대의 회복탄력성을 담보할 새로운 '사회계약'의 필요성을 역설한다. 사회계약은 과거 근대화 과정에서 개인과 사회, 국가 간의 새로운 관계정립을 의미하던 개념인데, 주로 사회 구성원들 간의 부정적 상호작용(외부효과)을 억제하고 외부 충격에서 보호하기 위한 장치다. 여기서 그는 상황변화에 따라 회복탄력적인 방식으로 사회계약을 추진하기 위해 정부, 사회적 규범, 시장 등 3가지 접근방식들을 균형적으로 활용해야 한다고 강조한다.

중소 개방경제로서 우리는 늘 외풍에 시달려왔다. 게다가 코로나 위기를 거치면서는 우리 사회에 내재한 취약성이나 불균형의 민낯도 드러나고 있다. <회복탄력 사회>의 한국판 감수자의 고백처럼 "앞만 보고 달리면 됐던 과거에 비해 우리가 마주하는 불확실성이 너무 크게만 느껴진다". 당장의 위기관리나 민생안정도 중요하지만, 우리 사회의 회복탄력성을 제고할 새로운 사회계약의 설계에 대해서도 깊은 성찰이 필요해 보인다.[117]

95. 시스템 경영의 기본 콘셉트

일반적으로 경영은 탁월한 리더십에 의해 구성원들의 마음을 설레게 하는 비전과 목표 및 전략이 제시돼야 한다. 그리고 비전·목표·전략이 반드시 달성되도록 하기 위해서는 이와 연계된 전략적 성과관리가 뒷받침돼야 한다. 그렇게 해야 비로소 구성원 모두가 강한 주인의식과 일에 대한 뜨거운 열정을 갖고 목표 달성에 전력투구하게 될 것이다.

이렇게 전략적 성과관리로 효율화된 운영 메커니즘을 일컬어 시스템 경영의 기본이라고 한다. 이를 뒷받침하기 위해서는 경영의 바탕 자체가 근본적으로 튼튼해야 한다. 이러한 경영의 토대를 이루는 사람과 시스템이 바로 경영의 기초인 것이다.

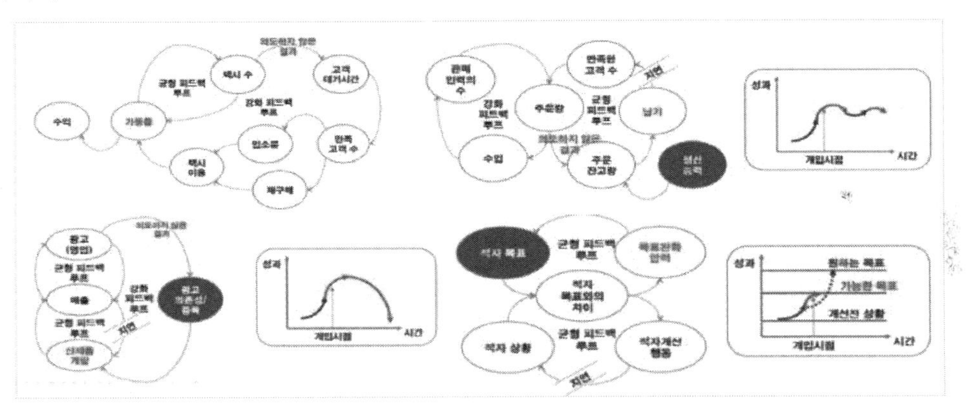

이들 경영의 기초를 근본적으로 튼튼히 하려면 첫째는 사람의 문제 즉, 우수한 인적자원, 효율적 조직 운영, 진취적인 기업문화가 확실히 갖춰지도록 해야 한다. 둘째는 시스템의 문제 즉, 사람관리·조직관리·일관리·변화관리 등의 기본관리와 구매·생산·판매·R&D·재무·기획·관리 등의 업무관리가 원활하게 작동되도록 지원하는 정교한 기본관리 시스템과 업무관리 시스템이 구비돼야 한다. 셋째는 이와 동시에 이들 시스템이 실시간으로 운영되도록 IT를 기반으로 하는 실시간 기업(Real Time Enterprise) 시스템이 구비돼야 한다. 이렇게 경영의 근본 바탕을 이루는 사람과 시스템을 일컬어 시스템 경영의 기초라고 한다. 시스템 경영에서 사람이 의미하는 것은 다음과 같이 정의할 수 있다.

우수한 인적자원은 시스템적 사고와 열정으로 무장된 우수 인재를 의미하고 효율적 조직 운영은 인재와 조직, 그리고 조직과 외부환경 간의 정합성을 말하고,

진취적 기업문화란 창의적 인재가 최상의 성과를 낼 수 있는 활기찬 기업문화를 의미한다. 이런 경영의 기초인 '사람과 시스템'을 튼튼히 하고, 경영의 기본인 운영 매커니즘을 전략적 성과관리로 효율화해서 일상적인 운영업무는 실무진과 정교한 시스템에 의해 원활하게 자동적으로 돌아가게 하고 경영층에서는 예외관리와 전략경영에 집중함으로써, 고성과가 지속적으로 창출되게 해야 한다.

이러한 경영을 시스템경영이라고 한다.기업을 경영함에 있어 시스템적 특성을 경영 활동에 접목해 조직 운영의 구조와 제도, 관행 그리고 업무 처리 절차를 비롯한 일련의 경영관리 과정을 조직 내에서 합의된 기준과 프로세스에 의해 집행되도록 하는 것을 '원칙에 의한 경영' 이라고 할 수 있다.

그러나 실제 경영 현장에서는 모든 경영 활동에 적용할 수 있는 공통의 기준과 프로세스를 구성원의 합의에 의해 일일이 사전에 규약하는 것은 현실적으로 거의 불가능하다고 볼 수 있다.이럴 때는 전체 지향·관계 지향·목적 지향·중점 지향·미래 지향의 이른바 시스템적 사고(Systems Thinking)와 이에 바탕을 둔 가치판단에 의해 집행하게 해야 할것이다. 이를 '원리에 의한 경영' 이라고 할 수 있다.

이러한 원칙과 원리에 의한 실시간 경영은 그러한 경영상의 리스크를 조기에 파악하고 분석하고 수정함으로써 업무의 지연 요소를 최소화하고 의사결정의 스피드를 높여 경쟁력을 극대화하는 체계다. 이처럼 실시간으로 데이터를 분석해서 빛의 속도로 곧바로 경영에 반영하는 개념으로 받아들여진 속도는 이제 단순한 처리 속도의 차원을 넘어 경쟁우위를 가늠할 수 있는 가장 중요한 시스템의 핵심 요소로 자리잡고 있다. 이러한 실시간 경영 개념까지를 모두 포함하여 시스템경영이라 일컫는 것이다.[118]

96. 산업정책과 성장전략 트릴레마

산업정책의 시대가 부활하고 있다. 미국의 인플레이션 감축법(IRA)과 반도체지원법(CHIPS Act)을 필두로 세계 주요국이 너도나도 자국 산업 보호 및 육성을 위한 산업정책을 쏟아내고 있다. 한동안 시장의 효율성과 민간의 자발성을 중시하던 흐름이 크게 뒤틀리고 있는 셈이다.

국가자본주의를 앞세운 중국의 부상과 자원의 무기화를 도모하는 러시아 등 권위주의 세력의 위협도 문제지만, 이미 코로나 위기를 거치면서 드러난 글로벌 공급망의 취약성이 산업안보라는 명목으로 주요 전략산업에 대한 각국의 산업정책을 부추기고 있다. 미·중 갈등은 물론 한층 복잡해진 대내외 경제 여건에 요동치고 있는 우리 역시 예외는 아니다.

그렇다면 산업정책은 성공할 수 있을까? 역사적 경험에 따르면 산업정책은 다수의 성공 사례가 있다고 평가되곤 한다. 특히 선진국의 경우 과거 산업화 시기에 산업정책을 통해 경제적 도약에 성공했다는 게 중론이다. 하지만 당시 중상주의나 보호주의가 일시적으로 기승을 부리기도 했지만, 정작 지배적인 패러다임은 자유무역이었다. 또 19세기 미국의 부상에 대해서도 흔히 고관세 등 보호주의 조치에 주목하지만, 오히려 안정적인 자금지원을 위한 은행법이나 반독점법과 같은 제도 정비가 주효했다는 분석이 많다.

이러한 관점에서 보면 이론적으로나 실증적으로 산업정책의 성공을 당연시할 근거를 찾기는 쉽지 않다. 중국의 성공 역시 산업정책보다는 개방과 민간 혁신에 의존하는 측면이 강하며, 그간 중국의 반도체는 물론 조선이나 항공업 육성 등 야심찬 목표들은 득보다 실이 큰 모습이라는 사실을 상기할 필요가 있다.

다만 지정학적 긴장으로 공급망의 안정성에 대한 의문이 커진 데다 기후변화 대응이나 대내 일자리 보호 등 현안들이 부각되는 상황에서 산업정책에 대한 관심은 얼마간 불가피할지도 모르겠다. 이와 관련해 국제통화기금(IMF)의 루치어 아가월이 제시한 '성장전략의 트릴레마' (Growth Strategy Trilemma)에 주목해보자.

그는 먼저 정책결정가들은 이른바 성장 강박증과 불안정 공포 탓에 당장의 가시적 성과를 목적으로 산업정책, 특히 '국가대표 선수' 의 육성에 관심이 쏠린다고 진단한다. 이로 인해 성장전략에서 드러나는 성장 대 안정이라는 전통적 상충 관계는 새로운 트릴레마로 진화한다. 지속 성장과 금융·재정 안정, 국가대표

선수 육성이라는 성장전략의 세 가지 축 모두 동시 성립은 불가능하며, 두 가지 만 선택하고 한 가지는 버릴 수밖에 없다는 것이다. 따라서 이러한 트릴레마 아래에서는 세 가지 성장전략이 가능하다.

첫 번째는 금융·재정 안정과 대표선수 육성의 조합인 '안전한 대표선수 육성' 전략이다. 이는 공격적인 성장전략의 편익보다는 안보나 위기관리 그리고 경제의 복원력을 중시한다. 반면, 두 번째는 지속 성장과 대표선수 육성의 결합인 '과감한 대표선수 육성' 전략이다. 안정보다는 위험 감수를 통해 높은 성장을 추진하는 전략이다. 마지막은 지속 성장과 금융·재정 안정을 조합한 '공정시장 자본주의' 전략이다. 개방과 공정경쟁에 기반한 역동적인 시장경제를 추구하면서 다각화와 국제협력을 통해 공급망 붕괴 위험을 완화하고 효율성을 증대시키는 전략이다. 바람직하기로는 세 번째 전략일 터이나 지금은 산업정책을 전제로 두 가지 선택밖에 남지 않은 모습이다. 게다가 산업정책 위주의 성장전략은 각국 간에 사실상 경제적 군비경쟁으로 귀착될 가능성이 크다. 이에 대해 로런스 서머스 전 미국 재무장관의 지적은 의미심장하다.

"최고의 장군은 전쟁을 가장 싫어하지만 그럴 필요가 있을 때는 적극적으로 싸우려는 사람이다. 지금은 산업정책을 도모하는 사람들이 산업정책 자체를 사랑하고 있다는 점이 우려된다."

양강의 틈새에 끼인 채 글로벌 공급망 재편 압력에 시달리는 우리로서도 다양한 정책실험에 관심이 클 수밖에 없다. 그러나 정치적으로 손쉬운 단기 실적에 얽매이기보다는 국민경제 전반, 나아가 국제협력 관계까지 고려한 장기적인 포석과 방안을 마련해야 한다.[119]

트릴레마(Trilemma)는 세 가지 정책 목표 간에 상충관계가 존재하여 이들을 동시에 개선할 수 없는 상황으로 거시경제학에서 '물가', '실업', '국제수지'의 3가지 간에 존재하는 상충관계가 대표적이다.

97. 최저임금 업종별 차등 적용의 위험성

내년 최저임금 결정을 앞두고 노사가 힘겨루기를 하고 있다. 최저임금 인상을 둘러싼 논쟁보다는 차등 적용을 둘러싼 논쟁이 지난해에 이어 올해도 되풀이되고 있다. 윤석열 정부 출범 이후부터 업종, 지역, 연령 차등 적용이 제시되고 있다. 보수 경제학자는 연령별 최저임금 적용을 주장하고, 여당 의원은 지역별 차등 적용 법안을 발의하고, 경영계는 업종별 차등 적용을 제안한 바 있다. 이 정도면 이명박 정부 때 제기한 최저임금 논의 주기(2년 또는 3년) 변경을 제외하고 모두 나온 것 같다.

보수 정당의 집권으로 정책 기조 변화는 예견되었다. 그렇다고 하더라도 법률과 국제 기준조차 아랑곳하지 않는 논거들은 지적할 필요가 있다. 무엇보다 최저임금 도입 목적과 필요성을 간과한 주장들이 대부분이다. 최저임금법 1조에 명시되어 있듯이 제도 시행 목적은 임금격차 해소와 소득분배 개선이다.

노동자가 사용자로부터 부당하게 저임금을 받는 것을 막고, 일정 수준 이상의 임금을 받아 안정적인 생활을 할 수 있도록 매년 정하는 임금의 최저한도. 최저임금제는 헌법과 법률에 근거해 1988년부터 시행되고 있다

경영계는 최저임금 결정 기준과 구분은 '사업의 종류별로 구분하여 정할 수 있다'는 조항을 논거로 하고 있다. 최저임금법 제4조와 제13조에 따라 업종별 최저임금을 달리 정할 수는 있고, 국회가 아닌 최저임금위원회의 심의를 거쳐 고용노동부 장관이 정할 수 있다. 결국 최저임금위원회 9명의 공익위원 판단에 따라 결정될 상황이다.

통계청 표준산업분류에 따른 구분은 포괄성이나 직업과 직무의 이질성이 높아 '업종' 으로 하지는 않을 것 같다. 윤석열 정부의 선택지는 국세청 소득 분류와 공정거래 및 가맹사업 분류 코드일 것 같다. 적용 범위 대상도 좁히고 사회적 파급성을 고려해 절충할 수 있다. 노사 간 갈등을 노노 간 갈등 이슈로의 정책 프레임을 전환시킬 수도 있다. 중소상공인과 자영업자들의 주장처럼 단순노무 일자리의 생산성 논리가 뒷받침도 된다.

대표적으로 편의점, 패스트푸드, 카페, 주유소, PC방 등이 우선 대상이 될 개연성이 높다. 사회적으로 가장 취약한 일자리들이 불평등 노동시장에 내몰리게 될 것이 뻔하다. 최저임금 차등 적용의 가장 큰 피해는 고령, 여성, 청년 등 노동시장 취약집단이 받는다. 무노조 사업장이나 비정규직 노동자들처럼 교섭력도 없는 노동자들이 직접적인 피해를 볼 것이 뻔하다.

지금도 최저임금 미만 노동자들이 74만3000명(4.4%)이나 된다. 일용직(28.8%), 초단시간(19.6%), 파견용역(18.9%), 5인 미만 사업장(22.3%) 노동자들은 더 심각하다. 최저임금제도 도입 취지나 효과성을 간과하고 외면했기 때문이다. 최저임금 차등 적용은 노동시장에서 가장 불평등하고 밑바닥에 놓인 노동자들을 더 벼랑 끝으로 내모는 것이다.

국제노동기구(ILO)는 최저임금제도 효과성으로 세 가지를 꼽고 있다. 첫째는 저임금 해소의 임금격차가 완화의 소득분배 개선 기여다. 둘째는 일정 수준 이상의 생계 보장으로써 생활 안정과 사기 진작을 통한 노동생산성 향상이다. 셋째는 저임금 바탕의 경쟁방식을 지양하고 공정 경쟁 촉진 등을 통한 경영합리화에 있다. 이 때문에 최저임금제도는 산업정책과 제도적 상호보완을 해야 하겠지만 사회정책 취지에 맞게 논의되어야 한다.

대기업과 중소기업의 노동시장 이중구조 해소와 성평등한 노동시장 구축에는 최저임금 정책이 가장 효과적이다. 특히 윤석열 정부 출범 이후 업종별 차등 적용 논의가 빠르게 진행되고 있다. 그런데도 최저임금위원회가 정권의 성향에 따라 차등 적용을 선택한다면 우리 사회의 양극화된 노동시장의 격차와 차별을 심화시킬 것이다. 오히려 노동시장 사각지대와 배제를 해소하고 효과성을 확산시킬 방향을 제안해야 할 시기다.

장애인 노동자의 적용 제외부터 플랫폼 노동자의 최저소득 논의가 진행 중인 해외의 흐름은 그 이유가 있다. 대한민국 헌법 제32조 3항은 "근로조건의 기준은 인간의 존엄성을 보장하도록 법률로 정한다" 고 적시돼 있음을 간과하면 안 된다.[120]

98. 약자복지의 허상

지난 5월31일 사회보장전략회의에서 나온 대통령 발언이 계속 화제다. 복지에 대한 대통령의 엉성한 인식을 확인했고, 사회서비스의 시장화를 비판하는 글이 이어지고 있다. 하지만 앞으로 4년이나 더 국정을 이끌 대통령이기에 '수준 이하 발언'이라고 한탄만 할 수는 없다. 앞으로라도 제대로 사회보장전략을 추진하기를 바라며 다음의 두 가지를 제안한다.

우선, '약자복지' 담론을 재정립하라. 윤석열 대통령은 취약계층에 대한 집중 지원과 함께 복지체계를 촘촘하게 하겠다며 약자복지를 주창한다. 이 용어가 시혜적이라는 비판이 존재하지만, 어려운 계층의 복지에 주목하겠다는 취지는 적극적으로 평가할 만하다. 가난함에도 복지 사각지대에 놓인 사람들이 많고, 노인 빈곤율이 40%에 육박하는 현실에서 취약계층 복지는 대폭 강화되어야 한다.

그렇다고 복지를 약자복지만으로 한정하는 것은 매우 협소한 인식이다. 복지국가는 교육, 의료, 노후, 고용, 주거 등 모든 시민의 기본 필요를 사회가 책임지는 보편적 보장체제이다. 서구에서 복지는 자본주의 초기에는 가난한 사람만을 대상으로 삼는 최저안전망이었으나, 20세기 중반 들어 '요람에서 무덤까지' 전체 시민의 삶을 보장하는 보편주의로 발전하였고 이후 많은 나라들이 따라 배우는 국가 모델을 형성하였다.

그런데 2023년 오늘, 우리나라 대통령은 서구에서 초기 자본주의 시대 혹은 한국에서는 경제개발 5개년 계획 시기에나 들을 만한 복지 인식을 부끄럼 없이 드러냈다. "현금복지는 선별복지로 약자복지로 해야지 보편복지로 하면 안 된다"고 단언하였는데, 이미 무상보육, 아동수당, 부모급여 등 조세 기반의 보편적 현금급여가 시행되고 있고, 국민연금, 고용보험, 산재보험 등 사회보험 역시 애초 보편적인 제도로 자리잡아 있다. 현금복지 대상은 오로지 취약계층이어야 한다는 전근대적 사고에 갇혀 있다보니 이미 운영되고 있는 보편적 급여조차 눈에 보이지 않는 것이다. 세계 경제규모 10위권 나라의 대통령이라면, 최소한 인류가 이룬 복지국가에 대한 기본 이해는 갖추어야 한다. 복지는 시민의 기본 권리이며, 이미 대한민국도 현금급여는 물론 아동보육, 노인요양, 장애인활동지원 등 핵심 사회서비스를 보편적으로 운영하는 나라이다.

물론 사회경제적으로 불리한 환경에 있는 시민에게는 더 많은 복지가 제공되어야 한다. 어려운 계층을 대상으로 삼는 선별복지 혹은 약자복지가 필요한 이유다. 이처럼 약자복지는 보편적 복지프로그램과 상충하지 않고 보완하는 제도다. 대통령은 약자복지를 보편주의 토대 위에서 이해하여야 하며 그래야 약자복지가 사회보장전략 안으로 포괄될 수 있다.

또 하나, 약자복지를 실제로 강화하라. 우리나라 복지 발전을 보면, 무상급식 논란에서 보듯이, 보편적 복지는 꾸준히 확대되었으나 상대적으로 가난한 사람을 위한 복지는 지체되어왔다. 윤석열 정부가 복지 사각지대를 비롯하여 '약자를 촘촘하게 보호' 하겠다는 정책 방향이 전향적인 이유다.

그런데 지난 1년, 약자복지에서 의미있는 개선이 있었는가. 대통령이 대표 정책으로 내세우는 '기준중위소득 역대 최고 인상' 은 근래 높은 물가를 감안하면 실질 구매력도 확보하지 못하는 제자리걸음 수준이다. 작년 전·월세 폭등으로 세입자들의 허리가 휘는 상황에서도 정부는 올해 공공임대주택 예산을 대폭 삭감하였고, 노인일자리 사업 예산 역시 대폭 축소하려다가 국회 심의에서 겨우 복원되었다. 약자복지를 내세우는 정부라고는 결코 볼 수 없는 거꾸로 정책들이다.

제발 약자복지만큼은 제대로 챙기길 바란다. 오는 7월 내년 기준중위소득 수준이 결정된다. 지금까지 더딘 인상을 보전하기 위해서라도 대폭 올려야 한다. 올해 전세사기 사태, 하반기 역전세난을 감안하면 공공임대주택 확충이 어느 때보다 절실하다. 근래 집값 하락은 공공매입의 기회이므로, 8월에 발표될 내년 예산안에 공공임대주택 몫을 대폭 늘려야 한다. 또한 현재 노인일자리는 참여 희망 노인의 절반도 수용하지 못한다. 내년에는 규모를 늘리고 3년째 고정된 급여액 27만원도 상향해야 한다. 기초생활수급 노인들이 당하는 '줬다 뺏는 기초연금' 역시 이제는 해결하자.

무리한 제안이 아니다. 중앙정부의 사회보장전략에서 복지담론 정립은 기본이다. 약자복지를 시대착오적인 시혜복지 인식에 가두지 말고, 복지국가의 보편주의 기반 위에 세워야 한다. 정말 취약계층 복지를 말하려면, 무엇보다 기준중위소득, 공공임대주택, 노인일자리, 빈곤노인에 집중해야 한다. 이 정도도 못할 거면, 더 이상 약자복지를 말하지 말라.[121]

99. 바보야, 문제는 노동시간 단축이야

"엄마, 학교에서 한 거야." 며칠 전 초등학교 1학년인 아이가 '집안일 백과사전' 이라는 활동지를 내밀었다. "집에서 누군가 해야만 하는 집안일들입니다. 우리 가족 중에서 주로 누가 하고 있을까요?" 장보기, 빨래 널기부터 식사 준비, 설거지하기 등 15가지 집안일이 정리된 활동지였다. 아이의 눈에는 어떻게 비쳤을까. 중복 답변 결과 엄마 5가지, 아빠 5가지, 할아버지 6가지였다. 식물 기르기 등 할아버지가 단독으로 하고 있는 것으로 표시한 것이 많았다. 아이의 눈은 정확했다.

우리 부부는 9년간은 친정 엄마 도움으로, 엄마가 돌아가신 뒤에는 아버지와 합가를 하면서 아버지의 도움을 받으며 아이들을 키웠다. 운이 좋은 케이스다.

27일 통계청이 이 같은 현상을 분석해 발표했다. '무급 가사노동 평가액의 세대 간 배분 심층분석' 자료를 보면 2019년 기준 노년층(65세 이상)의 가사노동 생산액은 80조9000억원으로 2014년(49조2040억원)에 견줘 크게 늘었다. 인생을 쉬엄쉬엄 보내야 할 시기에 조부모가 손자녀를 돌봐주는 이유는 명료하다. 한국 사회는 부부의 시간만으로 육아를 하기 어렵게 구조화되어 있기 때문이다. 이 통계에서 1인당 가사노동 생애주기적자를 성별로 분석한 결과를 보면 이해하기 쉽다. 한국 여성은 25세부터 가사노동을 '공급' 하다 84세가 되어서야 가사노동의 '수혜' 를 입는다. 무려 59년간 가사노동을 공급하는 셈이다. 남성이 가사노동으로 가정에 기여하는 기간은 31세부터 47세까지 17년에 그쳤다.

여성 고용률 그래프는 '당연하게도' 반대 양상이다. 2021년 경제협력개발기구(OECD) 회원국의 여성 연령별 고용률 분석을 보면 대부분의 국가 여성 고용률은 20대부터 40대까지 계속 상승하다 50대 이후 하락하는 것으로 나타나지만 한국만 30대에 크게 하락했다가 40대에 다시 상승한다. 한국만큼 여성의 '경력단절 현상' 이 많은 국가는 없다는 뜻이다. 이제 2030 여성들은 이러한 그래프를 거부하겠다고 말하고 있다. 임신과 출산이 '페널티' 가 되는 구조에 들어가지 않겠다는 선언이다.

1970~1980년대 서구 많은 국가에서 여성 고용률이 증가하면서 일시적으로 합계출산율이 하락했다. 여성들이 노동시장에 나왔기 때문이다. 그러나 여성 노동시장 참여와 출산·양육을 지원하는 일·가정 양립정책 모두를 활성화하면서 여성 고

용률과 합계출산율은 함께 증가한다. 한국은 다르다. 1980년대 이후 여성 고용률도 크게 증가하지 않고 여성들의 경력단절 현상이 장기간 뚜렷하게 나타나며 합계출산율은 지속적으로 하락하고 있다.

'오래 일할 수 있는 남성'을 전제로 한 노동시간이 줄어들지 않는 것이 근본 원인이다. 이런 구조에서 가사노동을 떠안은 여성들은 '2등 직원'에 머무른다. 정부 누리집 근로시간 지표를 보면 2022년 기준 한국의 연간 근로시간은 1904시간이다. 독일, 네덜란드, 덴마크는 1400시간 미만이고, 한국 다음으로 긴 미국도 1822시간에 그친다.

이러한 구조적 문제에 손대지 않고 저출생 문제를 풀 순 없다. 지난 10여년간 저출생이 심해져 사회가 위기를 맞고 있다는 목소리는 컸지만 우리는 위기의식만큼 일과 가정, 일과 생활이 양립할 수 있는 구조를 만들지 못했다. 남성 육아휴직 비율이 늘었지만 중소기업 등 사각지대는 여전하고 육아기 단축근로 제도는 공무원들만 쓸 수 있는 제도라는 아우성이 여전하다.

그동안 국공립 어린이집, 초등 돌봄교실 등 돌봄체계를 내실화하기 위해 노력했지만 장시간 노동 문제를 내버려 두고 돌봄정책으로만 해결하려 하다 보니 정부의 선한 의도와 다르게 결과는 '땜질'이 되었다. 육아기 단축근로, 유연근무제, 재택근무 등을 실효성 있게 만들어왔다면 밤 8시까지 돌봄의 수요가 얼마인지 따져야 했던, 돌봄이 교육인지 보육인지 논쟁해야 했던 '늘봄학교 이슈'는 생겨나지 않았을 것이다.

외국인 가사도우미 이슈는 더 최악이다. '주 69시간 논란'과 아울러 현 정부가 자본과 한 몸이라는 것을 보여주는 신호였기 때문이다. 주 52시간제 도입 이후 기업들이 계속 요구해왔던 '몰아서 일하고 몰아서 쉬는 노동'을 거론하며, 절대 노동시간 단축에 대한 의지가 없는 정부가 '차라리 외국인 가사도우미를 들여올 테니 돌봄 문제는 외주화하라'고 말한 것이다. 실효성을 떠나 문제의 근원을 모른 척하는 아둔함에 씁쓸하다.

그래도 아이가 가사노동에 대해 '누군가 해야만 하는 많은 집안일들'이라고 배웠다는 것이 희망이다. 활동지는 아이에게 묻고 있다. "여러분도 이 일들을 충분히 할 수 있을 것 같나요?" 나를 돌보고 나보다 작고 약한 존재를 돌보는 일을 모두 함께 나누는 삶이 훨씬 가치 있다는 것을 가정에서도 이어 가르치려 한다. 안타깝게도 구조적 원인은 모른 척하고 자본에 유리한 구조를 만들며 포퓰리즘적인 적을 만들어 대중의 분노를 향하게 만드는 데에만 능한 정부에는 기대할 것이 없어 보인다.[122]

100. 시럽급여, 적나라한 저소득자 '혐오'

가진 것 없는 이들에 대한 혐오는 가장 보편적이고 자주 자행되는 문명의 '못된' 버릇이다. '시럽급여' 등의 자극적인 언사가 아무렇지도 않게 나오는 것을 보면서 나는 또 한번 이게 적나라한 '혐오'라는 생각이 들었다

햄릿의 유명한 독백 중 하나는 'insolence of office' 인데, 한 영문학자는 이렇게 번역했다. '고위 공직자들은 우리들을 개·돼지로 본다'

나는 '혐오'라는 말을 별로 좋아하지도 않고 잘 쓰지도 않는다. 현실에 이런 현상이 없는 것은 분명히 아니다. 사회의 위계 구조에서 자신들보다 낮은 위치에 있다고, 한마디로 '만만해 보이는' 이들이라고 해서 마구 편견과 공격을 퍼붓는 행태는 분명히 존재한다. 하지만 이걸 일률적으로 '혐오'라고 이름을 붙이게 되면서부터 누구나 자신에게 유리한 방향으로 남들을 공격하기 위해 이 말을 남용하고 오용하게 되었고, 그 때문에 '혐오'가 다른 '혐오'를 줄줄이 새끼치기하는 현상을 너무나 많이 보았다.

하지만 이번에는 다르다. 지난주 당정협의회에서 실업급여 하한액을 낮추거나 폐지하겠다면서 내뱉은 말은 분명히 저소득자들에 대한 '혐오'가 맞다. 우선 이러한 주장을 내놓은 근거가 과연 사실관계와 부합하는지에 대한 의구심이 솟았다.

우리나라에서 실업급여를 타는 이들은 '시럽 맛을 보려고' 직장을 그만두는 베짱이들이 아니라 비자발적 실업, 즉 '타의로 잘린' 사람들뿐이라는 점을 전혀 언급하지 않고 있다. 물론 예외적인 경우들이 있지만, 그것들도 알고 보면 사

실상 도저히 더 일할 수 없게 된 경우에 불과하다. 심지어 비자발적 실업자들조차 잘 타고 있지 못하는 것이 지금 우리의 실업급여이다.

한국노동연구원이 지난해 말 발간한 보고서에 따르면, 전체 실업급여 수급률은 21.3%에 그치며, 특히 임시직·일용직 등 불안정 노동자의 실업급여 수급률은 15.8%에 불과하다. 게다가 30세 미만의 경우는 6.9%로 더욱 낮다고 한다. 이직이 잦거나 노동 시간 자체가 짧으면 고용보험의 적용을 받지 못하도록 되어 있기 때문이다. 임시직·일용직 중 실업급여를 받지 못한 이들의 86%는 "실업급여 수급 조건을 갖추지 못했기 때문" 이다(미디어스, 7월14일, 탁종열, "실업급여 말 바꾼 노동부, '시럽급여' 한통속 보수신문"). 그런데 마치 나무에 달린 맛있는 바나나를 따먹으며 이 밧줄 저 밧줄로 옮겨다닌다는 그 '시럽 빠는 실업자들' 은 도대체 어디에 있는 것일까?

그래서 근거로 든 숫자를 보다가, 그 계산 방식에 놀랐다. 이 실업급여 하한선 때문에 지난해 수급자 163만명 중 무려 28%에 달하는 45만명이 실업 이전보다 더 많은 액수를 지급받았다고 하지만, 이는 실측이 아니라 세금과 사회보험료로 세전 소득의 10.3%가 빠져나가는 것으로 가정해 추산한 수치일 뿐이다. 이미 여러 매체에서 연소득 2000만원 이하에서는 실효세율이 0.1% 정도로 근로소득세를 거의 내지 않는 데다 사회보험료 또한 두루누리 지원 사업 등이 지난 10년간 시행돼 왔으므로 20% 정도만 내는 저임금 노동자들이 많다는 점을 지적하고 있다. 이를 감안해보면 그 비율은 28%가 아니라 기껏해야 5% 남짓일 것이라는 추정도 나오고 있다. 이렇게 민감한 사안에 이렇게 파격적인 조치를 하겠다면서 이렇게 허술한 주먹구구의 숫자를 내미는 모습에 놀라지 않을 수가 없다.

가. 주먹구구식 셈법에 놀라

둘째, 실업급여의 기능과 성격 그리고 운영에 대한 일체의 고려 없이, 실업급여 지급액 증가의 원인을 전적으로 저임금 노동자들의 도덕적 해이와 타락의 문제로 몰아붙이는 것을 보고 아연실색했다. 실업급여 지급액이 늘어나고 반복적으로 수급하는 이들이 늘어나는 원인은 아주 다양하며, 특히 지금은 기술 패러다임 및 산업 구조의 변화 그리고 이에 수반되는 노동 시장 구조 전체의 급격한 변화에서 나타났을 가능성이 아주 크다. 몇 개월 간격으로 취업과 실업을 반복하는 이들이 늘어난 이유는 '시럽급여를 빨아먹는 재미에 중독된' 탓이 아니라 노동 시장에서 제공되는 일자리의 종류가 더욱 파편화되고 불안정해진 것에 있을 가능성이 크다는 것이다.

그토록 온 세상을 시끄럽게 만들고 있는 로봇과 인공지능(AI)이 노동 시장에 던지는 충격을 누구부터 얻어맞게 될지 생각해 본 적이 없는가? 식당에서 매일 마주치는 음식 서빙 로봇을 보면서 어제까지 저 일을 하던 분들은 어디로 갔을까라는 질문은 한 번도 해 본 적이 없는가? 저임금 노동자들 가운데 취업과 실업의 반복 주기가 짧아지고 수급액이 늘어난 이유는 '시럽 빠는 재미 중독증' 때문인지 (저임금 분야) 노동 시장의 구조적 변화 때문인지, 어느 쪽이 더 클 것인가?

더욱이 실업급여의 성격과 목적에는 '가만히 앉아 생계 유지' 하는 것만 들어가지 않는다. 이번에 어떤 이가 '월급에서는 교통비와 식비 등의 비용 지출도 다 나가게 되는데, 그 월급보다 가만히 앉아서 받아먹는 실업급여 액수가 더 많으면 누가 일을 하겠는가' 라고 말하는 것을 들으면서 무척 놀랐다. 실업자는 '가만히 앉아' 있는 이들이 아니다. 구직 활동의 증빙을 대지 않으면 그나마 끊어지는 것이 실업급여이므로 수급자들은 직장 다닐 때보다 더 활동적으로 이리저리 돌아다니며 정보를 모으고 사람을 만나야 한다. 이뿐만 아니라 원래 일하던 업종에서 좀 더 나은 일자리로 옮기려 한다면 새로 배우고 공부해야 할 것들이 많으며, 이게 다 비용으로 나가게 된다.

원래 소득이 높았던 이들은 이런 정도의 비용이야 그냥 저축에서 지출하면 되는 대수롭지 않은 액수일지 모르겠으나, 최저임금 수준의 일자리를 몇 개월 단위로 전전하는 이들에게 그런 넉넉한 저축이 있을 리 없으며 그 낮은 수준의 소득에서는 그런 비용도 큰 부담이 된다. 실업급여는 '입에 풀칠하라' 고 주는 돈이 아니다. 실업을 맞은 이가 다시 노동 시장으로 돌아올 수 있도록 돕기 위한 생계 및 '활동' 자금이다.

나. 실업급여 하한선은 이젠 풍전등화

그래서 이번 발언이 적나라한 저소득자 '혐오' 가 드러난 경우라고 판단할 수밖에 없다. 앞에서 말했듯이, 혐오란 사회적 위계의 아래에 있는 '만만한 이들' 에게 갖은 편견과 공격을 퍼부으면서 다른 이들에게도 또 사회 전체적으로도 여기에 동참하라고 선동하는 행위이다. 아니나 다를까 이 발언이 나오자 여러 신문·방송에서 저임금 노동자들의 도덕적 해이와 타락을 비난하면서 실업급여 하한선 폐지를 외치는 주장이 넘쳐나고, 최저임금은커녕 실업급여라도 신청해 본 적이 있을까 싶은 무수한 '전문가' 들이 등장해 목소리를 높인다. 물론 여기에 맞서는 목소리도 있지만 잘 들리지 않는다. 이 힘없고 가진 것 없는 저임금 노동자들의 이익을 자기 문제로 여기며 정말로 전투적으로 옹호하려는 사회적 힘이 보이지도 않는다. 모름지기 그 실업급여 하한선은 이제 풍전등화의 처지가 될 것으로 보인다.

사실 가진 것 없는 이들에 대한 혐오는 가장 보편적이고 가장 자주 자행되는 문명의 못된 버릇이다. 행색이 초라하고 말과 행동이 굼뜬 아이들을 집단으로 왕따시키고 혐오하며 즐기는 법은 우리가 초등학교 교실에서부터 익히 배운 습관이니까. 이들의 '못난 짓' 때문에 문제가 발생하고 그래서 모두가 힘들다. 따라서 이들에게 '버르장머리'를 고쳐주는 일이 필요하다는 식의 이야기도 머릿속 깊이 박힌 서사구조이니 쉽게 청중과 신봉자들을 끌어모은다.

그래서 하한선이 없어지면 저소득 실업자들의 소득은 20%포인트가 줄어들 것이다. 그게 어떤 크기의 타격인지는 그 소득 수준으로 계속 살아본 이들은 너무나 잘 알 것이다. 이런 생활의 대안은 그저 다니는 직장에서 죽은 듯이 숨죽이고 있든가, 아니면 어떤 일자리든 그냥 빨리 받아들이는 것뿐이다. 노동 시장의 위대한 자기조정 메커니즘이 작동할 것이며, 비로소 '완전고용'이 달성될 것이다.

'시럽급여'니 '명품 선글라스를 끼고 해외여행을 가면서 급여를 타러 온다'는 등의 자극적 언사가 공직자들, 정치가들의 입에서 아무렇지도 않게 나오는 것을 보면서 나는 또 한 번 이게 적나라한 '혐오'라는 생각이 들었다. '공직자 월급으로 명품 핸드백이 말이 되느냐'는 말도 저렇게 아무렇지 않게 떳떳이 대놓고 할 사람이 있을까.

<햄릿>의 그 유명한 독백을 보면 우리가 이 지긋지긋한 세상을 살기 싫은 이유가 줄줄이 나열되는데, 그중 하나는 "insolence of office"이다. 내가 아는 한 영문학자는 최근 이 세 단어를 이렇게 번역한 적이 있다. "고위 공직자들은 우리들을 개·돼지로 본다."[123)124)]

☞ '시럽급여'와 '웃는 얼굴'

영화 <기생충>은 부자와 빈자를 대표하는 두 가족을 대비시킴으로써 계층 구조를 날카롭게 드러낸다. 그런데 영화 전반부에서 '가난한 가족'은 그리 비관적으로 보이지 않는다. 농담 섞은 대화를 이어가고 맥주 한 캔의 작은 사치를 즐기는 모습이 사뭇 여유롭다. 그들에게서 웃음이 싹 사라지는 순간, 비극은 시작된다. 이 위태로운 양극화 사회를 지탱하는 것은 어쩌면 웃음이다. 사소한 농담, 근거 없는 낙관주의, 별것 아닌 일에 깔깔대는 친구들, 그 짧은 시간의 충만감, 이런 것들이 있어서 이 가혹한 사회가 너무 잘 유지되는 중인지도 모른다.

지난주 실업급여를 '시럽급여' 라고 지칭한 어느 공청회 발언들로 내내 시끄러웠다. 고용센터 실업급여 담당자가 했다는 발언 내용을 듣고 한동안은 절망감이 컸다. 따라가서 봤을 리 없는 '해외여행' '명품 선글라스' 같은 말까지 동원해 여성과 청년 실업자를 혐오하는 저의가 의심스럽고 화가 났다.

며칠이 지나자 다른 점이 보였다. 여성과 청년들이 고용센터에 올 때 "웃는 얼굴로 온다" 는 말, 특히 "이 기회에 쉬겠다고 웃으면서 온다" 는 말이 곱씹을수록 좋게 들렸다. 마음이 놓였다. 사실이라면 그들은 크게 걱정할 필요가 없는 사람들이다. 잠시 쉬고 여행도 가고 소확행도 한 뒤에는 다시 힘을 낼 수 있는, '회복탄력성' 있는 사람들인 것이다.

오히려 문제는 "어두운 표정으로 온다" 는 사람들이다. "장기간 근무하고 갑자기 실업을 당한 중년 남자" 들이라는데, 사실 이들의 문제는 복잡하다. 숙련 체제의 붕괴, 기술에 의한 노동력 대체, 글로벌 산업 경쟁력 저하 등이 중첩된 결과일 가능성이 높다. 정부가 우려해야 할 것은 이들이 비관과 우울에 잠식당하는 것이다. 어떤 정책도 효과를 낼 수 없는 상태가 되는 것이기 때문이다.

그 단적인 사례가 미국 워싱턴포스트 기자 에이미 골드스타인이 2017년 펴낸 책 <제인스빌 이야기>에 있다. 이 책은 지역의 GM 공장이 폐쇄된 2008년부터 5년간, 실업자들을 재교육·재취업시키기 위해 정부와 민간이 합심해서 벌인 노력들을 생생하게 보여준다. 단언컨대 한국에서는 이제껏 한 번도 없었고 앞으로도 한동안은 없겠다 할 만큼 그들의 정책적 시도는 과감하면서도 세심했다. 그럼에도 결과는 실패, 대실패였다. 정책 대상자들은 당시의 지원을 한시적, 이례적인 것으로 여겼다. 대부분 교육 과정을 중도 이탈했고, 나쁜 일자리에 허겁지겁 빠져들거나 '실망 실업자' 가 됐다. 심지어 지역 신문 1면에 실렸던 '재취업 성공자' 가 비극적으로 생을 마감하기도 했다. '여기서 실패하면 다음 기회는 없다' 는 불안에 시달린 결과였다. 책에 수록된 설문조사를 봐도 실업 당사자와 가족 중 70% 이상이 불안과 강박을 경험했다고 한다. 불안이 모든 노력을 삼켜버린 것이다.

그러므로 한국의 실업자들이 웃는 얼굴로 고용센터에 온다는 건 좋은 소식이다. 정책이 효과를 내고 있다는 의미다. 그 얼마 안 되고 받기도 복잡한 돈이 누군가에게는 희망이 되고 있다는 뜻이다. 적어도 그들에게 화낼 이유는 없다. 그럴 시간에 '어두운 얼굴' 로 오는 사람들을 위해 뭐라도 더 하는 편이 낫다. 분명한 건, 실업급여를 깎는다면 어두운 얼굴을 더 어둡게 만들 뿐이라는 사실이다.[125]

101. 조세 국가의 위기와 4월 총선

작년 말과 올해 정부·여당은 다시 감세 정책을 쏟아내고 있다. 주식 양도소득세 대주주 기준 완화, 금융투자소득세 폐지, 상속세 완화, 가업승계 증여세 최저세율 적용구간 확대, 대기업 대상 임시투자세액공제 기간 연장, 자사주 소각과 배당 시 법인세 인하, 부동산 공시가격 현실화 계획 폐지 등 발표가 이어진다. 대부분 부자 감세다. 눈앞의 선거를 의식하면서 준조세 폐지 감면, 가공식품 부가가치세 한시 경감 등 범위도 넓어졌다. 그러나 국정을 책임지는 집권여당이 무분별한 매표 감세 경쟁을 부추기는 오늘 현실은 참담하다.

경제학자 조지프 슘페터에게 근대국가는 자기 목적을 갖지 않으며 단지 공동의 목적만을 지향하는 공적 속성을 지닌 것으로 인식되었다. 그 덕에 근대국가는 개인의 재산권과 사적 소유를 제한하며 시민에게 납세 의무를 부과하는 '조세 국가'가 될 수 있었다. 조세 국가에서는 조세를 통해 국가와 시민사회 사이에 광범위하고 지속적이며 제도화된 관계가 맺어진다. 그 과정에서는 또한 납세자 누구나 '국민'이라는 공통된 정체성을 부여받는다. 가상 속에 존재하던 공동체가 조세의 납부와 징수를 거치면서 비로소 가시화된 실체를 획득하는 셈이다.

조세 국가는 재정을 왕족 소유의 영지나 유전이 아니라 시민사회로부터 조달한다. 시민들에게 재정에 대한 기여를 의무로 부과하는 대신 반대급부로 시민의 정치적 대표성을 인정하고 사회적 보호를 제공한다. 조세와 민주주의, 조세와 보편복지 사이의 주고받음을 조직하는 것이 조세 국가의 역할이다. 재정의 시민사회에 대한 의존이야말로 민주주의와 복지국가를 추동해온 힘이었던 것이다. 그러므로 복지국가의 발전 정도는 복지 재정을 시민사회가 함께 부담하는 정도에 달려 있으며 따라서 조세 국가의 역량 및 조세 수준과 밀접히 연관될 수밖에 없다.

조세 국가가 복지 재정을 시민사회에 의존하려고 증세를 시도하면서 한계에 봉착한다면 복지국가는 좌절되기 쉽다. 상위계층이 자신이 가진 여분의 자원을 공적으로 기여해야 하는 의무를 덜기 위해 조세 국가를 위기에 빠뜨릴 때 복지국가는 약화된다. 그럴 때 부자들을 대변하는 정치권력은 이익집단처럼 퇴화하며 국가를 마땅히 있어야 할 제 위치로부터 탈구시켜 국가의 부재를 초래한다. 그에 맞서 공동체를 회복하려면 조직된 민중이 정치 공간에서 더 강한 조세 국가를 재건해야 한다. 어떤 선거도 그래서 중요한 법이다.

제임스 오코너의 마르크스주의 재정학에서는 자본주의 국가의 기능이 공공투자로 자본축적을 지원하는 것과 복지지출로 체제를 정당화하는 두 가지로 파악된다. 그러나 한국의 역대 정부는 두 기능의 수행을 위해 공공투자나 복지지출을 늘리기보다는 기업과 가계의 세금 부담을 덜어주는 데에 치중했다. 한국의 낮은 조세 수준과 역진적 조세 구조에는 여태 그렇게 유지된 한국형 조세 국가의 특징이 반영되어 있다.

민주화 이후에도 한국의 복지시스템은 외환위기의 충격과 신자유주의의 영향을 피해가기 어려웠다. 신자유주의는 공적 체계를 약화시키며 각자도생을 강제했다. 최근에는 기술 변화가 불러오는 사회적 균열의 위험이 증폭되는 양상이다. 저성장과 고령화를 배경으로 재정건전성을 빌미로 한 역풍도 거세다. 그 귀결은 개인들의 사회로부터의 자발적인 이탈이다. 세계 최고 수준의 자살률(현세대의 직접 이탈)과 세계 최저 수준의 출산율(2세를 두지 않는 간접 이탈)이 수치적 증거다.

그런 점에서 정부·여당이 상위계층의 이해관계를 노골적으로 우선시하며 밀어붙이는 일련의 감세 정책은 한국 사회로선 불행이다. 그 이유는 부자 감세는 조세 국가를 위기로 내몰며 국가의 공적 속성을 약화시키는 정책이기 때문이다. 더욱이 지금은 복지비용과 기후위기 대응 및 산업구조 변동에 따르는 비용의 분담을 위한 재정 여력을 증세로 확보해야 하는 시점이다. 피부양인구와 생산인구의 상대적 비중이 변하면서 세입과 세출의 불균형이 구조화되는 현실을 직시해야 한다. 오늘 정작 필요한 것은 현명한 증세의 정치인 것이다.

박근혜 정권을 붕괴시킨 제1기 촛불은 국가의 부재에 대한 국민적 심판의 의미를 담고 있었다. 다가오는 4월 총선은 제2기 촛불 정부로 나아가는 한국 민중의 여정의 한 부분이 되어야 한다. 조세 국가의 기초를 무너뜨리는 정부·여당의 부자 감세 기조를 투표로 심판해야 한다. 제2기 촛불 정부는 복지국가 발전의 기반을 재건하고 산업전환과 불평등의 비용을 우리 사회 전체가 함께 나누는 대안적 복지체제로의 경로를 적극적으로 열어가야 한다.[126]

102. 치솟는 생활물가, 총선 뒤가 더 두렵다

생활물가가 비상이다. 2일 통계청이 발표한 '3월 소비자물가 동향'을 보면 지난달 소비자물가는 1년 전보다 3.1% 올랐다. 농축수산물이 11.7%나 상승했다. 과일이 40.3% 올라 2·3월 연속 40%대 상승률을 기록했고, 사과와 배는 1년 전보다 90% 가까이 올라 1975년 조사 후 최대 상승률을 찍었다. 지난해 3월 소비자물가 상승률이 4.2%인 점을 고려하면 2년 누적 물가는 7% 넘게 상승했다. 식료품과 비주류음료 등 먹거리 물가는 지난해 6.3%, 올해 6.7% 올라 2년 새 13% 올랐다.

그러나 경제 관료들의 물가 인식은 여전히 안이하다. 송미령 농림축산식품부 장관은 이날 물가관계장관회의에서 "정부 할인 지원은 (통계청) 소비자물가지수 조사 특성상 반영되지 않는다"면서 "현장에서 뵙는 소비자는 체감물가가 낮아지고 있다고들 하신다"고 했다. 시장에서 파는 사과 가격이 통계청 통계보다는 낮다는 주장인데, 윤석열 대통령의 '대파 875원' 소동을 떠오르게 한다. 정부가 농산물 할인쿠폰과 납품단가 지원 등에 1500억원의 재정을 긴급 투입한 데 비하면 가격 인하 효과는 미미한 것 아닌가.

물가는 앞으로가 더 문제다. 작황이 나쁜 참외값도 심상찮고, 총선 때문에 미뤄둔 공공요금이 줄줄이 오를 게 뻔하다. 국제 유가도 꿈틀거리고 있다. 서부텍사스산중질유(WTI)는 최근 85달러에 육박하며 5개월 만에 최고치를 기록했다. 연초(70달러)보다는 20% 가까이 상승했다. 수입품 가격에 직접 영향을 미치는 환율도 상승세다. 이날 서울 외환시장에서 원·달러 환율은 장중 1350원을 돌파하며 지난해 10월 이후 가장 높았다. 환율이 오르면 원유·곡물 등 수입 원자재 가격이 오르고, 1~2개월 시차를 두고 소비자물가에 반영된다. 미국 금리 인하 시점의 불확실성도 커지면서 달러화 강세는 당분간 지속될 가능성이 높다. 그런데도 최상목 부총리 겸 기획재정부 장관은 이날 "추가적 특이 요인이 발생하지 않는 한 3월에 연간 물가의 정점을 찍고 하반기로 갈수록 빠르게 안정화될 것"이라고 낙관했다.

정부는 올해 연간 소비자물가 상승 목표치로 2.6%를 제시했지만 지금 추세라면 달성이 불가능하다. 코로나19 이후 한국 경제를 무겁게 짓눌러온 3고(고금리·고물가·고환율)의 굴레에서 벗어나기 위해서는 물가를 먼저 잡아야 한다. 그래야 서민들 고통이 줄고, 한국은행의 기준금리 조기 인하도 기대할 수 있다. 정부는 지금이라도 물가 상황에 관해 진솔하게 설명하고, 국민의 협조를 구해야 한다. 치솟는 물가도 걱정이지만 총선을 앞두고 혹세무민하는 정부가 더 걱정이다.[127]

2일 서울 동대문구 청량리 청과물시장에서 한 시민이 사과를 구매하고 있다. 이날 통계청의 '3월 소비자물가 동향' 자료에 따르면 사과는 지난해 3월에 비해 88.2% 올라 관련 통계 작성 이래 가장 큰 상승률을 보였다(조태형 기자).

103. ‘한국의 경제기적’과 농지개혁

유엔무역개발회의(UNCTAD)는 2020년 7월 한국을 선진국으로 지정했다. 회원국의 만장일치였다. 식민지 경험이 있는 제3세계 국가 중 최초이고, 유일한 사례다. 우리는 한국에 대해 가장 자랑할 만한 것을 K팝, K콘텐츠라고 생각할 수 있다.

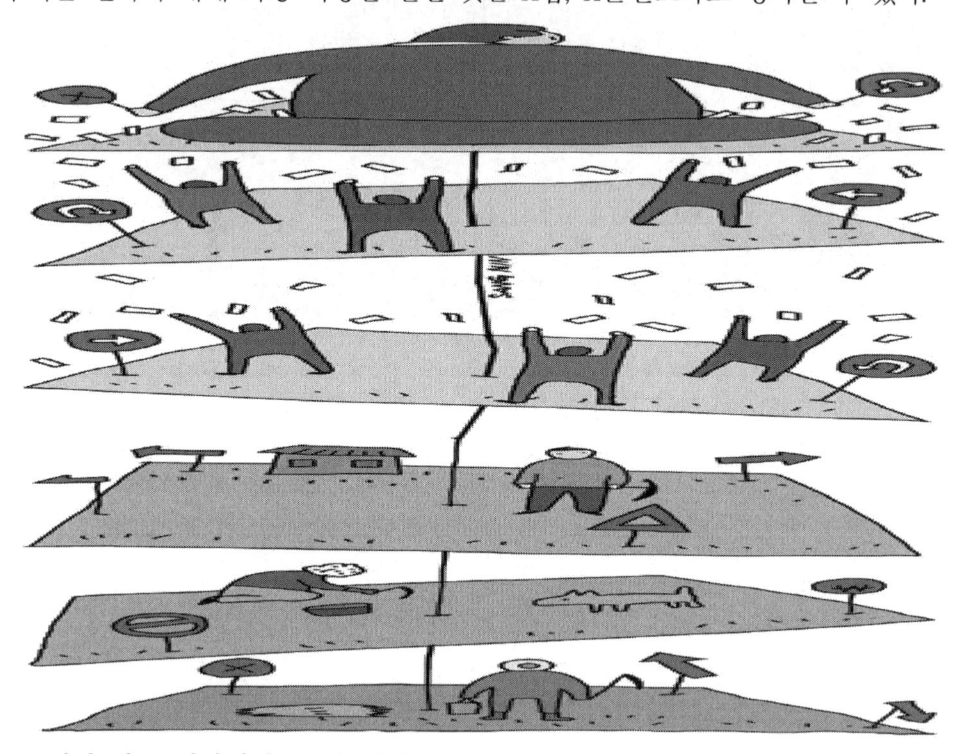

그러나 외국 입장에서, 특히 개발도상국 입장에서, 한국에 대해 가장 부러운 것은 ‘경제 기적’이다. 1953년 한국전쟁 직후, 한국의 1인당 국내총생산(GDP)은 100달러가 채 되지 않았다. 최근에는 3만5000달러에 근접했다. 배율로 치면 무려 350배가 증가했다.

경제학의 최대 관심사 중 하나는 경제성장이다. 경제성장은 빈곤을 타파하는 가장 강력한 방법이다. 경제학 교과서들은 경제성장 과정을 자본투입(K) 증가량, 노동투입(L) 증가량, 총요소생산성(TFP) 증가량으로 설명한다.

이런 설명 방식은 틀린 표현은 아니지만, 다분히 결과론적인 설명에 불과하다. 한국은 어떻게 경이적인 수준의 경제성장을 성공할 수 있었을까? 제2차 세계대전 이후, 5% 이상의 고성장을 30년 이상 달성한 나라는 매우 예외적이다.

한국개발연구원(KDI)의 분석에 따르면 딱 11개 국가다. 1인당 GDP 증가율을 순위대로 살펴보면 다음과 같다.

①적도기니(8.9%) ②오만(7.1%) ③리비아(7.1%) ④한국(7.0%) ⑤보츠와나(7.0%) ⑥타이완(6.8%) ⑦중국(6.5%) ⑧싱가포르(6.5%) ⑨일본(6.5%) ⑩사우디아라비아(5.9%) ⑪홍콩(5.8%)이다.

재밌는 것은 11개 국가는 다시 두 덩어리로 분류할 수 있다. 하나는 자원 부국이다. 적도기니, 오만, 리비아, 보츠와나, 사우디아라비아가 해당한다. 다른 하나는 동아시아 발전국가들이다. 한국, 타이완, 중국, 싱가포르, 일본, 홍콩이 해당한다. 도시국가인 싱가포르와 홍콩을 논외로 하면, 한국, 타이완, 중국, 일본은 4가지 공통점이 있었다.

첫째, 농지개혁을 했다. 둘째, 친미국가였다. 셋째, 제조업을 중시했다. 넷째, 지정학적으로 소련 혹은 공산주의 국가들과 국경을 접하는 최전선에 위치했다. ①농지개혁 ②친미국가 ③제조업 중시 ④지정학적 위치는 서로 연결되어 작동했다. 이 중에서 특히 '농지개혁' 에 집중해서 살펴보기로 하자.

농지개혁에서 관전 포인트는 세 가지다. 첫째, 실시 배경이다. 일본, 한국, 타이완에서 농지개혁을 했던 이유는 모두 '공산화를 막기 위해서' 였다. 이들 나라들은 모두 소련, 중국, 북한과 지리적으로 인접하고 있다. 일본은 점령군 총사령관 맥아더가 농지개혁을 주도했다. 한국의 경우 3자 합작품이었다. 미 군정과 이승만, 조봉암 등의 진보적 국회 소장파의 공동 산물이었다. 타이완의 경우 국공내전에서 패배한 이후 장제스가 실시한다.

2012년 총선과 대선에서 당시 새누리당 박근혜 대표는 경제민주화와 복지국가를 전면에 내걸고 승리한다. '민주당 정책' 을 가로채서, 민주당을 지지하던 중도표를 빼앗아, 민주당에 승리한 경우였다. 농지개혁의 원리도 이와 같았다. '공산주의 세력의 정책' (농지개혁)을 수용해서, 공산주의 세력과의 정치적 경쟁에서 승리한 경우였다. 일본, 한국, 타이완은 '절반쯤은' 공산화된 상태에서 출발한 나라였다.

가. 지리학 · 지정학 · 지경학의 중요성

둘째, 농지개혁이 경제성장으로 연결되는 메커니즘이다. 두 가지가 중요했다. 하나는 열심히 일할 인센티브를 제공했다. 자기만의 땅이 생기자 농민들은 혼신의 힘을 다해 일했다. 건국 직후 미국이 그러했듯이 대한민국은 '소농(小農)의

나라' 로 출발했다. 한국인 특유의 근면성 역시 농지개혁과 관련된다. 이후 농가 소득은 급상승했다.

다른 하나는 아이들에 대한 교육 투자다. 농지개혁이 되지 않았다면, 지주 계급도, 농민들도 자녀들을 학교에 보내는 것을 반대했을 것이다. 경제성장과 상관관계가 가장 높은 것 중 하나는 초등학교와 중학교 취학률이다. 한국의 경우 비슷한 시기에 의무교육이 도입됐다. 초등학교 및 중학교 취학률이 90%를 돌파한다. 문맹률은 급격히 하락한다. 아이들에 대한 높은 교육투자는 남미, 동남아시아와 구분되는 동북아시아 발전국가들의 핵심 특징이다.

셋째, 북한 농지개혁과 남한 농지개혁에 대한 평가다. 1980~1990년대 운동권 세미나에서 공부했던 내용은 북한 농지개혁이 더 진보적이라는 것이었다. 북한은 '무상몰수-무상분배' 를 했다. 남한은 '유상몰수-유상분배' 를 했다. 그러나 결론부터 말해, 남한 농지개혁이 '더 진보적' 이었다.

토지 소유권은 처분권, 상속권, 경작권, 수확 배분권 등으로 세분화할 수 있다. '농민 입장에서' 볼 때, 북한의 농지개혁은 김일성 가문에 귀속된 것에 불과하다. 농민에게는 처분권도 없고, 상속권도 없다. 경작권만 있고, 수확물의 일부를 배분받을 뿐이다. 일제강점기 지주계급이 나눠주던 수확 배분을 김일성 가문이 해주는 것으로 바뀌었을 뿐이다.

나. 남한 농지개혁, 북한보다 진보적

반면, 남한의 농지개혁은 농민에게 귀속됐다. 농민에게는 처분권도 있고, 상속권도 있다. 온전히 농민의 것이 됐다. 게다가 한국전쟁 이후 발생한 하이퍼인플레이션으로 인해 농민들이 갚아야 할 유상분배 몫은 20분의 1 수준으로 낮아졌다.

한국에서 경제성장이 실제로 이뤄진 과정은 지리학・지정학(地政學)・지경학(地經學)이 연동돼 작동했다. 일본, 타이완, 중국도 마찬가지였다. 2023년 현재, 대한민국은 새로운 위기를 맞고 있다. 미・중 패권경쟁, 국제공급망(GVC)의 급진적 재편, 급진적인 에너지 전환, 인구 구조의 급진적 재편 등이다. 외교・경제・사회를 아우르는 복합위기다. 그러나 현재 정치는 누가 더 한가한지, 누가 더 자극적인지 경쟁에 팔려 있다. 지금 우리에겐 새로운 위기, 새로운 미션을 수행하는 새로운 리더가 필요하다.[128]

104. 자발적 퇴사자와 '시럽급여'

사는 게 버겁다고 느껴질 때마다 떠오르는 대사가 있다. "고니야, 먹고살기 참 힘들다." 영화 <타짜>에서 배우 김혜수가 한 독백이다. 그 장면을 생각하면 이상하게 위로가 된다. 나는 펑크밴드에서 10년째 베이스를 연주하고 노래를 부른다. 인디 음악가로서 밴드 활동을 통해 많은 성과를 이뤘지만, 먹고살 만큼의 수익은 내지 못해 꾸준히 생업을 병행해왔다.

2008년 유명 프랜차이즈에 시간제 근무자로 입사해 지난해 퇴사할 당시 직책은 점장이었다. 처음부터 오랫동안 일할 마음으로 입사한 것은 아니었다. 그런데 다른 직업보다 비교적 근무시간의 자유로운 조율이 가능해 밴드 활동을 병행할 수 있었다. 그렇지만 장점은 단점이 되기도 했다. 공연한 다음날 새벽에 출근하는 일도 많았고, 해외 공연을 다녀온 다음날에도 출근하는 생활이 자주 반복됐다. 그러던 어느 날 김혜수의 대사를 아무리 떠올려도 더 이상 위로가 되지 않게 되었고, 지난해 여름 정신과 의사의 권고로 퇴사했다.

10년 넘도록 고용보험료를 냈지만, 자발적 퇴사자라는 이유로 구직급여(실업급여) 대상이 되지 못했다. 신경쇠약을 이유로 병가로 퇴직 처리되긴 했지만, 급여 대상이 되지 못한 건 마찬가지였다. 구직급여는 말 그대로 취업활동을 하는 사람에게 생활비를 지원해주는 제도이다 보니 병으로 아픈 사람은 구직활동을 할 수가 없어 급여 대상이 아니다. 조금 억울하다고 생각했다. 이렇게 긴 시간 쉬지 않고 일을 해왔고, 정신적 회복을 위해서는 쉬어야 한다는 의사의 권고도 있었지만, 나는 급여 대상이 아니었다.

프리랜서로 분류되는 대다수 예술가는 고용보험의 대상조차 되지 못한다. 예술인을 위한 제도가 존재하지만, 현실적으로는 제대로 활용되지 못하고 있다. 예술인 고용보험 정책이 시행된 지 얼마 되지 않은 탓도 있겠지만, 불안정한 수입으로 생활하는 예술인들의 현실을 반영하기에 현재의 정책은 무리가 있다고 느껴진다. 경제협력개발기구(OECD) 회원국 중에서 우리나라의 고용보험 가입률은 전체 노동인구의 48%에 그치고 있어 사각지대가 많다는 지적이 나온다. 고용보험 가입 대상이지만 가입되지 않은 집단이 14%, 제도적으로 가입 자체가 배제된 집단이 38%라고 한다.

얼마 전 박대출 국민의힘 정책위의장의 '시럽급여' 발언이 엄청난 사회적 논란을 불러일으켰다. 실업급여를 받아 해외여행을 가는 것은 문제라고 했고, 최저임금을 받는 노동자의 월급보다 실업급여의 하한액이 더 많다는 이유로 개편을 주장했다. 낮은 임금을 받고 힘들여 일하느니 쉬면서 실업급여를 타는 게 낫다고 생각하는 노동자들이 적지 않다는 것이다. 그러나 당정의 추진 방향대로 실업급여의 하한액을 최저임금의 60%로 낮추거나 아예 폐지하는 것은 고용시장이 안정되지 않아 잦은 실직과 이직이 발생하는 책임을 저임금을 받는 노동자들에게 전가하는 것이다.

주 4일 근무, 자발적인 퇴사도 실업급여를 받을 수 있는 나라가 될지도 모른다는 희망은 너무 꿈같은 생각이었나 싶다. 부디 사각지대 없이 모든 이들이 사람답게 살 권리가 보장되는 국가가 되기를, 많은 청년들이 살아가는 게 버겁지 않은 세상이 되길 소망한다.[129)130)]

지원금 받으려 자발적 퇴사 처리 등 영세업체 '구직급여 신청 방해' 늘어 "자발적 퇴사자도 실업급여 지급해야" 한다.

105. 부(富)와 성장의 미래

아직 몇 가지 불안요인들이 남아 있지만, 지난 1년 반에 걸쳐 빠르게 진행돼왔던 전 세계적인 통화긴축이 마무리되어 가는 시점에 글로벌 경제의 향방에 대한 관심이 커지고 있다.

최근 맥킨지 글로벌연구소(MGI)는 거시경제와 글로벌 대차대조표의 변화를 중심으로 미래 시나리오를 제시한 보고서를 내놨다. MGI 보고서를 토대로 앞으로 펼쳐질 경제상황을 조망해보자.

주지하듯이 2000년을 전후해 세계 경제의 순자산 증가와 (경제주체별) 대차대조표의 확장 속도는 국내총생산(GDP)의 증가 속도를 빠르게 추월하기 시작했다. 그 원인은 주로 주식과 부동산 같은 자산가격의 상승 때문이었다. 2000~2021년 자산가격 인플레이션은 전 세계적으로 160조달러 규모의 '장부상 부(paper wealth)' 또는 '부(富)의 착각(wealth illusion)'을 만들어냈다. 게다가 코로나19 팬데믹 시기에는 이러한 대차대조표의 확장 속도가 더욱 빨라졌다. 반면 같은 기간에 생산적 투자는 크게 감소했다. 2008년 금융위기 이전 GDP 대비 순고정투자 비중은 6~8%대였으나 2010년대에는 3~4%대로 절반가량 감소했으며, 지금까지도 회복되지 않고 있다.

MGI가 제시한 4가지 미래 시나리오에 대해 살펴보자. 첫째, 이전 시기(2000~2020년)로의 회귀 시나리오다. 이는 낮은 물가상승률, 상대적으로 높은 실업률, 저조한 총수요와 저성장으로 대표되는 만성적 침체로의 회귀를 의미한다. GDP 대비 기업수익은 성장하지만 생산적 투자보다는 평가가치에 기인한다. 실질이자율은 여전히 낮고, 생산성 성장은 낮은 수준에 머문다. 대차대조표는 지속적으로 확장되나 자산가격 인플레이션에 기반한 것으로 금리 상승과 과중한 부채로 인한 충격에 취약하다.

둘째, 장기 고물가 시나리오다. 1970년대 미국의 스태그플레이션과 유사하다. 하지만 당시보다 한참 낮은 4%대의 물가상승이 구조적으로 지속되는 시나리오이다. 견고한 소득 성장, 부의 증대, 대차대조표의 안정성 증대를 특징으로 한다. 타이트한 노동 공급으로 명목임금은 상승하고, '넷 제로(net zero)' 이행, 공급망 재편, 안보비용 확대 등 관련 투자가 증가한다. 기준금리는 금융불안에 대한 우려로 인해 인플레이션 목표를 달성하는 수준까지 상승하기 어렵다. 강한 수요와 높은 수준의 투자가 추세선 이상의 GDP 성장을 견인한다. 대차대조표는 역사적 평균으로 회귀하고, 주식의 시장가치와 부동산 가격은 하락과 동시에 인플레이션으로 인해 가계의 실질 부는 감소한다.

셋째, 대차대조표 리셋 시나리오다. 일본의 1990년대와 유사하게 장기침체로 인한 최악의 시나리오이다. 강력한 재정 및 통화긴축으로 인플레이션을 억제하는데 성공하지만 실질금리는 상승하고 부채 부담이 증가하며 자산가격은 하락한다. 유동성 경색 위험이 증가하고, 장기침체에 돌입하면서 부채조정(디레버리징)시대가 도래한다. 주식 가치와 부동산 가격은 하락하고 리스크 프리미엄은 상승하며, 부득이하게 공공부채는 증가한다.

넷째, 생산성 향상 시나리오이다. 1990년대 후반~2000년대 초반에 경험했던 '골디락스(Goldilocks)시대'가 도래한다는 시나리오다. 타이트한 노동시장에 대응한 기업의 투자, 특히 디지털·자동화 기술에 대한 투자가 증가하고, 새롭게 재편된 공급망이 효율적이다.

또한 신흥 경제권으로부터의 노동공급이 증가하거나 혁신과 기술에 대한 산업정책이 추진되면 공급 증대로 인해 물가상승 압력은 감소한다. 실질금리는 상승하고 생산적 자본배분이 확대된다. GDP 성장 덕분에 대차대조표는 소폭 축소된다. 주식의 시장가치는 완만하게 상승하며, 부동산 가격은 정체되고, 금리상승에도 불구하고 늘어난 투자 덕분에 채권가치는 상승한다. 가계의 실질 부(富)는 증가한다.

이런 시나리오 중에서 어떤 게 가장 가능성이 높은지는 판단하기 어렵다. 하지만 어떤 게 바람직한지는 분명하다. 시장경제의 역사가 보여주듯 경제성장과 괴리된 대차대조표의 확장은 지속 가능하지 않으며, 생산성 증가의 가속화만이 장기적인 소득 및 부의 성장과 '건강한' 대차대조표를 달성할 수 있는 유일한 방법이다. 교과서적이긴 하지만 자명한 교훈을 되새길 필요가 있다.[131]

106. 가난한 개미, 부자 베짱이

더운 날씨에도 개미는 쉬지 않고 일한다. 베짱이는 그런 개미를 비웃으며 나무 그늘에서 노래를 부르고 낮잠을 잔다. 겨울이 되자 개미는 쌓아둔 식량 덕에 풍족하게 살지만 베짱이는 쫄쫄 굶는다. 이솝 우화 '개미와 베짱이'에는 미래를 위해 열심히 일하고 저축한 사람은 잘살고, 당장의 즐거움을 추구하고 게으르며 소비에 열을 올린 사람은 가난하게 산다는 의미가 담겨 있다. 하지만 현실은 개미처럼 사는 사람이 가난한 경우가 많다. 땡볕에서 일하는 노동자와 농민들, 누구보다 먼저 일어나 새벽 버스에 몸을 싣는 사람들, 모두들 열심히 일하지만 가난을 벗어나기 어렵다. 가난하기 때문에 더 일을 많이 해야 하는 처지인지도 모른다. 반면 베짱이는 놀아도 계속 잘살기만 한다. 남들이 일하는 평일에 골프를 쳐도 통장에는 매달 이자가 쌓이고 임대료와 주식 배당금이 들어온다.

인형극 '개미와 베짱이'의 한 장면. 경향신문 자료사진

부(富)를 축적하는 방법은 두 개의 범주로 나눌 수 있다. 노동을 통한 저축과 부모로부터 물려받은 상속이다. 일제 수탈과 6·25전쟁을 겪으면서 1950년대까지 한국은 대부분의 사람이 가난했다. 산업화를 거치면서 경제가 눈부시게 성장하던 시절에는 열심히 일하고 저축해 자수성가하는 사람들이 쏟아져 나왔다. 지금은 경제성장률이 1%대로 하락했다. 선대에서 물려받은 부동산이나 주식 등의 자산이 저축으로 만들어진 자산보다 더욱 빠르게 성장하는 시대가 됐다. 10년치 월급을 모아도 수도권에 아파트 한 채 마련하기 어렵다. 아파트 가격이 그사이 더 많이 오르기 때문이다. <21세기 자본>의 저자 토마 피케티는 "자본 수익률이 현저하고 지속적으로 경제성장률보다 높은 경우, 거의 필연적으로 과거에 축적된 자산의 상속이 현재 축적되는 자산인 저축을 압도한다"고 했다.

자본주의의 전제는 사유재산 인정이다. 합법적인 부의 축적을 인정하고 존중하는 것이다. 부모가 피땀 흘려 일군 논밭을 자녀에게 물려주고 싶은 것은 당연하고, 권장할 만한 일이다. 그런데 소득이 있는 곳에는 세금이 있다. 부모가 재산 50억원을 자녀 2명에게 남겼을 때 상속세를 매기는 방법은 두 가지다. 50억원에 세금을 매기고 이를 자녀가 절반씩 나눠 내게 하는 것, 다른 하나는 두 자녀가 각각 물려받은 25억원에 세금을 물리는 것이다. 앞의 방식이 유산세, 뒤의 방식이 유산취득세다. 한국은 유산세 방식이다. 누진세율이 적용되고 과세표준이 30억원을 넘으면 최고세율 50%가 적용된다. 윤석열 대통령의 공약은 유산세를 유산취득세로 바꾸고 세율을 낮춰 상속세 부담을 덜어주는 것이다. 그러나 유산취득세로 바꾸면 세수가 당장 수조원 줄어든다. '부자 감세' 논란이 일고 재정 악화가 불을 보듯 뻔하다. 그래서인지 올해 세법개정안에서 유산취득세 전환이 빠지고 대신 출생률 제고 대책이라며 결혼자금 세액공제(최대 1억5000만원)가 등장했다. 자녀 등 직계비속에 대한 증여세 공제 한도가 5000만원인데 결혼하면 여기에 1억원을 추가해주겠다는 것이다.

비과세 유산 1억5000만원은 많다면 많고, 적다면 적은 돈이다. 신혼부부에 대한 현실적인 지원책이라는 찬성 의견과 경제력이 없는 사람들에게는 박탈감만 주는 정책이라는 반대 의견이 있다. 하지만 상속은 부모의 재산이 대를 이어 자녀에게 전달되는 것 이상의 의미가 있다. 한 사회의 상속제도는 권력과 부를 분배하는 일종의 시스템이다. 사회의 정치·경제가 변하면 상속제도가 달라지고, 상속제도가 변하면 그 사회의 정치·경제가 달라진다. 근대와 전근대를 구분하는 기준이 부와 지위의 대물림 여부다. 〈상속의 역사〉를 쓴 역사가 백승종에 따르면 전통적으로 서구 유럽에서 상속의 초점은 상속에서 배제되는 사람이 구제될 전망이 있는가에 맞춰졌다고 한다. 상속에서 배제된 사람들을 사회가 어떤 식으로든 흡수해야 한다는 의미다. 그들도 유능한 인재가 될 수 있기 때문이다.

부의 분배는 언제나 정치적이다. 거대한 부가 주로 상속의 결과인지 아니면 자수성가의 결과인지에 따라 불평등에 관한 관점과 정책은 달라질 수밖에 없다. 불평등이 사회 구성원 모두에게 기회가 균등한 상태에서 자수성가로 이뤄진 결과라면 이것은 공정하고 공평하다고 할 수 있다. 그러나 젊은 연령에서 불평등이 심하고 그 불평등이 어떤 부모를 만났느냐에 따라 결정된다면 이는 사회 구성원들이 받아들이기 어렵다. 불평등은 그 자체로 나쁜 것이 아니다. 핵심은 그 불평등이 정당화될 수 있는가, 그 불평등을 용인할 합당한 이유가 있는가 하는 것이다.[132)]

107. 금융시장의 약장수들

요즘은 볼 수 없지만 옛날엔 동네에 약장수가 가끔 찾아왔다. 마을 공터에 자리를 잡은 약장수는 사람들이 모여들면 "애들은 가라" 고 외치면서 차력쇼를 선보인다. 건장한 장정들이 나와 맨손으로 철근을 구부리고 머리로 벽돌을 깨고, 입에서 불을 뿜기도 한다. 쇼의 열기가 고조될 때쯤 "이 약 한 번 잡숴봐" 라며 약을 돌린다. "앉은뱅이가 일어나고 소경이 눈을 뜨고 칠순 할배가 늦둥이를 본다" 는 식의 대충 만병통치약이다. 약을 산 이들이 몇이나 됐는지는 기억에 없다. 약의 효험에 대해서도 들은 적이 없다. 수려한 말로 허풍을 떨거나 사기를 치는 사람에게 "어디서 약을 팔아" 라며 면박 주는 말이 여기서 나왔다.

현대 자본주의 시장에서 대중이 이런 '약' 을 살 가능성이 높은 곳이 금융시장이다. 금융기관들은 난해한 금융공학으로 파생상품을 만들어 높은 수익을 보장한다며 소비자들을 유혹한다. 파생금융상품은 당초 상품 가격이나 환율, 주가 등의 급변동 위험(리스크)을 피하기 위해 만들어졌다. 그런데 이제는 자산 형성을 위한 재테크 상품으로 선전되고 팔리고 있다. 왜곡된 파생상품은 금융시장은 물론 경제 전체에 치명적인 독이 될 수도 있다. 우리는 상환능력이 없는 저신용자들에게 무리한 대출을 해주고 이에 대한 리스크를 각종 파생상품으로 쪼개고 합쳐 감춘 미국의 서브프라임 모기지(비우량 주택담보대출) 사태가 2008년 세계 금융위기로 이어진 장면을 목격했다.

금융시장은 자금의 수요자와 공급자 간의 금융 거래가 이루어지는 시장이다. 금융시장이 일반 상품시장과 다른 점은 금융시장에서 매매 대상이 되는 것은 질적으로 무차별한 화폐이고, 그 화폐는 이자를 낳는 자산이며, 기한부의 대출이라는 형식으로 매매된다는 점 등이다.

최근 파생상품 하나가 한국 금융시장을 흔들고 있다. 홍콩 증시의 H지수를 기초자산으로 하는 주가연계증권(ELS)을 산 많은 투자자들이 지수가 급락하면서 막대한 원금 손실에 직면하고 있다. 이 상품은 만기 때 홍콩H지수가 가입 당시의 70% 선을 넘으면 수익을 얻지만 그 밑으로 떨어지면 원금 손실이 발생한다. 지난달 8일부터 26일까지 만기가 도래한 ELS에서만 총 3121억원의 손실이 확정돼 원금 손실률이 53%에 달한다. 이 상품은 올 상반기에만 5조~6조원대의 손실이 예상되고 있다.

손실을 본 사람들 중에는 치매 초기 증상이 있다는 90대, 노후자금 수억원을 투자한 70대, 미성년자 등도 포함돼 있다. 이들 상당수가 손실 발생 가능성이 없다는 은행 직원들의 말을 듣고 상품에 가입했다고 한다. 투자자들은 시위에 삭발까지 하고 있다. 금융당국은 은행들에 대한 검사에 착수했고 은행들은 뒤늦게 ELS 판매 전면 중단을 선언하고 있다. 앞으로 이어질 투자자들과 은행들 간의 지난한 분쟁이 눈에 훤하다.

우리는 교훈을 얻지 못했다. 2019년 파생결합펀드(DLF) 사태 때도 수천명의 투자자가 수천억원의 손실을 입었다. 문제가 된 DLF는 독일 국채 금리에 연계된 파생상품이다. 독일 국채 금리가 -0.3%보다 높으면 수익이 나지만 이보다 낮아지면 손실이 발생하는 구조였다. 은행 직원들은 당시 독일이 망하지 않는 한 국채 금리가 마이너스가 되지 않을 거라 했고, 이번에는 중국이 망하지 않는 한 홍콩H지수가 폭락하지 않을 거라면서 상품을 팔았다. 그러나 각국 중앙은행이 경기부양을 위해 기준금리를 제로까지 내리면서 독일 국채 금리는 추락했고, 중국 경제 상황이 악화되면서 홍콩H지수는 반토막이 났다. '검은 백조'(일어날 것 같지 않지만 만약 발생하면 엄청난 충격을 가져오는 사건)도 출현할 수 있는 곳이 바로 금융시장이다.

손실 위험이 큰 파생상품은 애초에 금융 전문가가 아닌 개인이 투자해서는 안 되는 상품이다. 투자은행(IB) 등 기관투자가들은 이런 상품에 투자할 때 손실을 회피할 반대 방향 투자 수단(포지션)도 함께 확보해 놓는다. 개인투자자들은 이런 리스크 회피(헤징)가 불가능하다. DLF 사태나 이번 ELS 사태에서 개인투자자들이 잃은 돈은 반대 포지션에 투자 또는 헤징한 기관투자가들에게 넘어가거나 그들의 손실 보전에 쓰였다. 이 과정에서 상품을 발행하고 판매한 증권사와 은행들은 수수료 수입을 챙겼다. 결국 희생되는 이는 개인들이다.

기울어진 시장 구조에서 개인투자자들을 보호하기 위해서는 정부의 보다 엄격한 규제가 필요하다. 안정성을 기대하는 투자자들이 주로 찾는 은행에서 파생상품을 판매하는 것을 금지하거나 "손실 위험을 감수하고 투자하겠다"는 서약서를 쓴 개인에게만 판매하는 방법 등이다. 세계 금융위기 직전인 2007년에 낸 저서 〈블랙 스완〉에서 경제위기를 예견했던 나심 탈레브는 "다이너마이트에 경고 표시가 붙어 있어도 아이들에게 주지 말라"며 복잡한 금융상품을 일반 대중에게 파는 것을 금지해야 한다고 말했다. 자본주의 시장경제는 최고의 상품을 창조해 내는 시스템이지만 대중이 투자를 하거나 상품을 살 때 약장수들에게 속지 않도록 보장돼야 제대로 작동할 수 있다.[133)]

108. 힘 받은 윤석열 정부, 경제 살리기·규제 개혁에 드라이브 나선다

6·1 지방선거에서 국민의힘의 압승으로 윤석열 대통령은 집권 초 국정운영 동력을 확보했다. 대통령실은 이에 2024년 4월 총선까지 약 2년 정도의 시간을 국정운영의 골든타임으로 보고, 경제 살리기와 개혁과제를 이행하겠다는 의지를 분명히 했다.

윤석열 대통령이 2일 경기 고양 일산서구 킨텍스에서 열린 2022 대한민국 고졸 인재 채용엑스포 개막식에서 축사를 하고 있다(고양=서재훈 기자).

윤 대통령은 지방선거 결과가 확정된 2일 오전 입장문을 통해 향후 국정운영에 있어 방점을 '경제'와 '민생'에 찍겠다는 뜻을 밝혔다. 윤 대통령은 "이번 선거 결과는 경제를 살리고 민생을 더 잘 챙기라는 국민의 뜻으로 받아들이고 있다"며 " 서민들의 삶이 너무 어렵다. 경제 활력을 되살리는 것이 가장 시급한 과제"라고 밝혔다. 그러면서 "윤석열 정부는 첫째도 경제, 둘째도 경제, 셋째도 경제라는 자세로 민생 안정에 모든 힘을 쏟겠다"고 강조했다. 약 240자 분량의 짧은 입장문이었지만 '경제'를 다섯 차례 언급했다.

경제(經濟)는 사람이 생활을 함에 있어서 필요로 하는 재화나 용역을 생산, 분배, 소비하는 모든 활동이며, 민생(民生)은 일반 국민의 생활이나 생계이다.

가. 대통령실 "민생 회복에 주력... 웃을 때 아니다 "

윤 대통령이 '경제'에 방점을 찍은 것은 녹록지 않은 대내외 경제 환경이 정부의 발목을 잡을 수 있다고 판단했기 때문이다. 최근 고유가와 고환율, 고금리 등으로 국민들의 체감물가가 크게 오른 것은 역대 정권의 초기 상황과 비교할 때 윤석열 정부 입장에선 불리한 상황이다. 대통령실 고위관계자는 "국민들이 집권 여당에게 힘을 몰아줬는데도 경제 살리기나 민생 회복이라는 기대에 어긋난다면 곧바로 화살이 우리에게 돌아올 것"이라며 "두려움을 느껴야지 웃을 때가 아니다"고 했다.

경제 살리기를 위한 이행방안으로는 '규제 개혁'을 첫손에 꼽고 있다. 이를 통해 민간 주도 성장을 이뤄 성장과 민생 안정의 선순환을 꾀하겠다는 게 윤 대통령의 구상이다. 대통령실 관계자는 "규제 개혁은 기업뿐 아니라 민생 안정에도 도움이 되는 우선 과제"라고 설명했다. 정부는 규제 개혁 전담기구를 설치해 행정 지도와 같이 법령과 관계없는 규제를 없애는 작업을 진행하고 있다.

이에 연금·노동·교육분야 개혁에 속도가 붙을 것으로 보인다. 윤 대통령은 지난달 16일 국회 시정연설에서 "우리가 직면한 나라 안팎의 위기와 도전은 우리가 미루어 놓은 개혁을 완성하지 않고서는 극복하기 어렵다"며 3대 개혁 과제(연금·노동·교육 개혁)를 화두로 제시했다. 윤 대통령이 이날 고졸 인재 채용엑스포에서 "창의적인 교육이 공교육에서 충분히 이뤄질 수 있도록 교육 혁신에 역량을 모으겠다"며 교육개혁 의지를 밝힌 것도 같은 맥락으로 풀이된다.

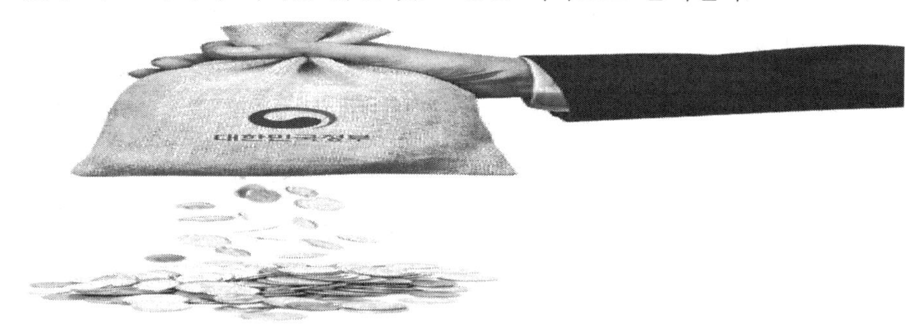

나. 개혁 추진 속 野 협조 확보는 과제

경제 및 규제 개혁을 위한 드라이브에도 여소야대 정국하에서는 거대 야당의 협조가 필수인 만큼 더불어민주당과의 '협치'는 당면 과제다. 다른 대통령실 고위관계자는 "집권 여당인 국민의힘에 표를 몰아준 건 야당과 잘 협력해서 국정을 안정적으로 해달라는 요구"라며 "승리에 취하거나 정파적 이슈가 생기면 협치가 꼬일 수 있는 점을 조심해야 한다"고 했다.[134]

109. 공약과 선택

세계 25위의 1인당 국내총생산과 52위의 행복지수, 최저 수준의 출생률, 경제협력개발기구(OECD) 회원국 중 최고의 자살률, 노인빈곤율 2위, 연평균 노동시간 4위, 성별 임금격차 1위, 일하는 여성의 '유리천장지수' 꼴찌. 세계 최고의 국내총생산 대비 가계부채비율, 연 27조원에 달하는 초중고 사교육비, OECD 평균을 밑도는 조세부담률과 최저 수준의 사회보호지출. 우리가 살아가는 대한민국의 현실이다.

저출생에 따른 생산가능인구의 감소는 잠재성장률 하락의 원인이고, 디지털 전환의 가속화로 고용불안과 숙련-비숙련노동자 간 임금격차가 확대되고 있다. 세계적 차원의 기후 변화 대응과 글로벌 공급망의 블록화 경향이 에너지 다소비 제조업의 비중 높은 한국경제에 작지 않은 타격을 줄 것이다. 물가상승과 생산성 증가율을 밑도는 임금상승률, 불안정한 주택시장과 부족한 공공임대주택, 과도한 가계부채, 소득과 자산의 양극화로 민생경제가 갈수록 어려워지고 있다.

지난 2월14일 한국매니페스토실천본부에서 발표한 '4·10 총선 유권자 10대 의제'는 우리 사회의 실상을 고스란히 드러내고 있다. 민생안정, 저출생 대책, 사회적 갈등 완화, 불평등과 양극화 해소, 사회안전망 구축, 균형발전 및 지역소멸 대처, 청년실업 대책, 창의적 인재 양성을 위한 교육제도, 탄소 중립과 환경·사회·지배구조(ESG) 대응책, 저성장 극복 대책의 순서다. 더불어민주당과 국민의힘에서 발표한 10대 공약도 대체로 이러한 유권자의 요구를 반영하고 있다. 표심을 얻으려는 각 당의 경쟁이 그만큼 치열하다는 것이다.

더불어민주당은 민생안정과 저출생 대책을 최우선 공약으로 하면서 기후위기 대처, 혁신성장과 균형발전, 국민의 안전과 행복한 삶, 소상공인·자영업자·중소기업의 경쟁력 강화에 이어 한반도 평화체제의 유지, 민주주의 회복과 정치개혁을 10대 공약에 포함했다. 국민의힘도 저출생 대책과 민생보호를 강조하면서 중소기업 지원, 시민 안전, 지역발전, 교통·주거격차 해소, 청년 지원, 어르신 지원, 기후위기 대응을 10대 공약으로 선정했다.

양당의 공약이 외형적으로는 비슷하지만, 우선순위와 추진과제는 정당의 정책기조로 인해 차이를 보인다.

더불어민주당은 포용성장의 정책기조하에서 사회안전망을 확충하고 혁신적 지원체계를 강화하는 재정지원사업 위주로 추진과제를 구성하였다. 새로운 성장 패러다임으로의 전환과 지속 가능한 성장을 위해서는 민주적 정치체제와 평화체제가 필요하다는 인식을 공약에 담아냈다. 반면에 국민의힘은 '선성장 후분배'와 '줄·푸·세'(세금은 줄이고, 규제는 풀고, 법과 질서는 세운다)의 정책기조를 기반으로 자산형성지원과 사회간접자본 투자에 집중하고 있다.

특히 저출생 대책과 지역 간 교통망 구축에 역점을 두고 있으며, 규제 대못 뽑기 차원에서 신산업 분야에 대한 규제제로박스의 신설과 지역 토지규제의 전면 재검토를 공약 이행 사업으로 제시했다. 하지만 코로나19 위기 이후 세계경제의 회복세가 더디고, 가계부채가 급속히 증가하는 상황에서 정책의 우선순위는 취약한 사회안전망을 확충하여 민생을 회복하고 내수기반을 확장하는 데 두어야 한다. 최후의 대부자로서뿐만 아니라 최후의 고용자로서 정부의 적극적 역할이 필요하다.

나아가 공약 이행에 필요한 막대한 규모의 재원 마련 방안도 보완되어야 한다. 더불어민주당과 국민의힘은 주로 기금, 지방교육재정교부금, 개발이익환수금, 정부재정 지출구조 조정, 총수입 증가분에 의존하고 있으며, 세수확충 방안은 찾아볼 수 없다. 재정지출 가운데 의무지출의 비중이 증가하면서 지출구조조정의 여지는 줄어들고, 성장률 전망치의 하향조정으로 총수입 증가분의 불확실성도 커지고 있다.

따라서 취약한 조세체계의 재분배기능을 강화하는 누진적인 방식으로 세수를 확충해야 한다. 하지만 정부 여당의 조세정책은 거꾸로 가고 있다, 고액자산가도 혜택을 보는 금융투자소득세 폐지 방침과 부동산 공시가격 현실화 계획 폐지, 가업상속공제 제도 적용 대상 확대 등을 연이어 발표하고 있다.

한국경제는 복합위기에 직면하여 전환기의 사회적 갈등을 극복하고 새로운 발전체제를 구축해야 하는 중차대한 시점에 놓여 있다. 그래서 앞으로의 4년이 특히 중요하다. 투표는 공약에 조세 비용을 지불하는 것과 비슷하지만, 시장에서 거래되는 상품과 달리 불특정 다수와 미래세대에게도 영향을 끼친다. 22대 국회가 대전환의 초석을 다질 수 있도록 세심히 살펴서 선택해야 한다.[135]

정당이나 입후보자가 선거유세에서 하는 약속. 선거운동 과정에서 유권자의 지지를 획득하기 위해 제시되며, 설득력 강화를 위해 정책목표, 정책수단, 세부계획을 포함한다. 선거 후의 정책활동에 정통성을 부여하는 기능이 있다. 대통령 선거공약은 소속정당의 공식적인 정책으로 간주된다. 한국에서는 지역주의와 연고주의에 기반한 선심성 공약이 남발되는 경향이 있으나, 법적 제재 방법은 없다.

110. '더 내고 더 받기'가 말하지 않는 것

연금개혁 공론화위 시민대표단 500명이 선정되었다. 이들은 4월에 두 번의 숙의를 거친 뒤 최종 설문조사로 연금개혁안을 제시한다. 여러 의제 중 단연 쟁점은 국민연금 보험료율과 소득대체율이다. 현재는 보험료율 9%, 소득대체율 40%인데, 개혁안으로 '더 내고 더 받기'(보험료율 13%, 소득대체율 50%)와 '더 내고 그대로 받기'(보험료율 12%, 소득대체율 40%) 중 하나를 선택한다.

언뜻 답은 뻔해 보인다. '더 내고 더 받기'가 책임과 권리를 함께 구현하니 공평하지 않은가. 기금소진연도는 7년 늦추고 연금액은 많아져서 지속 가능성과 보장성을 동시에 개선하니 말이다. 정말 그런가? 아니다. 앞으로 시민대표단은 '더 내고 더 받는' 방안('50%안')이 말하지 않는 사실을 알아야 한다.

우선 지속 가능성을 보자. 보건복지부 자료에 의하면, 현재 국민연금 소득대체율 40%에서 받는 만큼 낸다면 수지균형 보험료율이 약 20%이다. 이후 수급개시 연령을 올리고 기금수익을 늘릴 수 있으면 필요 보험료율이 15% 선까지 내려갈 수 있다. 결국 수지를 맞추려면 소득대체율 10%당 보험료율 4~5%가 요구된다. 그런데 50%안은 소득대체율을 10% 인상하면서 보험료율은 4% 올린다. 후하게 계산해도, 더 받는 몫만큼만 더 내는 개편안이다. 시민대표단은 질문해야 한다. 그러면 현재 국민연금이 지닌 재정불안정 문제는 어떻게 되는 건가요? 그냥 방치해도 되는 건가요?

궁금함이 생길 수 있다. 기금소진연도가 늦춰지므로 지속 가능성이 개선된 것 아닌가. 그렇지 않다. 국민연금 재정구조가 주는 착시에 유의해야 한다. 국민연금은 보험료를 내는 기간과 급여를 받는 기간이 완전히 구분된 제도이다. 보험료를 내는 시기에 급여도 받는 건강보험, 고용보험과는 재정구조가 다르다. 국민연금에서 보험료율과 소득대체율을 동시에 올리면 보험료율 인상분은 곧바로 수입을 늘리지만 소득대체율 인상분은 가입자의 계좌에서만 계산되다가 은퇴 후에 비로소 지출로 구현된다. 국민연금 재정에서 보험료율 인상은 전반전에, 소득대체율 인상은 후반전에 재정 효과를 발휘하는 셈이다. 그런데 기금소진연도는 재정계산 70년 기간의 중간 지점에 있다. 시민대표단은 물어야 한다. 50%안으로 가면 기금소진 이후 재정은 어떻게 되는지. 당시 급여 지출을 보험료로만 충당할 경우 요구되는 부과방식 보험료율이 소득대체율 40%에서는 최대 35%이고 소득대체율

50%에서는 43%까지 높아진다. 지금 우리가 내는 9% 보험료율의 5배에 육박하니 상상하기조차 어려운 수치이다. 지금 청년들이 수급자 지위에 있을 그 기간의 재정 상황을 명확하게 말하지 않는 것은 무책임하다고 따져야 한다.

그래도 공적연금이므로 보장성에 우선 충실하자고 생각할 수 있다. 현재 국민연금의 급여로는 노후생활이 어려우니 소득대체율이라도 올려야 한다고. 그렇다. 보장성을 높여야 한다. 단, 시야를 국민연금에서 전체 법정 의무연금으로 넓힐 때 가능한 일이다. 예전에는 국민연금 하나뿐이었지만 이제는 기초연금, 퇴직연금이 시행되므로, 노후설계도 '연금 삼총사'에 토대를 두어야 한다.

국민연금 급여액은 소득대체율에 가입기간을 곱해서 정해진다. 현재로선 수지 불균형이 너무 커서 소득대체율 인상이 어려운 게 냉정한 현실이다. 대신 가입기간 확대에 나서자. 국민연금은 외국에 비해 법정 의무가입기간이 만 59세로 짧고, 불안정 취업자들은 종종 가입 단절을 겪는다. 앞으로 의무가입연령을 상향하고 다양한 연금크레딧, 보험료 지원을 보강하여 가입기간을 늘리는 실질 보장성에 집중해야 한다. 기초연금은 작년 665만명의 노인에게 매월 약 30만원을 지급하며 총 22조5000억원을 지출하였다. 같은 해 급여지출 36조2000억원인 국민연금에 비해 결코 작은 제도가 아니다. 앞으로 하위계층 노인에게 누진적으로 더 지급하여 빈곤노인의 생활 개선에 힘써야 한다. 고용주가 전액 납부하는 퇴직연금은 2022년 기여액이 57조원으로 같은 해 국민연금에서 노사와 지역가입자가 낸 보험료 56조원보다 많고 이후 더욱 앞지를 것으로 전망된다. 연금 선진국처럼 퇴직연금이 연금으로 역할을 하도록 키워가야 한다.

다시 처음 질문으로 돌아가자. '더 내고 더 받기'와 '더 내고 그대로 받기' 중 어느 것이 지속 가능성과 보장성을 함께 구현할까? 전자는 국민연금기금 소진 이후에 오히려 재정을 더 어렵게 만들고 보장성에선 시야를 국민연금으로 좁혀 소모적 논쟁만 불러온다. 후자는 국민연금 재정안정화를 추진하면서 연금삼총사로 보장성을 전향적으로 재설계한다. 시민대표단의 진지한 숙의를 기대한다.[136)]

111. 인간에 대한 최소한의 예의

"치킨 500개를 까야 한다. 난 죽었다." 이틀 후에 남자친구와 부산에 놀러가기로 되어 있던 어느 20대 여성이 너무 힘들다고 남긴 메시지를 읽고 나서 나는 가슴이 너무 아팠다. 올해 돌아가신 아버님에게는 죄송한 얘기지만, 아버님의 장례식장에서도 나는 이렇게 가슴이 아프지 않았다. 상주로서 행정적 일들을 처리하는 데 정신이 없어서, 감정이 생길 겨를이 없었다. 그렇지만 빵을 만들다가 사망한 어느 여성의 얘기는 경제학자로 살아온 나의 감정선에 '훅' 들어왔다. 이게 뭐란 말인가? 그 사망 현장에서 다음날도 빵을 만들었다는 사실도 놀랐고, 빵 만들다가 죽은 노동자에게 빵을 가져다준 어처구니없을 정도의 무신경함에도 놀랐다. '어이 상실' 이 아니라 '예의 상실' 이다.

나는 우리 집 초등학교 두 어린이에게 어떤 누나가 빵을 만들다가 반죽기에 끼여 죽었다는 설명을 했고, 문제가 풀리기 전까지 포켓몬빵을 사줄 수 없는 이유와 파리바게뜨에 못 가는 얘기를 해주었다. 어린이들도 쉽게 동의했다. 그들에게 특별한 사교육을 시키는 것도 아니고, 내가 엄청난 권력이 있는 것도 아니라서, 그들이 커서 어른이 되면 일터에서 꼬박 일해야 하는 노동자가 될 가능성이 높다. 작업장 재해와 과로로부터 이 아이들을 내가 평생 지켜줄 수 있는 게 아니다. 이 죽음은 내 자녀의 미래 일이기도 하다.

그날 간만에 제빵기를 꺼내 식빵을 구웠다. 당분간 어린이들 간식으로 빵을 구울 생각이다. 그러면서 식빵 믹스를 보니까, 이건 또 CJ 제품이다. 여기도 독점, 저기도 독점, 대기업이 한국 경제를 가지고 논다는 생각을 지우기가 어려웠다. 자본주의가 원래 이런 것인가, 독점이라서 이런 것인가, 그 질문을 잠시 해봤다.

1914년 콜로라도 연료철강회사가 운영하는 광산에서 사택에서 쫓겨난 광산 노동자들이 가족과 함께 농성을 시작했다. 민병대와 주방위군이 이들에게 기관총 등 총기를 난사해 11명의 어린이가 죽었다. 사태가 격렬해지면서 결국 66명이 사망하게 되었고, 이것이 러들로 학살이다. 회사는 세계 최대의 석유 독점회사인 스탠더드 석유회사를 가지고 있던 록펠러 소유였다. 세계적으로 록펠러에게 맹비난이 쏟아졌다.

이 사건 이후 록펠러는 경영에서 손을 떼고, 록펠러 재단을 통한 공익 사업으로 전환한다. 자본주의가 야만스럽고도 잔인하던 시기였다. 스탠더드 석유회사를 비롯해 AT&T와 마이크로소프트 등 법원으로부터 독점 판결을 받고 회사를 분리한 사례가 이어진다.

'SPC 사건' 은 우리나라 경제계 전반에 걸친 안전의식 부재와 독점자본에 대한 제어 실패라는 두 가지가 동시에 작용하는 사건이다. 일하다 죽는 건 그만하자는 얘기가 지난 몇 년 동안 있었지만, 지하철과 석탄발전소 그리고 이제는 빵공장까지, 영역을 가리지 않고 계속해서 사망한다. 2019년 2020명, 2020년 2062명 그리고 2021년에는 2080명이다. 2018년에 2000명을 넘어선 이후로 계속 그 수준에 머물고 있다. 너무 많이 죽는다.

라면이나 우유를 비롯해 그간 비정규직 처우나 품질 문제 등으로 계속해서 소비자 운동이 있었고, 경쟁이 어느 정도 형성된 분야에서는 나름 효과가 있었다. 그렇지만 빵의 경우에는 워낙 독점이 심해서, 사실 별 변화를 기대하기 어렵다. 2014년에 나온 와타나베 이타루의 <시골 빵집에서 자본론을 굽다>를 재밌게 읽었다.

우리는 동네 빵집들이 너무 버티기가 힘들어서, 자본론 같은 것을 구울 시골 빵집 같은 것은 존재하기 어렵다. 아무리 호텔에서 날고 기던 제빵사라도 동네에서 대기업의 할인 포인트를 이겨내기가 어렵다고 한다. 도대체 SPC 빵이 얼마나 맛있길래 전국 대부분의 빵집이 초토화되었는가? 빵을 너무 많이 먹어 쌀 소비가 줄었다. 이젠 농업 안보의 근간을 법제화해야 할 정도로 우리는 밥 대신 빵을 먹었는데, 그 결과가 너무 참담하다. 정운찬 총리 시절에는 한국 보수들이 '동반성장' 같은 얘기도 했는데, 검사들의 시대에는 그것도 호랑이 담배 먹던 시절 얘기가 되었다.

'SPC 특별법' 을 생각해보자. 빵 같은 소비재에서는 특정 업체가 예를 들면 3분의 1의 시장 점유율을 넘을 수 없도록 할 수는 없을까? 그 비율을 넘어서면 계열사나 회사의 일부를 미국 법원이 하는 것처럼 강제매각하도록 하면 된다. 지역별로도 특정 브랜드가 일정 비율을 넘어설 수 없게 정하면, 결국 동네 빵집과 프랜차이즈 빵집에서 균형을 찾을 수 있게 된다. 뒤늦은 일이지만, 겨우 빵 하나 먹으면서 사람이 죽어 나가고, 그걸 대통령이 "그 정도는 해줘야", 이렇게 베푸는 시혜성 조치로 얘기하는 야만의 역사가 계속될 수는 없다. 한국 자본주의, 너무 급하게 달려오느라 최소한의 인간에 대한 예의를 못 갖추고 덜렁 21세기로 왔다. 지금의 불매운동이 빵 만들면서 목숨 걱정해야 하는 이 어처구니없는 상황을 극복하는 계기가 되기를 바란다.[137]

112. 은행들 폭리, 두고만 볼 일인가

이달 초 발표된 2022년 가계금융복지조사 결과는 양극화의 현실을 드러낸다. 지니계수나 5분위 배율(상위 20%의 소득이 하위 20% 소득의 몇 배인지 나타내는 지표)은 2021년 들어 시장소득 외에 처분가능소득 기준으로도 악화됐다. 지난 몇 년간 처분가능소득의 분배는 조세나 사회보험 등의 공적이전에 힘입어 다소나마 개선되는 추세였다. 그러나 작년부터는 그런 흐름조차 유지되기 어려워졌다. 불평등을 낳는 시장의 힘이 통제되지 않고 강해지기만 하는 탓이다.

양극화는 취약계층을 벼랑 끝으로 내몰고 있다. 통계청 가계동향조사 결과에서도 올해 3분기 가구 실질소득(물가변동의 영향이 제거된 소득)은 특히 소득 하위 20%에서 감소폭이 두드러졌다. 하위 20% 가구의 약 60%는 소비에 쓸 돈을 벌지 못해 매월 적자를 면치 못한다. 결국 적자는 빚으로 쌓인다. 그러다보니 가난한 사람들의 생활고에는 빚이 큰 역할을 한다. 매체에 따르면 수원 세 모녀가 8월에, 그리고 신촌 모녀가 지난달에 유명을 달리했던 한 가지 배경에도 갚을 수 없는 빚이 있었다.

그런데 이들의 반대편에서 돈을 빌려주는 은행은 독과점적인 시장 지위를 보장받는 덕분에 대개 막대한 이득을 누린다. 은행들은 이를테면 한국은행의 기준금리 인상으로 자금조달비용이 오르면 그것을 대출 금리 인상으로 충분히 전가시키며 예대마진을 늘려 왔다. 서민 차주에게 금리 변동 위험을 떠넘겨온 셈이다. 은행의 다른 투자에서 입은 손실을 벌충하고 지주회사 내 다른 금융 계열사의 부진한 영업성과를 보완하는 수단으로 예대마진을 이용해 왔음도 부인하지 못할 것이다. 그렇게 은행들은 올해도 3분기까지 합산 이익 42조3000억원의 96%를 이자이익만으로 어렵지 않게 벌어들일 수 있었다. 이는 북미와 유럽 은행들의 이자이익 비중이 60%선인 것과 대조된다. 국내 은행의 이자이익 비중은 코로나19 이전에 비해서도 커졌다. 공동체가 고통을 겪는 경제위기가 은행들한테는 이자놀이 기회였던 셈이다. 물론 은행들의 폭리에는 만기 일시 상환 방식의 변동 금리 대출을 중심으로 차주의 소득보다 부동산 담보가치를 우선시해온 그간의 약탈적 대출 관행도 일정 정도 기여했을 법하다.

다만 은행들의 폭리가 독과점기업으로서 책정해온 대출 금리의 수준과 관련된다는 사실만큼은 분명하다. 저명한 경제학자 루이지 파지네티에 따르면 이자율은 임금 상승률을 넘어서지 않아야 공정하다. 꿔준 돈보다 돌려받는 돈으로 더 많은 양의 노동시간을 구매할 수 있으면 공정하지 않다는 뜻이다. 가령 시간당 임금이 1만원이고 임금 상승률이 0%라고 하자. 이제 이자율이 50%라면 오늘 1만원을 빌려준 대가로 1년 후 1만5000원을 돌려받게 된다. 그런데 이는 오늘의 노동시간 한 시간을 차주한테 주면서 내일의 노동시간 한 시간 30분을 받으려는 것이므로 공정하지 않다.

그런 논리라면 최근 은행 대출 금리는 공정할 리 없다. 고용노동부 사업체노동력 조사 결과 상용근로자 5인 이상 사업체 기준으로 2020년 이후 임금 상승률이 3%를 소폭 하회하는 정도여서 대출 금리를 밑도는 탓이다. 더욱이 진보진영의 대출 금리 인하 운동을 촉발시킨 전북은행은 2022년 7월부터 4개월간 정책서민금융을 제외한 가계 예대금리차가 평균 5.6%로 비교 대상 타행보다 약 4%포인트 높다. 차주 집단의 신용점수 차이를 고려해도 금리차가 여전히 타행보다 2%포인트 이상 높다는 분석이 설명력 있다. 전북은행이든 아니든 은행들이 시장 지배력에 기초해 공정하지 않은 초과이윤을 벌어들이고 있다는 문제제기가 가능한 대목이다.

기실 은행에 독과점적 지위를 허락한 은행업 면허는 공동체가 부여한 것이다. 은행은 진입장벽과 금융안전망에 의해 제도적으로 보호된다. 따라서 공동체를 위해 복무할 책임도 부여되는 편이 옳다. 특별히 지금은 은행들이 상환 유예, 이자 감면 등 차주별 채무조정에 나서도록 금융당국이 개입해야 하는 시점이다. 고리대금업이 아닌 바에야 초과이윤은 제한해야 맞다. 최고금리나 예대금리차에 대한 규제도, 은행 횡재세도 그래서 필요하다.

유럽에서는 헝가리가 은행에 대한 횡재세 부과를 이미 지난 5월에 공식화했다. 스페인도 비용 차감 전 이자수익에 대해 4.8% 횡재세율을 적용하기로 7월에 결정했다. 체코는 11월 결정으로 내년 은행 초과이윤에 60% 횡재세를 부과할 방침이다. 우리도 더 늦기 전에 양극화 완화를 위한 적극적인 대책이 있어야 한다. 은행 초과이윤의 환수와 취약계층에의 재분배가 그 일부가 될 수 있을까. 은행들의 폭리, 더는 두고만 볼 일 아니다.[138]

113. 저출생 대책, 부모의 동등육아 환경 조성에 집중해야

저출산 정책은 5년마다 '저출산·고령사회 기본계획'을 수립하여 중기 계획을 정하고, '기본계획'에 따라 예산과 성과 목표를 포함하는 '시행계획'을 매년 세워 추진한다. 정부의 다른 주요 정책도 기본계획과 시행계획을 중심으로 추진되는데, 그 이유는 정책을 체계적으로 관리하여 실효성을 높이기 위함이다.

'저출산·고령사회 기본계획'은 2006년 처음 수립됐고, 2021년부터 4차 기본계획이 시행되고 있다. 그동안 기본계획 수립을 통해 저출산 극복에 필요한 주요 정책이 추진됐다. 1차 기본계획으로 양육수당이 도입됐고, 2차 기본계획을 통해 무상보육이 시행됐으며, 3차 기본계획에서는 난임 치료의 건강보험 지원 제도가 마련됐다. 1~3차 기본계획은 결혼·출산·양육에 대한 사회 책임 강화를 위해 관련 제도를 개선하고 지원을 확대하는 데 중점을 두었다.

4차 기본계획에서는 기존 제도의 개선과 지원 확대를 지속하면서, '개인 삶의 질 향상'과 '성평등하고 공정한 사회'를 정책 목표로 두고 저출산 정책의 새 방향을 제시했다. 특히 일·가정 양립과 육아에 따른 경력단절 대책을 넘어 '생애주기 전반에서의 성평등 노동권 보장'이 저출산 기본계획 전면에 위치했다. 노동시장에서 여성에 대한 차별이 근본적으로 개선되지 않는 한, 저출산 문제가 해결될 수 없다는 취지에서 비롯된 정책 방향이다.

우리나라 노동시장에서 성별 임금 격차, 낮은 여성 임원 비율 등을 볼 때 여성의 상대적인 경제적 지위가 선진국에 비해 미흡한 것은 사실이다. 또한 육아휴직 활용 시 여성 비중이 여전히 높고, 육아에 따른 경력단절로 인해 여성의 연령별 고용률은 선진국과 달리 M자 형태를 보인다. 분명 개선이 필요한 문제들이다. 이런 문제의 고착화는 젠더 갈등의 배경이며, 결혼과 출산에 대한 인식 변화를 초래할 수 있기 때문이다.

하지만 4차 기본계획은 성평등 노동권 보장을 통해 저출산 문제를 해결할 수 있는 실효성 있는 대책을 담고 있지는 않다. 몇 가지 예를 들어 보자. 4차 기본계획에는 '과학기술 및 창업 등 유망 분야 여성 진출 지원 확대' 정책이 들어 있다. 그 자체로 유익한 정책이지만, 여성 과학인 증가와 저출산 문제의 연관성에 대해 충분한 검토가 있었는지 의문이다. 여성 과학기술인 지원은 과학기술정보통신부에서 추진하고 있는 '여성 과학기술인 육성지원 기본계획'에서 보다 실질적이고 광범위하게 다뤄온 문제다.

또한 저출산 4차 기본계획은 '직장 내 성희롱 신속대응, 성희롱 보호 범위 확대' 등의 정책을 포함하고 있다. 성차별과 성희롱 없는 기업 문화의 중요성은 누구도 부인할 수 없다. 특히 출산·양육에 따른 직장 내 채용, 승진 등의 성차별 문제는 바로잡아야 한다. 그러나 출산·양육과 관련없는 성희롱 문제 대응까지 저출산 문제와 연관지으면서 저출산 정책의 목표를 모호하게 만들었다. 기업 내 성희롱 문제는 '양성평등정책 기본계획'과 '남녀고용평등 기본계획'에서 핵심적으로 다루고 있는데 말이다.

양성평등은 인권의 문제다. 저출산 문제 해결을 위해서도 양성평등이 필요하지만 저출산 정책과는 다른 차원에서 더 가치 있게 다뤄야 할 문제다. 현재 저출산 4차 기본계획은 양성평등 정책 몇 가지만 넣고 마치 이 문제를 해결하면 저출산을 극복할 수 있는 것처럼 포장되어 있다. 그로 인해 저출산 정책의 목표가 불분명해졌고 백화점식 정책이라는 비판을 받는 것이다.

양성평등은 관련 기본계획과 법규를 통해 더 전문적으로 추진하고 평가하는 것이 바람직하다. 저출산 정책은 결혼·출산·양육의 사회책임을 한층 강화하고 부모가 동등하게 육아를 책임질 수 있는 환경을 만드는 데 집중해야 한다. 이런 환경이 갖춰질 때 양성평등 실현이 가까워질 것이다.[139]

정부가 저출생 대책을 내놓으며 결혼과 출산, 양육에 관한 걱정을 덜어 낼 세제 지원 방향을 공개했다. 특히 혼인에 따른 일시적 2주택 보유시 양도소득세와 종합부동산세에서의 특례 요건을 완화할 전망이다.

양도소득세에서 1주택자끼리 혼인해 2주택이 된 경우 5년 내에 먼저 파는 주택은 2년 이상 보유·거주 등 1세대 1주택 비과세 요건을 충족했다면 1주택자로 간주해 비과세 해주는 특례가 있다. 여기서 5년을 10년으로 연장하는 게 핵심이다. 비슷한 규정으로 직계존속을 동거 봉양하기 위해 합가해 2주택이 된 경우 먼저 파는 주택에 대해 양도세 비과세를 적용해주는 특례의 양도 기한은 기존 5년에서 10년으로 이미 완화됐다.

또한 종합부동산세에서도 혼인 후 5년간은 각각 별도의 1세대로 보고, 1세대 1주택자 혜택인 12억원의 기본공제와 최대 80%의 60세 이상 고령자세액공제 및 5년 이상 장기보유세액공제를 각자 적용받을 수 있는 특례가 있다. 여기서도 각 1세대 간주 기간을 5년에서 10년으로 늘린다.

추가로 종합소득세의 자녀세액공제 규모를 확대할 방침이고, 결혼 특별세액공제를 신설해 세부담을 줄일 예정이다.[140]

114. 진보, 투자촉진형 복지국가 · 친기업주의로 거듭나야

2010년 지방선거의 핵심 쟁점은 무상급식이었다. 보수는 천안함 이슈를, 진보는 무상급식 이슈를 제기했다. 결과는 민주당의 완승이었다. 민주당은 보수세(勢)가 강한 지역에서도 승리했다. 강원도지사(이광재), 충남도지사(안희정), 충북도지사(이시종), 경남도지사(김두관)를 배출했다.

이후 박근혜 정부도, 문재인 정부도 복지 확대와 노동권 확대에 동참한다. 박근혜 정부는 기초연금, 반값 등록금, 무상보육, 복지 증세를 했다. 문재인 정부는 최저임금 1만원, 소득주도성장, 주 52시간제, 비정규직의 정규직화를 했다.

가. 1987년 이후, 진보의 두 가지 업적

한국 진보의 주류는 86세대다. 86세대는 1980년대 학생운동을 하고, 1960년대에 태어난 세대를 지칭한다. 일부에서는 말한다. “86세대 정치인들은 한 게 아무것도 없다” 고. 나는 이런 평가에 전혀 동의하지 않는다. 86세대 정치인들은 크게 두 가지를 해냈다.

첫째, 독재를 몰아내고 민주주의를 정착시켰다. 디지털 경제와 한류의 확산 역시 '민주주의'가 바탕이 됐다.

둘째, 대규모 복지 확대를 했다. 김대중 정부가 출범하기 직전, 1997년 국내총생산(GDP) 대비 공공부문 사회복지비 비율은 3.4%였다. 문재인 정부가 임기를 마친 2022년에는 14.8%가 된다. 2022년과 1997년을 비교하면, 한국은 경제성장률에 비해 약 4.4배의 복지 확대를 했다. 경제협력개발기구(OECD) 국가를 통틀어, 가장 빠른 증가다.

1987년 민주화 이후, 보수정부가 19년 집권했고, 진보정부가 15년 집권했다. 민주화도, 복지 확대도 진보가 주도하고 보수가 수용하는 모양새였다.

지난 10일은 윤석열 대통령의 취임 1주년이었다. 앞서 5일 공개된 한국갤럽 조사에 의하면, 대통령의 직무평가는 긍정 33%, 부정 57%다. 부정이 압도적이다. 정당 지지도는 국민의힘 35%, 민주당 32%, 무당(無黨)층 28%다. 국민의힘이 민주당보다 3%포인트 앞선다.

윤 대통령의 취임 1주년은 민주당의 대선 패배 1주년이기도 하다. 지난 대선에서 윤석열 후보는 '실언의 왕'이었다. 국민들은 알고도 그를 뽑았다.

민주당은 왜 정권을 뺏긴 것일까? 이유는 자명하다. 민주당 후보의 집권보다는 낫다고 생각했기 때문이다. 국민들은 민주당의 무엇이 걱정되었던 것일까?

가장 중요한 지점은 '진보경제학'의 허술함이다. 1960년대 이후부터 최근의 순서대로, 한국의 진보경제학은 3가지 흐름이 존재했다. 민족경제론, 사회주의 경제학, 케인스주의와 결합된 유럽식 복지국가론이었다. 민족경제론과 사회주의 경제학은 오판(誤判)임이 확인됐다.

나. '경제에 유능한' 진보 모델, 스웨덴

유럽식 복지국가는 그간 인류가 이룩한 가장 괜찮은 국가 모델이다. 한국 진보가 이해하는 유럽의 복지국가는 '복지비 지출이 많은' 사회다. 복지정책, 혹은 사회정책에 갇혀 있다. 그러나 복지국가에 대한 이러한 이해는 지극히 일면적이다.

경제성장, 사회연대, 평등을 동시에 달성한 가장 모범적인 국가는 스웨덴이다. 스웨덴식 복지국가는 스웨덴 사회민주당의 작품이다. 스웨덴 사민당은 1889년 마르크스주의자들이 만들었다. 다만, 창당 초기부터 '혁명주의적' 흐름과 거리를 두고, '개혁주의적' 성향이 강했다.

1932년 처음 다수파 집권을 한 이후, 1976년까지 무려 44년간 민주적 연속 집권에 성공한다. 오늘날 우리가 알고 있는 '스웨덴식 복지국가'의 근간은 이 시기에 만들어졌다.

스웨덴 복지국가는 복지 지출도 높고, 세금도 많이 걷는다. 세금과 사회보험료 합계인 국민부담률은 2019년 기준으로 한국은 GDP 대비 27.3%다. OECD 평균은 33.8%다. 스웨덴은 42.9%다. 스웨덴은 한국보다 15.6%포인트 더 높다. 금액으로 환산하면 약 310조원 많다(참고로, 2023년 한국 예산은 640조원이다).

그러나 스웨덴 모델의 진짜 핵심은 '경제학적 마인드'다. 스웨덴식 복지국가는 투자촉진형 복지국가다. 친기업 진보주의를 추구했다. 스웨덴 사민주의자들은 1930년대부터 노동자의 완전고용과 소득 증대를 위해 '경제성장'이 중요하다고 봤다. 수출 경쟁력을 위해 기업 규모를 키우고, 산업구조 고도화를 압박하는 정책 패키지를 설계했다.

한국 진보는 법인세는 높을수록 좋고, 소득세와 소비세는 낮을수록 좋다고 생각한다. 자본에는 높은 세금을, 노동에는 낮은 세금을 추구한다. 스웨덴 사민주의자들의 생각은 달랐다. 자본에는 낮은 세금을, 노동에는 높은 세금을 부과했다. 왜? 투자와 고용의 주체는 기업이기 때문이다. 그 방식이 노동자계급의 이익에도 좋다고 봤다.

항목별 세입구조에서 전체 규모, 법인세, 소득세, 소비세를 비교하면 확연하다. 스웨덴과 한국을 비교해보자. 2019년 GDP 대비 전체 규모는 스웨덴 43.9%, 한국 26.8%로 스웨덴이 1.6배 크다.

법인세는 반대다. 스웨덴 2.8%, 한국 4.2%로 한국이 1.5배 많다. 소득세는 스웨덴 12.9%, 한국 4.9%로 스웨덴이 2.6배 더 많다. 소비세(부가가치세)도 스웨덴 12.3%, 한국 7.0%로 스웨덴이 1.8배 더 높다.

스웨덴은 전체 세수 규모가 크다. 단, 법인세는 낮다. 반면, 근로소득세와 부가가치세가 매우 높다. OECD 평균과 비교해도 대동소이하다.

윤석열 정부의 최대 약점은 경제와 청년이다. 민주당의 최대 약점은 경제와 포퓰리즘이다. 유능한 민주당은 어떻게 가능한가? 핵심은 '기업의 재발견'이다.

노동자들에게 가장 중요한 것은 고용과 소득 증대다. 이는 기업의 투자와 생산성 향상을 통해 이뤄진다. 스웨덴식 복지국가는 친기업과 친노동의 양립 가능성을 증명한다.

한국 진보는 투자촉진형 복지국가, 친기업 진보주의로 거듭나야 한다. '경제에 유능한 진보'는 그때 가능해질 것이다.[141]

115. 양곡관리법과 직접지불제

윤석열 정부가 출범한 지 1년이 지났다. 지난 1년의 경제정책을 돌아보면, 정책의 복고적 후퇴와 과잉정치화의 특징이 뚜렷하다. 정책은 진영 결집의 수단으로 인식되고 있다. 얼마 전의 양곡관리법 공방이 이의 전형적 사례이다. 양곡법은 여야 간 극한 대립 끝에 개정안이 국회를 통과했으나 대통령이 거부권을 행사했고, 재의를 거쳐 폐기되었다. 개선 방향에 대한 토론과 합의 대신 야당은 쌀값 보장을, 정부는 직접지불제를 앞세우는 것으로 일관했다. 정치적 대립과 갈등의 소재로 농업·농촌정책이 활용됐다. 많은 정책들이 이와 유사한 패턴을 따르고 있다.

여론조사에서는 양곡법 개정 과정과 관련해 정치적 진영에 따라 찬반이 엇갈렸다고 한다. 야권을 지지하는 사람들이 양곡법을 지지했고, 여권을 지지하는 이들은 대통령의 거부권 행사를 지지했다. 이런 공방은 쌀 문제, 농업·농촌문제 해결에 도움이 안 된다. 모든 정책은 장단점이 있다. 목표를 잘 세우고, 목표를 위해 정책들을 조합해야 한다. 사회구성원들이 협력해야 정책은 좋은 결과를 낸다.

정책을 정치적 공방의 소재로 사용하면, 단기적으로 여론을 균열시키고 지지자를 결집하는 효과를 거둘 수 있을 것이다. 그러나 정치 공방으로 일관하면, 다양한 이해관계는 합리적으로 조정될 수 없다. 어느 순간 다수 유권자들이 정책적 무능을 심판하는 국면이 전개될 수도 있다. 이번에도 야당이 양곡법을 내세우니 정부와 여당은 직접지불제를 들고 나왔다. 양곡법과 직접지불제가 서로 대립되는 구도를 만들었다. 그러나 쌀 가격 안정과 직접지불제는 양자택일 문제가 아니라 적절한 정책조합이 필요한 문제다.

쌀 가격 안정화를 위해서는, 정책수단에 대한 연구와 토론과 합의가 필요하다. 쌀 가격을 정부가 보장하라는 주장도 있지만, 전체 농산물의 가격 변동 위험을 줄이는 데에 힘을 쏟아야 한다는 주장도 있다. 경제학자들은 대체로 시장 기능을 활용하면서 가격위험을 줄이고 소득안정을 도모하는 것이 효과적이라고 보는 편이다. 어쨌든, 정책이 효과를 보려면 정교한 제도설계가 필요하다. 정부가 직접지불제 확대를 내세운 것은 바람직한 방향이다. 정부는 농업직불금 예산을 현재의 2조4000억원에서, 2024년 3조원 이상, 2027년 5조원 수준으로 확대하기로 했다. 이 돈은 농업·농촌과 사회 전체에 생명수가 될 수 있다.

우리 사회는 지금 위기의 한가운데 있다. 농촌과 지역에서 삶의 터전이 유지되어야 사회가 폭발하지 않는다. 농업·농촌이 기후위기 대응에서 해야 할 역할도 있다. 농업·농촌이 좋은 환경을 만들어줘야 도시민도 건강을 지킨다. 문제는 예산과 제도를 제대로 운영하는 것이다. 사익을 추구하는 이들에게 악용되거나, 실정을 모르는 이들이 오·남용하는 일을 막아야 한다. 능력과 의지를 갖춘 실천가·청년들을 북돋아주는 밑거름이 되면 좋겠다.

관련하여, 최근 관찰한 전북 진안의 사례에서 영감을 얻을 수 있었다. 진안은 군 면적에서 산지가 차지하는 비중이 80%가 넘는 곳이다. 교통망은 크게 개선되었으나 인구가 급감해 지역소멸 위기에 직면해 있다. 1980년대에 6만~7만명이던 인구가 1990년대에는 4만명대로, 2005년에는 2만명대로 줄었다. 폐교와 빈집이 늘고 대중교통망은 오히려 축소됐다. 이제 귀농·귀촌인구, 지역과 연관된 관계인구를 늘려야 한다고 입을 모은다. 문제는 구체적 방법과 실천이다. 인력과 자원을 어떻게 결합시키는가가 관건이다.

진안에 사는 50대의 A씨는 사회적 경제의 조직화를 통해 새로운 길을 모색하고 있다. 진안에서는 그간 많은 귀농·귀촌인들이 유입해서 새로운 지역문화를 만들었다. 그러나 그들이 정착에 성공하는 비율은 그다지 높지 않다. 3년이면 3분의 2는 다시 도시로 돌아간다고 한다. 그래서 A씨는 귀농·귀촌인, 기존 주민, 도시민들과의 문화적·사회적 관계가 중요하다고 생각한다.[142)]

정부는 지난해부터 쌀 공급과잉을 막고 수입 농작물의 대체 생산을 위해 전략작물직불제를 시행 중이다. 논에서 벼 대신 밀, 콩, 옥수수 등을 재배하는 농업인에게 지급하는 직불금이다. 그 외에도 농촌 고령화를 막고 농업의 현대화를 촉진하기 위해 전략작물직불제, 청년농·스마트팜 지원 등 다양한 정책을 펼치고 있다. 농림축산식품부 관계자는 "예산은 한정돼 있는데 매년 쌀 의무매입제와 농산물가격안정제에 막대한 예산이 투입되면 청년농 유입 정책, 친환경 농업 등 다양한 정책 지원 예산이 줄 수밖에 없다"고 말했다.[143)]

116. '알이백'이 뭐죠? 네, '시에프백'!

이재명: 지금 그럼 RE100은 어떻게 대응하실 생각이십니까?

윤석열: 네, 다시 한 번.

이재명: RE100.

윤석열: RE100이 뭐죠?

지난 대선 후보 방송 토론회 때의 한 장면이다. 한 명은 묻고 한 명은 못 알아듣는 이런 상황은 이후 토론 내용인 'EU택소노미'에서도 똑같이 반복되었다.

상당수 사람은 '알이백'이라 부르는 이 용어에 대해 그때 처음 들었을 것 같다. 우리말로 번역하려는 노력이 너무 부족하다. 영국에 있는 다국적 비영리기구인 클라이밋 그룹은 2014년 재생가능에너지, renewable energy를 100% 사용하는 기업을 만들자는 민간 캠페인을 시작했다. 재생100 정도로 불러도 무방한데, RE100이라는 단축어로 국내에 소개되면서 직관적으로 이해할 수 없게 됐다.

'알이백'이라고 부르는 이 민간 캠페인은 꽤 성공했고, 점점 더 태풍의 핵이 되어가고 있다. BMW와 볼보 같은 유럽 완성차 업체들이 재생에너지 100%로 만든 제품들을 요구하면서 한국 부품사에 예약 취소가 잇따른다. 애플이 2030년까지 재생100 달성 목표를 세우면서 SK하이닉스, 대상 등 애플과 관련된 기업들도 난감해졌다. 그리고 이런 흐름은 델(Dell)을 비롯해 참여 기업이 점점 늘어나면서 더 커져나가는 모양이다.

한국도 정부 차원에서 아무것도 안 한 것은 아니다. 한국형 RE100을 만들기 위한 시도를 했지만, 흐지부지됐다. 아주 냉정하게 보면, 기업은 정부가 관심이 없어 대응이 어렵다며 한발 물러나 있었고, 정부는 재생100은 모른다고 하는 대통령실의 눈치를 보는 동안 1년이 지났다. 자동차 부품 제조업이나 전자부문 그리고 점차적으로 유럽에 수출하는 대부분의 제조업이 이제 곧 이 세계적 흐름의 파장 안으로 들어갈 것으로 전망된다.

통상 분규로 정부가 적극 나서야 한다는 목소리도 있지만, 이게 민간 캠페인이고 기업들이 자체 목표를 정해 협력사에 요구하는 형식이라서 WTO가 나서기에 애매하다. 비관세무역장벽이고, 외국 업체라서 차별대우를 하는 게 아니라서 자국민대우 위반에도 해당사항이 없다. 미국 IRA(인플레이션감축법)에 대한 대항으로 프랑스 등 유럽도 같은 방식으로 보조금 차별 도입을 검토하는 중이다. 탄소세

등 좀 더 강도 높은 국가별 환경 규제도 시행을 눈앞에 두고 있다. 맨날 무역으로 먹고사는 국가라고 하면서, 정작 이런 새로운 트렌드에 대해서는 그동안 뭘 준비했나 싶다.

여기까지가 언제나 한발 늦은 한국 기업들의 환경 대응이라, 그런가 보다 했다. 그런데 "RE100은 모른다"고 했던 대통령을 모시는 사람들이 에너지당국과 기업의 목을 비틀어 내놓은 대응은 너무 어이가 없다. RE100에 대응해 CF100, 즉 '카본 프리'라는 것을 하겠다는 게 공식 대응이다. 재생에너지는 전 정권이 하던 것이니 기분 나빠 못하겠고, 그 대신 원전으로 확 나가겠다는 게 정부가 나름대로 제시하는 새로운 프로그램이다. 왜? 구글이 한다는 게 유일한 명분이다. 구글의 새로운 프로그램은 24시간 내내 탄소를 배출하지 않는 상황을 만들겠다는, 보다 나아간 프로그램이다. 많은 미국 업체가 그렇듯 다양한 노력 중에 원자력도 하나의 수단으로 구글이 원자력을 포함시킨 건 사실인데, 그것을 보고 한국 정부는 "그럼 우리는 원자력만", 이렇게 구글 프로그램을 왜곡했다. 자, 좋다. 어차피 원전 중독자인 대통령이 재생100을 CF100, 즉 '원전100'으로 하겠다고 한들, 누가 말리겠는가. 재판 중인 야당 대표는 그럴 겨를이 없고, 정부의 눈치를 봐야 하는 상공회의소에서 다른 목소리를 내기도 어렵다. 게다가 재생에너지 관련 법까지 고쳐서 재생에너지 관련 예산까지 원전으로 끌어들이려고 하는데, 서슬 시퍼런 원전 중독 대통령을 누가 말리겠는가. 안 그래도 대통령 취임 1주년을 맞아, 정부 방침에 고분고분하지 않는 사람들은 전부 인사조치하겠다고 발표하지 않았나.

원전 중독자들이 모여 있는 대통령실에 대고 지금 무슨 얘기를 해봐야 그게 들리겠는가. 원전도 안전하고, 원전오염도 안전하고, 오염수가 아니라 '처리수'라고 하는 사람들인데! RE100 필요 없고, 한국에서는 전부 CF100으로 하라고 이상한 정부 주도형 프로그램이 힘쓰는 시대다. IRA와 관련해 제일 큰 잘못을 한 것은 결국 현대자동차다. 당사자 문제인 만큼 누구보다 이 법 통과에 대해 신경 썼어야 했다. 외교부나 산업통상자원부가 게을렀다고 해봐야, 결국 손해는 업체만 본다. 이 사건으로 책임지는 공무원은 물론 사과하는 공무원은 한 명도 없었다. RE100도 마찬가지다. 정권은 영원하지 않지만, RE100은 영원하다. 더 강해지면 강해지지, 뒤로 가지는 않는다. 그리고 한마디만 더. 자꾸 구글도 한다는데, 구글은 미국 회사다. 자동차 부품이나 포스코 철강에 환경기준을 들이대는 회사는 유럽 회사들인데, 구글 핑계가 한국 내부에서나 통하지 유럽에서 통하겠는가? CF100은 한국 제조업의 유럽 수출을 망하게 하는 지름길이다.[144]

117. 서민 실질소득·성장률 동반 하락, 이래도 긴축 고집할 건가

고물가와 경기 침체로 올 1분기 실질소득 증가율이 제자리걸음을 하고, 서민 살림살이는 오히려 후퇴했다. 특히 소득 하위 20% 가구는 역대 최대인 월 46만원의 적자를 기록했다. 통계청이 25일 발표한 '1분기 가계동향조사 결과'에 따르면 올해 1분기 전체 가구 월평균 명목 소득은 505만4000원으로, 지난해 1분기보다 4.7% 늘었지만 물가 상승을 고려한 실질소득은 458만원으로 같았다.

이창용 한국은행 총재가 25일 서울 중구 한국은행 신축본부에서 열린 금융통화위원회 정기회의에서 의사봉을 두드리고 있다(사진공동취재단).

물가를 잡기 위한 고금리 정책 부작용이 취약계층에 집중되고 정부 보조금 등이 줄면서 빈부 격차는 확대됐다. 전체 소득에서 세금·사회보험료 등을 뺀 처분가능소득(명목)이 상위 20% 가구는 886만9000원으로 4.7% 증가했으나 하위 20%는 85만8000원으로 1.3% 증가하는 데 그쳤다. 그 결과 분배 지표인 '균등화 처분가능소득 5분위 배율'은 6.45로 지난해 1분기(6.20)보다 0.25포인트 상승했다. 이 지표는 가구의 처분가능소득을 가구원 수로 나눈 뒤 상위 20%의 소득이 하위 20%의 몇 배인지 계산한 것이다. 배율이 높아질수록 빈부 격차가 크고 분배가 나빠졌다는 의미다. 소득에서 지출을 뺀 가계수지도 상위 20% 가구는 월 374만4000원 흑자였지만 하위 20%는 46만1000원 적자였다.

한국은행은 이날 기준금리(연 3.5%)를 동결하고 올해 실질 국내총생산(GDP) 성장률 전망치를 1.4%로 하향했다. 지난 2월 전망치 1.6%에서 3개월 새 0.2%포인트 낮춘 것이다. 당초 한은과 정부는 하반기로 갈수록 경제가 호전될 것으로 봤다. 그러나 수출이 반도체 중심으로 감소세가 지속되고 1900조원에 이르는 가계부채로 인해 내수 역시 회복 기미가 보이지 않고 있다. 소득이 늘려면 무엇보다 고용이 개선돼야 하지만 지난해 80만명대였던 취업자 수 증가폭은 올 들어 20만명대로 급감했다.

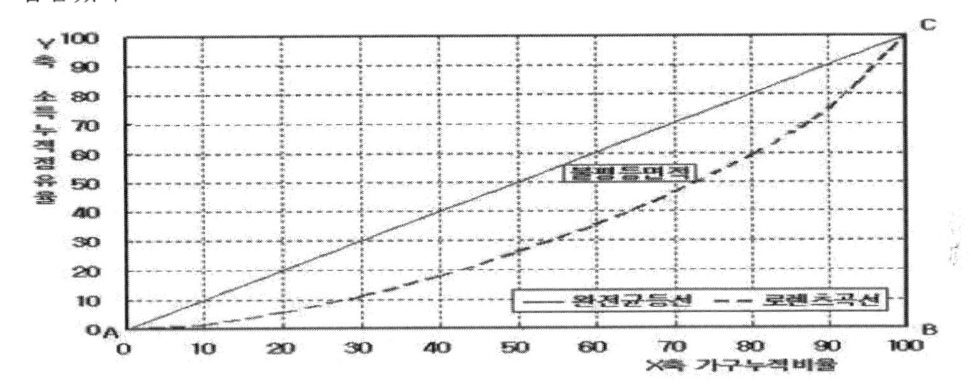

경제에 돌파구가 보이지 않을 땐 정부가 단기적으로 지출을 늘려 마중물 역할을 하게 하는 것이 상식이다. 그런데 윤석열 정부는 '건전 재정'을 앵무새처럼 반복하고 있다. 추경호 부총리 겸 기획재정부 장관은 이날도 "국가채무의 빠른 증가로 재정의 지속 가능성에 대한 우려가 커지고 있다"고 말했다. 재정 낭비를 줄이고 운영 투명성을 높이는 일은 중요하지만, 지금은 재정을 풀어야 한다. 재정을 옥죄면 경기 회복이 늦어지고 복지 투자가 줄어 서민들 삶이 더욱 어려워진다. 정부가 강조하는 노동·교육·연금 구조개혁은 사회적 합의를 통해 장기적으로 추진할 과제다. 코로나19 대응 과정에서 정부 부채가 늘긴 했지만 한국의 재정은 여유가 있다. 더 늦기 전에 경제에 숨을 불어넣고 적자 가구부터 살리고 봐야 한다.[145]

118. "왜요, 이걸요, 지금요?"

대통령 노무현의 시간은 지루했다. 어떤 정책도 단번에 되는 것은 없었다. 제안했다가 안 되면 후퇴하고, 그러다 다시 제안하기를 반복했다. KTX 천성산 터널 공사, 경주 중저준위 방폐장 건설 등 난제들이 그런 과정을 겪었다. 이라크 파병, 한·미 자유무역협정(FTA) 등은 신년연설과 국정연설, 시정연설을 통해 '왜, 이걸, 지금 해야 하는지'를 직접 설명하고 양해를 구했다. 대통령의 연설 뒤에는 항상 나라가 시끌벅적해졌다. 때로는 보수가, 때로는 진보가 받아들일 수 없다며 반발했다. 지켜보는 국민들은 피곤했다. 뭐 하나 속시원히 해결되는 게 없었다. 대통령이 저렇게 추진력이 없나, 싶었다.

그랬기에 이명박 정권이 출범했을 때 '살짝' 기대한 것이 있었다. 정말 필요한 국정과제라면 대통령이 책임지고 밀어붙여도 되는 것 아닐까, 하는 것이었다. 대통령 이명박은 최고경영자(CEO) 리더십을 내세웠고, 롤 모델은 박정희였다. 이런 생각이 짧았다고 깨닫는 데는 몇달이 채 걸리지 않았다. 이명박 정부는 취임 두 달 만에 미국산 쇠고기 전면개방을 추진했다. 미국 대통령 전용별장인 캠프 데이비드를 방문해 골프 환대를 받은 직후였다. 시민들은 식탁 안전을 우려했지만 정부는 "왜, 이걸, 지금 해야 하는지" 설득하는 데 부족했다. 곧 거센 저항에 부딪혔고, 지지율은 바닥으로 떨어졌다. 대통령은 나 홀로 캄캄한 인왕산 중턱에 앉아 시가지를 가득 메운 촛불행렬을 지켜봐야만 했다. 미국산 쇠고기는 지금도 30개월령 미만으로 주요 위험 부위(편도, 뇌, 척수, 소장 끝, 머리뼈 등)가 제거되어야 수입이 가능하다.

두 대통령이 생각난 것은 윤석열 대통령의 대일외교를 보면서다. 한·일관계 복원을 향한 윤석열 정부의 행보는 '노빠꾸'다. 현지를 다녀온 후쿠시마 원전 오염수 시찰단도 그랬다. 누가 위원으로 참석했는지, 어떤 일정으로 갔는지, 무얼 봤는지 지금도 모른다. 일본 주재 한국 특파원들은 이런 시찰단과 인터뷰를 하기 위해 현지에서 술래잡기를 해야 했다. 이준석 전 국민의힘 대표마저 "시찰단이 투명하게 운영되지 못한 것에 대해 굉장히 비판받아야 한다"며 "시찰단에도 분명 국민 세금이 들어가 있을 텐데 그 명단조차 공개하지 못하는 건 어느 누구도 납득하기 어렵다"고 말했다. 추정해볼 수 있는 이유는 하나다. 답은 이미 정해져 있기 때문이다. 위안부 문제, 강제동원(징용) 피해자 문제에 대한 접근도 비슷하다. 답이 정해져 있으니 따라오라고 할 뿐 적극적인 설득은 부족하다.

취임 2년차를 맞은 윤 대통령의 대국민 소통 방법이 달라졌다. 출근길문답(도어스테핑)은 흔적도 없이 사라졌다. 그 자리는 국무회의 생중계로 채워졌다. 설득하고 해명하는 자리가 아닌 일방적으로 지시를 하는 자리다. '왜, 이걸, 지금 하는지' 궁금한 게 많지만 물을 데도, 답해줄 데도 없다. 들어보니 각 부처도 국무회의 직후 하달된 대통령실 지시사항에 허둥대는 일이 잦다고 한다. 대통령 인터뷰는 미국·일본 등의 외신들과 집중적으로 하고 있다. 껄끄러운 국내 언론은 피하려는 기색이 역력하다. 당장 소낙비는 피할 수 있어도 근본 해결책은 아니다. 질문은 잠재됐을 뿐 해소된 것이 아니기 때문이다.

당시에는 괴로웠지만 지금 돌아보면 설득의 시간은 축적의 시간이었다. 지독한 갈등을 겪었던 천성산 터널과 경주 방폐장은 정권이 몇번이나 바뀌어도 뒷말이 나오지 않는다. 반면 4대강 사업은 정권이 바뀔 때마다 보 해체와 유지로 갈등을 겪고 있다. 4대강 운하사업으로 추진됐다 변경되는 과정에서 대국민 설득이 충분하지 않았기 때문이다.

문재인 정부의 탈원전 정책도 따지고 보면 설득의 시간이 더 필요했다. 30년을 내다봐야 하는 에너지 정책이라는 점에서 반대하는 학계와 산업계, 시민들의 의견을 더 적극적으로 들어야 했다. 마찬가지로 지금 윤석열 정부는 탈원전을 뒤집는다고 하는데, 탈원전 폐지 역시 지속 가능할지는 자신할 수 없다. 탈원전에 찬성하는 국민들을 설득할 시간도, 노력도, 의지도 부족해 보인다.

정권이 추진한 사업은 다음 정권이 뒤엎을 수 없다고 믿은 적이 있다. 그러나 한번 박으면 빼지 못할 '대못'은 없었다. 반대 여론이 여전히 존재하는 한 정책은 언제든지 수정되고 폐지될 수 있다. 하지만 그 과정에서 사회는 엄청난 비용을 치르게 된다는 점에서 권장할 일은 아니다. 설득되지 못하는 시민들은 끝까지 묻는다. "왜요? 이걸요? 지금요?"라고. 그 답을 주지 못하는 이상 시간은 대통령의 편이 아니다.[146]

119. 금융기관이 알뜰폰사업에 진출하면 안 되는 이유

정부는 지난 4월12일 혁신금융서비스 1호로 지정되었던 KB국민은행의 알뜰폰 사업 지정기간을 연장해줬다. 그뿐만 아니라 알뜰폰사업을 법적으로 보장해주기 위해 '은행법' 상의 부수업무로 특례를 부여해줬다. 현재 금융기관은 금산분리와 전업주의 원칙으로 인해 비금융 일반사업인 알뜰폰사업을 영위할 수가 없다.

하지만 정부의 특례 부여로 KB국민은행이 알뜰폰사업을 부수업무로 신고하고, 금융위원회가 부수업무 공고를 통해 법령을 정비한다면 금산분리 원칙에 위배되어도 금융기관들은 알뜰폰사업을 할 수 있게 된다. 이 때문에 시민사회와 중소알뜰폰사업자들은 정부가 금융기관의 알뜰폰사업 허용정책을 즉각 중단할 것을 촉구하고 있다.

금산분리 원칙이 도입된 이후 재벌과 금융권들은 이를 허물기 위해 끊임없이 노력해왔다. 역대 정부와 정치권은 이러한 기업들의 민원을 수용해 조금씩 완화시켜왔다. 문재인 정부에서는 금산분리 원칙을 '붉은 깃발법'에 비유하면서 금산분리 원칙을 대폭 완화시켜버렸다. 대표적으로 산업자본의 인터넷전문은행 소유와 재벌·대기업 일반지주회사의 기업주도형 벤처캐피털 보유 허용, 금융기관의 알뜰폰사업 진출 물꼬를 터준 금융규제 샌드박스 도입이었다. 덕분에 KB국민은행의 알뜰폰사업은 문재인 정부 금융규제 샌드박스의 혁신금융서비스 1호로 지정되었다.

설상가상으로 윤석열 정부는 출범부터 금산분리 완화를 국정과제에 넣었다. 이 때문에 문재인 정부에서의 금산분리 완화가 매우 고마웠을 것이다. 윤석열 정부가 이번에 은행법령 개정을 통해 알뜰폰사업과 배달플랫폼 등 비금융사업들을 부수업무에 넣는다면 금융기관의 일반사업 진출 교두보가 완성되는 것이다.

전 정부에서 금융규제 샌드박스를 도입해서인지 최근에는 금산분리 원칙을 허물 때 항상 '혁신'이라는 단어를 앞세우고 있다. 인터넷전문은행 도입 시에도 '금융혁신'을 내세웠고, 알뜰폰사업 역시 '혁신금융서비스'라며 지정을 해줬다.

그런데 시민의 입장에서 아무리 생각을 해봐도 무슨 혁신이 일어났는지 알 수가 없다. 인터넷전문은행, 알뜰폰사업, 배달플랫폼 모두 기존에 해오던 사업 영역으로 새롭거나 혁신적인 기술이 필요한 사업도 아니다. 자본력만 있으면 가능한 사업군이다. 더군다나 인터넷전문은행은 약속했던 저신용자에 대한 중금리대출도 하지 않았고, 이른바 '메기효과'도 없었다. 고객 대출 나눠먹기에 불과했다.

은행의 알뜰폰사업 역시 큰 효과가 없을 것이다. 알뜰폰시장의 발전보다는 통신정보와 금융정보의 결합으로 인한 개인정보의 독과점화와 상업화, 대기업 중심의 알뜰폰시장 재편으로 인한 중소사업자의 몰락, 은행의 건전성 리스크만 키울 것이다.

백번 양보해 알뜰폰시장을 활성화하겠다면 단순히 자본력이 있는 다른 산업의 진입을 허가해 서비스 경쟁을 시키는 방식이 아니라, 성장을 가로막고 있는 구조적인 원인을 진단해 해결하는 방식으로 접근하는 것이 옳다. 지금도 알뜰폰시장은 통신3사의 자회사 등으로 인해 중소알뜰폰사업자들은 어려움에 처해 있다. 이러한 상황에서 자본력이 막강한 금융자본까지 끌어들인다면 중소알뜰폰사업자들은 설 곳이 없어질 것이다.

금융자본은 위험을 관리하거나 평가하는 측면이 있고, 산업자본은 위험을 감수하고도 투자를 결정한다. 이 때문에 두 개의 산업은 결합할 경우 리스크가 커진다. 이러한 리스크를 방지하고자 금산분리 원칙이 있다. 이런 원칙은 금산복합그룹의 경제력 집중, 금융회사의 건전성 훼손, 금융리스크의 전이, 대주주의 사금고화, 고객과 지배주주 간 이해상충 등 부작용을 방지하기 위해 도입되었다.

금융자본과 산업자본의 결합으로 인한 문제는 이미 동양그룹 사태에서도 잘 드러났었다. 따라서 금산분리 원칙을 무너뜨려 우리 경제의 리스크를 키울 금융기관의 알뜰폰사업 진출을 허용해서는 안 된다.[147]

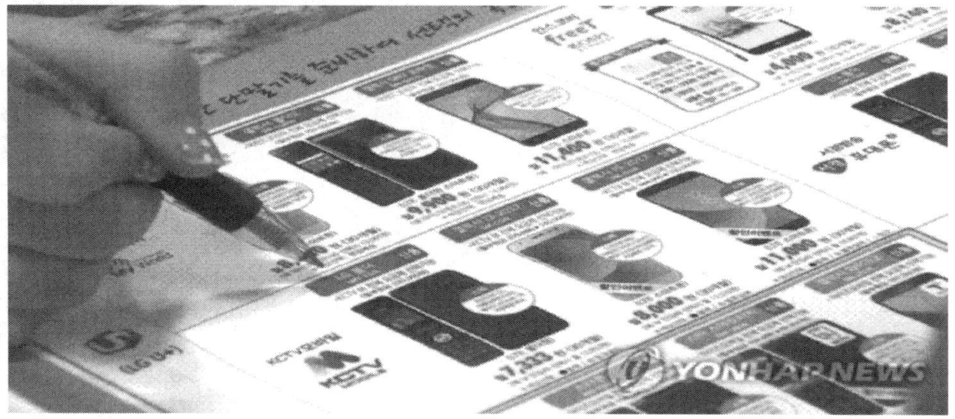

알뜰 폰은 기존 이동 통신 사업자의 통신망을 빌려 독자적인 무선 서비스를 제공하는 회사가 판매하는 휴대 전화. 통신망을 따로 구축하지 않기 때문에 상대적으로 요금이 저렴하다.

120. 고여 있는 부(富)의 순환을 허하라

경제 성장과 불평등 사이에 뚜렷한 인과성이 있는 것 같지는 않다. 역사적으로 보면 경제 성장이 불평등을 강화하거나 혹은 약화하는 쪽으로 일관되게 작동하지는 않았다. 통념과는 달리 1980년대 한국은 경제적으로 비교적 평등한 사회였다. 정치적 민주화와 궤를 같이했던 1987년 이후의 전투적 노동운동이 불평등을 완화한 측면도 있지만, 한국 사회의 불평등 약화는 1980년대 전반에 걸쳐 추세적으로 진행됐던 현상이다. 1987년 이전 권위주의적 리더십이 한국 사회를 지배했던 시기에도 불평등 지표는 약화되는 추세를 보였다. 또한 포스코와 한국전력 등 우량 공기업들의 소유권이 국민주 공모라는 이름으로 다수 대중들에게 분산되기 시작하던 시기도 1980년대였다.

1980년대의 불평등 완화가 누군가에 의한 정교한 기획의 결과는 아니었다고 본다. 경제개발 이후 줄곧 확대되던 불평등에 대한 일종의 반작용이 나타났던 시기로 1980년대를 해석하고 싶다. 역사는 단선적으로 진행되지 않는다. 주식시장에서 장기 상승과 하락이라는 큰 추세가 진행되는 동안에도, 기술적 반락과 반등이라는 기술적 등락이 섞여 나타나는 것처럼 말이다. 추세는 필연의 산물이지만, 일시적 반작용은 무작위에 가깝다.

양적 성장에만 매달리던 한국 사회에 전 국민 의료보험이 도입됐던 시기는 박정희 정권 말기이던 1979년이었다. 독일의 보수 정치인이었던 비스마르크가 의료

보험과 연금 등 현대 복지제도의 초석을 쌓았던 데 비견될 만한 일이다. 비스마르크는 확산되던 사회주의의 위협에 대항하기 위해 복지제도를 도입했다. 1980년대는 한국에서 경제 자유화가 시작됐던 시기이기도 했다.

수입과 금리 자유화가 1980년대 초부터 추진됐다. 레이건과 대처리즘으로 상징되는 시장 원리주의가 전 세계로 확산된 결과였다. 정부가 거의 전담하다시피했던 경제적 자원 배분에 시장 원리가 스며들기 시작했다. 여기에 정치적 민주화의 진전과 노동조합의 활성화가 더해졌고, 단군 이래 최대 활황이었던 '3저 호황'은 이 모든 변화들에 든든한 물적 토대를 제공했다.

가. 성장과 불평등, 뚜렷한 인과 없어

중국의 세계 자본주의 체제 편입과 외환위기가 있었던 1990년대 중반 이후에는 경기의 순환적 사이클과 무관하게 불평등이 강화되고 있다. 불평등이 성장 둔화 국면에서 약화되곤 했다는 주장도 있다. 최병천이 쓴 〈좋은 불평등〉에서는 경기 후퇴로 고소득층이 타격을 받아 나타나는 불평등 완화의 사례들이 서술돼 있다. 이와는 결이 다르지만 발터 샤이델은 〈불평등의 역사〉에서 급격한 경기 후퇴가 공동체의 급변을 불러와 극적으로 불평등이 완화됐던 역사적 경험들을 제시하고 있다. 두 경우 모두 불평등의 해소 그 자체가 바람직한 현상이었다고 평가할 수는 없다. 불평등의 약화가 사회의 총량적 효용 증대로 이어졌다고 볼 수 없기 때문이다.

모두에게 일률적인 평등은 가능하지 않기에 공동체 내에서 불가피하게 용인될 수밖에 없는 불평등의 정도가 어느 수준인가에 대해서는 언제나 논란이 존재한다. 다만 보수주의자의 시각에서 보더라도 불평등 완화를 위한 노력은 경제적 자원의 더 나은 배분이라는 점에서 당위성을 가질 수 있다.

일반적으로 부가 쌓일수록 소비성향은 낮아지는데, 경제적 자원이 소수에게 집중되면 공동체 내에서 순환하지 않는 돈의 규모가 커지게 된다. 경제의 활력이 떨어지는 만성적 저성장 국면에서는 이 부작용이 더 커진다.

지난 수년간 일본 주식시장에서 벌어지고 있는 실험을 관심있게 지켜보고 있다. 지난 4월 도쿄 증권거래소는 상장사들에 조금은 생뚱맞은 요구를 했다. 'PBR(주가순자산비율)이 1배 미만인 상장사들은 주가 부양을 위한 계획을 증권거래소에 제출하라' 는 내용이었다.

PBR 1배 미만의 주가는 '저평가' 됐다고 받아들여지곤 하지만, 시장이 바보가 아니라면 주가가 디스카운트되는 데는 나름의 이유가 있는 경우가 많다. 과거는 화려했으나, 미래는 불투명한 기업들의 주가가 PBR 1배 미만에서 거래된다. 과거 영업활동의 결과로 자산을 많이 축적해놨지만, 미래에 대한 전망이 낙관적이지 않아 순자산가치를 더 증식시키기 어렵다는 우려가 크면 PBR이 1배를 밑돌게 된다. PBR 1배를 하회하는 기업들이 계속 경제적 자원을 움켜쥐고 있는 것은 경제 전반의 자원 배분 관점에서 바람직하지 않다.

나. 주주권 강화, 고민해 볼 가치 있어

미래의 성장성에 대한 우려가 존재하는 기업의 주가가 어떻게 PBR 1배 이상이 될 수 있을까? 배당금 지급 등을 통해 주주환원을 늘리면 된다. 배당은 과거에 쌓아놓은 자산인 '배당가능 이익'의 한도 내에서 지급될 수 있다. 주주환원이 그렇잖아도 어려운 기업을 더 힘들게 만들 수 있다는 반론이 나올 수도 있지만, 이는 기업이 쌓여있는 돈에 대한 합리적 활용방안을 주주들에게 제시하면 해결될 문제다.

기업에 고여있는 부를 경제 전반으로 돌게 만들어야 한다는 문제의식은 2014년 '이토 리포트'에서 제시됐는데, 일견 월권처럼 보이는 도쿄 증권거래소의 주가 부양 요구도 이토 리포트의 연장선상에서 이해해야 한다. 한국에서도 비슷한 정책이 있었다. 2014년 박근혜 정권에서 내놓은 '기업소득 환류세제'가 그것이다. 기업 이익의 일정 부분 이상을 배당, 투자, 임금 인상에 사용하지 않으면 징벌적 과세를 한다는 내용이었다.

세계화의 후퇴는 불평등 완화를 위한 노력에 부정적인 영향을 줄 것이다. 당분간 '공정'보다는 '가치'라는 개념이 더 우위에 서게 될 것이다. 주주권 증대를 통한 부의 순환이 불평등 완화의 게임체인저가 될 것이라고 말하는 것은 과장이다.

그렇지만 딱히 다른 처방은 존재하는가? '낙수효과'는 미신이 돼버렸고, 진보주의자들의 거대 담론을 구현하는 데는 시대상황이 녹록지 않다. 주주권 강화는 과거에 벌어놓은 자산은 많으나 성장이 정체된 경제에 활력을 불어넣을 수 있는 미시적 대안이라는 점에서 고민해볼 만한 가치가 있다고 본다. 한국의 주식투자 인구가 2019년 말 610만명에서 지난해 말 1441만명까지 늘어나 투자자의 저변이 확대된 상황에서는 더욱 그렇다.[148]

121. 총체적 난국, 길 잃은 한국경제

코로나19 팬데믹의 경제위기 속에서도 전 세계의 이목을 끌 정도로 한국경제는 견실히 버텼다. 그러나 팬데믹 위기를 벗어나고 작년 하반기부터 나빠지기 시작하더니, 작년 경제성장률도 경제협력개발기구(OECD) 회원국 평균에 못 미치는 이례적인 국면에 접어들었다. 이 추세는 올 1분기까지 지속돼 국제통화기금(IMF)과 OECD가 한국의 성장률 전망치를 하향 조정했고 최근 한국은행도 1.6%에서 1.4%로 낮춰 많은 우려를 자아냈다. 성장률 전망이 낮은 것만으로 경제가 나빠졌다고 단정할 수 없다. 그러나 지금의 침체국면에는 엄중한 문제들의 어두운 그림자가 보인다. 한국경제의 근간을 위협하는 내부적・외부적 요인들의 원인이자 결과다.

우선, 무역수지 적자 문제다. 작년 3월부터 시작된 월별 무역수지 적자가 지난 5월까지 15개월 지속되고 있다. 수출도 8개월 연속 감소 중이다. 특히 대중국 수출의 경우 중국의 전면적 재개방 이후인데도 12개월 연속 감소하고 있다. 흑자만 기록하던 대중국 무역수지도 작년 5월부터 적자를 보이기 시작했다. 무역수지 악화를 개선하려면 급감한 대중국 수출을 회복하려는 정부 대책이 필요하지만 잘 보이지 않는다. 한편으론 미국에 떠밀려, 또 한편으론 자발적으로 한국 정부가, 미국(일본) 중심주의의 행동대장을 자처했다. 그러나 군사와 외교 그리고 반도체 산업의 한・미・일 협력 강화에 앞장서며 중국과의 신뢰관계를 회복하려는 정부 노력은 보이지 않는다. 아세안국가들과의 무역도 마찬가지다. 선진국 중 무역의존도가 최상위권인 나라의 정부가 무역수지 악화와 수출 급감에도 손 놓고 구경만 하는 것 같다.

한・미・일 공조와 협력을 강화한다고 대일, 대미 수출과 무역수지가 개선되는 것도 아니다. 협력의 파트너가 된 일본과의 무역수지는 더 나빠지고 있다. 앞으로도 대일본 무역수지 적자는 오히려 더 커질 것으로 전망된다. 2019년 일본 아베 정부의 대한국 수출규제로 촉발된 한·일 경제전쟁으로 소부장(소재·부품·장비) 산업의 일본 수입의존도를 낮추고 '일본제품 불매운동'이 확산되며 대일 무역수지 적자폭이 크게 하락했다. 그러나 최근 다시 이전 수준으로 복귀했다.

소부장산업에서 일본과의 협력을 강조하는 정부정책은 일본기업을 추격해야 할 국내 소부장기업의 경쟁력 강화에 반한다. 정부가 일본 소부장산업과의 협력을 강조할수록 국내 소부장기업의 입지는 약해지고 경쟁력을 키울 기회는 축소될 것이라는 예상이 합리적이다. 결과적으로 소부장산업 대일 의존도를 다시 높일 것이다. 한·일 경제전쟁으로 손해를 본 것은 한국경제가 아니라 일본경제다. 일본정부와의 갈등 때문에 한국경제가 발목 잡혔다고 말하는 것은 궤변이다. 지금 정부가 맹목적으로 추구하는 일본과의 전방위적 관계개선은 경제적으로 봐도 국익과 관련 없어 보인다. 이웃나라와 사이좋게 지내는 것은 좋은 일이다. 그러나 그 이웃의 행패까지 무조건 덮겠다는 식의 태도는 국민이 부여한 본분과 책임을 거역하는 것이다.

정부 재정 상황이 빠르게 악화되고 있는 것도 문제다. 작년 정부의 부자감세로 국세수입 감소는 어느 정도 예견됐지만 경기침체와 수출실적 부진까지 겹쳐 더 빠르게 진행됐다. 1분기 국세수입이 작년 같은 기간에 비해 24조원이나 감소했고 정부지출 감축에도 관리재정수지 적자가 54조원을 기록했다. 3개월 만에 기획재정부가 올해 목표치로 설정한 규모에 가까운 적자가 난 것이다. 정부의 건전재정 기조를 무색하게 할 지경이다. 더 큰 문제는 이 기조로 가면 재정지출을 크게 줄여 불평등과 양극화가 심화되는 결과가 이어진다는 점이다. 저성장과 불평등의 악순환을 피하려면 위기에 취약한 경제적 약자를 적극적으로 보호하는 한편 부자증세와 횡재세 도입 등 세수확충에도 노력해야 한다. 난국을 극복하려면 잘못된 정책 기조를 철회하고 전면적인 조세재정정책의 전환이 필요하다.

가장 심각한 문제는 경제의 근간을 해치는 검찰 공안 통치의 국가 지배구조와 그 속에서 방향을 잃은 각종 개혁이다. 그 나침반의 방향은 검찰통치가 결정한다. 노동자와 노조에 검찰의 칼이 향할 때 노조탄압, 집회결사의 자유 제한, 노란봉투법 결사반대가 노동개혁이 된다. 검찰의 칼이 지난 정부 인사와 정책을 향하면 개혁은 지난 개혁의 반동이 된다. 그래서 노동시간은 늘리고, 원전은 확대하고, 재생에너지 확대에는 별 관심 없는 기괴한 개혁이 탄생한다. '간첩 조작 사건'으로 내부징계까지 받은 검사가 대통령실 고위 공직자로 복귀하고 또 다른 증거조작 혐의가 있는 검사가 국가보훈부 장관이 되는 경천동지할 일도 보란 듯 벌어지고 이런 광란의 칼이 한국경제의 방향이 된다.[149]

122. '1호 영업사원'의 조건

영업사원으로 성공하는 조건은 무엇일까. 온라인을 검색해보니 한국표준협회는 첫번째 조건을 이렇게 설명하고 있었다. '고객지향성과 대인이해를 기반으로 고객과 친밀한 관계 형성.' 고객의 성격을 잘 파악해 친하게 지내라는 의미인 것 같다.

그런데 이게 생각만큼 쉽지 않다. 마음이 통하고 내 사정을 너그럽게 이해해주는 사람도 있지만 말이 잘 통하지 않는 사람도 있다. 어떤 사람은 자신의 우월한 위치를 은근히 또는 노골적으로 과시하며 갑질을 하려 들기도 한다. 이런 고객을 만날 때면 '영업 그만두고 싶다'는 생각이 든다. 부양가족 때문에 어쩔 수 없이 참기는 하지만.

요즘 한국 경제의 주요 고객 하나가 '1호 영업사원'의 골치를 아프게 한다. 중국이다. 한국이 미국·일본과만 친하려 든다며 기분에 거슬리는 얘기를 한다. 한국은 인권·환경 문제 때문에 중국을 글로벌 핵심 공급망에서 배제하려는 미국 정부의 노력에 호응하고 있을 뿐인데 말이다. 이참에 거래를 확 끊어버리고 싶은 마음까지 들게 한다. 어떻게 하는 게 좋을까. 이럴 때는 다른 영업사원들의 움직임을 살펴보는 것이 판단에 도움이 된다.

미국 테슬라의 최고경영자(CEO)인 일론 머스크는 지난달 말 중국을 방문했다. 머스크는 방문 기간 중국의 친강 국무위원 겸 외교부장, 왕원타오 상무부장, 진좡룽 공업·정보화부장 등 고위 관료를 잇따라 만났다. 중국의 배터리 업체인 CATL의 쩡위췬 회장도 만난 것으로 알려졌다. 주요 대화 내용은 공개되지 않았지만 올해 1분기만 해도 지지부진했던 테슬라 주가는 그의 중국 방문을 계기로 지난 13일(현지시간)까지 상장 이후 최장인 13거래일 연속 상승했다.

머스크 말고도 JP모건의 제이미 다이먼, 스타벅스의 랙스먼 내러시먼, 제너럴모터스의 메리 배라, 인텔의 팻 겔싱어 등 미국의 주요 기업 CEO들이 최근 잇따라 중국을 방문했다. 중국 견제에 열심인 미국 정부도 이들의 중국행을 막지 못했다.

이들이 중국에 가는 이유는 엔비디아 CEO 젠슨 황의 최근 언론 인터뷰에 잘 나타나 있다. "중국은 이미 미국 기술산업 시장에서 약 3분의 1을 차지하고 있는 만큼 미국 기술기업들이 중국을 빼앗긴다면 당장 이를 대신할 시장을 구하지 못하게 될 것"이라는 게 그의 얘기다. 그는 "제2의 중국은 없다. 중국은 하나

뿐” 이라며 “중국 시장을 (다른 시장으로) 대체하는 건 불가능하다” 고 했다.

미국 기업뿐만 아니라 미국의 우방 국가원수들도 중국을 찾았다. 독일의 올라프 숄츠 총리는 지난해 10월, 에마뉘엘 마크롱 프랑스 대통령은 지난 4월 중국을 방문했다. 나라 안팎에서 비판의 목소리도 있었지만 이들은 중국에서 상당한 영업실적을 올린 것으로 전해졌다.

수출주도형인 한국 경제도 중국을 버릴 수는 없다. 올 들어 4월까지 한국의 총수출액 2008억3857만6000달러 가운데 중국 수출액이 390억9114만8000달러에 달한다. 국가별 수출액 1위이고, 비중은 약 19.5%로 5분의 1에 가깝다. 미국 수출액이 360억1013만5000달러로 중국과 비슷할 뿐, 3위 베트남(162억6821만7000달러)만 해도 절반에도 못 미친다. 독일·프랑스·이탈리아·영국 등 경제대국들이 몰려 있는 유럽 대륙으로 가는 수출액을 모두 합해도 326억1075만2000달러로 중국보다 적었다. 젠슨 황의 얘기처럼 중국을 대체하는 일은 불가능하다.

한국인이 가장 싫어하는 나라를 꼽으라면 단연 중국과 일본일 것이다. 그런 중국, 일본과 수교를 한 이유는 이들을 좋아해서가 아니다. 국익에 도움이 될 것으로 판단했기 때문이다. 그리고 그 판단 덕분에 한국이 세계 10위 경제대국이 될 수 있었다는 게 대체적인 평가다.

최근 경제협력개발기구(OECD)는 올해 세계 경제성장률 전망치를 2.6%에서 2.7%로 올리면서도 한국 경제성장률 전망치는 1.6%에서 1.5%로 내렸다. 그러면서 향후 수요가 개선될 수 있는 요인으로 ‘중국 경기 회복에 따른 수출 반등’ 을 들었다. 한국 경제의 회복에 중국의 영향이 클 것이라는 얘기다.

토니 블링컨 미국 국무장관이 오는 18~19일 취임 후 처음으로 중국을 찾는다고 한다. 앞으로 양국 간 고위급 소통에도 변화가 일어날 수 있다.

이렇게 복잡한 상황에서 한국의 ‘1호 영업사원’ 은 중국이라는 까다로운 고객을 상대로 어떻게 실력을 발휘할 것인가. 온 국민의 관심사다.[150]

123. 주주들 힘으로 활력을 도모하는 일본 경제

미국의 1980년대는 욕망의 시대였다. 경제에 대한 정부의 적극적 개입을 옹호한 케인스주의가 1970년대의 스태그플레이션을 거치면서 권위를 잃었고, 시장의 적극적 역할을 강조하는 시카고학파의 보수주의 경제학이 힘을 얻기 시작한 시기가 1980년대였다. '시장'과 '경쟁'은 누구도 이의를 제기할 수 없는 절대선이었고, 금융시장은 부를 좇는 원색적 욕망이 가장 적극적으로 투영되는 장이었다. 올리버 스톤 감독의 1988년작 〈월 스트리트〉에 나오는 고든 게코는 당시의 시대정신을 제대로 보여주는 인물이다.

1980년대는 금융이 실물경제를 지배했다. 금융자본의 이해는 경영혁신이라는 외피로 기업에 관철됐다. 'M&A'(인수·합병), '리스트럭처링'(restructuring·사업재조정), '다운사이징'(downsizing·구조조정) 등이 당시의 경영혁신을 상징하는 단어들이다. 세 단어는 병렬적 성격을 가지고 있지 않다. 대체로 결론은 구조조정이었고, M&A나 리스트럭처링은 다운사이징을 위한 방법론이었다. 서로 다른 기업을 합친(M&A) 후 중복 영역을 구조조정하거나, 기업의 사업부를 분할(리스트럭처링)하는 과정에서 군살을 뺐다. 이런 일련의 과정은 사모펀드와 월가 투자은행이 주도했고, 이들은 '기업사냥꾼'으로 불리기도 했다.

유서 깊은 소비재 회사 'RJR 나비스코'를 둘러싼 일련의 소동은 금융자본이 주도한 욕망의 1980년대를 상징적으로 보여주는 사건이다. RJR 나비스코는 우리에게도 친숙한 오레오와 리츠 등을 만드는 제과사업부와 살렘, 윈스턴 등의 브랜드를 가지고 있던 담배사업부로 이뤄진 회사였다.

1988년 이 회사는 금융자본의 공격을 받는다. 당시 최대 규모의 사모펀드였던 KKR이 적대적 M&A를 시도했고, 이에 맞서 RJR 나비스코의 CEO였던 로스 존슨은 MBO(Management Buy Out)로 맞섰다. MBO는 경영진이 회사의 자산을 담보로 돈을 빌려 주주들로부터 지분을 사 경영권을 확보하는 행위를 의미한다. KKR은 당대의 가장 공격적인 기업사냥꾼이었고, 존슨 또한 거대 기업의 CEO로서 가지고 있던 각종 특혜를 놓치고 싶지 않았던 탐욕적 인물이었다.

이 싸움의 결론은 KKR의 승리였지만, 그 누구도 승자가 되지 못했다. 기업 인수에 너무 큰 금액을 지출한 KKR은 만족스러운 수익을 못 얻었고, RJR 나비스코도 회사의 다양한 사업부가 분사되면서 궁극적으로 기업가치가 증대됐다고 보긴 어려웠다. 또한 구조조정 과정에서 RJR 나비스코의 공장이 폐쇄된 지역은 급속히 쇠락했다. 월가의 주류 언론이라고 할 수 있는 '월스트리트저널' 기자들조차 멀쩡한 기업 RJR 나비스코에 분탕질을 한 금융 전문가들을 야만인들이라며 경멸했다. 월스트리트저널 기자였던 브라이언 버로와 존 헬리어가 공저한 역작 <문 앞의 야만인들(Barbarians at the gate)>은 1980년대 미국 자본주의에 대한 생생한 르포다.

지난 11월27일자 서울경제신문엔 흥미로운 기사가 실렸다. 일본에서 경영진이 회사를 인수해 상장폐지시키는 MBO가 늘고 있다는 내용이었다. 대형 제약사인 다이쇼제약이 역대 최대 규모인 7100억엔의 주식 매입을 발표했고, 교육업체인 베네세홀딩스도 내년 2월 초부터 자사 주식을 매입해 상장폐지를 추진할 예정이다. 일본에서 나타나고 있는 MBO는 경영자의 욕망이 분출했던 1980년대 RJR 나비스코 사례와는 결이 다르다.

일본 기업들은 주주행동주의자들의 경영 간섭이나 배당 확대 요구 등이 장기적 관점에서 사업을 영위하는 것을 어렵게 만들고 있다는 데 문제의식을 갖고 있다. 마우스 클릭 한 번으로 주식을 사고파는 주식투자자들이 기업과 운명을 같이하는 경우는 거의 없다. 언제든지 빠져나올 수 있기 때문에 주식투자자들의 이해는 다분히 단기라는 시간 범주에 속해 있는 경우가 많다. 반대로 기업 경영진이나 노동자들이 기업에 대해 가지는 이해관계는 보다 장기적이다.

예를 들어 미국의 금리 인상이 우려될 때 투자자들은 주식을 팔아 기업과의 관계를 끊을 수 있지만, 기업 운영에 직접적으로 관련돼 있는 경영자와 노동자들은 금리를 올리거나 말거나 일상적 경제활동을 멈출 수 없다. 일부 일본 기업들은 단기주의에 경도돼 있는 주식시장의 압력에서 벗어나기 위해 MBO를 추진하고 있는 것이다.

MBO 자체보단 기업들이 어려움을 느낄 정도로 일본 상장사들에 가해지는 주식시장의 압력이 크다는 점이 더 인상적이다. 일본은 자본시장보다는 은행이 금융시스템의 근간을 이루는 역사를 오랫동안 지속해왔고, 은행과 기업들이 상호출자해 지분을 보유하면서 한 다리 건너면 이해관계를 공유하게 되는 관계 중심 자본주의를 견지해왔다. 주주행동주의나 시장 압력 등은 영미식 자본주의 국가의 금융시장에서나 듣는 말이었는데, 일본에서도 이런 움직임이 나타나고 있는 것이다.

이는 어느 정도 의도된 결과이다. 10여년 전 아베 신조 총리의 2차 내각이 출범한 이후 시행된 아베노믹스는 '잃어버린 20년'으로 상징되는 정체된 일본 경제에 변화를 주기 위한 일종의 충격요법이었다. 주주들의 힘으로 무능력한 기업들이 가진 부를 순환시키고자 하는 국가적 프로젝트는 아베노믹스의 주식시장 버전이었다.

지난 4월 도쿄증권거래소가 주가가 장부가치를 밑도는 상장사들에 대해 주가부양 계획을 밝히라고 요구한 것도 같은 맥락이다. 장부가치를 하회하는 주가, 즉 PBR(주가순자산비율) 1배를 하회하는 기업들은 '과거는 창대했으나, 미래 걱정은 많은' 경우가 많다. 과거엔 수익력이 뛰어났기에 큰 규모의 부(자기자본)를 쌓아놨지만, 미래에도 잘할 수 있을 거라는 기대가 약할 때 주가가 낮은 수준에서 형성돼 PBR은 1배를 밑돌게 된다.

미래에 대한 기대를 갑자기 만들어낼 수는 없으니, 주가를 상승시키기 위해선 배당 형태로 과거 쌓아놓은 부를 주주들에게 나눠줘야 한다. 배당을 받은 주주들은 소비를 하거나, 더 생산적인 기업에 투자할 수 있다. 도쿄증권거래소는 기업들에 이런 행위를 강권한다. 최근의 일본 증시 강세는 과거 쌓아놓은 부를 순환시키는 과정에서 나타나는 상승이고, 이는 정책 효과에 기댄 바가 크다는 생각이다. 주주자본주의에 내재된 단기주의가 언젠가는 부메랑으로 돌아올 수도 있겠지만, 출구가 없는 장기정체를 겪은 일본 경제 입장에서는 이를 기꺼이 치러야 할 비용으로 받아들일 수도 있지 않을까 싶다.[151]

124. 연준이 직면한 신뢰의 문제

지난 11월 글로벌 금융시장의 반응은 뜨거웠다. 주식시장은 이례적인 상승세를 보였고, 한때 5%를 넘어서며 시장의 우려를 낳았던 미국 국채 10년물 금리는 큰 폭으로 주저앉으며 4.3% 수준을 나타내고 있다. 달러 역시 원·달러 환율 기준으로 1300원 수준까지 하락했다. 그리고 이런 흐름은 연준의 기준금리 인상이 사실상 종료됐다고 판단한 시장 참가자들의 적극적인 투자에 기인한다.

미국 주요 자산 규모·성장률

	규모(10억달러)	2020년 연간 성장률	1997~2020년 연평균 성장률
주식	46,922	22.0%	9.2%
주거용 부동산	41,272	7.4%	5.7%
미 재무부 유가증권	20,946	26.0%	8.3%
상업용 부동산	20,914	3.9%	7.0%
투자등급채권	6,551	9.1%	8.5%
농지	2,569	0.9%	5.3%
고수익 미등급 회사채	1,652	25.0%	7.1%
레버리지론	1,193	0.0%	14.4%

11월 FOMC에서 연준은 5.0%에 육박하는 국채 금리가 실물경제에 긴축 효과를 강화한다는 점을 근거로 추가 금리 인상에 신중해야 함을 강조한다. 추가 금리 인상의 가능성이 낮아졌다는 시그널을 읽어낸 시장 참여자들은 수일 후 둔화돼가는 미국의 고용시장과 소비자물가지수를 만나게 된다. 신중한 연준과 둔화되는 성장, 그리고 약해지는 인플레이션의 조합을 보면서 추가적인 기준금리 인상은 사실상 끝났다는 주장이 힘을 얻는다. 그렇다면 지난 2~3년간 금융시장을 떠들썩하게 했던 고물가와 고금리는 끝난 것일까?

이런 움직임이 처음은 아니다. 지난해 11~12월로 돌아가보자. 당시 연준은 급등하는 물가를 보면서 뒤늦게 큰 폭의 금리 인상에 나섰다. 이에 주식시장은 약세를 나타냈고, 금리는 큰 폭 상승했으며, 원·달러 환율은 1400원을 넘어서는 등 강달러 기조가 이어졌다. 그러나 고물가와 고금리로 인한 실물경제 침체 우려가 강해지자 기준금리 인하와 같은 부양책 재개 가능성이 급부상하게 된다. 이런 기대를 머금고 주식시장이 강한 반등에 나섰고, 국채 금리는 크게 하락했으며 원·달러 환율은 올해 초 1220원 수준까지 하락했다. 경기침체로 인해 연준의 기준금리 인상이 끝날 것임을, 그리고 머지않은 미래에 기준금리 인하로 전환할 것임을 예상한 투자자들이 적극적으로 투자에 나선 결과이다.

그러나 순식간에 실물경제를 짓누르던 고금리가 약해지고 자산가격이 큰 폭 반등하자 미국의 소비가 살아나기 시작했다. 강한 소비에 힘입어 미국의 물가는 재차 고개를 들었다. 고물가가 재현되자 연준은 지난 7월 추가 기준금리 인상에 나서면서 긴축기조를 재확인하게 된다. 화들짝 놀란 금융시장은 주가 하락과 금리 급등, 그리고 달러 강세 흐름을 나타냈고, 빠르게 상승한 국채 금리로 인해 긴축을 넘어 실물경제의 둔화를 우려할 지경에 이르게 된다. 이에 과도한 시장 금리의 상승 기조를 제어하고자 완화적인 코멘트를 던진 것이 지난 11월의 FOMC였고, 다시금 시장 참가자들은 사실상 연준의 기준금리 인상이 끝났다는 기대를 키우게 된 것이다.

최근과 같이 금리가 크게 하락하고, 자산 가격이 크게 상승한다면 미국의 소비경기는 어떤 반응을 보이게 될까? 뚜렷한 둔화 기조를 보이던 인플레이션을 다시금 자극할 수 있다. 최근 이런 가능성을 의식한 연준은 다시금 스탠스를 바꾸어 긴축 메시지를 쏟아내고 있다. 아직 인플레이션과의 전쟁은 끝나지 않았고, 추가적인 기준금리 인상 가능성이 남아있음을, 그리고 시장이 기대하고 있는 기준금리 인하는 아직 고려 대상이 아님을 반복적으로 강조하고 있다. 이런 대응은 연준에 국한되지 않는다. 미국보다 약한 성장을 이어가는 유럽의 경우 금리 인상은 끝났으며 내년 4월부터는 기준금리 인하에 나설 것이라는 전망이 힘을 얻고 있다. 이에 유럽중앙은행 라가르드 총재는 향후 2개 분기 동안 통화 정책의 변화는 없다는 점을 강조하고 나서는 등 시장의 금리 인하 기대를 차단하는 데 분주한 모습이다.

중앙은행의 기본적인 책무는 물가의 안정이다. 다만 그런 물가의 안정 속에서도 실물경제 성장을 지원하는 것 역시 고려 대상이 돼야 한다. 여기서 물가 안정과 함께 강한 성장까지 동시에 달성하고자 할 때 중앙은행은 딜레마에 처한다. 성장을 보면 완화적인 통화정책을 써야 하고, 물가를 보면 긴축기조를 이어가야 한다. 두 가지 목표를 바라보면서 수개월 단위로 완화와 긴축이라는 상반된 메시지를 번갈아 던진다면 금융시장은 어떻게 반응하게 될까? 긴축을 말하다가 3~4개월 만에 완화로 돌아서기를 반복하는 연준을 보면서 시장 참여자들은 연준의 긴축 스탠스를 온전히 신뢰할 수 있을까? 연준에 대한 신뢰가 약해지면, 그들이 쓰는 긴축 정책 역시 힘을 잃게 된다. 최근 필자는 미국 기준금리가 이렇게 높은데 자산 가격이 뜨거운 이유를 묻는 질문을 종종 받는다. 연준의 긴축에 대한 신뢰가 약해지면 5.5%에 달하는 기준금리도 그 힘을 잃게 된다. 긴축과 완화 사이에서 오락가락하는 연준의 스탠스를 보며 인플레이션의 온건한 제압까지는 아직 상당한 시간이 남았을 수 있다는 생각을 해본다.[152]

125. 가볍게 봐선 안 될 '한국경제 정점론'

연말이 가까워지며 내년도 경제 전망이 쏟아지고 있다. 결론은 대체로 비관적이다. 지난주 한국개발연구원(KDI)도 올해와 내년 성장률을 지난 5월보다 0.1%포인트씩 낮춰 1.4%와 2.3%로 하향 조정했다. 올해 성장률 전망은 지난해 5월 2.3%에서 1.8%, 1.5%로 계속 하향 조정되다가 1.4%까지 내려온 것이다. 팬데믹 이후 '지연 수요'로 호황을 예상했지만 결과는 정반대다. 오히려 국내외 일각에서 한국 경제가 정점을 찍고 내리막길에 들어섰다는 '피크(peak) 코리아론'이 퍼지고 있다. 내년에는 2.3% 성장해 정상 궤도에 진입할 것처럼 말하지만 올해 성장률이 워낙 낮은 데 따른 기저효과를 감안해야 한다. 한 외국계 은행은 내년에도 1%대 성장을 못 벗어날 것이라고 전망한다.

중앙대 류덕현 교수를 비롯한 경제 전문가들도 '2024 한국경제 대전망'에서 내년에도 춘래불사춘(春來不似春)의 상황이 될 것이라고 예상했다. 반도체 경기가 반등하고 중국 경제가 회복돼 수출이 좀 나아지더라도 과도한 가계부채 부담과 고금리, 고물가 때문에 소비가 위축돼 경기 회복은 젖은 장작 타듯 할 것이라는 분석이다. 미·중 갈등과 우크라이나, 중동 등에서의 전쟁으로 지정학적 리스크가 커지며 국제 환경도 개방적인 한국 경제에 불리해지고 있다.

지난 10년간 연평균 2.5%에도 못 미치는 장기 저성장이 지속되는 데다 고금리의 압박에도 가계부채는 연일 기록을 경신하는 등 여러 경제지표가 비정상적인 흐름을 보이고 있다. 그런데도 정부와 정치권은 총선의 소용돌이로 빨려들어가고 있다.

야당인 더불어민주당은 민생을 이유로 과감한 확장재정을 요구하지만 총선용 예산 늘리기 공세라는 의심도 사고 있다. 정부는 건전재정에 진심인 것처럼 말하지만 총선을 앞두고 얼마나 이를 관철할지 두고 볼 일이다. 삭감된 연구·개발(R&D) 예산 살리기와 자영업자 지원을 위한 저리 융자금, 주식 공매도 금지와 메가시티 전략 등 총선용 메뉴가 쏟아지며 정책 기조가 흔들리고 있다. 가계부채 위기가 터지면 외환위기보다 몇 십배 타격을 입을 것이라면서도 부동산 규제를 풀고, 소상공인이 '은행 종노릇' 한다며 대출금리 인하를 압박한다. 야당은 예대마진으로 '돈 잔치 벌인다'며 은행의 초과수익을 환수하는 횡재세를 추진하고 있다.

한국 경제가 정체기라거나 이미 정점을 쳤다는 시각을 가볍게 볼 일이 아니다. 새로운 성장동력은 보이지 않고 청년들이 열정을 불태울 기회의 창은 좁아지는 상황이 십수년째 계속되고 있다. 그렇지만 정부의 대응은 늘 단기 처방 위주였다. 정권이 교체될 때마다 문패만 바뀐 성장과 고용 전략이 등장했지만 상황은 악화일로다. 윤석열정부는 모든 걸 시장에 맡기겠다지만 그렇게 하기도 어려울 뿐더러 세계는 지금 큰 정부 시대로 회귀하고 있다. 미국 정부는 중산층 살리기를 목표로 강력한 산업정책과 노골적인 보조금 정책을, 일본은 임금 인상과 엔화가치 하락을 유도하고 있다. 유럽연합(EU)도 무역장벽을 높이고 있다.

경제정책 당국자들은 한국 경제의 저성장 고착화나 한국 경제 정점론에 동의하지 않을 것이다. 몇 가지 시장불안 요인만 잘 관리하고 작은 불씨가 큰 불로 번지지 않도록 하면 내년에는 큰 폭의 성장률 반등이 가능하다고 믿을 것이다. 비정규직이 전체 근로자의 40%나 되고 '그냥 쉬는' 청년의 수가 날로 증가하는 노동시장의 비정상, 결혼과 출산을 기피하고 우울과 자살이 증가하는 사회 병리 현상에 대해 정책 당국은 근원적 치료를 주저한다. 이로 인한 성장잠재력 소진이 당장은 눈에 보이지 않기 때문일 것이다. 그렇게라도 경제는 꾸역꾸역 굴러갈 수 있다. 그러나 그 길은 일본이 갔던 장기 저성장의 터널일 가능성이 높다.

더 큰 걱정은 정부의 건전재정 기조와 민간주도 성장 전략이 총선이 본격화하기도 전에 흔들린다는 점이다. 선거판의 경제 흔들기가 끝나고 새 국회가 들어서면 상황은 더 나빠질 것이다. 3년 후쯤에는 현 정부의 경제정책 기조가 무엇이었는지 기억조차 희미할 것이다. 경제가 오르막길에 있다면 시장에 맡겨도 그만이지만 지금은 잠재성장률을 높이기 위한 구조 개혁이 정부의 최우선 책무여야 한다. 정부와 정치권이 위기감을 갖지 않고 쉬운 일만 한다는 느낌을 지울 수 없다. 한국 경제 특유의 역동성이 존폐의 기로에 섰다.153)

126. 달빛열차는 달리고 싶다

자유 시장경제체제에서 시장의 힘에 의한 자원의 배분은 효율적이다. 이 명제가 성립하기 위해서는 몇 가지 가정이 필요하다. 규모의 경제, 외부 효과, 공공재 등이 존재하지 않아야 한다는 것이 그것이다. 허나, 현실 경제에선 규모의 경제, 외부 효과, 공공재 등이 엄연히 존재한다. 자본주의를 채택하고 있는 정부라 할지라도 어떤 식으로든 민간의 경제활동을 간섭·규제하고 있는 것은 그런 까닭이다.

생산 규모가 커짐에 따라 평균비용이 낮아져 규모의 경제가 적용되는 경우, 외부경제나 외부비경제가 존재하는 경우, 비경합성과 비배제성을 갖는 공공재가 존재하는 경우, 정부가 직·간접적으로 개입해 시장의 실패를 보완하는 일이 통상이다. 특히 도로와 철도 등 대규모 초기투자가 필요하고 외부경제가 광범하게 발생하는 사회간접자본(SOC)은 정부가 직접 나서는 경우가 많다. 부득이한 경우 민간자본을 끌어들이지만, 그러한 경우에도 사후관리를 엄히 해 공공성을 보호한다.

도로, 철도 등 기초인프라는 그 투자 규모와 그 가격 형성을 시장 메커니즘에 맡겨둘 수 없다. 평균비용이 투자액에 비례해 우하향하고 초기에 거대자본을 투자해야 하는 성격을 가진 까닭에 그 진입장벽이 매우 크다. 따라서 시장이 필요로 하는 양보다 과소공급돼 외부비경제가 커져 다른 부문에 나쁜 영향을 끼칠뿐더러 그 가격도 시장이 지급하고자 하는 수준보다 높게 형성된다. 필요할 때 거대자본 투자가 이뤄진다고 하더라도 투자 주체는 독점적 지위를 누릴 개연성이 크고 마땅히 초과 이윤을 추구할 터다. 그 사회적 비용은 모두 일반 시민 몫이다. 도로, 철도 등 SOC를 정부가 건설·관리·운영하는 이유다.

SOC의 투자·운영 원리는 영리기업과 같은 이윤 동기라 할 수 없다. 투자 판단은 공공 필요나 공익 여부를 기준으로 결정하고, 한계편익과 한계비용이 일치하는 선에서 가격을 이론적으로 결정할 수 있다곤 하지만, 공공 필요, 공익 여부, 편익 등의 계량화는 현실적으로 불가능하다. 민주적 방식을 도입해 투표에 의한 공공선택을 시도하기도 하나, 그게 최선이라고 장담할 순 없다. 결국, SOC는 정치적 결정에 의존한다.

대구와 광주를 잇는 달빛철도도 전형적인 SOC이고, 그 투자 여부와 투자 규모는 경제성이나 효율성의 문제라기보다 정치적 합의의 영역이다. 달빛철도의 공공 필요성, 공익성 여부, 편익 정도 등의 수리적 계량이 불가능하다면 양 지역에 거주하는 사람들을 대상으로 투표를 해 보는 것도 한 가지 방법이다. 계측 불가능한 장래의 편익과 비용을 탁상에서 예측·추계해 이를 비교하는 비용편익분석은 SOC 투자의 성격상 그 절대적 기준이 될 수 없다.

현재의 견지에서 본 비용편익분석을 SOC 투자의 금과옥조라 한다면 번화가와 인구밀집지역 투자만 가능하고 미개척지와 오지의 투자는 불가능하다. 터무니없는 결론이다. 도농, 지역 간 격차, 빈부 격차를 갈수록 확대할 건 뻔하다. 경부철도, 경부고속도로, 호남고속철도 등은 아예 건설될 수 없었을 터다. 몇 명 살지 않는 오지에 도로를 놓고 전기, 수도를 공급하는 것을 보고도 달빛철도를 반대할 생각이 나는지 묻고 싶다. 국민의 대표 총 300명 중 무려 261명이 발의한 법안을 막아서는 이 해괴한 상황을 이해할 수 없다. 달빛열차는 달리고 싶다.[154]

국가철도공단은 SOC 건설사업 관련 유사 분쟁 사례를 방지하고 법무역량을 제고하기 위해 SOC 건설 4대 공공기관인 한국수자원공사, 한국도로공사, 한국토지주택공사와 '대외 협력 네트워크 워크숍' 을 대전 본사에서 개최했다.

이번 워크숍은 SOC 건설사업에서 발생하는 건설·계약·재산·보상 분야의 주요 소송 사례를 공유함으로써 기관 간 법적 협력을 강화하고 신속한 분쟁해결과 갈등 사전예방을 위해 추진됐다. 또한 각 기관이 서로의 법적 문제를 이해하고 함께 해결방안을 모색하는 시간도 가졌다.

이성해 국가철도공단 이사장은 "이번 대외 협력 네트워크 구축으로 4대 SOC 건설 기관 간 시너지를 창출해 정부 국책 사업과 관련한 효율적인 법무행정 처리가 가능해질 것으로 기대된다" 며 "앞으로도 다른 기관과의 협력을 통해 법무행정 역량을 강화해 국민에게 신뢰받는 공공기관이 되겠다" 고 말했다.[155]

127. 지방재정 대란과 절반의 분권

중앙정부가 2024년도 지방교부금을 11조6000억원 이상 삭감하면서 지방자치단체들의 재정신호에 빨간불이 켜졌다. 중앙정부에 의존하던 비수도권 지자체의 세입이 줄면 매년 증가하던 지자체의 예산 규모도 줄어들 수밖에 없다. 실제로 내가 사는 곳도 지방자치 실시 이후 최초로 전년 대비 본예산안 규모가 줄어서 올해 당초 예산보다 244억원이나 줄어든 예산안이 편성되었다.

발등에 불이 떨어진 건 지자체만이 아니다. 지방교육청의 사정도 마찬가지라서 전국적으로 지방교육재정교부금이 7조원 이상 줄었다. 심지어 이 줄어든 예산에서 7000억원 이상을 디지털 교육에 쓰도록 하는 지방교육재정교부금법 개정안까지 국회 본의회에 부의되어 있다. 돈이 전부는 아니지만 예산 없이 실행되는 사업은 없다는 점을 고려하면 지방의 재정상황은 심각한 위기다.

가. 교부금 삭감 대안 제시하지 못해

그런데 지방교부금은 중앙정부가 지자체에 선심 쓰듯 주는 돈이 아니다. 지방교부세법에 따르면, 지방교부금은 법에 따라 지자체의 행정운영에 필요한 재원을 교부하고 그 재정을 조정함으로써 지방행정을 건전하게 발전시킨다는 목적을 가진 제도이다. 즉 현실적으로 지자체 행정의 기본적인 운영능력이 취약할 뿐 아니라 수도권과 비수도권, 대도시와 농촌의 재정능력에 큰 격차가 있기 때문에, 중앙정부가 부족한 부분을 보완하기 위한 제도이다.

그런 의미에서 중앙정부는 열악한 지자체의 재정능력을 보완할 뿐 아니라 지자체 간의 재정격차를 적극적으로 바로잡아야 할 의무를 진다. 지방교부금은 국가의 균형발전과도 긴밀하게 연계되기 때문에, 지금의 재정대란은 지역 간 격차를 심화시킬 것이다. 그럼에도 중앙정부는 교부금 삭감에 상응하는 합리적인 대안을 제시하지 못하고 있다.

물론 지방교부금의 규모는 중앙정부의 재정능력과 무관할 수 없다. 기획재정부의 '월간 재정동향 12월호'에 따르면 2023년의 국세 수입은 2022년보다 50조4000억원이나 줄었고 법인세, 소득세, 부가가치세가 각각 23조7000억원, 14조6000억원, 5조4000억원 감소했다. 세수가 감소한 것은 맞지만 이것은 중앙정부의 조세

정책이 실패한 탓인데 재정능력이 더욱더 열악한 지자체들부터 피해를 입게 생겼다.

사실 지금의 어려운 경제상황과 지방의 현실을 생각하면 지방교부금의 규모는 더욱더 늘어나야 옳다. 지방예산의 역할은 단순히 행정운영에 머물지 않기 때문이다. 보통 지방예산은 소득재분배와 경제안정화, 자원배분 기능을 한다고 알려져 있다. 즉 지방예산은 주민의 기초생활과 기본적인 복지를 보장하고 지역경제를 안정화시키고 활성화하며 생활인프라와 같은 공공재를 보장하는 역할을 하고 있다. 따라서 지방교부금이 줄어드는 만큼 지방예산이 맡는 역할도 부정적인 영향을 받게 된다. 지방소멸이 온다며 호들갑을 떨면서도 정작 필요한 지원은 방치된다.

나. 재주는 지자체가, 돈은 중앙정부가

지방자치제도 실시 이후 계속돼온 비판은 행정분권만 진행되고 함께 진행돼야 할 재정분권이 뒤따르지 않는다는 것이었다. 문재인 정부는 후보 시절 분권형 국가를 만들기 위해 국세와 지방세의 비율을 6 대 4로 만들겠다고 공약했다. 그러다 기재부의 반대에 부딪히자 2022년까지 7 대 3으로 만들겠다고 후퇴했다. 하지만 2023년에도 국세와 지방세 비율은 77.6 대 22.4로 큰 변화를 보이지 않았다.

현재의 지방세 항목이나 교부금 비율로는 지자체의 재정능력이 개선되기 어렵다. 심지어 지자체가 목을 매는 관광 중심의 정책에서도 관광객 증가에 따른 부가가치세 증가분은 중앙정부가 챙긴다. 지방세가 부족하다는 게 알리바이가 되어 대부분의 지자체들은 자체 세수조차 제대로 챙기지 않고 토호들의 호주머니를 챙겨주기에 바쁘다.

지자체들의 재정운용에 문제와 낭비가 많기에 중앙정부가 관리해야 한다는 반대도 있다. 그렇지만 4대강 사업이나 각종 신규 공항 사업, 난개발 사업에서 드러나듯 예산을 낭비하고 비리를 일삼는 건 중앙정부도 마찬가지다. 그나마 주민들이 감시, 감독하고 문제를 책임질 수 있는 지자체의 상황이 특히 더 나쁘다고 말할 이유는 없다.

프랑스의 경우 경상비 교부금을 결정하는 곳은 중앙정부가 아니라 지자체와 지방의회가 참여하는 지방재정위원회이다. 한국의 지자체들은 공동결정은커녕 중앙정부에 제대로 항의도 못하고 그 앞에 머리를 숙이기에 바쁘다. 제 몫도 챙기지 못하는 지자체들이 무슨 자치를 하겠는가.[156]

128. 경기 사이클이 달라졌다

필자는 1996년부터 증권회사에서 일하고 있다. 직장 생활 초기 10여년은 그야말로 '다이내믹 코리아'를 실감하는 시간이었다. 사원 때 외환위기가 터졌고, 대리가 되니 당시 3대 재벌이었던 대우그룹이 파산했다. 과장으로 승진하니 카드위기로 경제가 휘청였고, 차장 때는 미국발 금융위기의 불길이 한국으로 옮겨붙었다. 각각의 위기는 대형 금융기관들의 파산 위험이 수반되며 금융시스템과 실물경제가 동시에 흔들리는 시스템 리스크로 비화됐고, 그때마다 한국 증시를 대표하는 코스피는 50% 이상 급락하면서 소위 반토막이 나곤 했다.

외환위기 때부터 글로벌 금융위기까지의 시기는 경제에 큰 충격을 주는 이벤트

가 주기적으로 발생했던 위기의 시대이기도 했지만, 한편으론 한국 경제가 오뚝이처럼 일어나는 역동성을 보여줬던 시기이기도 했다. 한국 경제는 회복 탄력성이 매우 강했다. 1997년부터 2008년까지 네 차례의 커다란 위기를 겪으면서도 한국의 실질 국내총생산(GDP) 성장률은 연평균 5.0%에 달했다. 코스피 역시 이 기간 동안 저점 대비 100%가 넘게 상승하는 급등 장세가 세 차례나 나타났다.

반면 2008년 글로벌 금융위기 이후의 십수년은 한국 경제에 큰 위기가 돌출되지 않았던 비교적 평온한 시기였다. 2012~2013년에 조선사와 건설사들이 대규모 손실을 일시적으로 회계장부에 반영했던 '빅 배스'가 있었고, 중간중간 부동산에 대한 우려가 대두되기도 했지만 과거에 경험했던 시스템 리스크와는 거리가 멀었다. 큰 위기가 없었지만 한국 경제의 성장 속도는 현저하게 둔화됐다.

가. 위기 없는데 경제 역동성 약해져

글로벌 금융위기 직후인 2009년부터 2023년까지 한국의 GDP 성장률은 연평균 2.7%였다. 주가지수의 움직임도 밋밋해져 2008년 이후 코스피 연평균 상승률은 1.8%에 불과했다. 심각한 위기는 없었지만 한국 경제의 역동성도 약해졌다.

특히 작년이 그랬다. 특별한 위기가 없었음에도 1.3%로 추정되는 2023년 GDP 성장률은 경제개발이 본격화됐던 1960년대 이후 역대 다섯 번째로 낮은 수치이다. 많은 사람들이 '경기가 안 좋다'라는 말을 입에 달고 살고 있지만, 성장률이 이례적으로 낮았던 2023년은 실제로 그랬던 해였다.

경기는 수축과 회복의 사이클을 그리게 마련이고, 때론 작년처럼 낮은 성장률이 기록될 수도 있다. 주목해서 봐야 할 점은 회복의 패턴인데, 과거 한국 경제는 잠재성장률을 크게 하회하는 경기침체 직후에는 예외 없이 V자형 급반등이 이어지는 모습을 보여주곤 했다. 고통은 짧았고, 정상화의 속도는 빨랐다.

2023년보다 성장률이 부진했던 과거 네 차례의 사례들을 복기해 보자. 미국의 고금리와 2차 오일쇼크가 겹쳐져 나타났던 1980년 한국의 GDP성장률은 -1.4%를 기록하면서 최초의 역성장을 기록했지만, 이듬해인 1981년에는 7.0% 성장이라는 급반등세를 기록했다. 외환위기 국면이었던 1998년 GDP성장률은 -5.1%를 기록했지만 1999년에는 11.4%를 나타냈고, 글로벌 금융위기 직후인 2009년 0.8%에 그쳤던 성장률은 2010년 6.8%의 반전으로 귀결됐다. 코로나19 팬데믹이 있었던 2020년 성장률은 -0.8%, 이듬해는 4.3%의 성장률이 기록됐다.

2024년 GDP 성장률과 관련된 자본시장의 컨센서스는 2.0%이다. 작년보다는 개선될 것으로 보이지만, 과거 침체 직후에 곧바로 나타났던 V자형 반등과는 거리가 멀다. 글로벌 금융위기 이후 이어지고 있는 회복 탄력성의 약화가 2024년 성장률 전망치에도 투영돼 있다.

회복의 강도도 약하지만 내용도 수출 편향적이라는 한계가 있다. 2024년 성장률 반등은 작년 경기가 부진했던 데 따른 기저효과와 수출 개선, 특히 반도체 경기 회복에 거의 전적으로 기대고 있다. 반도체 경기 반등은 다행스러운 일이지만, 반도체 수출 증가가 국민 경제 전반으로 파급되는 낙수 효과는 크지 않다. 오히려 내수에서 뚜렷한 반전의 기미가 보이지 않는다는 점이 아쉽다.

민간소비・설비투자・건설투자・정부지출 등 내수를 구성하고 있는 주요 요소들은 모두 구조적 정체에 빠져 있다. 가장 중요한 민간소비는 가계부채에 발목이 잡혀 있다. 가계부채가 GDP의 100%를 넘어서고 있는 상황에서 금리마저 높아져 가계의 소비 여력 위축은 불가피하다. 설비투자도 크게 늘어나기 어렵다. 대기업들을 중심으로 왕성하게 투자하고 있지만, 해외에 투자하기에 바쁘다. 특히 인플레이션감축법(IRA)과 반도체법(Chips Act) 등에서 제시하고 있는 보조금을 받기 위해서는 미국에 공장을 지어야 한다. 기업의 해외투자는 한국의 GDP에 기여하지 못한다. 설비투자보다 절대 규모가 큰 건설투자는 아직도 GDP의 10%를 넘어서고 있을 정도로 과잉이다. 주요국 중 건설투자가 GDP의 10%를 넘어서는 국가는 한국과 중국 정도뿐이다. 박근혜 정부 후반부인 2015년부터 성장 기여도가 높아졌던 재정지출은 재정 건전성을 중시하는 보수정부의 스탠스를 감안할 때 경기 확장의 촉매로 작동하기 어려워졌다.

나. 정부 더 적극적인 역할 모색해야

2024년에 예상되는 미약한 경기 회복은 구조조정과 관련해 심각한 화두를 던진다. 지금까지는 어려운 경기 사이클에서 잘 버티기만 하면, 그리 긴 시차 없이 전개되곤 했던 강력한 경기 회복 과정에서 재기의 발판이 마련되곤 했다. 그렇지만 침체 이후 경기 반등의 강도가 약할 가능성이 높다면 버틴다고 능사가 아니다. 자영업이건, 부동산PF건, 시간을 가지더라도 회복되기 힘든 취약 영역의 구조조정은 미룰 수 없는 과제가 되고 있다. 구조조정이 진행되는 동안에는 민간의 충격을 완화시키기 위한 정부의 역할이 필수적이다. 구조조정을 언제까지나 외면할 수는 없고, 정부도 재정 건전성이라는 원칙에 갇히기보다는 더 적극적인 역할을 모색해야 한다고 본다.[157]

129. 좀머 씨 이야기(Die Geschichte von Herrn Sommer)

독일 작가 파트리크 쥐스킨트(Patrick Suskind)의 단편소설『좀머 씨 이야기(Die Geschichte von Herrn Sommer)』는 우리나라에서 출간 초기에는 큰 주목을 받지 못했다.

하지만 10대 독자들을 중심으로 점차 입소문이 퍼지면서 1995년 말 종합 베스트셀러 1위에 등극하였고, 결국 밀리언셀러가 되었다. 한편의 동화와도 같은 이 소설은 지금까지도 고른 연령층으로부터 많은 사랑을 받고 있다.

46개국어로 번역되어 전 세계적으로 1200만부 이상이 팔리고, 2006년 영화화되기도 한 장편소설『향수(Das Parfum)』로 명성을 떨치기 시작한 저자 쥐스킨트는 폐쇄적 성격의 은둔 작가로 유명하다.

작품들의 잇따른 성공으로 부와 명예를 거머쥐었지만 독일 문학계에 전혀 모습을 드러내지 않으며, 일체의 인터뷰와 사진촬영을 거부하는 것이 그의 원칙이다.

자신의 거취가 알려지는 것을 극도로 꺼려 약간의 정보라도 누설하는 친구가 있으면 가차없이 절연을 한다고 한다.

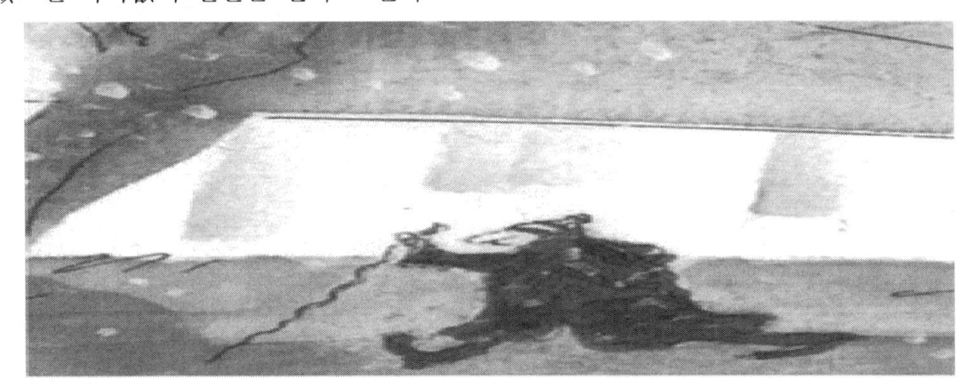

『좀머 씨 이야기』는 그의 자전적 소설로, 화자인 어린 소년과 소년이 목격한 기인 좀머 씨 모두에 그의 모습이 투영돼 있다.

우선 소년의 성장기에는 제2차 세계대전의 상처가 채 가시지 않은 1949년 독일 슈타른베르크 호숫가의 암바흐(Ambach am Starnberger See)에서 태어난 쥐스킨트의 경험담이 담겨져 있다고 볼 수 있다.

그리고 좀머 씨의 기행은 세상을 멀리하는 쥐스킨트의 현재 모습과 닮아 있다.

좀머 씨는 배낭을 메고 지팡이의 도움을 받아 소년이 살고 있는 호숫마을 근방을 매일 이른 아침부터 저녁 늦게까지 쉬지 않고 걸어다니지만 마주치는 사람들과의 대화는 회피한다.

좀머 씨가 나치에게 학대받은 유대인인지, 아니면 전쟁 중에 겪은 참혹한 경험으로 고통 받는 참전군인인지는 알 수 없으나 그는 마음의 문을 굳게 걸어 잠근 채 걷고 또 걸을 뿐이다.

사람들이 그에 대해 알고 있는 것은 그의 부인이 인형을 만드는 일로 돈을 번다는 것 정도다.

"좀머 아저씨가 우리 마을로 이사와서 정착했던 전쟁 직후에는 사람들이 전부 배낭을 메고 다녔기 때문에 아무에게도 그런 그의 그런 행동이 이상해 보이지 않았다. 휘발유도 없었고, 자동차도 없었으며, 하루에 딱 한번만 버스가 운행되었고, 땔감도 없었으며, 먹을 것도 없었기 때문에 어디를 가서 달걀 몇 개를 구해 온다거나, 밀가루나 감자 혹은 석탄을 1kg쯤 가져 온다거나, 하다못해 편지지나 면도날을 구하러 가야만 했을 때도 몇 시간이든 걸어서 갔다가, 구한 물건들을 손수레에 싣거나, 배낭에 짊어지고 집으로 운반해 오곤 했었다."

소년의 서술에서 엿볼 수 있듯이 제2차 세계대전 직후 독일의 경제적 상황은 암담하기 그지없었다.

전쟁으로 산업시설이 상당수 파괴되었고, 노동력 손실도 엄청났다.

독일의 어려움은 여기서 그치지 않았다. 미국의 재무부 장관 헨리 모겐소(Henry Morgenthau, Jr.)는 1944년 독일을 분할한 후 산업시설을 해체하여 원시적인 영구 농경국가로 만들겠다는 전후 처리계획, 일명 모겐소 플랜(Morgenthau Plan)을 내놓았다.

(모겐소는 유대인이었는데, 이 때문에 이렇게 과격한 주장을 내놓았다는 주장도 있다). 모겐소 플랜은 결국 여러 반대에 부딪쳐 채택되지 않았지만 종전(1945년) 후 4개국 연합군(미국 영국 프랑스 소련)의 분할점령 시대에 독일의 생산활동은 각 산업마다 일정 한도에서 제한되었고, 막대한 전쟁배상금이 부과되었다.

산업 요지이자 석탄 산지인 자를란트(Saarland)는 프랑스에 양도되었는데, 프랑스는 1957년의 영토 반환 이후에도 1981년까지 이 지역에서 석탄을 채굴하였다.

기록에 의하면 독일의 1947년 산업생산은 1938년의 3분의 1 수준에 불과했다고 한다.

이렇듯 물리적 손실이 컸지만 비물리적 손실도 이에 못지않았다.

연합군은 독일이 자국과 해외에 보유하고 있는 지적소유권을 광범위하게 빼앗았으며, 이 중 일부는 곡물을 수입하여 독일에 공급해준 대가 대신 받아가는 형태로 이루어지기도 했다.

연합군은 독일로부터 빼앗은 지적소유권을 연합군 국적의 회사들에게 나누어주어 자국 산업발전을 돕고자 했다.

특히 미국과 소련은 독일의 우수한 과학자들까지 자국으로 이주시켜 기초과학 발전에 기여하도록 했는데, 전범인 나치 과학자들을 종이 클립으로 집어 따로 분류한 후 이주시키는 미국의 방침은 페이퍼클립 작전(Operation Paperclip)으로 불렸다.

역사학자 존 짐벨(John Gimbel)은 미국과 영국이 받은 '지적 배상금(intellectual reparations)' 규모만 따져도 약 100억달러에 이른다고 주장했다.

황폐화된 토지가 많아 농업생산도 부진했으므로 독일 국민들의 삶은 피폐해질 대로 피폐해질 수밖에 없었다.

많은 국민들이 기아에 허덕였으며, 위생 시설 부족으로 전염병까지 창궐하였다. 1806년 독일이 나폴레옹 전쟁에서 패해 위기에 처했을 때 철학자 피히테(Johann Gottlieb Fichte)는 '독일 국민에게 고함(Reden an die deutsche Nation)' 이란 우국 대강연을 통해 독일 국민들의 용기를 고취시킨 바 있는데, 제2차 세계대전 이후 독일의 미래는 피히테의 강연이 다시 필요해 보일 정도로 어두웠다.

여기서 사람들이 흔히 하는 오해 하나를 소개하고자 한다. 경제 교과서에서 초인플레이션(hyperinflation)에 대해 이야기할 때 빠짐없이 등장하는 사례는 제1차 세계대전 직후의 독일이다.

당시 독일에서 물가가 무섭게 치솟아 물건을 사러 갈 때 손수레로 돈을 운반해야 했다는 이야기는 누구나 한번쯤 들어봤음 직하다.

그렇기 때문에 사람들은 제2차 세계대전 직후에도 독일에 극심한 인플레이션이 나타났을 것이라고 생각하는 경우가 많다.

그러나 극심한 인플레이션은 제2차 세계대전 이후 독일이 겪었던 후유증에 해당되지 않는다.

그 이유는 바로 1936년부터 히틀러(Adolf Hitler)가 정부가 전쟁물자를 싼 가격으로 구입할 수 있도록 하기 위해 강력한 가격통제(price controls)를 실시했기 때문이다.

전쟁이 끝난 후에도 독일에 입성한 연합군은 가격통제를 그대로 이어갔다. 교과서에서 배운 바와 같이 가격상한제하에서는 공급부족 현상이 나타나게 된다.

1947년에 요구불예금을 포함한 독일의 통화량은 1936년에 비해 5배가량 늘어났는데 그 기간 동안 가격통제 때문에 물가는 조금밖에 상승하지 않았고, 식량의 경우에는 공급부족 현상이 심각했다.

당시 독일에서는 오히려 억압된 인플레이션이 문제였던 것이다.

가격상한제로 나타나는 공급부족을 해결하기 위해 주로 사용하는 방법은 배급제인데, 나치도 1939년부터 각종 물품에 대한 배급제를 실시하였다.

독일 국민들은 식량을 제대로 구하지 못해 직접 곡물을 심거나 물물교환을 하는 경우가 일반적이었다.

가격통제와 배급으로 인해 시장은 그 의미가 없어졌다 해도 과언이 아니다.

『좀머 씨 이야기』에서 소년이 전쟁 직후에 사람들이 원하는 물건을 '사기' 위해서가 아니라 '구하기' 위해 먼 길을 오가야 했다고 표현한 것은 시대적 상황을 반영하는 것이라 추측된다.

다음은『좀머 씨 이야기』에서 전쟁 직후의 상황 설명에 바로 이어지는 부분이다.

"하지만 그로부터 불과 몇 년이 지난 다음에는 필요한 물건들을 모두 마을 안에서 살 수 있게 되었고, 석탄은 배달이 되었으며, 버스는 하루에 다섯 번씩 운행되었다.

그리고 다시 몇 년이 지나자 정육점 주인이 자가용을 굴렸고, 다음에는 시장이 차를 샀고, 그 다음에는 치과 의사가 샀다.

그리고 페인트 칠장이인 슈탕엘마이어 씨는 큰 오토바이를 사서 타고 다녔고, 그의 아들도 작은 오토바이를 타고 다녔으며, 버스는 그래도 여전히 하루에 세 번은 다녔다.

그래서 무슨 볼일이 있다거나, 여권을 갱신해야만 되는 등의 할 일이 있더라도 네 시간이나 걸어서 군청 소재지까지 갔다 오려고 하는 사람은 아무도 없었다.

좀머 아저씨 말고는 아무도 없었던 것이다."

천진난만한 소년의 설명에서 우리는 독일의 희망찬 비상이 시작되었다는 것을 어렵지 않게 짐작할 수 있다.

그 유명한 라인강의 기적이 시작된 것이다.[158]

『좀머 씨 이야기』에서 소년은 좀머 씨와 인생에서 의미 깊은 네 번의 만남을 가진다.

그 중 첫번째 만남은 비가 억수같이 쏟아져 내린 어느 여름 날 오후 소년이 경마 애호가인 아버지와 함께 차를 타고 경마장에 다녀오는 길에 이루어진다.

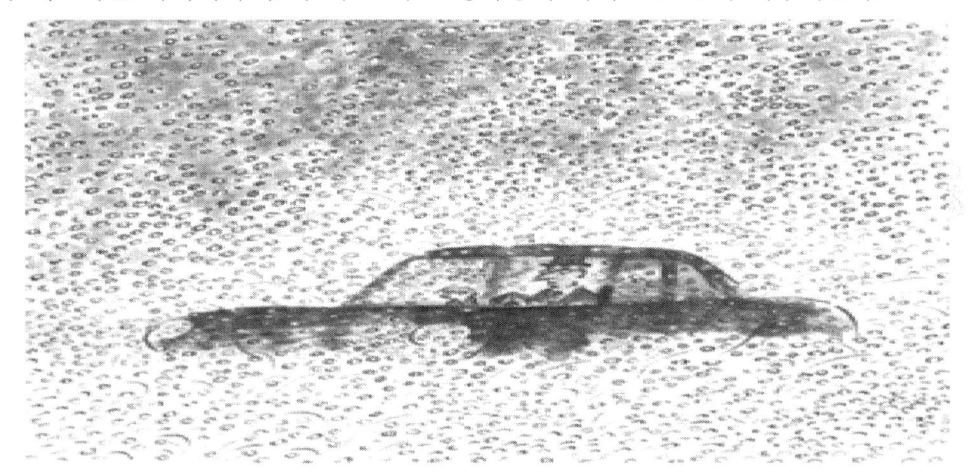

소년의 아버지는 사나운 폭우에도 아랑곳없이 여느 때처럼 배낭을 메고 길을 걷는 좀머 씨를 발견하고 차에 탈 것을 권하지만 그는 앞을 향해 계속 발을 내딛을 뿐이었다.

재차 차에 탈 것을 권하는 아버지를 향해 좀머 씨는 소년이 일생에서 처음이자 마지막으로 분명히 들은 그의 육성을 남긴다. “그러니 나를 좀 제발 그냥 놔두시오(Ja so lasst mich doch endlich in Frieden)!”

소설에서 이 부분은 평생을 죽음으로부터 도망치려 하는 좀머 씨의 고뇌를 여실히 보여주는 장면이지만 필자는 지엽적인 것에 관심을 가져보고자 한다.

그것은 바로 소년과 아버지가 '자동차'를 타고 경마장에 다녀왔다는 것이다.

지난 시간에 이미 언급한 바와 같이 제2차 세계대전 직후의 독일은 잿더미 그 자체였고, 먹을 것조차 제대로 구하기 어려웠다.

일반 가정에서 자동차를 운행할 수 있게 되었다는 것은 빠른 경제 부흥이 이루어졌음을 의미한다.

폴크스바겐(Volkswagen)의 비틀(Beetle)이란 차종으로 대표되는 자동차산업은 서독 경제성장의 주역 중 하나이며, 전후의 눈부신 경제성장을 우리는 라인강의 기적이라고 한다.

라인강의 기적은 사실 한국식 표현으로, 한강의 기적을 독일에 적용시킨 용어이다.

독일 현지에서는 제2차 세계대전 이후의 경제발전을 보통 '경제 기적(Wirtschaftswunder)'이라고 부른다.

이 용어는 1950년 영국의 일간지 더 타임스(The Times)가 처음 사용한 것으로 알려져 있다.

전쟁의 폐허 속에서 유럽 경제의 중심국가로 부상한 독일의 빠른 경제성장이 다른 국가들에는 기적처럼 느껴졌던 것이다.

사람들은 라인강의 기적이라고 하면 우선 마셜 플랜(Marshall Plan)부터 떠올리는 것이 일반적이다.

마셜 플랜이란 제2차 세계대전 후 미국이 서유럽 국가들의 재건을 목표로 추진한 지원계획을 말한다.

마셜 플랜의 공식 명칭은 유럽부흥계획(Europe Recovery Program)이나 미국 국무장관 조지 마셜(George Marshall)이 1947년 6월 하버드대 졸업식 축하연설에서 유럽 재건의 필요성을 역설했기 때문에 흔히 마셜 플랜이란 이름으로 불리게 되었다.

(독일을 영구 농경국가로 만들자는 모겐소 플랜은 재무부의 입장이었다).

독일의 경우 마셜 플랜은 미·영·프 3국이 점령한 서독 지역 경제회복을 지원하는 것을 목표로 했는데, 이에는 소련이 서독에 공산주의를 전파하는 것을 막고자 하는 정치적 목적이 담겨져 있었다.

마셜 플랜의 성과에 대한 해석은 그동안 많은 논란의 대상이 되어왔다.

과거에는 마셜 플랜이 서독 경제부흥에 절대적인 기여를 했다고 기술한 책들이 많았지만 최근에는 마셜 플랜을 서독 경제부흥의 주원동력으로 보기 힘들다는 경제사학자들의 주장이 널리 받아들여지고 있다.

마셜 플랜이 서독 경제성장에 기여한 부분은 있으나 사람들의 믿음처럼 큰 역할을 하지는 않았다는 것이다.

경제사학자들이 이에 대한 근거로 들고 있는 것은 크게 두 가지이다.

첫째는 원조 시점에 관한 문제다.

서독에 대한 미국의 원조는 1948년께부터 시작되었는데, 이때는 이미 인프라가 상당 수준 회복되어 경제부흥의 발판이 마련된 시점으로 볼 수 있다.

그리고 마셜 플랜에 의한 원조 프로그램은 느린 속도로 진행되었기 때문에 필요한 자금을 제때 공급했다고 보기 어렵다.

둘째는 원조 규모에 관한 것이다.

서독이 소련이 점령한 동독과 마주하고 있으며 패전국이기 때문에 서유럽 국가들 중 가장 많은 원조를 받았을 거라고 생각하기 쉽지만 서독이 받은 원조금은 영국과 프랑스가 받은 원조금보다도 훨씬 적었다.

더 많은 원조를 받은 국가들의 성장률이 서독보다 오히려 낮았기 때문에 마셜 플랜만으로 라인강의 기적을 설명하는 것은 적절치 못할 것이다.

그렇다면 전후 서독 경제부흥의 원동력은 과연 무엇일까? 여러 가지 요인들을 뽑을 수 있겠지만 중요한 것은 네 가지이다.

첫째로는 경제체제의 변화를 들 수 있다.

전후에 독일은 사회적 시장경제(Soziale Marktwirtschaft)라는 독특한 체제를 도입해 세계의 주목을 받았다.

사회적 시장경제는 자유방임과 사회주의의 중간 위치에 있는 체제라고 보면 이해하기가 쉬운데, 사상적 기반을 제공한 이들은 독일 서남부 프라이부르크 대의 학자들이다.

프라이부르크 학파는 시장기능을 되살려야 하지만 시장이 곧 자연적 질서는 아니기 때문에 정부의 개입과 감독이 필요하다고 주장했다.

이들의 사상은 과거의 자유주의와 구분하여 신자유주의(Neoliberalismus)라 일컬어지는데, 정부 개입 최소화를 주장하는 현대의 신자유주의(neoliberalism)와는 차이가 있으므로 동일한 것으로 간주하지 않도록 주의해야 한다.

사회적 시장경제는 사회주의적 요소가 혼합되어 있기는 했지만 전쟁 기간 중 철저히 경제를 통제했던 독일의 상황을 감안하면 커다란 진보라고 할 수 있다.

1949년 건립된 독일연방공화국의 초대 경제장관 에르하르트(Ludwig Erhard)에 의해 적극 도입된 사회적 시장경제는 시장의 효율성을 높임으로써 서독 경제성장에 크게 기여했다고 평가받고 있다.

(에르하르트는 연합군 점령 시절에는 경제자문관 자리에 있었으며, 1963년에는 독일 총리가 되었다).

경제기적의 두 번째 요인은 제국 마르크(Reichmark)를 도이치 마르크(Deutsche Mark)로 대체한 1948년의 화폐개혁이다.

화폐개혁은 시중의 통화량을 줄여 지난 시간 언급한 억압된 인플레이션 문제를 해결하였고, 이와 비슷한 시기에 가격통제와 배급제도가 폐지 되었다.

시장이 되살아나고 시장에서 제값을 받고 상품을 팔 수 있게 되자 독일 국민들은 열심히 일하기 시작했다.

그렇기 때문에 많은 경제학자들은 연합군 점령시절에 이루어진 화폐개혁을 독일 경제기적의 시발점으로 보고 있다.

근로의욕이 높아져 생산성이 향상된다 해도 수요가 없으면 아무 소용이 없다.

독일 경제발전에 날개를 달아준 결정적 사건은 바로 우리 민족에게는 비극인 한국전쟁(6 · 25전쟁: 1950~1953년)이다.

한국전쟁으로 인해 전 세계적으로 군수물자에 대한 수요가 폭발적으로 증가하였고, 서방세계는 독일에 대한 경제제재를 거의 다 해제하였다.

한국전쟁 기간 중 독일의 수출은 두 배 이상 늘었고, 실업률은 큰 폭으로 감소했다.

경제체제의 변화와 화폐개혁, 그리고 한국전쟁이 경제성장에 큰 도움을 주긴 했지만 무엇보다 중요한 것은 역시 사람일 것이다.

전쟁의 참화도 독일인들이 축적한 지식과 기술까지 전부 빼앗아 갈 수는 없었다. 풍부하고 싼 고급 기술인력이 없었다면 독일의 경제기적은 불가능했을 것이 분명하다.『좀머 씨 이야기』에서도 소년과 소년의 형들은 과학과 기계에 관심이 많은 것으로 묘사되어 있는데, 아버지 세대로부터 물려받은 지식이야말로 당시 독일인들이 가지고 있던 가장 소중한 재산이자 보물이 아니었는가 하는 생각이 든다.

『좀머 씨 이야기』로 돌아오면 소년은 비오는 날의 만남 이후에도 좀머 씨와 절대 잊을 수 없는 세 번의 만남을 더 가지게 된다.

카롤리나 퀴켈만이란 같은 반 여자아이와의 데이트 약속이 깨져 실의에 빠졌을 때, 노처녀 풍켈 선생님에게 피아노를 배우다 심하게 혼나 어린 마음에 자살을 시도하려 할 때, 그리고 마지막은 열다섯의 나이가 되어 호숫가에서 자전거를 고치고 있을 때이다.

아내의 죽음으로 삶의 의지를 잃어버린 좀머 씨는 호수 속으로 걸어 들어가 스스로 목숨을 끊는다.

소년은 이 모습을 목격하고도 사람들에게 침묵을 지키게 되고, 좀머 씨는 사람들의 기억에서 지워져 간다.

소년의 표현을 빌리자면 이때(1960년대 중반으로 추정됨)의 사람들은 자가용이나 세탁기, 잔디밭의 스프링클러에 대해 걱정했어도 좀머 씨 같은 늙은 별종에 대해서는 걱정하지 않았다. 물질적 풍요로 인해 무언가는 잊혀진 것이다.

좀머(Sommer)는 독일어로 여름이란 뜻을 가지고 있는데, 좀머 씨는 독일의 아픈 역사에서 여름날의 추억과 같은 존재일지도 모르겠다.[159]

130. 경제민주화 열망한 민심에 부응해야

22대 국회 개원이 한 달 남짓 남았다. 이번 총선은 윤석열 정부에 대한 중간 평가이기도 했다. 2022년 6월 '새정부 경제정책방향'에서 정부는 성장-복지의 선순환을 경제운용 목표로 제시하고, 민생안정을 최우선 과제로 선정했다. 총선 기간에는 무려 24차례의 민생투어를 통해 대통령이 방문지역의 개발정책과 숙원 사업을 집중적으로 논의했다. 하지만 여당은 패배했다. 왜 그랬을까? 여러 요인이 복합적으로 작용했겠지만, 무엇보다 국민의 절박함을 헤아리지 못한 정책이 민심을 돌아서게 했다.

코로나19 여파가 채 가시지 않은 상황에서 고물가, 고금리, 고환율의 3고로 민생경제가 어려워지고 있지만, 정부는 감세정책과 긴축정책으로 일관했다. 소득주도성장을 민간주도성장으로 대체하고, 민생회복을 강조하면서도 정책은 '줄·푸·세'로 회귀했다. 부자 세금을 더 깎아주고, 전봇대 뽑듯이 규제를 철폐하며, 법질서를 강조했다. 때로는 보이는 손이 시장의 순기능을 방해하기도 했다.

윤석열 정부 2년의 성과는 국민의 기대에 부응하지 못했다. 2023년 경제성장률이 전년 대비 1.2%포인트 하락했음에도 정부 부문의 국내총생산에 대한 성장기여도는 0.1%포인트 떨어졌다. 재정의 경제안정화 기능이 취약한 상태에서 재정을 긴축적으로 운용한 결과이다. 2023년에는 45조7000억원에 달하는 예산 불용이 발생했고, 2024년 중앙정부 총지출(본예산 기준)은 역대 최저의 증가율(2.8%)을 기록했다. 성장세가 약화되면서 계층 간 소득 격차가 확대되고, 가계부채가 늘면서 중상위층의 적자 가구 비율도 증가했다. 통계청의 '가계동향조사'에 따르면 2023년 4분기 시장소득 5분위배율(소득 상위 20% 계층의 평균소득을 소득 하위 20% 계층의 평균소득으로 나눈 값)이 전년 동기보다 상승하여 계층 간 소득 격차가 확대됐고, 재산소득이 소득의 양극화를 주도했다. 상위 20% 소득계층의 적자 가구 비율은 7.3%이지만, 하위 20% 소득계층은 55.8%에 달했다.

한편 2023년에는 무려 56조4000억원의 세수결손이 발생했다. 세수결손은 실질 경제성장률과 GDP 디플레이터를 높게 전망한 결과이고, 그 이면에는 낙수효과에 대한 낙관적 기대가 자리잡고 있었다. 하지만 대기업과 중소기업 간 불공정거래 관행, 노동시장의 이중구조와 성별 임금 격차, 기업지배구조 등이 개선되지 않은 상태에서 낙수효과를 기대하긴 어렵다. 반복적으로 발생하는 대규모의 세수 오차는 재정의 효율적 운용은 물론 거시경제의 안정과 성장을 위해서도 바람직하지 않다.

현재 한국경제는 재정중독이 아니라 재정결핍으로 신음하고 있다. 국제통화기금(IMF)에 따르면 2022년 정부의 총지출과 총부채는 각각 GDP 대비 28.7%와 53.8%로 선진국 평균 40.9%와 71.1%를 크게 밑돌고 있다. 반면에 2023년 3분기 국제결제은행(BIS) 기준 가계부채는 GDP 대비 101.5%로 선진국 평균 70.8%를 크게 웃돌고 있다. 재정이 역할을 제대로 하지 못하면 가계 빚이 늘어난다. 작금의 한국경제가 처한 현실은 민생경제의 회복과 구조개혁을 위한 조세재정의 적극적 역할을 요구하고 있다. 양극화와 불평등 해소, 저출생 대책, 사회안전망과 세수기반 확충, 자산과세 정상화, 기후위기에 대응한 탄소세, 비정상 초과이윤에 대한 횡재세, 연금개혁과 의료개혁, 교육예산 제도 개편, 전국민고용보험제도의 확대, 지역균형발전을 견인하는 재정분권, 사회적 수요에 부응하는 재정운용 거버넌스 등은 22대 국회에서 다루어야 할 조세재정 분야의 주요 과제이다.

조세법률주의하에서 조세재정체계의 개편은 입법권과 예산심의권을 보유한 국회의 소관이다. 시장경제가 효율과 성장을 추구한다면, 그 과정에서 발생한 불평등의 해소는 민주주의 정치체제의 핵심 과제이다. 양극화와 불평등을 방치하면 사회적 갈등이 증폭되어 경제의 존립 기반을 위태롭게 할 수 있다. 그래서 1원 1표의 원리는 1인 1표의 원리로 보완되어야 하고, 대한민국 헌법 제119조 2항(일명 경제민주화 조항)에서는 상생의 원리를 명시적으로 담아내고 있다.

"국가는 균형 있는 국민경제의 성장 및 안정과 적정한 소득의 분배를 유지하고, 시장의 지배와 경제력의 남용을 방지하며, 경제주체 간의 조화를 통한 경제의 민주화를 위하여 경제에 관한 규제와 조정을 할 수 있다."

총선에서 나타난 민심은 상생을 위한 개혁조치를 과감히 추진하라는 것이고, 그 중심에는 경제민주화에 대한 열망이 담겨 있다. 22대 국회가 민심에 부응하는 정책으로 국민의 선택에 응답하기 바란다.[160]

131. 처참한 나라살림, 2023년으로 끝나지 않는다

관료조직은 정치적 책임 때문에 무얼 하기 쉽지 않으며, 선출직 공무원들은 경제 논리에 무지하여 무얼 하기 쉽지 않다. 이런 상황을 극복할 '집단 지성'의 총화가 바로 국회의 존재 이유 아닌가. 22대 국회는 난맥상의 나라살림부터 바로 잡으라.

'민생' 과제를 무시한 채 특검법부터 올리는 '정쟁'이 난무한다면 '이념도 정책도 없는 집단'이란 비판은 국회로도 옮겨붙게 될 것이다.

2023년 나라 살림의 결과가 나왔다. 황당함을 넘어 처참하다. 차라리 윤석열 대통령과 정부가 틈만 나면 공언하는 신자유주의 경제학 교과서의 '균형 재정'이라도 실현되었다면 좋았겠다. 그런데 현실은 그것도 아니다. 목표나 이념은 고사하고 이유도 모호한 채 나라 살림이 크게 허물어졌으며, 앞으로 개선될 것이라는 기약조차 없다.

국가결산보고서에 따르면 작년의 관리재정수지 적자는 본래 계획된 58조2000억원을 무려 29조원이나 넘은 약 87조원으로 드러났다. 게다가 여러 시민단체의 분석에 따르면 이 또한 온갖 '꼼수' 회계로 분식된 수치이며, 이를 감안하면 관

리재정수지 적자 규모가 125조6000억원에 달할 것이라고 한다. 정부가 쓰기로 해놓고 돈을 아낀다는 이유로 지출하지 않은 '예산불용액'도 엄청나서 역대 최고 수준인 45조7000억원이 되었다고 한다. 요컨대 87조원의 적자가 났으며, 45조7000억원의 지출이 불발되었다. 가져가기만 하고 쓰지는 않았으며, 심지어 쓰기로 한 돈조차 제대로 쓰지 않은 것이다.

겉으로 보면 똑같은 적자 재정이기는 하지만, 많은 세금을 거두고 그보다 더 많이 특히 가난한 이들에 대한 재분배의 성격을 가진 사회 부문에 집중적으로 지출해 재정 적자를 감수하는 이른바 정형화된 진보좌파 정부의 재정 정책은 분명히 아니다. 그렇다고 해서 세입과 세출의 일치를 무엇보다도 중시하는 신자유주의 경제학 교과서의 '균형 재정' 정책은 더더욱 아니다. 1980년대 미국 레이건 정부 시절에 등장했던 기묘한 '정책 조합', 즉 감세 정책 대신 군수 부문을 시작으로 팽창적인 정부 지출을 행했던 형태의 정책과도 전혀 다르다. 정부의 재정 적자 자체는 두려워할 일도, 피하기만 할 일도 아니지만 묻지 않을 수가 없다. 이러한 재정 운용의 목표와 이념은 무엇인가? 작년 나라 살림에 큰 결손이 난 이유와 명분은 도대체 무엇인가?

가. 현 정부 재정 운용 목표·이념 뭔가

정부가 도무지 해명을 할 기미가 없으니, 교과서로 돌아가보자. 나라 살림은 공공재정(public finance)이라고 불린다. 공공이 필요한 것에 지출할 수 있는 자원을 어떻게 융통할 것인가의 문제이다. 이는 다시 세 가지 질문으로 구성된다. 첫째, 무엇을 위해 지출할 것인가. 둘째, 어떻게 조달할 것인가. 셋째, 지출과 수입의 균형을 어떻게 맞출 것인가.

첫째, 정부는 먼저 공공의 이익을 향상시키기 위해서 지출해야 할 사항들이 어떤 것인가를 제대로 파악해야 한다. 리처드 머스그레이브의 분류대로 하면 이는 다시 공공재의 조달과 외부효과의 해소, 재분배, 경제 안정화라는 세 가지로 나누어진다. 나는 2023년 한 해 동안 머스그레이브가 제시한 이 세 가지 목적 중 무엇 하나 적극적으로 정부가 추진했다는 인상을 전혀 받지 못했다. 오히려 쓰기로 해놓고 '돈 없다'는 이유로 쓰지 않은 사업이 무려 45조원이 넘는다. 이 정부가 공공재정의 지출이 경제는 물론 사회 전체의 후생 증진에 얼마나 큰 비중을 차지하는지에 대해 폄하를 넘어서 부정과 냉소의 입장을 가지고 있다는 인상을 지울 수가 없다.

둘째, 어떻게 조달할 것인가의 문제는 세금 부과에 있어서의 형평성, 공정성, 효율성, 정책 방향성 등을 함축하게 된다. 윤석열 정부의 입장이 명시적으로 드러나는 유일한 부문이 바로 여기이니, 이른바 '부자 감세', 혹은 좀 더 가혹한 표현으로는 '감세 포퓰리즘'이다. 세금 부과는 형평성이 있어야 하며, 더 내야 할 사람과 덜 내야 할 사람에 대해 누구나 마땅히 납득할 수 있는 기준에 근거해야 한다. 또한 공정해야 한다. 어떤 이유에서 어떤 행위에 대해 왜 그것이 공공에 의해 세금이 부과되어야 (혹은 되지 않아야) 하는지에 대해 명확한 명분이 있어야 한다. 그리고 효율적이어야 한다. 조세 행정의 행정 비용에 있어서 또 그것이 초래할 각종 사회적 비용에 있어서 최소화할 수 있는 방식으로 이루어져야 한다. 윤석열 정부가 말로 또 실천으로 보여주었던 감세 정책은 과연 이 세 가지 기준으로 볼 때 높은 아니 긍정적인 평가라도 받을 수 있을 것인가?

셋째, 세입과 세출 총액의 수지를 맞추는 문제이다. 여기에는 양쪽을 매년 1년 단위로 철저하게 맞추어야 한다는 균형 재정론자들의 입장도 있지만, 거시경제의 상황에 따라 또 장기적인 국가의 정치적·전략적 목표에 따라 탄력적으로 운용하는 것이 옳다는 입장도 있으니, 전형적으로 경기 순환의 반대 방향으로, 즉 불황기에는 적자 재정을, 호황기에는 흑자 재정을 편성해야 한다는 '기능적 재정'의 이론 같은 것을 들 수 있다.

하지만 현 정부의 재정 정책 기조는 어느 쪽으로 보아도 납득이 가지 않는다. 대통령과 관료들이 틈만 나면 공언하는 바와는 달리 지금의 정부 기조는 균형 재정과는 거리가 멀다. 그렇다고 해서 경기 순환의 폭을 완화하기 위한 '기능적 재정'이냐 하면 그런 것도 아니다. 지금과 같은 인플레이션 국면에 도대체 어째서 부자 감세의 적자 재정으로 부자들에게 돈을 풀려 드는 것인가? 이른바 '낙수효과'라는 것은 현실적인 존재와 작동 여부가 최소한 극히 의심스럽다는 것은 이미 잘 알려진 일이 아닌가? 이 상황에서 이렇게 큰 규모의 재정 적자를 만들어내는 이유가 대체 무엇인가?

나. 정부는 안 되니 국회가 나서야

문제는 2023년으로 끝나지 않는다. 현 정부가 편성한 2024년 예산안에 따르면, 관리재정수지 적자는 작년보다 33조8000억원이 늘어난 92조원으로 계획이 잡혀 있다. 이미 GDP의 50%를 넘어선 국가채무는 더욱 늘어날 것이며, 관리재정수지 적자 비율은 작년의 2.6%에서 3.9%로 올라갈 것이다. 여기에 만약 경기가 악화되고 각종 세수 결손이 발생할 경우 이보다 훨씬 더 큰 폭으로 수치들이 악화될 것이다. 결국 코로나19 시기와 비슷한 재정 적자를 보게 되겠지만, 이것이 서민들을 위한 지출 때문이 아니라 부자 감세 때문이라는 중요한 차이점이 있다. 나는 균형 재정론자가 아니다. 오히려 정부의 재정 적자는 얼마든지 허용될 수 있고 또 마땅히 적극적으로 활용되어야 할 정책 수단이라고 믿는 편이다. 하지만 지금의 재정 적자는 '부자 감세를 통한 낙수효과' 라는 것 말고는 어떤 경제 논리나 어떤 정치경제 이념으로도 이해할 수가 없는 것이다. 이러한 '묻지마' 재정 적자가 중장기적으로 가져올 폐해는 너무나 많은 이들이 지적하고 있으므로 반복할 필요조차 없다.

여기에서 이제 구성될 22대 국회의 최우선 과제가 무엇인지를 강조하고 싶다. 고삐 풀려버린 정부 재정 정책에 방향성을 부여하고 합리성을 회복하는 일이다. 의회를 '입법부' 라고 하지만, 유럽 중세까지 소급되는 의회의 역사를 돌이켜볼 때 그의 가장 원초적이고 1차적인 임무는 백성들의 세금 부담을 관리하고 정부의 재정이 잘 쓰이도록 감시하는 일이었으며 입법의 기능은 오히려 여기에서 파생된 것이었음을 기억할 필요가 있다.

극적인 과정을 거쳐서 아주 크게 기운 여소야대의 국회가 구성되었다. 각각의 정치세력이 우선적으로 달성하고 싶은 의제들도 넘쳐날 것이다. 하지만 지금 가장 시급한 것은 그런 분파적 관심사와 분파적 이익이 아니다. 지금 대한민국 전체의 정부 재정이 그야말로 '거덜날' 위급 상황이다. 칼자루를 쥐고 있는 정부는 그렇게 해야 할 뚜렷한 이유도 명분도 제시하지 못하고 있는 상황이다.

의회가 나서야 한다. 다시 교과서의 세 원칙으로 돌아가자. 공공이 지출해야 할 항목들에 대해서는 분명히 과감하게 지출해야 한다. 공공자금의 조달은 형평성, 공정성, 효율성을 원칙으로 폭넓게 이루어져야 한다. 세입과 지출의 균형은 거시경제의 균형과 경기 상황이라는 구체적 조건을 놓고 탄력적으로 이루어져야 한다. 어려운 과제이다. 기술적 세부사항을 아는 관료조직은 정치적 책임 때문에 무얼 하기 쉽지 않으며, 정치적 권력을 쥔 선출직 공무원들은 경제 논리에 무지해 무얼 하기 쉽지 않다. 그 결과 사공이 실종되어 버리고, 배가 산이 아니라 소용돌이로 밀려가는 일이 벌어질 수도 있다. 이런 상황을 극복할 '집단 지성' 의 총화가 바로 국회의 존재 이유가 아닌가. 22대 국회는 난맥상의 나라 살림부터 바로잡으라. 이 시급한 '민생' 과제를 무시한 채 이런저런 특검법부터 올리는 '정쟁' 이 난무한다면 '이념도 정책도 없는 집단' 이라는 비판은 국회로도 옮겨붙게 될 것이다.[161][162]

132. 고물가, 고금리, 고환율 '3고' 와 거시경제 향배

거시경제(巨視經濟)는 모든 개별경제주체들의 상호작용의 결과로 인해 나타나는 한 나라의 경제 전체 현상을 말한다. 이에 대한 분석을 통해 국민소득, 물가, 실업, 환율, 국제수지 등 경제 전반에 영향을 미치는 변수들의 결정 요인과 변수 간의 상호관련성, 국민소득의 변화를 설명하는 학문이 거시경제학이다. 이는 개별 경제주체 및 개별 시장을 분석의 대상으로 하는 미시경제학과 함께 경제학의 근간을 이룬다.

가. 엔데믹 시기의 '3고현상'이 낳은 경기 부진

코로나19를 극복한 2022년 하반기부터 시작된 고물가, 고금리, 고환율의 이른바 '3고현상' 이 민생의 어려움을 가중시키고 있다.

팬데믹 와중에 각국 중앙은행이 기준금리를 0% 가까운 수준으로 낮추고 정부가 재정지출을 급격히 확대하는 등 대규모 유동성 공급을 통해 경제 위기에 대응했다. 이후 중앙은행은 고금리 정책을 통해 경기를 둔화시켜 물가 안정을 유도한다. 금리 상승 국면을 맞아 가계·기업의 소비여력과 투자여력은 줄어들어 내수부진으로 직결된다.

한편 우리나라 같은 수출중심국은 원화가치 하락으로 수출에 도움을 받는 면이 상당하다. 하지만 달러화 강세가 강하면 상품가격의 과한 상승으로 국제 교역 단기적 위축과 물가상승 여파를 피하기 어렵다.

이처럼 3고현상이 경기 부진의 요인으로 작용하고 있다. 하지만 이는 고물가를 잡기 위한 고금리 정책 대응이 낳은 불가피한 과정이다.

나. 3고현상에 대한 정책 대응은 어떤 결과로 이어질 수 있나

앞으로 우리 경제 흐름은 팬데믹 대응 거시정책에서 3고현상이 기인한 것처럼 향후 정책 방향에 따라 거시경제의 양상도 달라질 수 있다.

우선 고금리 고통을 인내하는 가운데 3고현상이 점차 해소되면서 경제가 정상

궤도를 찾아가는 시나리오를 생각해 볼 수 있다.

한국은행의 의도대로 고금리 정책에 따라 경기 부진을 겪는 와중에 물가가 점차 안정될 수 있다는 판단이다. 실제로 2023년 하반기 이후 인플레이션이 가시적으로 안정되기 시작한 점도 파악할 수 있다.

국제유가와 농산물 가격 상승으로 소비자물가 상승률은 3% 내외에 머물렀다. 그러나 변동성이 높은 유가와 식료품을 빼고 물가의 기조적 흐름을 나타내는 근원물가 상승률은 지난 4월 기준 2.3%선까지 하락해 물가안정목표인 2%에 근접했다.

경기부진의 고통을 치르고 있지만 지금까지는 통화정책의 적절한 작동으로 인플레이션이 물가 목표에 안착해 향후 기준금리가 인하되고 그에 따라 내수 부진도 완화되며 경기가 정상 수준을 회복할 수 있을 것이라는 기대를 갖게 한다.

반면 3고 현상이 지속되는 어두운 전망도 배제할 수 없다. 내수 부진에 대응한다며 성급히 경기부양책을 쓰는 경우다. 통화정책은 고금리로 여전히 긴축적인 반면 확장적 재정정책이 운용돼 거시 정책간 상충이 두드러진 가운데, 내수는 부양되지만 고물가는 지속되고 그에 따라 고금리 기조도 유지되는 것이다.

즉, 내수 부양을 겨냥한 정책 의도와 달리 고금리 기조가 장기화하며 대출이 과다한 취약계층의 생활은 더욱 어려워질 수 있다. 아울러 상충하는 통화정책과 재정정책간 불균형으로 경기의 급변동 국면도 돌출할 수 있다.

이처럼 최근 내수 부진으로 민생이 어려운 것은 사실이다. 그러나 근시안적이고 성급한 경기부양책이 3고 현상을 지속적으로 악화시킬 수 있음에 유의할 필요가 있다.

우리 경제의 정상 회복을 위해 인내심과 의연한 대처가 무엇보다 절실하다. 최근 미 연준 연방공개시장위원회가 2% 인플레이션 목표와 관련해 진전이 있다며 연내 1차례 금리인하 가능성을 시사했다.

애초 올해 금리인하 전망이 3회에서 1회로 축소된 것이다. 이에 따라 한국은행의 금리인하 시점과 횟수에도 빨간불이 켜진 것이라 할 수 있다. 결국 향후 물가·고용 등 주요 지표의 움직임에 따라 시장변동성 추이를 살피고 국내외 금융·외환 시장 상황을 면밀히 점검하는 인내심과 그에 따른 의연한 대처가 중요하다는 점이 다시 확인된다.[163]

고물가·고금리·고환율 지속되는데, 美 1분기 경제성장률 2년만에 최저, 성장세 둔화 땐 韓 수출 전선 직격탄, 선제적으로 기준금리 인하 검토해야 한다.

133. “한국은 약육강식의 정글자본주의…공공성 중심 사회적 시장경제로 가야”

“‘한국은 미국보다 더 미국이다’ 미국도 상당히 왜곡된 자본주의체제인데 그것을 한 번 더 왜곡시키면 지금의 한국이다.”

〈폴리뉴스〉는 한국사회의 부조리한 현실과 교육문제를 날카로운 시선으로 비판해 큰 울림을 주고 있는 김누리 교수를 만나 사회 전반에 걸친 그의 생각을 들어봤다.

김누리 교수는 21일 중앙대 연구실에서 진행된 〈폴리뉴스〉 김능구 대표와의 인터뷰에서 “한국은 지금 완전히 약육강식의 정글자본주의“라며 인간 존엄성 회복을 위해 “자유시장경제에서 공공성 중심의 사회적 시장경제로 가야한다” 고 주장했다(사진=안채혁 기자).

김누리 교수는 지난 21일 중앙대 연구실에서 진행된 본지 김능구 발행인과의 인터뷰에서 “한국은 지금 완전히 약육강식의 정글자본주의 단계에 와있다. 인간이 존엄한 존재로 사는 게 거의 불가능한 사회” 라며 이에 대한 성찰이 필요하다고 말했다.

그는 “지난 70년간 한국 정치는 수구와 보수의 올리가르키(과두지배)였다.” 고 밝히고 “독일에서 가장 보수적인 정당이 한국에서 가장 진보적인 정당보다 훨씬 더 좌파” 라며 세계에서 가장 보수적인 한국의 정치 지형을 지적했다.

김 교수는 한국사회를 “자본과 노동 사이의 상시적인 내전상태” 로 진단하고, “자본이 노동을 죽이고 있다. 조세정의를 찾아볼 수 없다” 며, “99%가 자유시장경제를 지지하는 사람들이 (국회에) 앉아있기 때문” 이라고 주장했다.

그는 자본주의 시장경제가 효율적이지만 자유롭게 놔두면 “야수처럼 인간을 잡아먹는다”며 “자본주의라는 야수에 올라타되 못 잡아먹게 통제해야 된다. 이 통제과정을 소셜이라고 부른다”고 설명했다. 그러면서 독일의 ‘사회적 시장경제’를 소개했다.

“독일 아이들은 학비도 없고, 생활비도 다 준다. 실업을 자본주의를 굴리기 위한 대가로 보고 국가가 전면적으로 책임진다”면서 김 교수는 “우리는 이번에 국가에서 주는 돈을 국민들이 처음 받아봤다. 이 경험이 한국사회가 복지국가로 진입하는데 결정적인 경험이 될 것”이라고 전망했다.

다음은 김누리 교수와의 관련 인터뷰 전문이다.

-코로나 속에서 미국의 정체가 드러난 게 성과라는 말씀을 하신 것 같다. 아직도 아메리칸드림을 갖는 사람들이 많은데, 미국을 그렇게까지 규정한 근거가 무엇인가.

미국은 근대 이후 탄생한 새로운 국가로서 유럽에도 많은 영감을 주고 배울 것도 있었다. 그러나 미국사회의 가장 핵심적인 문제는 자유시장경제라는 시스템 하에서 아주 독특한 유형의 나라를 만든 것이다. 우리가 두 가지를 생각할 필요가 있다. 첫 번째, 한국이 과연 얼마나 미국화 되었을까. 두 번째, 미국이 과연 글로벌 스탠다드인가.

한국은 실제로 미국보다 더 미국이다. 그것을 한국인들이 모른다. 왜곡된 미국이다. 미국도 상당히 왜곡된 자본주의체제인데 그것을 한 번 더 왜곡시키면 지금의 한국이 되는 것이다. 인간이 존엄한 존재로 사는 게 거의 불가능한 사회가 된 이유가 여기 있다. 다시 말하면 지금 대학체제, 치열한 경쟁, 엘리트 서열체제, 어마어마한 등록금, 특권 고등학교… 다 미국을 따라온 것이다. 지금 한국 대학등록금이 세계에서 제일 비싸다. 총량으로 봐서는 미국이 1위지만 1인당 국민소득 대비 한국이 1위다. 끔찍한 이야기다.

이번에 코로나가 그 민낯을 보여준 것처럼 소위 자유시장경제라는 게 사회를 완전히 하나의 정글로 만들었다. 한국사회는 완전히 정글자본주의 단계에 들어와 있다. 전 세계에서 가장 자살률이 높은 나라, 지금 18년째 1위이다. 재작년에 한 번 2위했다. 그런데 사실은 자살이 아니다. 사회적 타살이다. 24년째 산업재해사망률 1위이다. 전 세계에서 노동시간이 가장 긴 나라다. 독일이 1300시간인데 한국이 2000시간 내지 2300시간, 사실상 한국인은 노동기계다. 그러니까 아이를 안 낳는다. 저출산 계속 세계 1위이다. 작년에 세계최고 기록을 경신해서 0.9였다. 1 이하면 위기다. 기존하는 국가 중에서 가장 먼저 사라질 첫 번째 국가다. 왜 이렇게 됐는가. 여기에 대한 성찰이 필요하다.

우리 윗세대는 독재 치하에서 학교를 다녔기 때문에, 우리 세대는 민주화가 안 돼서 그랬다고 생각했다. 민주화 되었다. 아시아 최고의 민주주의 만들었다. 그럼에도 더 지옥이 되어 간다. 그러자 정권 교체가 안 되어서 그렇다고 했다. 지금 세 번째 정권 교체했다. 김대중, 노무현, 문재인까지 왔는데 더 나빠졌다. 이제는 국민들이 조금씩 깨닫고 있다. 민주화 문제가 아니다. 정권 교체 문제도 아니다. 어떤 구조의 문제구나 깨닫기 시작했다. 그 구조의 핵심은 바로 자유시장경제다. 왜 한국사회가 이런 지옥이 되었는가. 아이들이 저렇게 죽어가고 노인자살률 세계 1위, 노인빈곤율 세계 1위, 유리천장 비율 1위, 남녀불평등 세계 1위, 사회관계 지표도 최악이다. 타인에 대한 신뢰도 OECD 꼴찌다. 모든 지표가 한국은 이미 인간이 사는 사회가 아니고, 강자가 약자를 잡아먹는 정글이라는 것을 보여준다. 저는 그것을 센 언어로 규정한 것이다.

지금 여의도에 앉아있는 자들이 법을 만든다. 그들이 만든 법에 의해서 우리의 삶이 규율된다. 그러면 그들이 어떤 가치를 추구하고 어떠한 정치를 펼치고자 하는가 굉장히 중요하다. 그런데 여의도에 있는 300명 중에 294명이 자유시장경제를 지지한다. 전 세계에 이런 나라는 한국밖에 없다. 자유시장경제를 지지한 자가 99% 앉아있는 의회가 세상 어디 있나. 그러니까 인간이 다 잡아먹힌다. 지난 회기 독일 베를린 연방의회에는 630명이 있는데 그중 자유시장경제를 지지하는 사람은 한 명도 없었다. 자유당, 자유민주당이 시장의 자유, 자본의 자유, 기업의 자유를 추구하는 자유시장경제 지지자들인데, 그들이 지난번 선거에서는 의회에 한 명도 못 들어갔다. 유럽 대부분의 나라에서 자유시장경제를 지지한다는 자들의 정치적 포지션이 대체로 8~10%다.

독일에서 가장 보수적인 정당이 앙겔라 메르켈이 있는 기독교민주당이다. 메르켈 수상이 지금 16년째 하고 있는데, 정책의 골간이 프리마켓 이코노미가 아닌 소셜마켓 이코노미다. 20세기 내내 시장경제와 계획경제가 경쟁했다. 분명하게 드러난 것은 자본주의가 훨씬 효율적으로 인간의 욕망을 충족시켜준다는 것. 그 결과 사회주의 계획경제가 붕괴했다. 자본주의가 효율성 경쟁에서 더 우월하다. 그것은 분명하게 판가름이 났다.

그런데 문제는, 자본주의가 효율적이지만 자유롭게 놔두면 인간을 잡아먹는다. 그래서 독일에서는 '야수 자본주의'라는 표현이 일상적으로 쓰인다. 자본주의는 기본적으로 야수적 속성을 가지고 있다. 엄청나게 잘 뛰어다니고 효율적인데 자유롭게 놔두면 자꾸 인간을 잡아먹으니까 자본주의가 가지고 있는 효율성은 살리되 야수성은 제어하는 것이 중요하다. 자본주의라는 야수에 올라타되 못 잡아먹게 재갈을 물리고 고삐를 채워서 통제해야 된다. 통제하는 이 과정을 소셜이라고 부른다. 그런데 우리는 프리, 마음대로 잡아먹게 내버려둬서 온 천지에서 인간을 잡아먹고 있다. 한국에서 철학적 자살이 몇 %나 되나. 90% 이상이 완전히 삶의 벼랑에 몰려서 뛰어내린다. 사회적 타살이다.

그래서 독일은 소셜마켓 이코노미를 보수당이 한다. 보수주의라는 것도 한국이 잘못 알고 있다. 한국의 가장 큰 문제는 이러한 근본문제에 대한 성찰이 없는 게 첫 번째이고, 두 번째는 기만적 언어가 지배하고 있다는 것이다. 거짓의 언어가 한국의 정치를 규정하고 있다. 보수주의라고 하는 것은 굉장히 중요한 정치이념이다. 어느 사회에나 좋은 보수주의가 있어야 그 사회가 안정적으로 발전한다. 저는 역으로 한국사회의 비극은 보수주의의 부재에 있다고 본다. 수구들이 보수라고 주장을 하고, 보수는 진보인 척 하니 이 나라에는 보수가 없다. 이게 한국 정치의 비극이다.

다시 말하면 지금 한국에서 보수라고 주장하는 자들은 보수가 아니다. 이들이 대변하는 가치는 보수적 가치가 아니다. 보수주의의 가장 중요한 가치는 공동체이다. 보수주의야말로 소셜한 것이다. 공동체 가치를 중시하는 게 보수주의이고, 개인의 자유를 중시하는 건 자유주의이다. 또 보수주의는 공동체의 원형이라고 할 수 있는 민족을 중시한다. 공동체를 가능케 한 과거로서의 역사를 중시하고, 공동체를 지탱해 주는 횡적인 가치로서의 문화를 중시한다. 즉, 보수주의의 네 가지 핵심 가치는 공동체, 민족, 역사, 문화이다. 그러니 하나의 공동체가 지속되는데 보수주의가 얼마나 중요한가.

그런데 우리나라에서 보수주의라고 이야기하는 자들은 공동체를 이야기하면 빨갱이라고 공격하고, 민족문제를 경시하고, 역사이야기 나오면 도망가고, 왜곡하고, 축소한다. 있을 수 없는 이야기이다. 또 저들에게서 문화를 찾아볼 수 있나. 제가 한겨레신문에 '보수주의를 위한 변명'이라는 칼럼을 쓴 적이 있다. 보수주의가 나쁜 게 아닌데 수구들이 자꾸 보수라고 주장하면서 보수라는 아주 중요한 가치가 한국에서는 완전히 훼손되어 있다. 지금 보수주의라고 주장하는 저들은 보수가 아니고 수구이다. 수구는 규정하기 쉽다. 개인이나 그 집단의 사적인 이해를 위해서 대개의 경우 외세에 의존해 기회주의적으로 처신하는 정치집단, 이들이 수구이다. 지금 저들이 하는 것 보면 100% 수구이다.

그러면 보수는 누구냐. 지금 문재인 정부가 보수이다. 그런데 자꾸 진보인 척을 한다. 굉장히 잘못된 처신이라고 본다. 문재인 정부가 내세우고 있는 것은 보수적 가치이고, 정말 좋은 보수가 되고자 해야 수구들이 역사의 무대에서 사라진다. 그리고 왼쪽에 진짜 진보가 나타날 공간을 열어줘야 한다. 그런데 그렇게 안 하고 자꾸 진보인 척 하는 것이 큰 문제다. 그래서 한국 정치의 결정적인 비극은 보수와 진보가 경쟁한다고 기본 프레임을 다 짜고 모든 언론에서도 그렇게 거짓보도를 하는 것이다. 그러니까 국민들이 정확하게 현실을 파악할 수가 없다.

정확하게 지난 70년간의 한국 정치는 수구, 보수의 올리가르키(과두지배)이다. 서로 손잡고 4 대 6, 6 대 4. 지역을 근거로 4는 기본적으로 유지하면서 2가 왔다 갔다하는 것으로 지배체제가 바뀐다. 그렇기 때문에 정권이 바뀌어도 한국사회는 전혀 안 바뀐다. 다시 말해 오른쪽 끝에 황교안이 서 있다. 저 끝에 서서 계속 문재인 정부는 좌파정부라고 한다. 맞는 말이다. 그의 시각에서는 다 좌파다. 그런데 문재인 정부는 황교안 바로 옆에 서 있다. 그리고 세 발짝 정도 떨어져 심상정이 서 있고, 이만큼 떨어져서 앙겔라 메르켈이 있는 것이다. 독일에서 가장 보수적인 정당이 한국에서 가장 진보적인 정당보다 훨씬 더 좌파다. 한국의 정치 지형은 단언컨대 전 세계에서 가장 보수적이다. 그 안에서 네가 좌파다, 네가 좌파다, 서로 하고 있는 것이다.

그렇기 때문에 둘 사이에 아무리 정권 교체가 되어 봐야 한국은 변하는 게 없다. 부동산 문제를 보면 이렇게 바뀌면서 오히려 이 정부의 무능이라고 하는 것이 정글자본주의 + 카지노자본주의를 만들어 놓았다. 정글 안에서 부동산이라고 하는 카지노 도박을 하는 자본주의로 한국사회를 또 한 번 변질시키고 있는 것이 오늘의 현실이라고 본다.

미국은 사실상 전 세계 주요 국가에서 유일하게 보수양당제를 하고 있는 나라인데 한국도 똑같다. 우리는 수구-보수 양당제니까 미국보다 더 질이 안 좋다. 미국보다도 더 보수적이다. 지난번 미 대선 민주당 후보 경선에 워렌이 나왔다. 워렌의 주요 공약은 첫째, 대학 무상교육, 둘째, 대학생 부채탕감, 셋째, 무상보육, 넷째, 이것을 위한 부유세였다. 샌더스도 비슷하다. 한국도 지난 4월 15일 선거했다. 우리도 똑같은 문제를 가지고 있는데 워렌 수준의 공약을 낸 정당이 없다. 대학생들 거의 대다수가 빚쟁이다. 등록금이 하도 비싸서 감당 못한다. 그것을 탕감하겠다고 내세우는 정당이 없다. 선택지가 있어야 선택을 할 텐데 이 끝에 극단적으로 보수화된 두 개의 선택지 속에서 무슨 선택을 하겠나. 정의당조차도 진보정당이라고 부르기 어려운 수준이다.

-문재인 정부가 좌파정책이라는 공격을 받으면서 최저임금, 52시간 노동제 등을 하고 있다. 그 점은 소설하게 가려 한다고 인정할 수 있지 않나.

너무 약하다. 여야가 무슨 대단한 것으로 싸우는 것 같지만 그 정책의 차이라는 게 미미하다. 그것을 결정적으로 보여주는 게 김종인이다. 양쪽을 왔다갔다 몇 번을 했나. 그래도 전혀 이상하지 않다. 독일에서 기독교민주당에 있던 사람이 다음 선거에서 사회민주당의 간판으로 간다는 것은 상상조차 할 수 없는 이야기이다. 그런데 우리는 국민들이 전혀 이상하게 생각 안 한다. 왜 그렇겠나. 별 차이가 없으니까. 다시 말하면 두 정당이 일종의 거대한 연극을 하고 있다고 본다. 지금 한국 사회에서 가장 심각한 문제가 무엇인가. 교육문제다. 우리 아이들이 계속 죽어가고 있고, 학교를 떠나고 있고, 또 한국인 거의 대다수가 평생을 열등감에 시달리면서 살고 있다. 노동자들이 24년째 전 세계 노동자 중에 가장 많이 떨어져 죽고 있다. 지난 20년 동안 4만 명, 1년 평균 2천명 이상이 죽은 거다. 이것은 정상적인 국가가 아니다. 그런데 아무도 여기에 관심 없다. 지금 한국사회는 자본과 노동 사이의 상시적인 내전상태다. 자본이 노동을 죽이고 있다. 그런데 이렇게 중요한 문제를 지금 해결하겠다고 적극적으로 나서는 정당이 없다.

특히 여기에서 더 중요한 게 조세정의의 문제다. 둘 다 자유시장경제를 지지하는 자들이니까 조세정의라는 것을 찾아볼 수가 없다. 사내유보금이 900조씩 되고, 그것을 세금으로 걷지 않는 나라가 어디 있나. 그것은 99%가 자유시장경제를 지지하는 자들이 앉아있기 때문에 그렇다. 자본주의는 아주 효율적이지만 실업과 불평등이라는 인간을 잡아먹는 야수를 내장하고 있다. 그에 따르는 불안과 빈곤 문제는 거의 따라오는 것이다. 기본적으로 실업 문제를 소셜마켓 이코노미에서는 자본주의라는 대단히 효율적인 체제를 굴리기 위한 비용 혹은 대가로 본다. 대체로 자본주의는 5~8%의 실업을 상시적으로 내장한 체제라고 보는 것이다. 그러면 국가가 당연히 개입해서 실업 상태에 있는 그 과정을 전면적으로 책임져야 되고, 또 교육을 통한 재취업까지를 하나의 프로그램으로 국가가 당연히 가지고 있어야 된다고 생각한다. 이것이 소셜마켓 이코노미의 핵심이다.

실제로 독일의 경우는 실업보험뿐만 아니라 실업부조가 있다. 실업부조는 취업할 때까지 무기한이다. 그래야 사람이 살 것 아닌가. 우리나라는 '실업은 네가 잘못해서 그렇지. 네가 공부를 더 열심히 했어야지. 네가 게을러서 그래." 이런 식으로 책임을 개인에게 전가한다. 모든 것을 개인의 노력, 개인 탓으로 전가시키는 게 자유시장경제의 핵심이다. 그러니까 이 사람들이 갈 데가 없으니까 뛰어내려 죽는다. 끔찍한 사회인 것이다.

독일은 사회적 시장경제를 외치는 정당이 가장 보수적인 정당이다. 그 옆에는 사회민주당이 있다. 사회민주당이 내세우는 건 일종의 소셜리스틱 마켓 이코노미다. '사회적(Social)' 시장경제와 '사회주의적(Socialistic)' 시장경제는 조금 다르다. 기본적으로 인간이 존엄한 존재로 살아가는 데 전제가 되는 영역이 교육, 의료, 주거인데 이 세 영역을 가지고 돈벌이해서는 안 된다. 이것은 인간으로서 살 수 있는 최소조건이니까 이것을 시장에 맡기는 것에 반대하는 게 사민당의 정책이다. 실제로 독일은 세 영역의 공공성 수준이 굉장히 높다.

우리는 완전히 엉망이다. 87%가 사립대학이고 국립대학이 13%밖에 안 된다. 전 세계에서 사립대학이 87%인 나라가 어디 있나. 독일은 95%가 국립대학이다. 당연히 국가에서 고등교육을 책임져야 되는데 우리는 교육 받고 싶으면 시장에 네가 돈 내고 사라는 것이다. 정말 말도 안 되는 구조다. 교육부는 교육에 대해서 아무런 계획을 가지고 있지 않다. 교육정책도 없고 대학정책도 없고 학문정책도 없다. 오로지 입시정책 하나밖에 없다. 전 세계에서 가장 기형적인 고등교육 체제를 가진 나라다.

주거는 완전히 시장에서 카지노 자본주의의 핵심이 되었다. 그래도 유일하게 조금 나은 게 의료다. 그래봤자 민간의료가 90%, 공공의료는 10%밖에 안 된다. 미국은 공공의료가 10%도 없으니까 K방역이라는 게 미국보다 조금 잘한 것이다. K방역은 잘했지만 K의료는 못했다. 재밌는 것은 의료영역에 있어서만 우리가 미국을 전적으로 좇아가지 않았기 때문에 그나마 10%라도 있었다고 본다. 이것(국민건강보험)은 남북대치라고 하는 특수한 상황이 우리에게 준 선물인데, 김일성이 60년대에 다 해버렸기 때문에 박정희가 안 할 수가 없었고, 그것을 노태우 때 일부 시행했고 김대중 때 상당 정도 제도화했다.

독일은 기민당의 사회적 시장경제, 사회주의적 시장경제라는 사민당, 그다음 더 좌파인 녹색당은 생태적 시장경제(시장경제 좋으나 자연을 건드리는 것은 절대 안 된다), 그다음 좌파당은 시장경제를 부정하고 사회주의적 대안을 모색한다고 되어 있다. 이렇게 네 개의 정당이 베를린 연방의회에 있다. 이런 630명이 모여서 만드는 법률과 국회의원 300명 중 294명이 자유시장경제를 지지하는 자들이 만드는 법률은 어떻겠나.

-교수님 이야기 중에 교육과 의료는 공공성으로 가야 된다는데 공감이 가는데, 독일에서는 주거 문제는 어떤 식으로 하고 있나.

공공임대주택을 엄청 많이 짓는다. 세입자 권리가 굉장히 강하고 엄격하게 해놨다. 이 사회에 살고 있는 시민들은 다 주거권을 요구할 권리가 있다고 본다. 제가 독일에 갔을 때 기숙사가 안 됐다. 그래서 아이까지 셋이 공공임대주택에 들어가게 됐다. 한국식으로 생각해 유학생은 돈이 없으니까 최대한 조그만 집에서 최소 비용을 내고 살고 싶은데 안 된다는 거다. 거의 30평, 1인이 차지해야 될 최소면적이 있다는 거다. 그래서 비싸지만 일단 들어갔는데 그다음 돈은 내 수입에 맞춰서 내고, 절반은 주 정부에서 내준다. 이것도 힘들면 주 주택국에 보조비를 신청할 수 있다. 독일은 인간으로서 기본적으로 누려야 될 최소한의 조건으로 들어가고 돈은 내 형편에 맞춰서 내면 된다.

독일 아이들은 학비도 없고 생활비도 다 준다. 유학생도 학비는 없다. 이게 사회적 시장경제이다. 우리는 이번에 국가에서 주는 돈을 국민들이 처음 받아봤다. 이것은 엄청난 경험이다. 저는 국민들이 국가가 준 돈을 받아본 이 경험이 한국사회가 복지국가로 진입하는 데 결정적인 경험이라고 생각한다. 복지국가라는 것은 결국은 국가가 국민들의 삶을 책임지는 것이다. 이번에 코로나 덕에 처음으로 우리가 그것을 본 것이다.

요약하면 지금 독일과 미국은 정반대 극에 있는 사회이고 유럽모델과 영미모델은 교육제도나 사회제도가 전혀 다른 사회다. 가장 큰 것은 경제시스템으로서의 자유시장경제냐, 사회적 시장경제냐가 결정적으로 다른데, 한국은 완전히 미국을 쫓아가고 있다. 그런데 중요한 것은 미국이라는 나라가 과연 글로벌 스탠다드냐는 문제이다. 미국은 글로벌 스탠다드가 아니다. 미국인들은 스스로 항상 우리는 예외주의 국가라고 주장한다. 기본적으로 세계적인 표준과 거리가 먼 나라다.

유럽인들은 미국을 어떻게 볼까. 미국의 자유라고 하는 것은 놀랍다. 굉장한 자유가 주어지는 나라다. 그러나 사회적으로 이렇게 무책임한 나라는 있을 수 없다. 그래서 사회적으로 보면 지옥이다. 이게 일반적으로 유럽인들이 보는 미국관이다. 그런데 한국인들은 그런 것을 너무 모른다. 우리가 미국 모델을 이렇게 맹목적으로 추종하는 것은 지옥으로의 행진일 수도 있다고 제가 10년 전에 어느 글에 썼다. 그게 지금 증명되고 있다. 이런 것을 깨닫게 해준 게 이번 코로나이다.[164][165]

김누리 교수가 21일 중앙대 연구실에서 진행된 〈폴리뉴스〉 김능구 대표와의 인터뷰에서 한국교육 현실에 대해 이야기하고 있다(사진=안채혁 기자)(

134. “경제적 원리로도 설명 안 되는 1%의 기적... 독일 축구를 대!한!민!국

◇ 김혜민PD(이하 김혜민)> 그저께죠. 한국축구가 독일을 2-0으로 꺾으면서 우리들을 행복하게 했습니다. 한국 피파랭킹은 57위고, 독일은 1위입니다. 기록으로 보면 도저히 이길 수가 없는데요. 사실 축구의 세계, 승부의 세계는 확률의 세계죠. 오늘은 경제의 눈으로 축구를 분석해보죠. 생생경제의 과외선생님, 경향신문 박병률 기자 나오셨어요. 안녕하세요?

☞ 박병률 경향신문 기자(이하 박병률)> 네, 안녕하세요.

◇ 김혜민> 확률로 따지자면 우리가 이길 확률이 얼마나 낮았겠어요, 그렇죠?

☞ 박병률> 그렇죠. 1%다, 라는 애기도 있었고, 5%다 하는 곳도 있었죠. 심지어 독일이 7대 0으로 이길 게 우리나라가 2대 0으로 이기는 것보다 확률이 더 높다고 베팅 사이트에서 그렇게 했었죠.

◇ 김혜민> 심지어 우리나라 사람들도 그렇게 애기를 했어요. 그러면 그렇게 애기한 도박사들이 생각을 잘못한 거예요?

☞ 박병률> 아니죠. 도박사들의 생각은 그동안의 자신들이 가지고 있는 경험치라든가, 여러 가지 데이터를 가지고 애기를 한 건데, 사실은 우리가 이길 확률이 1%였다, 라는 것 자체가 틀렸다고는 할 수 없습니다. 우리가 확률을 말할 때 승률이 1%다, 5%다, 이 정도 된다는 애기는 통계학적으로 애기를 하면, 대수의 법칙에 적용되는 것이다, 이렇게 말씀을 드릴 수 있습니다.

◇ 김혜민〉 대수의 법칙이요? 이게 뭐예요?

☞ 박병률〉 그러니까 큰 수의 법칙이라는 것이죠. 그러니까 어떤 것을 수십 번, 수백 번 시도를 했을 때 나오는 평균치라는 얘깁니다. 그러니까 한국이 독일을 이길 확률이 1%였다는 얘기는 100번을 붙으면 1번은 이긴다는 얘기입니다. 99번은 지는 거죠. 그런데 그날 우리는 그 1번을 본 겁니다.

◇ 김혜민〉 아니 그런데 우리가 100번을 한 것이 아니잖아요.

☞ 박병률〉 그렇죠.

◇ 김혜민〉 그러니까 100번을 해서 1번 나올 확률인데, 한 번 했는데, 어떻게 이렇게 그 한 번이 돼요?

☞ 박병률〉 그 한 번이 언제 나올지 모르는 것이죠. 우리가 100번을 했는데, 100번 중에서 59번째 나올지, 첫 번째 나올지, 100번째 나올지 알 수가 없는 건데요. 이것이 바로 평균이라는 겁니다. 어쨌든 100번을 하면 1번은 이길 것이다, 만약에 우리가 5%였다면 100번을 하면 그래도 한 5번은 이길 텐데, 그런데 그 엄청난 날을 목도를 했다, 이렇게 보시면 됩니다. 그런데 말씀하셨던 것처럼 1% 확률이라는 것은 100번 붙어서 한 번 이기는 것이니까 우리가 100번 경기를 안 하죠. 그러면 한 30번 정도 붙어도 사실 이기기 힘들죠. 그런데 독일과 우리가 어느 세월에 100경기를 하겠습니까?

◇ 김혜민〉 기적이라고 불릴 만한 일이었군요.

☞ 박병률〉 만약 이 1%가 맞다면 우리가 나머지 앞으로 독일과 90경기 정도를 한다면 이길 수가 없는 것이죠. 그것이 바로 대수의 법칙인데, 하지만 그것은 확률이라는 것이 어떤 과학적으로, 고정된 것은 아니기 때문에 당연히 우리가 독일을 이겼기 때문에 다음번에는 확률이 더 올라갈 것입니다.

◇ 김혜민〉 더 올라가요? 그렇겠죠.

☞ 박병률〉 우리나라 피파랭킹이 올라가면 확률도 올라가는 것이죠.

◇ 김혜민〉 네, 이 통계라는 게 그동안의 기록들을 보고, 평균치를 내는 것이라고 말씀하셨어요. 그런데 그러면 거기에는 변수, 그러니까 우리가 독일을 이긴 이런 기적 같은 것은 반영이 안 되는 것이죠?

☞ 박병률〉 대수의 법칙에 따르면 되게 많이 했을 때는 이게 맞는데, 개별로 했을 때는 얼마든지 이변이 일어날 수가 있습니다. 그러니까 차범근 감독도 이길 수 없는 상대는 없다고 말씀하신 게 당연히 경기를 하면 누가 보더라도 지는 것이 정상인데, 어쩌다가 이길 수 있다는 얘긴데요. 이런 것이 선거에도 한 번씩 나옵니다. 선거를 보면 대선이 있고, 지방선거나 총선이 있는데, 여론조사를 하면

대부분 여론조사 업체들이 하는 것이 대선은 맞습니다. 전국적으로 하다 보니까 대수의 법칙이 적용됩니다.
◇ 김혜민〉 모집단이 크니까요.
☞ 박병률〉 네, 부산 것, 서울 것, 대구 것, 광주 것, 다 합치면 전체 평균이 대선 후보자의 득표가 되는 것이죠. 전국적인 득표요. 그런데 이게 대통령이 누가 되었다 하더라도 지역 보면 다 다르잖아요. 호남은 누구를 밀고, 영남은 누구를 밀고, 서울은 누구를 밀고, 또 서울 중에서도 어떤 구냐에 따라서 다 다른데, 이게 만약에 지방선거나 총선으로 가면, 잘 안 맞습니다. 지방선거나 총선은 구별로, 심지어 구청별, 더 들어가면 기초단체까지 다 내려가니까 그러면서 우리 마을만 하더라도 표가 다 다르게 나올 수가 있거든요. 이번에도 보니까 서울만 하더라도 민주당이 대부분 다 이겼습니다만 전체 평균 득표를 보면 자유한국당이 얻은 것이 거의 2, 30% 넘었습니다. 그런데 구청장으로는 그때 1/25이었나요? 한 개 빼고는 민주당이 다 먹었는데, 이렇게 나오는 것이 이것은 대수의 법칙이 적용 안 됐던 것이죠.
◇ 김혜민〉 그러니까 대선이 아닌, 총선이나 지방선거는 개별성, 그러니까 변수들이 조금 있기 때문에 확률이 맞지 않을 확률이 크다는 말씀이시죠?
☞ 박병률〉 네, 그만큼 모집단이 적다는 얘기죠. 적으면 다른 변수가 튀어나올 수가 있다는 얘깁니다.
◇ 김혜민〉 스포츠에 통계가 참 많이 이용돼요. 아까 말씀하신 것처럼 선거에도 이 통계로서 여론조사를 하기도 하지만, 스웨덴전 보니까 우리가 유효슈팅이 0개라는 데이터도 있고요. 또 독일 전에는 선수들이 얼마를 뛰었다, 이런 것도 있는데, 스포츠에 통계가 많이 이용되는 이유, 이것도 예전에는 안 그랬던 것 같은데요.
☞ 박병률〉 그렇죠. 예전에는 감으로 많이 했었죠. 감독도 대충 재가 오늘 몸이 좋구나, 하면 뛰어라, 이랬는데, 지금은 전반적으로 과학화가 되기 때문이죠. 스포츠의 과학화인데, 사실 이 스포츠 과학화를 이끌었던 대표적인 종목이 바로 야구입니다. 야구만큼 숫자가 많은 경기가 없거든요. 볼 카운트부터 아웃 카운트도 세 개가 되죠. 그러다 보니까 상당히 데이터 야구를 하게 되는데, 아예 야구에서는 세이버 매트릭스라고 야구 통계학을 뜻하는 단어도 있습니다.
◇ 김혜민〉 아 그렇군요. 세이버 매트릭스요?
☞ 박병률〉 네, 그리고 이제 이것을 이용해서 엄청난 성과를 거둔 팀들도 많은데, 대표적인 구단이 미국 메이저리그 구단에는 오클랜드라는 팀입니다. 이 팀이 가

지고 있는 전략을 머니볼이라고 하기도 하는데요,
◇ 김혜민〉 어, 이거 영화의 제목 아니었어요?
☞ 박병률〉 네, 맞습니다. 이 팀의 성공을 영화로 담은 것이 바로 영화 〈머니볼〉입니다. 그러니까 그전까지만 하더라도 야구를 하면, 슈퍼스타를 예를 들면 무조건 쓰는 것이 좋다, 그리고 그날의 감독의 느낌에 따라서 기용하는 것이 스포츠다, 이렇게 생각했는데, 이 오클랜드라는 팀은 그게 아니라 선수들 하나하나 다 분석합니다. 그러니까 선수의 가치를 실제로 보면 선수의 실력도 있지만, 선수의 사생활이라든가, 선수의 인기라든가, 선수의 이미지라든가, 사실 이런 것들이 많죠. 그리고 또 어떤 선수들이 아주 잘하는 것 같지만, 결정적인 순간에 한, 두 개 역할을 해준 것은 맞는데, 전체 평균을 보면, 타율이라 게 낮을 수가 있습니다. 이걸 다 분석한 거죠. 그랬더니 실제로는 아주 잘하는 선수인데, 예컨대 출루율이 매우 높은데, 몸값이 낮은 선수들이 많다는 겁니다. 이런 선수들만 뽑아가지고 팀을 구성해버렸죠. 그랬더니 팀 전체의 연봉은 떨어지는데, 팀 전체 성적이 엄청나게 좋게 나옵니다. 특히 2002년에는 무려 20연승을 거두기도 했습니다. 만년 하위팀인데 이런 분석을 통해서 성공하는 바람에 역시 야구는 통계게임이구나, 통계를 잘 이용하면 선수의 몸값을 제대로 측정하고, 그리고 우리가 원하는 선수들을 적재적소에 넣을 수 있겠다, 하는 것이 확산됩니다. 그것 때문에 영화가 만들어진 것이 영화 〈머니볼〉이죠.
◇ 김혜민〉 이런 것들을 이끌었던 피터라는 사람이 경제학을 전공한 것이잖아요. 그러니까 경제학의 원리, 통계적인 사고, 이런 것들을 야구에 투영해서 야구를 분석하는 데 쓴 것인데요. 김성근 감독이 이걸로 유명하죠?
☞ 박병률〉 네, 대표적인 데이터 감독으로 유명했었죠. 그리고 SK 있을 때 성공했었는데요. 확실히 스포츠가 사람이 하는 것이다 보니까 항상 통계가 맞는 것이 아닙니다. 아까 말씀드린 것처럼 그 통계라는 것이 결국 대수의 법칙이거든요. 이 선수는 평균 3할을 치지만, 하필이면 그날 몸이 안 좋아서 무타수, 무안타를 할 수 있다는 것이죠. 이 선수가 3할이라는 얘기는 한 시즌을 뛰었을 때, 평균적으로 10경기 나오면 3안타를 치는 선수라는 뜻이지, 오늘 만약에 한국 시리즈 결승전인데, 꼭 안타를 세 대를 친다는 보장은 할 수 없죠. 갑자기 소위 말하는 미친 선수가 돼서 5타수, 5안타를 칠 수도 있고요. 혹은 5타수, 무안타를 칠 수도 있습니다. 그러니까 한 경기만으로는 대수의 법칙이 적용되지 않는 것이죠.
◇ 김혜민〉 야구 이야기했으니까 다시 축구로 돌아와서요. 우리가 첫 경기, 두 번째 경기를 졌는데, 일각에서는 한국이 3전 전패를 당한 적은 한 번도 없었다. 그

러니까 최소한 1무 2패는 할 것이다, 그러니까 독일전에 비기거나, 이길 때도 됐다, 이렇게 생각하는 사람도 있거든요. 이것도 확률을 계산한 것인가요?
☞ 박병률> 확률이라기보다 심리에 가까운데, 이게 우리가 경제학에서 말하는 도박사의 오류에 가깝습니다. 이것이 뭐냐면 전체 확률에 근거를 삼기는 하는데, 전체 확률에 영향을 미치지 않는 개별 사건을 그 전체 사건의 확률과 연관시키는 것을 얘기합니다. 쉽게 말씀드리면 이런 겁니다. 우리가 동전을 던진다, 이것은 개별 사건입니다. 앞면이 나올 수도 있고, 뒷면이 나올 수도 있는데, 그냥 우리가 전체적인 확률로 보면 동전을 던졌을 때 앞면이 나올 확률은 50%가 되는 거죠. 그런데 내가 동전을 던졌을 때 앞에 앞면이 나왔다고 해서 세 번째 던지는 것이 무조건 뒷면이 나오라는 보장은 없습니다. 그것도 여전히 확률은 50%입니다. 그러니까 앞에 이미 앞면이 나왔기 때문에 그렇다면 다음에는 무조건 뒷면이 나올 것이라고 생각하는 것은 틀린 것이라는 말이죠. 동전을 한 번 던질 때의 확률은 전체 확률에 영향을 미치지 않습니다. 또 대표적으로 비슷한 것이 아이 낳을 때 비슷합니다. 지금 성비가 거의 100대 100이거든요. 여자아이 하나에 남자아이 하나인데, 그렇다면 우리 가정에서 첫 째를 딸을 낳았습니다. 그러면 전체 우리 성비로 보면, 다음에는 아들이 나와야 하죠. 그런데 그렇지 않죠. 다음에 또 딸이 나올 수가 있습니다. 왜냐하면, 두 번째 사건에서도 아들이 나올 확률은 여전히 50%가 되기 때문이죠. 그런데 이 가정을 다 모으니까 성비가 1:1이 되는 겁니다. 이게 바로 개별 사건인데, 앞서 말씀하셨던 것은 첫 경기를 우리가 이겼든, 졌든, 두 번째 경기를 우리가 이겼든, 졌든, 세 번째 독일전에 영향을 미치지 않는 것이죠. 이것으로 보면 앞에 2연패를 했다고 해서 마지막 경기를 비기거나, 이긴다고 볼 수는 없다는 얘깁니다. 그 경기는 그 경기인데, 이런 도박사의 오류가 경제학에서 왜 중요하느냐는 의사판단을 할 때 자칫 잘못할 수가 있다는 겁니다. 예컨대 내가 주식투자를 했는데, 이제 많이 떨어졌으니, 오를 때가 되었어, 그런데 이것은 꼭 그렇다고 말할 수 없습니다. 또 우리 과거에 보면, 집에서 화투를 하거나, 윷놀이를 하거나, 하는 경우가 많은데요. 꼭 돈을 잃다 보면 아, 이제는 딸 때가 됐는데, 라고 합니다. 그런데 이때도 딸 때가 된 것은 아니죠. 확률은 여전히 50대 50입니다. 이런 경우가 상당히 많은데, 그것을 만약에 실수하게 되면, 끝까지 매달리게 되죠. 언젠가는 오를 거야, 하게 되는 것인데, 냉정하게 말하면 확률이 영향을 미치지 않는 경우가 더 많습니다.
◇ 김혜민> 소개팅을 한 10번 나갔는데, 다 마음에 안 들었어요. 그래, 내가 10번 마음에 안 들었으면 이번에는 마음에 드는 사람이 나올 거야, 이거 다 말도 안

되는 애기네요.
☞ 박병률> 그렇죠. 아까 축구 이야기를 하셨는데, 앞에 2연패를 당하면 세 번째도 사실 질 확률이 더 높아야 하는 것이죠.
◇ 김혜민> 심리적으로도 위축되고, 또 실력이 그렇다는 것이니까요.
☞ 박병률> 네, 또 그 팀이 이번 경우에는 독일이었죠. 독일이 첫 경기에 졌고, 두 번째 경기를 간신히 이겼는데, 세 번째 경기를 결국 졌습니다. 지고 나서 보니까 결국 이것이 우리 실력이구나, 이런 이야기를 하는데, 사실은 앞의 두 경기가 나빴다는 것은 계속 컨디션이 안 좋다는 애기일 수 있기 때문에 오히려 질 확률이 높다고 보는 것도 틀린 것은 아닙니다.
◇ 김혜민> 그러면 지금 독일 이야기하셨으니까요. 제가 궁금한 것이요. 지난번 월드컵 우승팀은 다음 월드컵에서 16강에 못 나간다, 그러니까 쉽게 말해서 죽을 쓴다, 이런 징크스라고 하던데요. 그럼 이것도 확률이라고 할 수 있어요?
☞ 박병률> 조금 심리적인 영향을 많이 미칠 것 같죠.
◇ 김혜민> 그런데 실제 그렇잖아요.
☞ 박병률> 그런데 이 정도 되면, 지난번에 스페인도 그랬었고, 이탈리아, 프랑스도 전대 우승팀이 첫 경기에 다 졌거든요. 아마 이쯤 되면 새로운 신조어가 생길 수가 있을 것 같습니다. 일종의 승자의 저주 같은 거요. 그러니까 전 우승팀의 저주. 이런 식으로 우리가 붙이면 되는 건데, 그런데 이것을 굳이 분석하라고 하면, 이럴 수는 있겠죠. 항상 어떤 팀이 한 번 우승을 하려면 그 전대에 어떻게 보면 최고의 힘을 내야 합니다. 가장 좋은 스쿼드에다가, 극적인 여러 가지 힘들을 최대한 자원을 동원하게 되는데, 그러면 사실 그다음 대회에는 그만한 능력을 발휘하지 못할 가능성이 큽니다.
◇ 김혜민> 그런데요. 월드컵이라는 것은 4년에 한 번 열리고요. 4년 전에 나왔던 선수가 또 나올지 안 나올지가 정해져 있지 않은데, 그런데도 이게 적용할 수 있을까요?
☞ 박병률> 이런 것들은 있죠. 전대 우승팀에 대해서는 다른 팀들이 분석을 많이 하죠. 아, 저 팀이 이런 부분이 강점이고, 저런 점이 약점이라는 것을 분석을 많이 할 수 있고요.
◇ 김혜민> 많이 노출되어 있군요.
☞ 박병률> 네, 그리고 또 하나는 아무래도 전대 우승팀의 경우는 승리에 대한 자신감도 있지만, 또 바꿔 말하면 오만함이랄까, 지난번에도 됐는데? 히딩크 감독도 그런 지적을 했는데요. 또 심리적으로 부담이 될 수도 있죠. 지난번의 우승팀

인데 이번에도 이 정도는 해야 한다, 이런 것들이 여러 가지 영향을 미치게 되는 것이죠. 이런 것들은 이제 행동 경제학에서 분석하기도 합니다.

◇ 김혜민> 지금 승자의 저주라고 이름을 붙여 봤는데, 또 이런 것도 있잖아요. 월드컵 경기가 보면 처음 나오는 팀이 첫 경기를 예상보다 잘하는 경우가 있어요. 이번에 아이슬란드가 그랬죠.

☞ 박병률> 첫 경기 아르헨티나랑 1대 1로 비기고, 나머지 두 경기는 다 집니다.

◇ 김혜민> 그래요? 그럼 그것은 어떻게 볼 수 있어요?

☞ 박병률> 통계학, 경제학에서 하는 얘기 중에 초심자의 행운이 아니냐, 하는 얘기가 있습니다.

◇ 김혜민> 아, 경제학에 그런 말이 있어요?

☞ 박병률> 뭘 하는데 첫 번째에 예상하지 못하게 너무 잘 되는 현상, 이런 것을 말하는데요. 참 주식 투자를 하는데, 친구들이 한번 해보라고 해서 했는데, 갑자기 대박이 났어요. 그러면 갑자기 나는 원래 주식을 잘하는 사람인가, 했다가 들어가서 나중에 패가망신하는 사람들이 많습니다. 의외로 보면, 카지노에서라든가, 과거에 화투 같은 것을 할 때 너 한 번 해봐, 해서 저 못하는데요, 하다가 당기라고 해서 당겼는데, 덜커덩 걸리는 경우가 있습니다. 그러다가 이제 들어가게 되는데, 이런 현상이 많다 보니까 초심자의 행운이다, 이렇게 붙였습니다. 그리고 아까 말씀드린 것처럼 이런 것들이 있으면 행동 경제학자들이 분석을 해보는데, 이런 분석을 해봤습니다. 코넬대학교의 심리학자인데, 농구를 가지고 한 번 분석을 해봤거든요. 자유투를 하는데, 첫 번째 자유투가 성공했을 때, 두 번째도 과연 성공을 할까요, 그러니까 두 번째도 성공확률이 높을까, 하는 것을 물었습니다. 그랬더니 농구 팬들이 답변자의 91% 정도가 첫 번째 골 들어갔으면, 두 번째 골도 잘 들어갈 것 같아, 이렇게 얘기를 했습니다. 그러면 반대로 첫 번째 골이 실패한 사람은 두 번째 골이 안 들어갈 것이냐, 했더니 아무래도 첫 번째 실패했으면 두 번째도 실패하겠지, 이렇게 답변했습니다. 그런데 막상 해보니까 의미가 없었다는 겁니다. 첫 번째 실패한 사람이 두 번째 성공한 확률이나, 첫 번째 성공한 사람이 두 번째 성공할 확률이나 이 차이가 그렇게 나지 않았다는 거죠. 그런데 이런 편견이 우리한테 있는 겁니다. 그러니까 첫 번째 자유투가 운 좋게 들어갔을 경우가 충분히 있다는 것이죠.

◇ 김혜민> 그러면 이걸 경제에 적용해서, 원래 경제 원리이니까요. 주식 투자 이야기하셨는데, 그러면 처음 대박 본 주식 투자자들은 그냥 나오는 게 신상에 좋겠네요?

☞ 박병률> 그러니까 겸손해야 하는 것이죠. 이게 과연 나의 실력이냐, 나의 운이냐, 그리고 또 다음번에도 성공을 할까, 이런 걸 보면 벤처 투자에도 한 번씩 나오거든요. 그러니까 내가 창업을 해가지고, 아이템을 냈는데, 초반에 너무 성공을 했어요. 그런데 이게 처음에는 너무 기분이 좋고, 아, 이게 무조건 되는구나 해서 크게 돈을 끌어들이다가, 물론 성공하는 경우도 있습니다만, 실패하는 경우도 있습니다. 내가 어떻게 해서 성공을 했느냐, 이 부분을 조금 더 냉정하게 분석해볼 필요가 있는데, 그렇게 하지 못하면 결과가 좋지 않을 수 있죠. 과거에 싸이가 그런 이야기를 했다고 하는데, 강남스타일이 히트하고 나서, 두 번째, 세 번째를 했는데 강남스타일만큼 히트를 안 하더라는 겁니다. 도저히 내가 이유를 모르겠다, 원래 강남스타일은 그렇게 히트할 줄 몰랐는데, 세계적으로 히트를 했고, 나머지 정말 강남스타일을 분석해서, 비슷한 작품들을 만들어 냈는데도 불구하고 성공을 하지 못하더라, 정말 모르겠다, 이런 이야기를 했다고 하는데요. 이게 영화나 연극, 드라마 같은 특히 콘텐츠 산업에서 이런 일들이 많이 벌어지거든요. 그만큼 우리 경제도 그렇고, 일상생활에 이런 소위 말하는 운이라는 것, 우리가 분석하지 못하는 이런 일들이 많다는 것, 사실 인정하게 되면 나의 성공이 단순히 나의 실력 때문만은 아니다, 하는 것을 알게 되는 경우가 있습니다.

◇ 김혜민> 네, 결론이 굉장히 윤리적으로, 도덕적으로 났네요. 겸손하자, 네, 한국축구팀, 16강은 못 나갔지만, 아주 큰 승리를 거뒀고요. 지금 그래서 오늘 귀국했죠. 비난이 아닌 박수를 많이 받았습니다. 아까 말씀하신 대로 하지만 겸손하게, 우리가 어떤 것들이 부족했는지 분석해서 다음 월드컵에서는 정말 16강을 넘어, 8강을 넘어, 이런 기대도 하면 안되는데, 그렇죠?

☞ 박병률> 그래도 꿈을 가져야죠.

◇ 김혜민> 꿈을 가져야 해요? 알겠어요. 그러면 8강을 넘어, 승자가 되는 그날까지 힘내줬으면 좋겠습니다. 오늘 우리 축구, 야구, 이런 스포츠를 통계적으로, 경제적으로 설명해봤습니다. 경향신문 박병률 기자였습니다. 고맙습니다.

☞ 박병률> 네, 감사합니다.166)

135. "최저임금 상승률 받아들이기 힘들어... 정부의 시행착오"

◇ 김혜민 PD(이하 김혜민)> 한국경제가 위기다. 아니다. 세계적으로 다 경기가 어려운 상황에서 선방하고 있다. 제2의 IMF가 온다. 아니다. 위기 보수, 언론과 무지한 경제학자들의 과장이다. 현상을 분석해야 대안을 세울 수 있죠. 그래서 준비한 시간입니다. 한국 경제 맥짚기. 생생경제에서는 시간이 될 때마다 한국경제와 함께 해왔던 굵직굵직한 분들을 모셔서 한국경제 진단을 하고 있는데요. 오늘 정말 한국 경제계에 굵직한 분이 오셨습니다. 22대 한국은행 총재를 지낸 박승 전 한국은행 총재 모셨습니다. 총재님, 안녕하세요?

☞ 박승 전 한국은행 총재(이하 박승)> 네, 안녕하세요.

◇ 김혜민> 총재님이 한국은행 맡으셨던 게 김대중 정부 시절이죠?

☞ 박승> 그렇습니다.

◇ 김혜민> 은퇴하시고 벌써 15년의 세월이 흘렀습니다. 총재님 보시기에 한국경제에 있어서 그동안에, 그 15년의 세월 동안 가장 큰 변화가 있었다면 어떤 것들이 있을까요?

☞ 박승> 우리 주변을 보면 정치나 경제나 사회나 시끄럽잖아요? 혼란스럽고. 그러면 나라가 잘 안 될 것 같은데, 20년 전하고, 지금하고 비교해보면 그래도 우리나라가 여러모로 참 발전을 많이 했다. 미국이나 일본에 가보면 20년 전이나 지금이나 마찬가지에요. 그런데 우리는 안 그렇습니다.

◇ 김혜민> 다이나믹 코리아죠.

☞ 박승> 네. 참 우리나라가 용케 잘 크고 있다고 보고. 그 변화 중에 가장 큰 것은 경제 양의 시대에서 경제 질의 시대로 왔구나, 하는 것을 느낍니다. 무슨 말이냐 하면 이제 우리 국민들의 삶의 질이 어떻게 하느냐. 노령화에 따른 노인들의 복지를 어떻게 할 거냐. 인권을 어떻게 할 거냐. 평등 문제를 어떻게 할 거냐. 이런 문제를 걱정하는 단계. 그래서 이제 우리가 선진화 단계에 왔구나, 하는 것을 실감합니다.

◇ 김혜민> 경제 양보다는 질에 집중하는 시대가 왔다. 먹고사는 문제에서 조금 벗어나서 어떻게 하면 잘 먹고, 어떻게 하면 잘살고. 그런 고민의 시대가 퇴임 이후 15년 동안 펼쳐졌다고 말씀을 하셨습니다. 오늘 저희가 한국 경제 맥을 짚어

달라고 총재님을 모셨어요. 맥을 짚으려면 일단 지금 건강 상태를 체크해야 하니까, 한국 경제의 건강 상태. 지금 위기라고 사람들이 많이 말하는데, 위기입니까?
☞ 박승> 경제는 어렵죠. 세계 전체 환경이 어려우니까. 그러나 우리나라는 펀디멘탈. 펀디멘탈이라고 하면, 물가, 또 외환, 그리고 재정, 소위 금융. 이 모든 것의 기초는 튼튼합니다. 그러니까 기초가 튼튼하기 때문에 환경이 어려워서 우리 경제가 어려워도 그것을 무슨 IMF 외환위기나 그런 데 비교하는 의견에는 아니다. 고생을 조금 하는 단계에 있을 뿐이다, 이렇게 봅니다.
◇ 김혜민> 한국 경제뿐만 아니라 전 세계적으로 경제가 어렵고, 하지만 우리나라 경제 기본 체력. 물가, 국제수지, 재정 건전성, 이런 것들이 모두 양호하기 때문에 너무 청취자 분들 걱정은 안 하셔도 된다. 총재님께서 말씀을 해주셨습니다. 하지만 우리 경제가 저성장 기조로 접어든 것은 맞는 것 같습니다. 어떠세요?
☞ 박승> 물론 그렇습니다. 지금 우리가 이 점을 이해해야 해요. 우리 경제가 수출로 먹고살지 않았어요? 그동안 5%, 7%, 경제 성장한 것은 수출 때문입니다. 그런데 예를 들어서 올해 수출이 약 10% 내외 감소하잖아요? 한 마디로 결정적입니다. 이 수출이 감소하면, 무엇으로 먹고살 거냐. 그건 내수밖에 없어요. 내수는 어느 나라나 막론하고 3% 이상 성장을 못 합니다. 그러니까 내수로 경제 성장하는 나라는 잘해야 3%, 아니며 제로 성장. 그래서 우리가 바로 1~2% 경제 성장이 정상인 시대에 들어서있다. 이것을 국민들이 분명히 아셔야 한다, 이렇게 봅니다.
◇ 김혜민> 그러니까 그동안 유아기, 유년기를 거쳐 청년의 시기까지, 아주 급속하게 성장하는 시기는 이제 지났다는 말씀이신 거죠?
☞ 박승> 그렇습니다.
◇ 김혜민> 그게 굳이 수출로 먹고사는 우리나라뿐만 아니라 내수로 먹고사는 나라도 마찬가지고요?
☞ 박승> 마찬가지죠.
◇ 김혜민> 총재님께서 대학에서 저개발 국가 성장모델을 연구하셨던 성장론자로 많이 알려져 있고요. 수출의 중요성을 지금 많이 하셨는데, 사실은 수출에만 의존된 경제는 위험하다고 하는 그런 경고도 여러 차례 하셨습니다. 그러면 일본, 독일과 같은 선진국의 평균 성장률도 총재님 말씀하신 것처럼 1.7%밖에 안 돼요. 그러면 이렇게 세계 경제가 저성장으로 가는 거라면 우리는 어떻게 대응해야 합니까? 손 놓고 있습니까?
☞ 박승> 그러니까 그것은 기본적으로 앞으로 내수를 키우는 쪽으로 갈 수밖에 없다. 물론 수출이 크면 좋은데, 그거는 기대하기 어렵습니다. 더 이상은 어렵기

때문에. 물론 수출을 위해서 노력은 하지만, 기본적으로는 내수를 키워야 한다. 내수를 키우자는 게 바로 정부가
추진하는 소득주도 성장 아닙니까? 내수를 키우려면 가계소득을 늘려야 하거든요. 가계소득을 늘려야 가계소비가 늘지 않겠습니까? 이게 소득주도 성장이거든요? 그건 불가피하다고 봅니다. 그러나 이렇게 하더라도 경제 성장이 과거와 같은 성장은 안 된다. 예를 들어, 지금 선진국 가운데 수출로도 성장하는 나라는 한 나라도 없습니다. 모든 나라가 이미 오래 전부터 내수 성장을 해요. 그러니까 사람도 크면 변하듯이, 국가도 발전하면 수출로 안 됩니다. 내수로 의존하는데요. 내수로 성장하는 모든 선진국의 맥시멈 성장률이 3%입니다. 3% 이상 성장하는 나라가 없어요. 그러니까 지금 올해 경우에 보면, 일본이 0.7%, 독일 0.7%, 그리고 싱가포르도 0.8%고요. 지금 2% 성장하는 나라가 두 나라입니다. 하나가 미국이고, 하나가 한국이에요. OECD 국가 중에서요. 그러니까 이게 내수 성장을 하게 되면, 아마 그렇게 저성장을 우리가 받아들여야 하고, 그럴 경우에 우리가 장래에 무엇으로 먹고살 거냐. 장래 먹거리를 위해서 우리가 20년, 30년 뒤에 우리가 성장하려면 어떻게 해야 하느냐. 그것이 제가 볼 때는 4차 산업혁명입니다. 첨단산업에 올인 해야 한다. 그러니까 예를 들어, 인공지능이라든가, IT, 로봇, 바이오라든가, 시스템 반도체라든가, 5G니, 뭐도 있잖아요? 이 분야가 앞으로 이 세계의 명운을 결정할 겁니다. 정부나 기업이 하나가 돼서 이 4차 산업에 전력투구하는 그런 자세로 장래를 준비하자, 이렇게 저는 생각합니다.
◇ 김혜민> 제가 총재님 오신다고 해서 총재님에 대한 공부를 했었거든요. 그런데 총재님이 교수 시절에 강의 평가하는 것에 들어갈 때 사실 교수들 싫잖아요. 그런데 그것도 해야 한다고 얘기하셨고. 94년도, 무려 25년 전 칼럼에서 한국의 수출주도형 고성장 경제, 위기 맞이할 것이다, 경고하면서 이제 바뀌어야 한다고 하셨고요. 지금, 여든이 넘은 원로 경제학자께서 4차 산업혁명에 집중해야 한다고 눈을 반짝이시면서 말씀하셨어요. 원래 그렇게 시대를 앞서가시는 판단과 말씀을 하십니까?
☞ 박승> 특별히 그렇다기보다도요. 전공이 경제발전론이거든요. 그래서 경제 발전을 위해서 환경에 어떻게 우리가 빨리 적응해가느냐, 그것을 저는 걱정한 거죠.
◇ 김혜민> 제가 거듭 말씀드리지만, 총재님 지금 너무 정정하시고, 여전히 청년 같으셔서 제가 그렇지만 총재님 또 한국 경제와 함께해온 원로이신데, 4차 산업혁명을 이렇게 부르짖으시는 것을 보고 굉장히 신선했습니다. 생생경제에서 지금 한국 경제계의 굵직한 박승 전 한국은행 총재와 함께 한국 경제 진단하고 있는데

요. 총재님, 수출 이야기 조금 더해 볼게요. 25년 전에 그렇게 부르짖으셨는데, 내수 성장으로 우리 잔을 옮겨야 한다. 안 된 거죠, 결과적으로?

☞ 박승> 안 된 거죠.

◇ 김혜민> 안 됐고, 그래서 수출 악재가 최근에 계속 터지면서 한국 경제가 흔들릴 수밖에 없는 상황입니다. 첫 번째 악재는 미중 무역전쟁입니다. 이거 어떻게 보세요? 앞으로 어떻게 될까요?

☞ 박승> 이게요. 미국이 볼 때 중국은 얼마 전까지만 해도 상대가 안 되는 후진국이었습니다. 그런데 지금은요. 중국의 경제 규모가 미국 전체 규모의 70%까지 차올랐어요. 그리고 조금 있으면 역전됩니다. 그런데 중국이 왜 이렇게 컸느냐, 크는 자양분을 누가 줬느냐? 미국이 준 거예요. 아이러니죠. 미국이 어떻게 중국이 크는 자양분을 주었느냐? 중국이 수출 주도로 성장했는데, 수출을 주로 어디에 했느냐면, 미국으로 했습니다. 미국은 중국으로 수출한 것보다 중국이 미국으로 수출한 것이 네 배입니다. 그래서 가령 예를 들면, 작년에 미국의 세계에 대한 무역적자가 6200억 달러인데, 그중에 중국에 대한 적자가 61%를 차지한다는 겁니다. 대부분 적자가 중국에 내고 있는 거예요. 그런데 미국이 1년에 재정적자가 9000억 달러입니다. 중국은 미국에 그렇게 많은 흑자를 내서 그 돈으로 미국 국채를 계속 사들인 거예요. 그래서 채권국이 됐습니다. 그러니까 미국은 중국 크도록 수출을 그렇게 도와주고, 자기네들 빚은 중국 사람들이 다 가지고 채권국이 되고, 이제 이 이상 호랑이에게 밥을 줄 수 없다, 이겁니다. 계속 이렇게 큰 것을 지금까지 밥을 주었는데, 왜 내가 중국에 밥을 주느냐? 이것을 끊자는 게 이번 미중 무역갈등인데요. 따라서 두 나라 사이의 싸움은 중국이 이길래야 이길 수가 없어요. 왜냐하면 밥을 안 준다고 하는데, 어떻게 합니까?

◇ 김혜민> 밥 주는 사람은 어쨌건 미국이니까요?

☞ 박승> 그렇죠. 내가 볼 때는 이렇게 서로 싸움을 하는데, 결국은 중국이 미국이 하자는 것을 대부분 받아들이는 방향에서 타협을 할 것이다, 이렇게 봅니다.

◇ 김혜민> 그러면 총재님, 제가 궁금한 게요. 아까 중국이 수출로 성장했다고 하셨잖아요? 미국이 이제 더 이상 중국의 수출을 키워주지 않을 거 아닙니까? 그러면 중국은 그래서 제조업으로 눈을 돌리는 겁니까?

☞ 박승> 아니죠. 그러면 중국 제조업이 수출이 막히니까 성장 못 하죠. 그래서 중국 경제성장이 꺾인다고 봅니다. 6% 이상 성장하던 것이 올해부터는 중국 경제가 꺾이고, 중국 경제가 수출이 안 돼서 꺾이면, 한국에 직접 영향이 옵니다. 왜냐하면 우리나라 수출에, 홍콩을 중국으로 포함할 때는 34%가 중국으로 갑니다.

그러니까 중국 경제가 나빠지면 당장 우리가 타격을 받죠. 그래서 지금 한국 경제의 주름살이 일본에서도 오지만, 중국에서도 같이 지금 오고 있는 겁니다.

◇ 김혜민> 그러면 우리는 어떻게 해야 합니까? 미중 무역갈등, 이 가운데에서요.

☞ 박승> 정신 바짝 차려야죠.

◇ 김혜민> 그러면 또 하나의 악재는 일본의 수출규제입니다. 이거 역시 수출에 의존하고 있는 우리로써는 굉장히 큰 압박인데요. 어제 저희가 박재근 반도체 학회장을 인터뷰했어요. 그때 학회장께서 국산화를 2월이면 우리가 완전히 이룰 수 있고, 일본의 피해가 훨씬 클 것이라고 말씀을 하셨거든요. 사실 저는 이 이야기를 초반에 들었을 때는 희망이 섞인 말일 거라고 했는데, 두 달이 지나고 나니까 일견 설득이 돼요. 총재님은 어떻게 보세요?

☞ 박승> 이게요. 참 일본 사람들이 나는 조금 서운한 점이 있어요. 그건 뭐냐면, 아까 이야기하다시피 미국은 그동안 중국에 호랑이를 키우는 밥을 준 거예요. 그러니까 못 주게 했다는 것은 있을 수 있어요. 그런데 일본은 지금까지 커온 것이 한국 덕택입니다. 첫째요. 결정적인 것은 6.25 전쟁 때, 일본이 그 특수를 누리고 일본 경제가 그때 바짝 컸던 겁니다. 그때 한국이 결정적으로 일본에 큰 밥을 주고, 그다음부터는 계속 일본에 무역 적자를 한국이 봤어요. 적자를 봐서 1965년 국교 정상화 한 이후에 지금까지요. 한국이 6000억 달러의 적자를 봤습니다. 지난 한해만 하더라도 250억 달러의 적자를 봤어요. 그러니까 한국은 일본한테 계속 식민지로써 수탈당하고, 해방해서는 일본 때문에 국토가 분단되고, 그리고 전쟁 터져서 일본한테 특수로 한국은 그냥 고통을 받고, 일본은 그때 경제가 일어나고. 그 뒤부터는 무역 적자를 계속 보고. 그런 식으로 일본을 커왔는데, 일본이 지금 한국에 대해서 보복을 하는 거예요. 미국하고 반대입니다. 미국은 밥을 줬기 때문에 그런데, 우리가 미국한테 뭘 한다고 하면 모르지만, 그렇게 덕을 본 일본이 지금 한국에 이러는 거예요. 그러면 왜 그러느냐? 일본이 왜 이렇게 적반하장으로 나오느냐? 일본도 마찬가지입니다. 3~40년 전만 해도 한국은 상대가 안 되는 후진국이었어요. 그때 일본은 한국 경제 규모의 17배입니다. 그러니까 이거는 비교가 안 되죠. 그런데 이게 지금 달라진 거예요. 지금 3배로 좁혀졌어요. 좁혀졌을 뿐 아니라 현재 IMF에서 추계한 것으로는 앞으로 4년 이내에 구매력 평가에 의한 실질 국민소득이 1인당, 이거는 생활수준으로 볼 수도 있습니다. 1인당 실질소득이 한국이 일본을 추월한다, 이렇게 되어 있습니다. 그리고 앞으로 얼마 안 있어서 경제 규모도 한국한테 추월당한다, 이렇게 전망이 되는 거예요. 여기다가 결정적인 것은 현재 일본의 산업의 장래성이 대단히 어둡습니다. 일본의 제조업은요. 현

재 자동차 산업에, 구시대에 머물러 있습니다. 전통산업에 머물러 있어요. 그러니까 가령 제철이라든가, 하향산업, 여기에 모두 있어요. 반도체 같은 것은 40년 전에는 세계에서 일본이 1위였습니다. 그런데 지금 완전히 밀려나고 한국이 74% 차지하고 있지 않습니까? 이뿐만 아니라 지금 디스플레이, 5G, OLED, 전부 다 한국이 1등입니다. 일본은 지금 쳐져 있고. 여기다가 4차 산업, 가령 인공지능이라든가, 바이오라든가, 이거는 한국보다 멀찍이 뒤떨어져 있습니다. 한국이 치고 앞으로 나가서. 이렇게 되고 보니까 안 되겠다. 한국을 이 이상 키울 수 없다. 키운다고 하면 말이 안 되지만. 자기네들이 득을 보고도. 문제는 한국 산업을 죽여야겠다. 뭐? 첨단산업을 죽이자, 이겁니다. 그래서 한국 반도체에 대해서 불화수소 등 핵심 3개를 수출금지를 시켜서 한국 첨단산업 죽어봐라, 하는 거예요. 그런데 웬걸, 한국 반도체는 죽습니까? 한국은 지금 앞으로 1년 내에 이 문제를 해결합니다. 1년 이내에 해결을 할 뿐 아니라 그래서 반도체 생산이 줄지도 않지만, 줄면 한국은 더 좋습니다. 왜냐하면 반도체 생산을 10% 줄이면, 반도체 값은 20%가 오르고, 반도체 생산을 30% 줄이면, 반도체 값은 50%가 올라서 우리나라 반도체 산업은 오히려 득을 보고, 세계 수요자만 불평하는 거예요. 이렇게 돼서 단기적으로도 우리가 크게 문제가 안 되고, 더군다나 문제는 중장기적입니다. 한국은 중장기적으로 볼 때 대단히 이것은 전화위복이 되고, 일본은 큰 타격을 받을 것이다. 한국은 이번 기회에 부품소재 산업이 자립을 할 것입니다.

☞ 김혜민> 오늘도 대통령이 부품소재 산업 육성해야 한다고 다시 한 번 강조하셨죠.

☞ 박승> 그래서 이것을 자립하면 아까 이야기한 것과 같이 해방 이래 지금까지 계속 누적되고 있는 대일 적자, 이게 싹 없어지고, 한국 산업이 비로소 자립하는 단계로 업그레이드 되고, 국내 투자 시장이 커져서 그래서 일본이 오히려 저는 고맙다. 이거 가만히 있었으면 우리가 그냥 갈 텐데, 너희가 우리를 일깨워줘서 우리가 이렇게 단합하는 계기 아닙니까? 정부도 깨닫고요. 우리 기업도 깨달아서 그렇게 될 것이다, 이렇게 봅니다.

◇ 김혜민> 네. 사실은 일본 무역갈등이 가장 첨예할 때, 제가 불안해서 우리 총재님께 전화 드렸거든요. 총재님, 어떡해요, 일본하고 싸우면 우리 지는 거 아니에요? 그랬더니 총재님이 걱정하지 말라고 그렇게 안심을 시켜주시고, 그러면 저희가 스튜디오 모셔서 왜 제가 안심해도 되는지를 말씀해주세요, 라고 제가 설명을 드렸어요.

☞ 박승> 한 가지만 말씀드리면 그래서 우리나라에, 제 친구도 그런 사람이 있지

만, 일본은 강국이다. 우리가 일본하고 싸우는 것은 돌에 머리를 부딪치는 거다, 그러니 일본에 순응해서 적정선에 타협해야 한다, 이렇게 생각하는 분들이 있어요. 사실은 이완용이 한일 합방을 할 때 논리가 그거였습니다. 우리 국민을 위해서 합방하자고 했어요. 그런데 조금 전에도 이야기했지만, 아니올시다, 입니다. 상황이 그렇지 않다.

◇ 김혜민> 경제 상황도 달라졌고, 국격도 달라졌고요. 오늘 YTN라디오 생생경제, 한국 경제 맥 짚기. 정말 한국 경제의 원로십니다. 박승 전 한국은행 총재와 함께하고 있습니다. 총재님, 그런데 갑자기 든 생각인데 총재님 친구들은 총재님하고 다른 생각인 분들 많으시죠?

☞ 박승> 네.

◇ 김혜민> 어떻게, 친구들하고 얘기 안 하세요? 요즘 의견 다르다고 싸우는 사람들이 너무 많아서요. 어떻게 해야 해요, 이럴 때?

☞ 박승> 그런데 사실은 내 친구들하고도 의견이 안 맞는 경우가 많아요. 대개 내가 80대가 되고 보니까 내 친구들은 나보다 다 보수적이에요. 내가 친구들 보고 그러죠. 친구들아, 내가 한 가지 부탁이 있다, 젊은이들하고 대화해라. 내가 늘 그래요. 생각을 조금 젊게 하자, 내가 그렇게 말하죠.

◇ 김혜민> 박승 총재님의 젊음의 비결과 아직까지 영민하신 이런 발언들을 저희에게 주시는 것을 보면, 젊은이들과 계속해서 소통하려는 총재님의 얼마나 높은지가 보입니다. 제가 한국 경제의 원로이면서 한국 사회의 어른인 총재님을 모시고 싶었던 이유가요. 요즘 한국 사회가 너무 혼란스럽고, 특히 지도층에 대한 기대와 현실, 거기에서 오는 괴리 때문에 굉장히 많은 사람들이 힘들어하고 있는데요. 제가 총재님한테 어른의 모습을 보고 싶어서 모셨고요. 제가 총재님에 대한 기사가 있어서 읽어보겠습니다. 박 전 총재는 지금도 운전기사가 있는 차가 아닌 아반떼 승용차를 본인이 직접 몬다. 한은총재에서 물러난 이후 재취업한 적도 없다. 건설부 장관 재직 시 1기 신도시 개발을 주도했지만, 정작 본인은 40년 동안 변두리인 서울 은평구 단독 주택에 살았다. 생전에 전 재산을 사회에 환원하겠다고 약속한 것도 현재 진행 중이다. 2010년 모교인 전북 김제의 백석초등학교에 5억 원을 내서 도서관을 지어줬고, 지난해에는 김대중 평화센터에 3억 원을, 그리고 올 3월에는 모교인 이리공고 장학재단에 7억 원을 쾌척했다. 팩트 아닌 거 있습니까, 총재님? 다 맞는 말이죠?

☞ 박승> 네.

◇ 김혜민> 제가 왜 이 얘기를 드렸냐면, 총재님 어떻게 보세요? 국민들이 지도층

에 대한 도덕적인 기대가 점점 높아지거든요. 그런데 그렇지 못한 경우도 많고요. 요즘 우리 사회의 혼란은 어떻게 보세요?

☞ 박승> 이제 얼마 전에요. 미국의 181명의 최대 기업의 CEO들이 이제 자본주의에서 기업 경영자들이 포용적 기업 정책을 써야 한다, 포용적 성장을 해야 한다, 그런 이야기에요. 그러니까 기업 이익만 극대화하려고, 과거에는 그랬는데, 그게 아니고. 사회와 이웃에 어떻게 하면 도움을 주느냐는 그것이 기업의 경영 목표가 되어야 한다, 이렇게 성명을 한 거예요. 저는 사실 쇼크를 받았습니다. 훌륭하다. 미국의 그 최대 기업들이죠. 우리나라의 기업가들도 이렇게 됐으면 좋겠다. 포인트는요. 우리가 나만 잘살려고 해서는 안 됩니다. 이웃과 함께 더불어서 사는 소위 공동체적 생활. 공동체적 가치관을 가졌으면 좋겠다, 그렇게 생각합니다.

◇ 김혜민> 총재님은 그렇게 잘 살아오셨고, 지금도 실천하고 계신데, 저 같은 30대 후반, 40대, 50대 막 달려가는 사람들은 그 이야기를 머리로는 알지만, 실천하기가 쉽지 않거든요.

☞ 박승> 힘이 없죠. 그거는 내가 볼 때는 나이든 우리 기성세대가 잘못입니다. 소위 기득권 세대가 잘못이에요. 힘이 있는 기득권 세대가 그것을 실천해야 합니다. 지금 젊은이들은 집도 없는데, 그 사람들 보고 어떻게 큰 사회적 가치관을 가지라고 하겠어요? 그러니까 예를 들면, 그런 큰 것은 어렵지만, 모든 사람이 갖춰야 할 것은 예를 들어서 뷔페 같은 곳에 갈 때 계란이 삶아서 나오잖아요? 그러면 툭툭 터진 것이 있습니다. 툭툭 터진 게 섞여 나오잖아요? 이런 말을 할 수 없이 제가 하는데, 저는 그것부터 먼저 골라 먹습니다. 그러니까 내 친구들이 그것을 보고 다 따라서 해요. 어디 가서든지 계란이 나오면 터진 것부터 고릅니다. 가령 대중목욕탕에 가면요. 수건이 널려 있어요. 보통 때는 안 그러지만 너무 많이 널려 있으면 수건을 걷어서 놓고. 예를 들면, 이런 젊은 세대도 이런 일부터는 함께하자, 그렇게 제의를 합니다.

◇ 김혜민> 그러니까 기성세대들이 아주 작은 삶의 실천이라도 보여준다면, 그게 결국 젊은 세대들의 마음을 움직이고, 그게 행동으로 반영될 거라고 생각하거든요. 저 진짜 계란 이야기에 깊은 감동을 받았어요. 저도 아이들하고 있으면 제가 먼저 깨진 것을 먹는데, 그건 엄마의 마음인 거잖아요? 그런 엄마의 마음으로 세상을 바라본다면, 그게 어른의 마음일 거고요. 사실 총재님이 본인 이야기하시는 거 쑥스러워하시는데, 제가 우리 청취자 분들한테 자랑하고 싶었어요. 이런 어른도 있다는 것. 생생경제에 오늘 모신 큰 이유. 문재인 정부의 경제 정책을 점검해보려고 모셨습니다. 총재님께서 문재인 대통령의 경제 멘토, 이른바 재이노믹스의

밑그림을 그리는 데 큰 역할을 하셨는데요. 대통령 토론회도 많이 하셨죠? 몇 개월 되셨죠? 그때 무슨 말씀 주로 하셨어요?
☞ 박승> 주로 그분이 바쁘고 하니까 자주 만나고 하지는 못 합니다. 어쩌다 서로 연락하는 경우가 더러 있는데, 저는 대통령을 만날 때마다 하는 것은 똑같은 말입니다. 그건 경제 정책을 실사구시로, 실용주의적으로 해야 한다. 이념, 원리주의적으로 해서는 안 된다. 그러니까 실사구시로 하라는 이야기는 경제 정책을 할 때 방향도 중요하지만, 시장 중심으로 해라. 시장에서 받아들일 수 있는, 그리고 국민의 현장 중심. 현장을 생각해서 이렇게 하라. 그래서 제가 늘 이야기하는 게 소득주도 성장은 꿋꿋하게 밀고 가라. 그러나 이것은 분배 정책이다. 이것은 가계에 소득을 주자는 정책이어서 그것만으로는 안 된다. 그것과 동시에 필요한 것은 기업이 생산을 하고, 투자를 잘해야 한다. 따라서 기업 투자를 늘리는 정책하고 같이 가야 한다. 소득주도 정책하고, 기업 투자 증진 정책을 같이 가야 한다. 그래서 정책 기조는 친 시장, 친 서민, 친 기업 정책.
◇ 김혜민> 친 시장, 친 기업, 친 서민 정책. 그런데 이게요. 아까 말씀하신 것처럼 실사구시 안에서는 이게 가능한데, 우리는 시장과 기업을 배치된 것으로 생각들을 하잖아요? 그게 이념이라는 거죠?
☞ 박승> 네, 그래서는 안 되죠. 기업이 시장을 떠나서는 있을 수 없고, 경제가 시장을 떠나서 굴러갈 수 없습니다. 그러니까 시장 법칙을 존중해야죠. 그러니까 예를 들면, 뒤에서도 이야기가 될지 모르겠습니다만, 가령 최저임금을 조금 올렸으면 상관없는데, 많이 올렸더니 오히려 최저임금을 받는 사람들의 실직이 늘어나더라. 그건 시장이에요. 시장에서는 아파트 경비원들 월급 올리니까 주민들이 안 준다고 하면 경비원 줄이고. 청소 기계, 세탁 기계 도입하자. 경비원 줄이고, CCTV 증설하자, 이렇게 된단 말이에요. 이게 시장입니다. 그러니까 그것을 감안해서 정책을 해야 한다, 그런 뜻입니다.
◇ 김혜민> 방향도 중요하지만, 시장이라는 큰 시스템 안에서 굴러가는 거기 때문에.
☞ 박승> 그렇죠. 거기서 받아들여야 하죠.
◇ 김혜민> 그렇다면 지금 최저임금 얘기하셨으니까요. 최저임금 인상이나 주 52시간 제도, 노동시간 단축과 같은 이런 정책이 결국은 속도 조절에 실패했다? 이렇게 생각하시는 거예요?
☞ 박승> 그렇죠. 그건 나도 그렇게 생각합니다. 예를 들어서 소득주도 성장의 방향은 맞습니다. 방향은 아까도 이야기했지만, 수출로 경제 성장을 못 하니까 내수

로 할 수밖에 없고, 내수를 키우려고 하면 소비하는 게 가계니까 가계에 소득을 줘서 그 소득으로 소비하도록 하자는 거고, 그러기 위해서 소득주도 성장이 필요한 거죠. 그래서 그것은 맞지만, 그것을 어떤 방식으로 하느냐 하는 것은 실용주의적으로 하라는 이야기에요. 그건 무슨 이야기냐면, 지금 소득주도 성장에 대해서 국민들이 여러 가지 잘못됐다는 의견도 있고, 많잖아요? 그 원인이 어디에 있냐면, 소득주도 정책의 방향이 잘못된 것이 아니고, 그 실천 방법이 실용적으로 안 됐다. 약은 제대로 줬는데, 약의 복용 방법. 몇 시에 먹고, 얼마를 먹고, 이게 잘못됐다는 거예요.

◇ 김혜민> 용량과 방법이 잘못됐다?

☞ 박승> 네. 가령 예를 들어서 잠이 안 와서 고통 받는 사람에게 의사가 수면제를 처방하는 것은 옳은 일 아니에요? 그런데 수면제를 하나 알 먹을 것을 다섯 알 먹도록 했다든지, 그거는 실용성이 없는 거죠. 잘못된 거죠.

◇ 김혜민> 총재님, 이런 생각이 들어요. 그러면 언제 이것을 해야 하냐. 그게 무슨 말이냐면, 지금은 때가 아니다, 지금은 시점이 아니다, 사실은 그렇게 많은 정권들이 이야기를 해 와서 최저임금을 올리는 것이라든지, 노동시간 단축이라든지, 이런 것을 못해왔단 말이에요. 그러면 이거는 어떤 기반이 마련됐을 때 이것을 해야 적합한 겁니까?

☞ 박승> 그게 그러니까 시장이 그것을 받아들일 수 있는 속도로 할 필요가 있다, 이런 거죠. 내가 사실은 주장하는 것은 1년에 7%씩 꾸준히 올리자. 한두 해 바짝 올리고, 그러지 말고 7%씩 올리는 것은 어느 정도 받아들일 수 있습니다. 기업도 받아들일 수가 있어요. 그런데 이것을 지금 2년 동안 30%를 올렸단 말입니다? 이거는 받아들일 수가 없죠. 그러니까 정부도 그것을 뒤늦게 알고 내년에는 3%만 올리지 않았어요? 그래서 그것이 어떻게 보면 시행착오입니다. 그리고 주 52시간 제도도 마찬가지에요. 우리나라가 지금 1인당 소득이 3만 달러가 돼서 선진국이 되었는데, OECD 국가 가운데 한국인이 주 68시간으로 제일 일을 많이 합니다. 이러면서 저녁에 식사를 가족하고 못 해요. 한국 노동자들은. 그러니까 아까 내가 질 이야기를 했는데, 경제의 질. 이제 일하는 노동자도 가족하고 저녁을 먹어야 한다, 이제 그런 단계에 왔다, 이런 이야기에요.

◇ 김혜민> 방향성은 맞다.

☞ 박승> 그러니까 노동 시간을 줄이는 것은 맞아요. 맞는데, 이런 말씀을 대통령께도 드렸습니다만, 주 52시간으로 줄이는 것은 맞다. 맞는데, 일을 줄이는 동시에 탄력근로제를 같이 도입했어야 한다. 예를 들면, 아이스크림 만드는 회사에서

는 겨울에는 할 일이 없잖아요? 그러니까 일을 집중해서 여름에 하고, 겨울에는 놀고 한다면, 이게 52시간이 그런 기업에는 가혹하기 때문에 그것을 같이 했어야 하고요. 또 하나는 52시간으로 줄이면, 노동자 소득이 줄어듭니다. 시간이 줄어드니까. 그러니까 이것을 강행하면, 노동자의 소득이 줄어드는 거예요. 3년 동안은 주 60시간 범위 내에서 본인이 희망할 때는 더 일해도 좋다, 이런 단서가 있었어야 해요.

◇ 김혜민> 지금 고용노동부나 여러 부처에서 이런 생각지 못했던 것이나 예상했던 부작용들을 메꾸기 위해서 많은 정책들과 대안들을 연구하고 있으니까요. 오늘 총재님의 말을 잘 새겨듣고 그런 정책들을 많이 실현해줬으면 좋겠습니다. 제가 듣고 싶은 말은 많은데, 시간 때문에요. 이건 여쭤봐야 해요. 전 한국은행 총재를 모셔놓고 금리 이야기 안 할 수 없잖아요? 지금도 저금리라고 하는데, 내려야 합니까? 올려야 합니까?

☞ 박승> 지금도 저금리죠. 경제 성장에 제동을 걸 정도의 금리는 아닙니다. 지금도 저금리인데, 다만 이것을 더 내리자는 의견이 많이 있습니다. 한국은행에서 이것을 고민하는 것은 더 내리면 경기 부양에는 도움이 됩니다. 도움이 되는데, 두 가지 문제가 있습니다. 하나는 부동산을 움직일 가능성이 있고, 또 하나는 외화가 유출됩니다. 외화가 유출되면 환율이 오르고, 이것이 잘못하면, 그렇게까지는 안 가겠지만, 외환위기로 갈 우려도 있고요. 그런 점에서 걱정을 하는데요. 제가 볼 때는 연내에 한 번 정도는 내릴 여유가 있지 않느냐, 그런 생각입니다.

◇ 김혜민> 연내 한 번 정도는 내릴 여유가 있다고 하셨고요. 감사하고요. 더 건강하시고, 추석 연휴 잘 보내시고요. 한국 경제의 미래를 위해 더 여러 가지 말씀을 해주시기를 부탁드립니다. 박승 전 한국은행 총재였습니다.

☞ 박승> 감사합니다.[167]

136. 경제정책 기조 전환이 절실하다

서민들 물가부담이 크다. 소비자물가의 1년 전 동월 대비 상승률은 2022년 7월 6.3%에서 2024년 3월 3.1%로 떨어졌다. 그러나 그것은 통계 착시였다. 2022년 가파른 인플레이션의 기저효과를 감안해 3년 전 동월과 비교하면 물가상승률은 작년 초 10%에서 작년 10월 13%까지 꾸준히 올랐다. 올해 3월도 12%에 머물러 있다. 물가상승세는 아예 제대로 꺾인 적이 없는 셈이다. 물가가 울퉁불퉁한 길로 내려오는 중이라던 불과 두 달 전 이창용 한국은행 총재의 말은 틀렸다.

이창용 총재는 4월12일에는 농산물 수입 확대를 주문했다. 그 처방도 틀렸다. 윤석열 정부는 집권 직후부터 이미 매달 농산물 수입을 확대해왔다. 그렇게 해서 물가가 잡힐 것이었으면 벌써 몇번은 잡히고도 남았다. 무관세나 저율 관세로 해외 농산물을 들여오면 독과점 도매상이 농가에 치르는 값만 떨어진다. 유통업체들이 물량을 확보하고도 가격상승을 노려 사재기에 나서는 마당에 소비자가격이 떨어질 리는 없다. 서울 가락동 농수산물시장 도매상들이 지난해 사상 최대의 횡재 이익을 누리는 동안 농가의 태반은 생산비도 건지지 못해 밭을 갈아엎었다. 물가를 잡아야지 왜 농민을 잡나.

치솟는 물가에 노동자들의 삶도 고단하다. 고용노동부 사업체노동력조사 결과는 평균 실질임금이 윤석열 정부 집권 전에는 상승했는데 집권 후 작년 말까지 7개 분기 연속적으로전년 동기보다 하락한 것으로 확인된다. 통계청 가계동향조사 결과에서는 소득 5분위별 가구당 실질소득이 2019년부터 2021년까지 2년 사이에는 가난한 1분위가 부유한 5분위보다 증가율이 더 컸는데, 윤석열 정부 기간이 포함된 2021년부터 2023년까지 2년 사이에는 반대로 1분위보다 5분위의 실질소득 증가율이 더 컸다.

양극화의 증거는 더 있다. 가계동향조사 소득 10분위별 가구당 가계수지를 비교하면 2020년 1분기부터 2022년 1분기까지 부유한 10분위와 가난한 1분위의 가계수지 차이는 월평균 492만원이었다. 그런데 윤석열 정부 기간인 2022년 2분기부터 2023년 말까지 그 차이는 월평균 518만원으로 벌어졌다.

민생의 어려움은 일자리가 제한된 현실과도 연결된다. 통계청 경제활동인구조사에 따르면 농림어업, 보건복지, 공공행정 분야를 제외하면 2022년에는 일자리가 약 50만개 늘었는데 작년은 17만개 증가에 그쳤다. 제조업에서는 일자리가 절대적으로 줄었다. 공식실업자 수에 잠재구직자 등 불완전고용 인구를 더하면 그 규모가 2021년 초 500만명에서 이후 계속 줄었으나 윤석열 정부 기간에 300만명 수준에서 감소세가 멈췄다.

2022년 3분기부터 작년 2분기까지는 수출 감소가, 그리고 작년 3분기부터 최근까지는 내수 부족이 경제회복의 발목을 잡았다. 기간을 달리하며 가시화된 두 현상 모두 해외수요와 민간부채에 의존해온 한국경제의 오랜 구조적 요인의 효과였지만 또한 윤석열 정부 경제정책 실패의 귀결이기도 했다. 그러니 '무늬만 가치동맹'의 꼭두각시를 자처하며 미국의 일방적인 글로벌 공급망 재편 과정에 별 대책 없이 끌려다니는 편향적인 대외정책도 문제고, 무능한 통화정책도 그리고 부자감세로 파탄이 난 재정정책도 문제다.

그렇다면 현시점에서 통화정책과 재정정책은 당장 무엇을 할 것인가. 국제통화기금(IMF)의 최근 세계경제전망은 '산출 갭'(경제가 장기 성장 추세로부터 괴리된 정도)을 기준으로 한국경제가 2022년만 빼고 몇년째 불황이 이어지는 것으로 보고한다. 불황일 때 금리를 올리면 경제 내 누적된 부실을 이참에 정리할 수 있을 듯해도 자칫 파산 위험 확대에 따라오는 부작용이 더 클 수 있다. 그럴 때 제일 고통받는 계층은 기층 민중이다. 더욱이 한국은행에서도 4월12일 인정했지 않나. 공급 측 원인에 기인한 물가상승은 금리 인상으로는 통제 못한다는 사실을 말이다.

한편 일각에서는 현 상황을 두고 국가채무 폭증을 우려하며 재정을 풀면 당장 경제위기라도 닥칠 것처럼 경계한다. 그러나 국채이자가 국민소득의 1%에 그쳐 경제학자 래리 서머스가 대안적 재정준칙으로 제안한 경곗값 2%에도 채 못 미치는데 국가채무가 과도하다는 주장은 설득력 없다. 필자의 시산에 따르면 물가 자극 없이 2022년 수준의 경제활동을 회복하려면 올해 추가 재정지출이 약 20조원 필요한 것으로 나타난다. 총선 민의를 존중해 그간의 부자감세 조치들을 원점으로 되돌리고 과감한 추경 편성으로 민생을 위무하는 재정 역할을 복원해야 한다. 경제정책의 기조 전환이 절실하다.[168)]

137. 불평등 이데올로기와 한국의 각축전

우리가 불평등 상황을 볼 때 우선 그 현실적 실태에 주목한다. 하지만 아무리 격차가 심하고 상향이동 가능성이 막혀 있고 막대한 불로소득을 챙기는 부자들이 잔치판을 벌려도, 정부와 정당들이 터무니없는 부자 감세 정책을 밀고 간다 해도 대중은 이 상황에 묵종할 수도 있고, 분노하고 못살겠다고 저항할 수도 있다. 불평등 체제를 유지하는 강력한 도구로서 불평등 이데올로기와 이를 둘러싼 각축전에 주목해야 하는 이유다.

불평등 이데올로기는 낯선 이야기가 아니다. 〈21세기 자본〉의 저자로 세습자본주의를 비판한 피케티의 후속저서가 〈자본과 이데올로기〉였다. 여기서 불평등 체제라는 개념을 제시하고 있는데 이는 "주어진 사회의 경제적, 사회적, 정치적 불평등을 정당화하고 구조화하기 위한 일련의 담론과 제도적 배열" 이다. 피케티는 모든 역사적 불평등 체제에는 이를 정당화, 자연화하는 이데올로기가 있다고 보는 것이다. 그는 특히 능력주의 이데올로기에 물든 좌파정당이 고학력자를 대변하는 정당 즉 브라만 좌파로 변질되었고 자산부자와 고소득자 이익을 대변하는 상인우파와 경쟁하면서 공모하고 있다고 분석했다.

불평등 이데올로기는 강 건너 남의 이야기가 아니다. 한국에서 불평등 이데올로기는 얼마나 안정적 지배력을 갖고 있는지, 이데올로기 각축전은 어떻게 벌어지고 있는지, 다른 대안의 여지는 어떤지 궁금하지 않은가. 그간 주로 능력주의 문제가 논의되어 왔는데 최근 조돈문 교수의 〈불평등 이데올로기〉가 출간됨으로써 논의마당이 한층 풍성해졌다.

저자는 오늘의 한국사회가 압축적으로 금수저-흙수저의 수저계급 불평등 사회로 추락했다고 보고 20가지 예각적 질문을 던진다. 상위 10% 소득점유율이나 소득배수(상위 10%/하위 50%)로 볼 때 선진국 중 미국이 가장 불평등하고 스웨덴이 가장 평등한데 한국은 미국에 가깝다. 그럼에도 바람직한 국가모델과 관련해 한국 시민들은 북유럽보다 미국식 모델을 선호한다. 저자는 말한다. “이는 불평등 체제를 둘러싼 이데올로기 투쟁의 수혜자-피해자 대립구도에서 불평등을 정당화하는 지배계급이 승리하고 있음을 의미한다. 시민들도 자유시장경제 모델에 친화적인 시장·자본의 논리를 내면화하며 적응하고 있음을 의미한다.” 하지만 이는 저자가 말하려는 바의 절반일 뿐이다. 나머지 절반이 더 중요한데 책 속으로 더 들어가 보자.

저자는 불평등 지배이데올로기의 세 가지 기본명제와 하위명제를 제시한다. 세 가지 명제란 ①불평등은 없다, ②불평등이 있다 해도 정당하다, ③불평등이 정당화될 수 없다 해도 대안적 평등사회는 실현 불가능하다는 것이다. 한국의 경우 제1명제는 거부되고 제3명제는 대체로 수용되고 있는 반면, 제2명제에서 각축을 벌리고 있다고 한다. 각축전의 구체적 내용에서 불평등 낙수효과 명제와 불평등 순기능 효과 명제는 거부되었지만 상승이동 기회보장 명제는 수용되지도 거부되지도 않았다. 이는 강한 실력주의와 결합된 상승이동 가능성과 불평등의 대물림으로 인한 불공정성이 특이하게 공존하고 있기 때문이라고 한다.

한국과 미국을 비교한 부분이 흥미롭다. 저자는 한국보다 미국에서 불평등 이데올로기의 지배력이 훨씬 강하다고 본다. 미국인들은 불평등 수준을 실제보다 덜 심각하게 인식하고 상승이동 기회보장 정도도 더 긍정적으로 평가한다. 한국은 실력주의가 제대로 구현되지 않은 상태에서 세습자본주의가 덮쳐 실력주의로 불평등을 정당화하기가 어렵다.

결론이 이렇다. “한국사회는 불평등과 불공정 수준이 높고 시민들의 불만도 강하며, 자본의 일방적 계급지배 방식에 대한 노동의 저항도 강력하고 시민들의 상대적 공정성 원칙에 대한 헌신도가 높고 공정성 원칙 위반에 대한 응징 의지도 강하다. 한국의 불평등 체제는 소수의 최대 수혜자들이 불만이 누적된 압도적 다수의 피해자들에게 둘러싸여 언제든 갈등이 폭발할 수 있는 상황이다. 촛불항쟁이 우연히 발발한 일회적 사건이 아닌 것은 한국의 불평등 체제가 구조적으로 불안정성을 지니고 있기 때문이다. 불평등체제가 개선되지 않은 채 시민들 불만이 촉발 요인을 만나면 또다시 제2, 제3의 촛불 항쟁으로 분출할 수 있다.”

이 책의 핵심명제를 한 줄로 요약하자면 한국의 불평등 체제는 불안정하며 불평등 이데올로기는 절반만 성공했다는 것이다. 과연 그럴까? 시민들은 저자의 결론에 대해 어떻게 생각할까. 큰 토론거리다. 한국 불평등 연구의 새 장을 연 이 책은 불로소득 부자를 위한 여야의 감세 공모와 수저계급사회 유지 기도에 분노하는 깨어 있는 시민들에게 좋은 소식이다.[169]

138. 부자 감세가 서민 살리고 역동경제라는 정부의 오판

부자 감세(富者減稅)는 고액 자산가, 고소득자 등의 부자에게 부과된 세금의 액수를 줄이거나 세율을 낮추는 일이다.

정부가 기업 가치를 높이기 위해 상속세·배당소득세·법인세 개편에 나선다고 밝혔다. 금융투자소득세 폐지 방침도 내놨다. 주주환원을 늘려 자본시장을 활성화시키고 경제 활력을 도모하겠다는 취지다. 하지만 대부분 재계의 민원이고 '부자 감세' 논란을 부른 사항이다. 정부가 서민·중산층 시대를 구현하겠다는 슬로건을 내걸었지만, 대주주와 투자자에게 세금을 깎아준다고 서민 경제가 활성화한다는 건 '주술'에 불과하다. 올해 세수 펑크가 확실한데도 감세를 정책 핵심으로 떠받드는 경직성도 도를 넘었다.

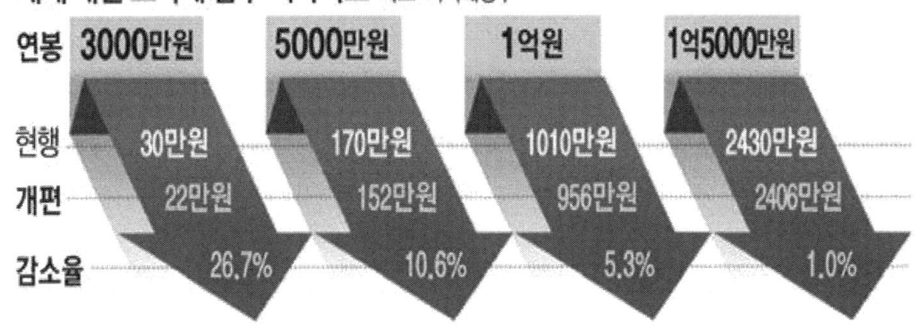

정부는 3일 윤석열 대통령이 주재한 회의에서 '2024년 하반기 경제정책방향 및 역동경제 로드맵'을 발표했다. 배당과 자사주 소각으로 주주환원을 늘린 기업에 대해 증가분의 5%를 법인세에서 깎아준다. 최대주주의 주식 상속 시 경영권 프리미엄 명목으로 주식가치를 20% 높여 평가하는 최대주주 할증도 폐지하기로 했다.

그러나 인수·합병 때 경영권 프리미엄은 20% 넘게 평가되는 일도 많다. 실존하는 경영권 프리미엄을 반영하지 않는 건 실질 과세 원칙에 어긋난다. 반면 소액주주 권리 보호를 위한 지배구조 개선 대책은 재탕에 불과했고, 기업 이사의 충실의무 대상을 주주로 확대하는 방안은 빠졌다.

윤 대통령은 "기업 가치를 높이고 국민들에게 더 많은 자산 형성 기회를 제공하는 밸류업 프로그램을 정착시키고 확산하겠다"고 말했다. 기업 가치가 올라가면 개인도 그 과실을 같이 누릴 수 있다는 '낙수 효과'를 기대한 것이다. 하지만 서민들은 투자할 돈은 고사하고 하루하루 생계를 잇기도 빠듯한 상황이다. 통계청 가계동향조사를 보면, 올 1분기 중산층 가구 다섯 중 하나는 '적자 살림'을 했다. 소득은 제자리인데 고물가·고금리로 써야 할 돈이 늘어난 것이다. 장사를 접고 싶은 자영업자가 부지기수지만, 결심 후 실제 폐업까지 1년이 걸린다는 조사결과도 있다. 이번 대책에 소상공인을 위한 원리금 부담 경감·폐업지원금 확대 등이 뒤늦게 포함됐지만, 그 수혜 폭과 실효성은 언 발에 오줌 누기에 그칠 수 있다.

정부는 올해 경제성장률을 기존보다 0.4%포인트 높여 2.6%로 전망했다. 그러나 서민들은 그 온기를 느낄 수 없고 집값 상승 기미로 미래 위기감이 확산되고 있다. '부의 대물림' 문턱을 낮추는 부자 감세는 계층 간 양극화만 부추길 뿐이다. 여야가 서민경제에 활력을 되살리는 대책을 더 과감히 서둘러야 한다.170)

윤석열 대통령이 3일 서울 종로구 청와대 영빈관에서 열린 '하반기 경제정책방향 및 역동경제 로드맵 발표' 회의에서 F1 경주의 피트 스톱 사진을 들고 마무리 발언을 하고 있다(대통령실 제공).

지난 5년 동안 96조 원의 부자 감세가 이뤄졌는데 그 돈이면 반값 등록금 공약이 충분히 가능한 것 아니냐고 지적했다.

"부자 감세는 지역에 내려가는 교부금 삭감으로 연결돼 지역 불균형을 심화시키고, 서민 복지 삭감으로 귀결될 것"이라며 "복지 예산 축소 피해자 네트워크를 건설해 강력하게 투쟁하겠다."라고 말했다.

여권 내부에서조차 감세 폭과 시행 시기 등을 두고 격론이 오갔으며, 야당과 시민 단체도 극소수 부자만을 위한 세금 감면이라며 강력 반발, 실력 저지 태세를 보였다.

139. 종부세 폐지론과 패닉바잉 그리고 '악어의 눈물'

2022년 1월24일 한겨울, 경기 성남의 상대원시장 골목이 한 중년 남성의 뜨거운 눈물로 달궈졌다. 유튜브 생중계로 보던 이의 눈시울마저 붉어질 뻔했다. 그렇다. 이재명 대선 후보에겐 서민 심금을 울리는 무언가가 분명 있었다. 선거 막판 구구절절한 연설에 완전 '잼며든' 많은 이들이 지지자가 됐다.

"여덟 가족이 반지하방 한곳에서 살았습니다. 이 골목에서 아버지의 리어카를 밀면서, 학교 가는 여학생들을 피해서 저 구석으로 숨었습니다. (중략) 제가 하는 모든 일은 우리 서민들의 삶과 이재명의 참혹한 삶이 투영되어 있습니다." 흉금을 터놓은 말은 안타깝게도 시장통을 넘지 못했다. 결과는 우리가 아는 대로다. 왜 그랬을까. 결국 그의 말을 어디까지 믿어야 되느냐의 문제일 것이다.

서민을 앞세워 총선에 압승한 더불어민주당이 느닷없이 종합부동산세를 없애자는 얘기를 내놓고 했다. 무슨 자신감일까, 어떤 복안이 있을까, 벌써 대선 주판을 튕기는 걸까.

문재인 정부 때 한 달이 멀다 하고 내놓던 대책에도 집값이 더 뛰자 사람들은 마침내 합리적 의심에 가닿았다. '못 잡는 게 아니라, 안 잡는 거 아니냐?' 그 근거는 바로 세수다. 2017년 59조원대이던 부동산 관련 세수가 2021년 108조원을 넘었다. 거래세인 취득·등록세와 양도소득세가 각각 33조7000억원, 36조7000억원이나 됐다. 종부세액은 1조6900억원에서 7조2700억원으로 뛰었다.

얼핏 보면 누이 좋고, 매부 좋고다. 집주인은 집값 올라 좋고, 건설사와 금융사는 수조원대 이익 따박따박 챙겨 좋고, 정부는 곳간 가득 채워 좋고…. 무주택 서민들만 눈감아주면 모두 해피엔딩 같다. 게다가 이렇게 거둔 세금은 서민들에게 쓰겠다면 아무 문제 없는 건가. 그런데 집을 가진 사람들은 그냥 기분 좋다가 말았다. 정신 차리고 보니 보유세를 많이 낸 거 빼곤 나아진 게 없다. 이렇게 말한 이들도 많다. "우리가 언제 집값 올려달라고 한 적 있냐. 가만히 있는 집값을 들

쑤셔 놓고선 팔지도 않았는데 세금만 더 내라니."

국토는 본디 모두 공유재산이고 그 위에 강남 같은 노른자위에 자가가 있으면 '품위 유지비'로 세금은 더 내는 게 맞다는 논리는 헨리 조지(1839~1897) 신봉자들에겐 바람직한 얘기다. 그러나 필부들은 선뜻 납득하기 어려운 경제철학이다. 종부세가 절대선일 수는 없다. '소득 있는 곳에 세금을!' 이란 조세 원칙에도 비켜나 있다.

기어코 종부세를 손대려거든 이참에 '보편증세' 같은 큰 그림이라도 내놓고 떠들어야 체면이라도 서지 않겠나. 그래, 이 정부에서 너덜너덜해진 종부세, 까짓것 없앨 수도 있다고 치자. 대신 거래세, 특히 양도세를 대폭 강화하자고 하라. 집값 상승액 중 물가, 이자비용 등을 제한 뒤 상당수 세금으로 거둔다고 해보자. 그럼 투기를 할 메리트가 사라진다.

지난 대선 패배의 본질은 초밥도, 대장동도 아니다. 큰 뿌리는 부동산 정책 실패에 있다. 그런데 총선에 압승하고 흘린 게 종부세 폐지론이라니…. 종부세 세수가 지방균형발전용 재원이란 건 알고 있을까.

정부·여당과 민주당의 행태를 보면 부동산 '패닉바잉'을 부추기는 꼴이다. 눈치 없이 이놈 저놈이 멍석을 깔아대니, 벌써 시장은 들썩인다. 자고 나면 도처에 매매 호가가 오른다는 소리다. 지난 정부 때 낯익은 장면이다. 이런 와중에 윤석열 정부가 '스트레스 DSR' 같은 규제까지 미루는 등 시장친화적으로 나서자, 기름을 끼얹었다. 가계대출은 6월에만 5조원 넘게 급증했다.

세입이 64조원 이상(관리재정수지) 펑크난 처지다. 윤석열 정부도 부동산 세수 확충 유혹에 빠진 건 아닐까. 미국발 금리 인하까지 단행될 경우 부동산 쇼핑을 더 부채질할 공산이 크다. 기네스북에 오를 만한 저출생 기록 행진의 핵심 이유가 높은 집값이다.

이런 판국에 민주당이 뭘 어쩌겠다고? 상대원시장에서 내보인 것이 '악어의 눈물'이 아닌지 입증할 시간이 다가오고 있다. 악어는 입을 움직이는 신경과 눈물샘 신경이 같아서 먹이를 삼키기 좋게 하는 과정에 '눈물'이 나온다고 한다. 민주당도 실은 눈앞의 '먹이'에 더 신경을 쓰는 게 아니길 바란다. 노무현·문재인 전 대통령 때 부동산 실정을 참회하고, 해법을 보여줘야 마땅하다. 단지 우리의 뜻은 순수했는데, 세상이 몰라준다거나 때를 잘못 만난 것일 뿐이라며 구렁이 담 넘듯 해선 안된다.

구중심처에 어떤 분들처럼 자리를 꿰차는 것 자체가 목적 같은 이가 설치는 한, 그 어떤 조직에도 나은 내일은 없다.[171]

140. 모든 계층과 함께하는 '착한 선진화' 실천방안

한국경제는 저성장 · 양극화, 저출산 · 고령화 시대에 진입했다. 저성장이 고착화되고 양극화로 인한 사회갈등이 증가하는 추세이다. 저출산과 고령화는 성장 잠재력과 사회의 역동성을 떨어뜨리고 있다.

Ⅰ. 문제의 제기

미국을 비롯한 선진국에서도 2008년 글로벌 금융위기를 계기로 자본주의 시스템에 대한 논의가 진행되고 있다. 아나톨 칼레츠키는 《자본주의 4.0》에서 포용적 자본주의를 제기했다.

자본주의는 1776년 아담 스미스의 자유방임주의를 시작으로 자본주의 1.0시대가 태동했다. 자본주의 2.0시대는 정부가 적극적으로 개입한 케인즈의 수정자본주의의 시대였다. 자본주의 3.0시대는 대처리즘, 레이거노믹스 등 시장이 주도한 신자유주의 시대였다.

하지만 글로벌 금융위기를 겪으면서 자본주의 체제는 도전을 받으며 자본주의 4.0시대에 대한 논의가 시작되었다. 과거에는 정부와 시장의 역할 가운데 어느 한 쪽이 지나치게 강조되었다. 그러나 금융위기는 정부와 시장이 모두 불완전하고 오류를 저지르기 쉽다는 것을 입증했다. 이제 정부와 시장이 배타적인 관계가 아니라 서로 협력하는 관계로 인식한다. 이를 바탕으로 자본주의의 자기진화와 개혁에 대한 논의가 전개되고 있다.

예컨대 과도한 시장 만능주의로 20대 80의 사회를 넘어 1%의 소수 자본가가 대부분의 자본을 독식하는, 우울한 자본주의가 도래할 수 있다는 우려가 제기되었다. 실제로 자본주의의 상징인 미국에서 "월가를 점령하라"는 시위가 벌어지며 세계적인 이목을 집중시켰다. 마이클 포터와 마크 R. 크레이머는 포용적 자본주의와 같은 맥락에서 공유가치 창출(CSV : creating shared value) 전략을 제시했다.

우리나라에서도 반기업정서가 지속하는 가운데 기업의 윤리경영과 투명경영에 대한 요구가 높아졌다. 동시에 노동개혁, 세제개혁, 기업문화 개혁 등 다양한 이슈들이 제기되면서 한국의 전통적 가치관인 홍익인간, 선비정신과 같은 공동체 문화에 대한 관심도 주목받고 있다.

이와 같은 상황에서 기업들이 공유가치 창출에 관심을 보이고 있어 포용적 자본주의 정신이 사회갈등을 치유할 수 있는 대안의 하나로 제시되었다. 공유가치 개념은 기업 가치와 사회가치를 공동으로 추구함으로써 사회적 문제를 해결하고 비즈니스 모델 발굴에도 도움이 되기 때문이다.

본고에서는 한국 자본주의의 현황과 문제점을 살펴보고 공유가치 개념을 기업 내부, 대기업과 중소기업, 기업과 소외계층, 기업과 시민교육에도 확산하여 모든 계층이 함께하는 관점에서 착한 선진화를 이루는 실천방안을 살펴본다.

Ⅱ. 한국기업의 과제

한국은 2차 세계대전 이후 독립한 국가들 중에서 산업화와 민주화를 동시에 이룩한 유일한 나라이다. 세계 10위권의 경제대국이 되었고, 2050클럽에도 가입했다. 한류 열풍이 전 세계를 휩쓸면서 코리아의 자긍심은 높아졌다. 하지만 저성장이 지속되고 소득 불평등이 악화됨에 따른 사회갈등 요인도 증가하고 있다. 그동안 고도성장 과정에서 앞만 보며 달려왔던 결과지상주의가 도전을 받고 있는 것이다. 앞으로만 달리며 간과했던 문제들이 고개를 내밀고 있다.

1. 한국 자본주의의 과제

저출산ㆍ고령화와 요소투입중심 성장의 한계로 한국의 잠재성장률은 점점 둔화되고 있다. 한국개발연구원은 한국의 잠재성장률은 2010년대 전반 3.1%, 후반 3.0%, 2020년대 전반에 2.5%를 기록하다가 후반에는 1.8%로 하락할 것으로 전망하고 있다. 현재 한국의 자본주의가 직면한 중요한 문제들은 무엇일까. 고용 없는 성장이 지속되는 가운데 소득 불평등의 악화와 양극화의 심화를 들 수 있다.

(1) 소득 불평등의 악화

한국은 미국과 함께 경제협력개발기구(OECD) 회원국 중 소득 불평등이 심한 나라로 평가받고 있다. 한국은 2008년 금융위기 이후 불평등도가 심화되는 추세이다. 가처분소득을 기준으로 최상위 10%의 소득과 최하위 10%의 소득을 비교할 때 2000년의 4배에서 2011년에는 4.8배로 증가하였다.

프랑스 파리경제대학의 세계 상위소득 데이터베이스에 따르면 [그림 1]에서 보는 바와 같이 2012년 현재 한국의 소득 상위 10% 인구가 전체 소득에서 차지하는 비중이 44.87%에 달한 것으로 나타났다. 이 비율은 1998년 31.43%에서 꾸준히 증가하여 2012년에 45% 수준에 달해 OECD 국가 중 미국 다음으로 소득불평등이 심한 나라라는 지적을 받았다.

IMF에서는 소득 불평등도 심화를 세계 경제의 위협요인으로 지적한다. IMF는 2015년 보고서에서 과거 30년 동안 세계경제 성장 연구를 통해 소득분배와 성장의 영향을 분석했다. <표 1>에서 보듯이 상위 소득계층 20%가 1% 성장할 경우 GDP 성장률은 0.08% 포인트 감소하는 것으로 나타났다. 반면에 하위 소득계층

20%가 1% 성장할 경우 GDP성장률은 0.38% 포인트 증가효과가 있었다. 이는 전통적 낙수효과 이론 (trickle down theory), 즉 대기업 및 부유층의 소득이 증대되면 더 많은 투자가 이루어져 경기가 부양되고, 전체 GDP가 증가하면 저소득층에게도 혜택이 돌아가 소득의 양극화가 해소된다는 이론과 배치되는 결과이다. 따라서 IMF는 소득불평등의 해소가 경제성장에 중요하다며 이의 시정을 권고하고 있다.

[그림 1] OECD국가 소득점유율 비교

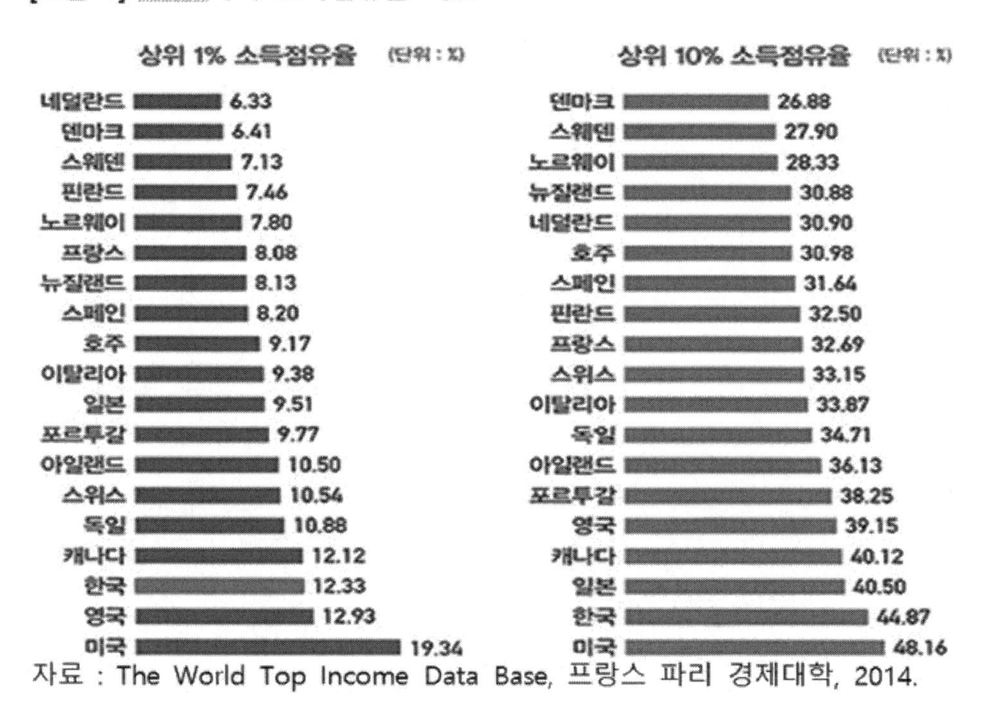

자료 : The World Top Income Data Base, 프랑스 파리 경제대학, 2014.

(2) 양극화의 확대

양극화는 소득분포가 상층과 하층 양쪽으로 쏠리면서 중산층이 감소하는 현상을 뜻한다. 한국은 1997년 외환위기 이전까지 안정적 수준을 유지하여 양극화 문제가 제기되지 않았으나 외환위기 이후 사회적인 이슈로 떠올랐다.

김낙년(2012)은 중위 소득의 50~150% 사이의 중간 소득 계층은 2000년 51.5%였으나 2012년 45.5%로 5.8%가 감소하여 중산층이 약 11%나 감소하였다고 분석했다. 이탈자의 62%는 저소득 계층으로 하락하고, 38%는 고소득 계층으로 이동한 것으로 나타났다.

<표 1> IMF의 성장과 소득분배의 추정 결과

Variables	Dependent Variable: GDP Growth (1)	(2)	(3)	(4)	(5)	(6)
Lagged GDP Growth	0.145***	0.112***	0.118***	0.113***	0.097***	0.114***
	(0.033)	(0.030)	(0.031)	(0.031)	(0.030)	(0.031)
GDP Per Capita Level (in logs)	-1.440***	-2.198***	-2.247***	-2.223***	-2.122***	-2.222***
	(0.361)	(0.302)	(0.307)	(0.308)	(0.304)	(0.307)
Net Gini	-0.0666*					
	(0.034)					
1st Quintile		0.381**				
		(0.165)				
2nd Quintile			0.325**			
			(0.146)			
3rd Quintile				0.266*		
				(0.152)		
4th Quintile					0.0596	
					(0.180)	
5th Quintile						-0.0837*
						(0.044)
Constant	17.34***	18.82***	18.12***	17.45***	19.41***	25.32***
	(3.225)	(2.579)	(2.713)	(3.058)	(4.203)	(3.496)
Country Fixed Effects	Yes	Yes	Yes	Yes	Yes	Yes
Time Dummies	Yes	Yes	Yes	Yes	Yes	Yes
#. of Observations	733	455	455	455	455	455
#. of Countries	159	156	156	156	156	156

Source: Solt Database; World Bank; UNU-WIDER World Income Inequality Database; and IMF staff calculations.

Note: Standard errors in parentheses, *p < 0.1; **p < 0.05; ***p < 0.01. Estimated using system GMM, which instruments potentially endogenous right-hand-side variables using lagged values and first differences. The regressions include country and time dummies to respectively control for time-invariant omitted-variable bias and global shocks, which might affect aggregate growth but are not otherwise captured by the explanatory variables.

자료 : Era Dabla-Norris, Kalpana Kochhar, Nujin Suphaphiphat, Frantisek Ricka, Evridiki Tsounta,《Causes and Consequences of Income Inequality: A Global Perspective》, IMF, 2015.

이처럼 양극화가 심화되는 주된 이유는 우리 경제의 산업과 고용구조가 변화되었기 때문이다. 조윤제 교수는 제조업의 고용감소와 영세서비스업의 비중 증가를 지적했다. 제조업 고용은 1991년의 520만 명에서 2010년 380만 명으로 총고용에서 차지하는 비중은 80년대 후반 29%에서 최근에는 18%로 줄었다. 제조업에서 방출돼 나온 근로자들이 대거 식당, 수퍼, 부동산중개업 등 저수익·저임금의 영세 서비스업으로 몰려들고 불완전고용 상태에 머물면서 소득분배는 빠르게 악화되었다. 서비스업의 고용 비중은 1992년의 50%에서 2011년 70%, 약 1700만 명으로 늘어났으나 생산성은 제조업 대비 45%에 불과하다.

(3) 사회갈등비용의 증가

한국은 소득불평등 심화와 낮은 민주주의 성숙도 등으로 인해 사회갈등비용이 증가하고 있다. 삼성경제연구소(2009)는 [그림 2]에서 보듯이 27개 OECD 회원국 중에서 한국이 네 번째로 사회갈등이 심한 국가로 분석했다. 한국은 높은 갈등수준 때문에 1인당 GDP의 27%를 갈등비용으로 지불하는 것으로 나타났다. 한국 사회가 갈등 때문에 치러야할 경제 비용을 연 82조~246조 원으로 추산했다. 사회갈등지수가 10% 하락하면 1인당 GDP가 7.1% 증가효과가 있다고 밝혔다.

또한 한국보건사회연구원(2015)은 한국의 사회갈등 수준은 OECD의 조사 대상 24개국 가운데 다섯 번째로 높았다고 분석했다. 한국보다 사회갈등지수가 높은 나라는 터키, 그리스, 칠레, 이탈리아 뿐이다. 반면에 사회갈등 관리지수가 높은 국가는 덴마크, 스웨덴, 핀란드, 네덜란드 순이다. 사회갈등을 투명하고 효과적으로 관리하여 갈등관리지수를 10% 향상시킬 경우 1인당 GDP는 1.75~2.41% 증가시킬 수 있는 것으로 예측했다.

[그림 2] 사회갈등지수의 국제비교

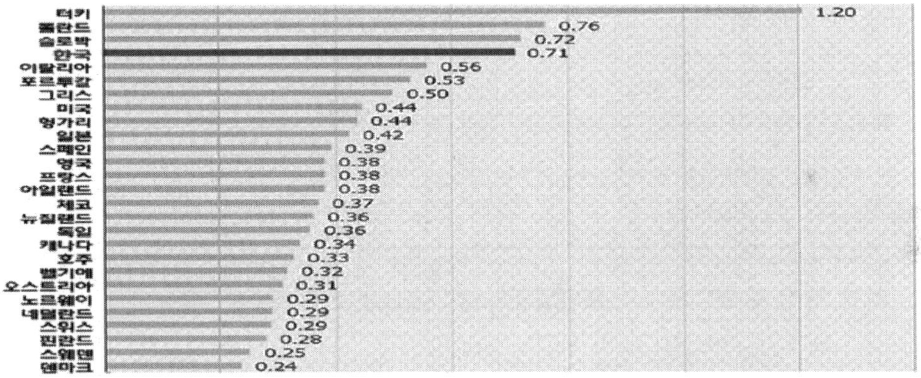

자료 : 삼성경제연구소, 2009.

2. 대기업의 과제

(1) 반기업 정서의 지속

한국경제는 고도성장과정에서 압축성장을 해 온 결과 과도한 경제력 집중이 문제점으로 대두되었다. 2013년 현재 30대 재벌그룹의 비중은 총매출액 비중의 40%, 국가 총자산의 37%, 자산규모의 GDP대비 95%를 차지하고 있다. 상위 4대 재벌(삼성, 현대, LG, SK)의 비중은 국가 총자산의 26%, 총매출액의 20%, 주식시장 전체 시가총액의 46%이다. 또한 불공정한 경쟁으로 일감 몰아주기, 부당내부거래, 독과점 기업들의 담합 등이 지적되고 있다(장하성, 2014).

이와 같이 반기업 정서가 지속되면서 투명경영과 윤리경영에 대한 요구가 증대하는 추세이다. 특히 SNS의 발달은 재벌 오너나 가족의 갑질논쟁과 같은 기업의 부정적인 사례가 발생하면 순식간에 공유되는 전파력을 가지고 있어 CCTV처럼 기업 활동의 감시기능을 담당하고 있다는 사실을 간과해서는 안 된다.

대한상공회의소 박용만 회장은 2014년 재취임사에서 반기업정서에 대해 재계가 적극적으로 대응하겠다는 입장을 밝혔다. "우리 사회의 반기업정서가 여전하다. 기업들이 변화하려는 노력을 해야 국민의 신뢰를 되찾을 수 있다. 법보다 기준이 높은 선진규범의 울타리를 만들어 스스로 적용하고 실천하는 자세가 필요하다." 이를 위해 기업문화개선 전담부서를 신설하여 국내외 기업의 윤리경영, 사회적 책임 등 선진경영 사례를 조사해 반기업정서에 귀 기울이면서 적극적인 대응을 하겠다고 설명했다.

(2) 임금격차의 확대

임금의 양극화는 고용형태별, 기업규모별, 성별 임금격차에서 나타나고 있다. 고용노동부 조사에 따르면 2013년 기준 비정규직 근로자의 월급여는 정규직의 53.5%, 대기업 대비 중소기업 근로자의 임금수준은 64.1%, 여성근로자의 월급여는 남성 대비 64.0%이다.

[그림 3] 남녀 임금격차 국제비교(2000년, 2006년, 2014년)

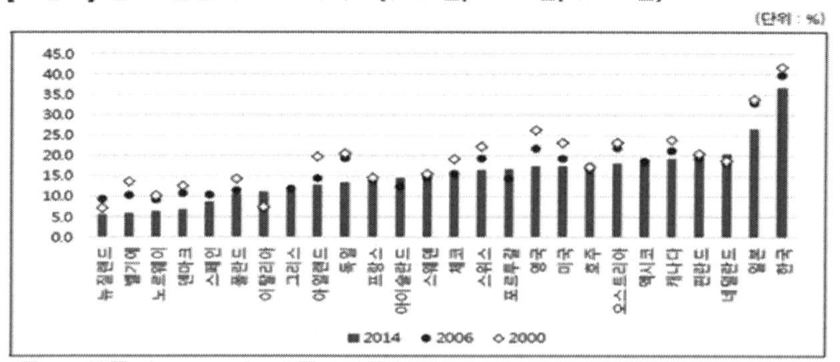

주 : 한국의 2014년 기준 임금격차는 36.7%로 이는 여성이 남성(100.0)에 비해 36.7% 덜 받는다는 것을 의미

자료 : OECD, 2015.

특히 청년실업문제가 심각하여 세대간 양극화를 보이고 있다. 통계청이 발표한 고용동향에 의하면 15~29세 청년실업률은 올해 2월 12.5%, 3월 11.8%, 4월 10.9%로 3개월 연속 같은 달 기준으로 최고치를 기록하고 있다. 높은 청년실업이 지속

되면서 청년실신시대라는 말도 등장했다. 실업자와 신용불량을 합쳐 실신시대라고 부르는데 이는 실업자이다 보니 빚더미에서 헤어나지 못해 신용불량자가 되는 악순환을 빗대어 부르는 말이다.

2016년부터 실시되는 정년연장은 청년실업률을 더욱 악화시킬 것으로 보인다. 국회가 정년 연장에 관한 법을 통과시키면서 임금체계 개편에 대해서는 조치를 취하지 않았기 때문이다. 정년제 연장 시행이 현실화되면서 정부는 정년연장과 연계하여 시행할 임금피크제를 청년실업의 해법으로 제시하고 있다.

(3) 고용의 양적 및 질적 저하

2016년 4월 현재 청년실업률은 10.9%로 높은 수준을 유지하고 있다. 고용 없는 성장에 대한 우려가 지속되고 있다. 전국경제인연합회가 30대 그룹을 대상으로 '2016년 고용계획'을 조사한 결과, 올해 30대 그룹 중 21개 그룹의 신규채용 규모가 지난해 수준 이하인 것으로 나타났다. 이 중 16개 그룹이 작년에 비해 신규채용 규모를 줄이는 것으로 나타났으며 신규채용을 늘리는 곳은 9개 그룹에 불과했다. 이에 따라 올해 신규채용은 작년 13만 1917명보다 4.2% 감소한 12만 6394명으로 예상된다.

대학졸업자의 고용은 감소하면서 비정규직의 확산과 고착화가 이루어지고 있다. 비정규직의 고착화는 청년 세대에게 사회적 문제로 등장했다. 청년 취업자의 3분의 1이 첫 일자리를 계약직인 비정규직으로 출발함으로써 계약직이 정규직으로 가는 징검다리가 아니라 '비정규직의 함정'에 빠지는 위험에 직면하게 되었다. 신규채용이 줄어드는 고용절벽 현상이 지속할 우려의 목소리가 높아지는 이유이다.

[그림 4] 최근 청년층(15-29세) 취업자 증감 및 실업자 추이

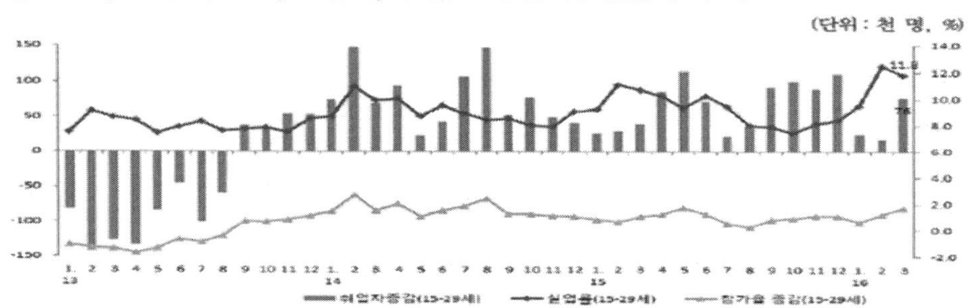

자료 : 한국노동연구원, 매월고용동향분석, 2016.5.

고용절벽 현상은 청년들에게 희망을 앗아가며 연애, 결혼, 출산을 포기하는 3포

세대란 신조어가 생겼다. 최근에는 인간관계와 내집 마련을 포기한 5포 세대. 희망과 취업을 포기한 7포 세대 등 포기 세대를 만들어 내고 있다. 심지어 한국이 지옥에 가깝다는 헬조선(Hell 朝鮮)이란 표현도 생겨나 대한민국 청년들의 슬픈 자화상이 되고 있다.

3. 노동시장의 과제

(1) 노동 개혁의 필요성

한국경제의 가장 큰 걸림돌이 노사관계라는 지적이 많다. 노동시장의 개혁이 이루어지지 않으면 세계화시대, 국경 없는 경제전쟁시대에 기업의 경쟁력 확보가 어렵기 때문이다. 외국기업들이 한국을 떠나고 한국에 대한 투자를 꺼리는 가장 큰 이유도 노사갈등을 들고 있다. 더욱이 전자, 자동차, 조선 등 주요산업의 수출이 부진하고 저성장이 지속되면서 구조조정의 압력도 거세지고 있어 경제위기의식이 확산되는 상황이다.

1997년 IMF외환위기 직전 미국의 컨설팅업체인 부즈앤드앨런은 "한국은 저임금의 중국과 고기술의 일본의 호두까기에 낀 운명이다. 변화를 위한 행동은 없고 논의만 무성하다. 스스로 변하지 않으면 종국에는 변화를 강요당할 것이다"라며 넛크래커(nut-cracker) 현상을 지적한 바 있다. 최근 들어 일본의 엔저 공세와 중국의 기술추격 가속화로 한국이 '新넛크래커' 현상에 빠졌다는 우려가 대두되고 있다. 엔저 추세에 힘입어 일본 산업이 활기를 찾고, 중국제품은 값만 싸다는 이미지를 벗어나 가격이 저렴할 뿐만 아니라 품질 역시 괄목할만한 성장을 하여 한국기업과의 격차가 현저히 줄어들었다.

정부는 공공, 금융, 교육, 노동 등 4대개혁을 추진하면서 노동개혁을 위해 총력을 기울이고 있다. 박근혜 대통령은 "노동개혁은 생존을 위한 필수전략, 우리 경제의 재도약, 세대간 상생을 위한 시대적 과제" 라며 그 중요성을 강조하였다.

노동시장이 개혁돼야 기업이 경쟁력을 확보함으로써 청년들이 더 좋은 일자리를 갖고, 기업・세대・고용형태간 양극화가 개선될 수 있기 때문이다.

(2) 노동시장의 경직성

노동시장 개혁의 핵심은 고용과 임금의 유연성을 확보하는 것이다. 한국의 노동시장의 경직성 문제는 IMF외환위기 이후 끊임없이 제기되어 왔다. 노동시장유연화가 글로벌 경제에서 경쟁력의 핵심이라는 주장이었다.

노동시장이 경직된 가운데 비정규직 문제가 사회적인 이슈로 등장하였다. 비정규직의 비중은 정부 통계에 의하면 2013년 현재 32.6%이다. 비정규직의 월평균 임금 수준은 2007년 정규직의 64%에서 2013년에는 53.5%로 줄어들었다. 기간제 노동자 보호법의 모순도 나타나고 있다. 2년 이상 비정규직으로 근무하면 정규직 전환을 강제하는 법률 때문에 2년 기간 도래 직전에 해고하고 다른 근로자를 채용하는 편법이 이루어지고 있다.

정규직과 비정규직의 가장 큰 문제점은 비합리적인 차별성이다. 같은 직무를 수행해도 비정규직이라는 이유로 급여와 복지에서 현저한 불이익을 받는다. 정규직 근로자는 과도하게 보호되고 있는 반면에, 비정규직 근로자는 지나치게 차별을 받고 있다는 점이다. 이를 해소하기 위해서 노동시장의 유연화를 통해 보상기준을 정규직과 비정규직이라는 신분·속성에 의해서가 아니라 직무와 성과에 따라 결정하면 개선할 수 있기 때문에 노동시장 유연화가 강조되고 있다.

한국 기업의 임금체계는 연공급을 기반으로 하고 있다. 2016년부터 정년제 연장이 시행됨에 따라 임금체계개선은 더욱 시급한 과제가 되었다. 정부는 임금피크제를 도입하고 연공급 임금체계를 직무와 성과 중심의 임금체계로 전환하여 청년 고용을 확대하려는 전략을 계획하고 있다. 임금피크제와 임금체계개편 현황은 어떠할까. 대한상공회의소가 올해 초 조사한 《정년 60세 시대의 기업대응실태》 결과를 보면 1단계 정년연장 적용대상 기업(상시근로자 300인 이상) 300곳 중에서 임금피크제를 도입한 기업은 42.7%, 연공형 임금체계(호봉제)를 직무·성과급형으로 개편한 기업은 23.7%, 임금피크제 도입과 임금체계 개편 둘 다 못했다고 답한 기업이 46.0%로 나타났다. 특히 정년연장이 기업의 신규채용에 미치는 영향을 묻는 질문에 응답기업의 42.3%는 '정년연장으로 신규채용 축소가 불가피하다'고 응답하였다.

[그림 5] 정년 60세 시대의 기업대응실태 (단위: %)

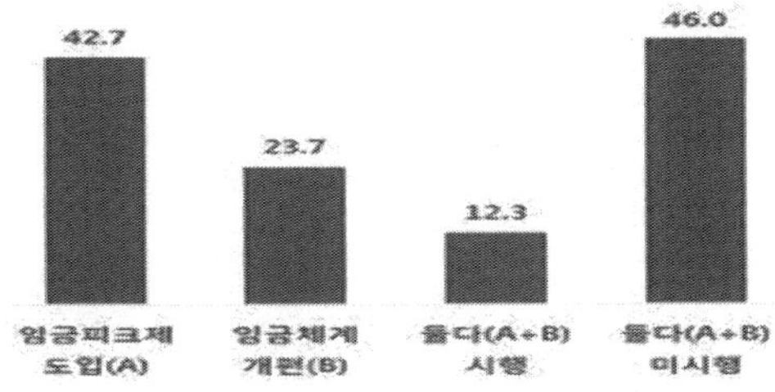

자료 : 대한상공회의소, 《정년 60세 시대의 기업대응실태》, 2016.

4. 조직문화의 과제

한국의 조직문화의 문제점은 장시간 근로와 저생산성, 목표지상주의, 소통문화 미흡, 토론문화 부족, 근무형태의 유연성 부족, 글로벌 스탠다드의 미흡 등 다양하다.

한국의 조직문화는 명령과 복종의 수직적인 조직문화가 잔존하고 있다. 현재 기업에는 베이비붐 세대와 밀레니엄 세대가 공존하고 있다. 권위주의에 젖은 베이비붐 세대와 개방·협력·창의에 관심을 가진 밀레니엄 세대간의 문화 충돌이 불가피하다. 수직적인 조직문화에서 장시간 근로와 저생산성이 지속되고 있는 것이다. 한국은 〈 표 2〉와 〈 표 3〉에서 보는 바와 같이 OECD 국가 중 멕시코 다음으로 장시간 근로를 하면서도 생산성은 낮은 상황이다.

〈 표 2〉 OECD 회원국의 임금근로자 연간 평균 근로시간 (2013년)

국가	독일	프랑스	영국	일본	미국	한국	멕시코	평균
시간(년)	1,388	1,489	1,669	1,735	1,788	2,163	2,237	1,770

자료 : OECD, 2014.

〈 표 3〉 1인 시간당 노동생산성(2013년)

국가	한국	일본	독일	미국	OECD평균
생산성($)	29.9	36.2	50.9	58.9	40.5

자료 : OECD, 2014.

2013년 기준 1인 시간당 노동생산성을 비교해 보면 미국 58.9달러, 독일 50.9달러, 일본 36.2달러에 비해 한국은 29.9달러에 불과하다. 이는 미국 생산성의 51%, 독일의 59%, 일본의 83%에 지나지 않는다.

한국의 자동차업계가 대표적인 사례이다. 한국자동차산업협회는 2014년 국내 완성차 업체 1인당 평균 연봉은 9234만원으로 세계 최고 수준이라고 밝혔다. 이는 독일 폴크스바겐 9062만원, 일본 도요타 8351만원보다 높다. 반면에 생산성은 떨어진다. 1인당 연간 생산대수가 한국은 37대에 불과하나, 폴크스바겐은 57대, 도요타는 93대나 된다.

이에 대한 주요 원인으로 일하는 방식과 음주문화를 들 수 있다. 아직도 양적인 근무형태가 중시되고 있어 소위 눈도장을 찍는 사례가 여전하다. 명령과 복종의 기업문화가 잔존하고 있어 토론이 활성화되지 못한 측면도 있다. 음주문화 역시 생산성의 발목을 잡는 주범으로 지적되고 있다.

[그림 6] OECD회원국 근로시간 비교(2014년)

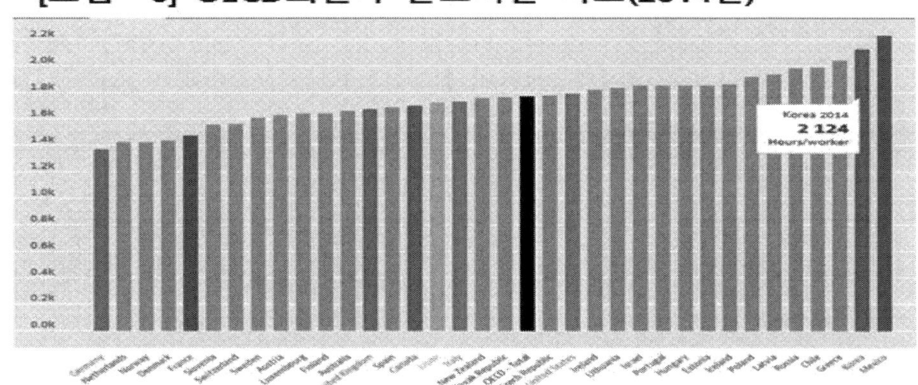

자료 : OECD, 2015.

프랑스의 현지 법인장을 지낸 에릭 쉬르데쥬(2015)가 얼마 전 자신의 경험담을 프랑스에서 책으로 발간하여 한국의 직장문화의 문제점을 신랄하게 비판한 내용이 언론에 소개되었다. 그는 명령과 복종의 권위주의 관행과 폭탄주 문화를 꼬집으면서 영하 12도에서도 폭탄주를 마시며 파티하는 모습에 경악했다고 밝혔다. 앞으로 한국인이 음주문화와 토론이 없는 문화를 바꾸고 글로벌 마인드를 가지지 않으면 글로벌 시대에 어려워진다고 경고했다. 장시간 근로와 음주문화가 근로자의 생산성을 낮추고 유연근로시간제, 재택근무 등 가족친화경영을 어렵게 만드는 요인이 되고 있다.

5. 세금문제의 과제

모든 국민은 납세의 의무가 있다. 세금은 공평성을 유지하는 것이 중요하다. 공평성 차원에서 세금은 늘 관심의 대상이 되고 있다.

(1) 높은 소득세 면제비율

우리나라 현행 세법은 자연인의 소득에 대해서는 소득세를 부과하고, 법인의 소득에 대해서는 법인세를 과세한다. 소득세는 소득세 면제 비율이 국세청 조사 결과에 따르면 2013년 기준 전체 근로자의 31%가 되어 일본(15.8%), 독일(19.8%), 캐나다(22.6%) 등 선진국과 비교할 때 높다는 것이 문제점으로 지적되고 있다. 소득세 면제비율은 2014년도에는 45.7%까지 올랐다. 근로자의 절반 가까이가 세금을 한 푼도 내지 않고 있다는 뜻이다. <표 4>에서 보는 바와 같이 국가별 근로소득세를 비교하면 한국은 43.8%로 현저히 낮다는 것을 알 수 있다. 우리나라에서 유독 면세 근로자 문제가 심각한 이유는 포퓰리즘 조세정책 때문이다. 복지요구는 높아지는데 세금의 재원은 부족한 딜레마가 계속되고 있다.

<표 4> 국가별 소득세, 근로소득세 수입 비교(2012년)

(단위 : 각국통화, %)

국가명	단위	소득세	근로소득세	근소세 비중
Austria	백만EUR	30,239	24,759	81.7
Belgium	백만EUR	47,455	44,055	92.8
Czech Rep.	백만CZK	144,831	124,055	85.6
Germany	백만EUR	256,821	165,875	64.6
Israel	백만ILS	54,233	43,395	80.0
Korea[1]	십억KRW	51,185	22,401	43.8
Luxembourg	백만EUR	3,699	2,504	67.7
Netherland	백만EUR	47,015	45,207	96.2
평균[2]				76.6

자료 : OECD, 2013.

법인세는 세금구조가 3단계로 되어 있다. 2억 원 이하 이익은 10%, 2억~200억원은 20%, 200억 원 이상 이익은 22%의 법인세가 부과된다. 법인세에 대한 야당과 여당의 입장은 다르다.

야당은 법인세 인상을 주장한다. 2008년도에 법인세를 3% 인하하였으나 대기업사 내유보금만 역대 최고로 증가했을 뿐 투자활성화 같은 낙수효과는 전혀 이뤄지지 않았고, 고용 없는 성장만 있었다고 평가한다. 이런 재정정책이 지속된다면 소득 불평등은 더욱 심화되고 국가재정은 갈수록 악화된다는 주장이다.

반면에 여당은 법인세 인상에 신중하다. OECD 국가들은 그리스, 아이슬란드, 포르투갈, 슬로바키아, 칠레, 멕시코의 6개국을 제외하면, 2007년부터 2015년까지 점진적으로 법인세율을 낮추었다. 법인세를 인상한 OECD 국가들 중 적지 않은 국가가 어려움에 봉착했다. 법인세는 부자감세가 아닐뿐더러 법인세 인상은 가격을 상승시켜 소비자에게 일부 전가가 되고, 투자와 고용을 위축시켜 근로자에게 전가된다는 논리이다.

법인세에 대한 국제적인 추세는 법인세를 낮추는 경향이다. 하지만 한국에서 법인세 인상의 주장이 아직도 설득력을 얻는 이유는 반기업 정서와 연계되어 있기 때문이다. 특히 지난 4.13 총선의 결과 여소야대 국회가 형성됨에 따라 야당에서는 법인세 인상을 검토하고 있다. 노동계 및 야당 측은 사내유보금 중 일부라도 떼어내 새로운 일자리 창출에 힘쓰라는 주장을 편다. 그간 정부로부터 여러 특혜를 받았고 국민들이 탄탄한 내수시장을 형성시켜준 덕분에 대기업들이 성장할 수 있었으므로 이를 조금이라도 돌려주라는 의미이다. 심지어 '재벌 사내유보금 환수 운동본부'에서는 재벌 사내유보금을 사회적으로 환수해 노동자 · 서민의 생존을 위해 사용해야 한다는 극단적인 주장까지 하고 있다.

(3) 높은 상속세율과 반기업 정서

상속세 역시 뜨거운 감자이다. 상속세는 〈 표 5〉에서 보듯이 상속재산에 따라 상속세율이 달라지고 있다.

〈 표 5 〉상속세의 현황

과세표준	1억 원 이하	5억 이하	10억 이하	30억 이하	30억 초과
세율(%)	10	20	30	40	50

자료 : 국세청

상속세는 부의 세습을 시정하고, 빈부격차가 유전되는 것을 방지하기 위해 사회정책적인 관점에서 부과하는 조세이다. 상속세의 개편방향은 이미 연구기관과 조세전문가들이 세계적인 추세를 반영하여 상속세 비율을 낮추어야 한다는 의견이 지배적이다. 하지만 부의 대물림에 대한 국민정서가 부정적이어서 정부와 정치권이 소극적인 입장을 취하고 있다. 상속세의 불법, 탈세, 편법에 대한 비판의 목소리가 높은 까닭이다.

한국조세재정연구원은 상속세율을 인하하든지 폐지하는 것이 세계적 추세라는 사실을 인정하고 현재 50%인 상속증여세율을 소득세 최고세율(38%) 수준으로 낮추는 방안이 필요하다는 입장이다. 실제로 정부는 상속세율 및 증여세율은 OECD 국가들 중 최고수준(50%)이고 OECD 국가 상속세 최고세율 평균(26%)의 2배 수준인 세율체계를 유지하는 것은 문제가 있다고 인식한다. 개방경제에서 타국보다 높은 상속세율을 유지할 경우 국부의 해외유출로 인한 경제 활력 저해 등이 우려되어 2008년도에 상속 · 증여세율을 인하하는 내용의 법안을 발의하였으나 국회에서 폐기된 바 있다(원종학 외, 2012). 이후 정부는 2015년 세법개정안에서 상속세 개편에 대해서는 일절 언급하지 않았다.

독일, 영국은 세제 혜택이 많고 홍콩, 싱가포르, 뉴질랜드는 상속세를 폐지했다. 스웨덴, 캐나다, 호주는 낮은 자본이득세로 대체했다. 미국은 부시 전 대통령이 2003년 상속세가 경기활성화에 걸림돌이 되고 이중과세라는 점을 들어 단계적으로 폐지하는 정책을 추진한바 있다. 하지만 금융계의 큰 손인 조지 소로스를 비롯해 워런 버핏 등 세계적인 갑부들이 상속세 폐지를 반대하는 청원 운동을 벌였다. 오히려 상속세율을 올리자고 주장하기도 했다(원종학 외, 2012).

우리나라의 상속세는 세율은 높고 실효세율은 낮다는 모순에 빠져 있다. 각종 공제가 적용되어 10억 원까지 비과세를 하고 있다. 또 경제활성화를 이유로 특정 기업(매출 3000억 원 미만 중소·중견기업)의 경영상속 부분에 대해서는 공제혜택을 주고 있다. 이런 상황에서 편법을 통한 세금회피는 증가하고 실질적인 세수효과는 적은 딜레마가 계속되고 있는 실정이다.

6. 교육문제의 과제

공유가치창출은 교육과도 밀접한 관계가 있다. 함께 가는 공유가치 철학은 가정교육, 학교 교육, 시민 교육에서 끊임없이 학습되어야 할 덕목이다. 우리는 오랫동안 유교전통 속에서 가정교육을 통해 인성교육을 중시해 온 덕택에 동방예의지국(東方禮儀之國)이라는 칭송을 들었다. 하지만 대학 입시 위주의 교육으로 인성 교육은 점점 설 땅을 잃고 동방예의지국은 과거의 유산으로 전락하고 말았다.

뉴스나 TV를 보면 부정부패, 사기, 강도, 반인륜적 사건들이 주류를 이루어 대한민국은 사기 공화국, 사고 공화국이라는 오명까지 붙을 정도가 되었다. 또한 태아 낙태율, 노인 자살률, 노인층 빈곤율, 위스키 소비율 등에서 세계 1위라는 부끄러운 사회상을 보여주고 있다(곽삼근, 2015).

급기야 지난해에 인성교육진흥법까지 만들어졌다. 인성교육진흥법은 인성교육이 법을 만들어야 할 정도로 추락했다는 것을 의미한다. 이 법에 따라 국가와 지방자치단체, 학교에서는 인성교육을 의무적으로 실시해야 한다. 인성교육의 목적은 '올바른 인성을 갖춘 시민'을 육성하는 데 있다.

현재 우리나라 인성교육의 수준은 어느 정도일까. 이는 황우여 전 교육부장관이 "지금까지 경쟁과 자율이 교육의 가장 큰 목표였다면 앞으로는 인성교육이 중심이 돼야 한다"고 밝힌 내용 속에 잘 나타나 있다. 인성교육의 황폐화는 바로 경쟁과 자율이라는 교육 목표가 낳은 부작용이다. 지난 20여 년 동안 정부가 경쟁과 자율을 강조함에 따라 학생들은 성적과 스펙 쌓기에 집중했다.

학생들의 교육 속에 인성교육의 여백을 찾아보기 힘들다. 고등학교 때까지는 모든 것이 입시를 향해 집중된 까닭에 입시지옥 속에 갇혀 살아야 한다. 대학생이 되어서도 취업을 위해 성적과 스펙관리에 여념이 없다. 취업이 어려우니 취업이 될 때까지 학교에서 머무르며 대학 5학년, 6학년이 늘어나는 추세이다.

사회의 빠른 변화와 입시준비로 인하여 학교에서는 지식전달에 급급할 수밖에 없다. 게다가 과거 가정에서 주로 다루어지던 감성과 사회성 교육은 결여되어 학생들의 인지적·감성적·사회적 영역의 불균형을 초래하였다. 그 부작용은 사회와 학교 곳곳에서 나타나고 있으며, 참지 못하고 분노 조절이 안 되는 사회, 욕망·인간관계가 사라지는 무감동의 암울한 인간사회상도 제시되고 있다. 아동과 청소년의 교육이 바로 서지 못하면 대한민국 선진화의 길은 요원하므로 현재 비정상적으로 시행되고 있는 교육에 대한 혁신은 불가피하다. 아울러 유흥과 자극성으로 점철되어 있는 한국 성인들의 문화도 고귀한 표현 양식으로 변화될 필요가 있다(곽삼근, 2015).

이상에서 논의한 한국기업과 사회의 과제를 요약하면 〈표 6〉에서 보는 바와 같다.

〈표 6〉 한국기업과 사회의 과제 요약

구분	문제점 및 과제
한국자본주의의 과제	- 소득 불평등의 악화 - 양극화의 확대 - 사회갈등비용의 증가
대기업의 과제	- 반기업 정서의 지속 - 임금격차의 확대 - 고용의 양적 및 질적 저하
노동개혁의 과제	- 노동개혁의 필요성 - 노동시장의 경직성
조직문화의 과제	- 수직적인 조직문화의 잔존 - 소통과 토론문화의 부족 - 장시간 근무와 저생산성 - 근무형태의 유연성 부족
세금문제의 과제	- 높은 소득세의 면제비율 - 법인세 인하와 사내유보금 증가 - 높은 상속세와 반기업정서
교육의 과제	- 동방예의지국의 추락 - 인성교육의 황폐화

Ⅲ. 공유가치창출을 통한 착한 선진화 실천방안

1. 공유가치 창출의 기본방향

(1) 배경과 목적

공유가치창출(CSV)은 하버드 비즈니스 스쿨의 마이클 포터와 FSG의 공동창업자 마크 R. 크레이머가 경제·사회적 조건을 개선시키면서 동시에 비즈니스 핵심 경쟁력을 강화하는 일련의 기업 정책 및 경영활동을 의미한다.

기존 CSR(corporate social responsibility)은 기업의 성과를 어려운 사람들에게 나눠주는 방식이었다. 반면에 CSV는 사회적 약자와 함께 경제적 이윤과 사회적 가치를 함께 만들고 공유하는 것을 의미한다. CSV가 주목 받는 이유는 갈수록 확대되는 빈부격차를 해소하고, 기업의 영속적 성장을 통한 안정적인 사회를 이루기 위한 현실적인 방안으로 인식되고 있기 때문이다.

기업이 지속적으로 성장하기 위해서는 사회와 함께 발전해야 한다. 일반인들의 삶에 영향을 줄 수 있는 일자리 창출과 환경보호, 사회문화 창달 등은 기업 이익의 기반 위에서 이루어져야 한다는 문제 인식이다. 한국 기업에서는 기존의 CSR을 CSV로 대체하면서 적극적으로 참여하고 있다. 학계와 산업계에서도 CSV세미나를 개최하고 CSV 포터상을 제정하기도 했다.

한국에서 CSV의 반응이 높은 이유는 무엇일까. 그 동안 한국 기업들은 CSR의 이름으로 사회공헌활동에 많은 투자를 해왔다. 전경련에 따르면 2013년 한 해 동안 주요기업 234개사가 참여한 사회공헌 규모는 총 2조 8114억 원으로 1개사 평균 120억 1488만원에 이른다.

이는 세전이익대비 사회공헌지출이 3.76%나 되었다. 이처럼 많은 투자와 노력에도 불구하고 간헐적으로 발생하는 반기업정서와 맞물려 기업의 이미지 향상과 무형자산 가치 창출에 성공하지 못했다.

하지만 공유가치창출 개념은 용어 자체가 "가치를 공유하고 함께 간다"는 의미가 있어 국민정서에 거부감 없이 다가가는 특성이 있다. 우리의 전통적 가치관인 홍익인간, 두레 문화, 선비정신 등 공동체 의식과도 일맥상통한다. 뿐만 아니라 냉혹한 자본주의의 대안으로 떠오른 포용적 자본주의와 연장선상에 있기 때문에 본고에서 공유가치창출(CSV)은 포용적 자본주의, 공동체적 가치관을 포함하는 개념으로 사용하기로 한다.

(2) 선비정신과 공유가치 창출

우리는 한국인의 DNA속에 홍익인간, 선비정신과 같은 공동체 의식이 강한 문화적 유산을 가지고 있다. 특히 선비 정신은 한국 사회와 역사에 깊숙이 뿌리 박혀 있다. 선비정신은 유교문화에서 생성되어 조선시대에 조선왕조를 움직인 리더십의 핵심이었다. 선비정신은 인의예지신(仁義禮智信)을 바탕으로 의리와 지조, 검약과 절제, 상부상조를 중요시한다.

선비는 인성과 지성을 겸비한 지식인으로서 선비정신을 구현하는 리더를 말한다. 중국 역대 왕조의 평균 수명이 150년에 불과했다. 하지만 조선왕조는 5백년 이상의 수명을 누렸는데 그 배경이 바로 선비들이 실천한 선비정신이었다고 한다. 선비의 지향처는 수기치인(修己治人)이다. 어려서부터 철저한 인성 교육을 받고 학문을 연마하는 수기(修己)의 단계를 거쳐, 완성된 인격체에 이르러야 남을 다스리는 치인(治人)의 단계로 나아갈 수 있다. 선비는 선공후사(先公後私), 공평무사(公平無私)를 생활신조로 삼았다. 그리고 최종적 목표는 자신의 이기심과 욕망을 이겨 내 예(禮)로 돌아가는 극기복례(克己復禮)하여 서로가 공존하고 공생하는 것이다.

선비정신은 조선후기 실학사상과 연계되어 사회개혁사상으로 발전했다. 초기에는 성리학적 토대 위에서 경제적·사회적 문제해결에 관심을 가졌다. 서학의 과학기술문제와 사회제도 문제를 탐구하고, 중국 중심의 천하관을 극복하려고도 했다. 실학파는 이용후생파와 경세치용파로 구분되어 실용주의를 중시하는 방향으로 발전했다. 선비정신은 고정불변의 개념이 아니라 상황에 따라 진화하는 특성을 보여준 것이다.

이런 선비정신은 지식정보사회를 맞아 다시 '선비 자본주의'로 발전했다. 박우희·이어령(2005) 교수는 '선비 자본주의'의 개념과 방향을 제시했다. 상업은 공업에 의존하여 발전해 왔다. 하지만 21세기의 상업은 공업만이 아니라 0차 산업인 지식, 즉 사(士}와 손을 잡는 지식정보의 산업으로 변화하였다.

"지식, 정신, 문화, 그리고 선비(士), 이 모든 것이 한국의 경제 속에 어우러져 새로운 형태의 자본주의인 '선비 자본주의', 나아가 '사·상(士·商) 자본주의'로 거듭날 때, 한국의 자본주의의 미래는 다시금 희망찬 항해를 계속할 것이며, 우리는 그것을 만들어 낼 힘과 지혜를 우리의 머리와 가슴 속에 이미 가지고 있다는 것을 믿어 의심치 않는다. 사·상 자본주의에 걸맞은 정신이 우리 안에 이미 내재되어 있다는 것이다."

조선시대 선비정신을 실천한 상징적인 인물로 세종대왕, 조광조, 이황, 이이, 이순신, 정약용을 들 수 있다. 선비정신은 오늘날 공유가치 개념과 궤를 같이 하는 순수한 가치관으로 자본주의 4.0시대에 새롭게 조명할 필요가 있다.

김윤형 교수(2015)는 한국인의 일상적 사고와 행동양식은 역사적으로 각종 종교사상의 영향을 받아 형성되어 왔다고 강조한다. 인간관계는 유교적, 인생관은 불교적, 사랑이라는 행동철학은 기독교적, 운명관은 무속적이다. 한국적 전통문화가치의 핵심은 단국신화의 홍익인간의 정신, 불교의 자비·평등, 유교의 충·효·인, 그리고 기독교의 박애·평등주의 등의 요소가 종합적으로 이루어져 있다. 즉, 공동체적 이념·인도주의·평등주의가 한민족의 정신문화적 토양을 이루고 있는 요소인 것이다.

(3) 공유가치창출 개념의 확대

CSV개념은 공유가치 창출을 통해 기업과 사회와 교육 등 각 분야에서 적용할 수 있다. 기업내부에서 CSV는 경영자와 구성원, 기업과 노조의 관계에도 적용이 가능하다. 노동개혁과 세제개혁도 CSV의 연장선상에서 논의할 수 있다. 대기업과 중소기업은 CSV를 통해 상생협력, 동반성장을 할 수 있다. CSV는 또한 기업 외부의 소외계층에 대해서도 확장할 수 있다. 나아가 교육문제도 CSV의 관점에서 함께 논의할 수 있다.

이를 종합하면 공유가치창출 전략은 ① 기업내부의 CSV전략 ② 기업간 CSV전략 ③ 기업외부 소외계층과의 CSV전략 ④ 교육의 CSV전략 등 네 가지 부문에서 적용이 가능하다.

2. 기업내부의 공유가치 창출 실천방안

(1) 기업경영의 착한 선진화

1) 실천방안 1 : 선비정신으로 투명경영과 윤리경영 실천

대기업은 국민들의 반기업 정서에 대한 인식을 공유하고 대처해야 한다. 기업의 투명경영과 윤리경영에 대한 요구가 충족되지 않으면 국민의 반기업 정서가 확산될 수 있기 때문이다. 2015년 7월 제일모직과 삼성물산의 합병 때 경영권 방

어 이슈로 등장한 삼성과 엘리엇 사태를 주목할 필요가 있다. 미국계 헤지펀드인 엘리엇은 한국의 삼성을 경영권 희생물로 삼아 공격했다.

엘리엇은 자본시장 개방 이후 국내 반기업·반재벌 정서에 편승하여 삼성의 경영권을 공격하는 먹잇감으로 삼은 것이다. 삼성물산의 경우 엘리엇 측의 소송제기와 주주총회 반대 공격이 집요하여 경영권 방어에 실패할 수 있다는 우려마저 제기되었다. 국민의 여론도 결코 우호적이지 않았다. 위기의식을 느낀 삼성그룹은 애국 마케팅 전략을 펼쳐 가까스로 방어에 성공했다. 제일모직과 삼성물산의 합병주총 싸움은 일차적으로 삼성 측의 선방으로 끝났지만, 엘리엇의 공격은 이제 시작에 불과하다는 사실을 직시하지 않으면 안 된다.

엘리엇 사태가 시사하는 의미가 무엇인가. 애국심 마케팅은 한계효용체감의 법칙이 작용한다. 대기업이 국민 정서를 이탈하여 반기업 정서가 확대되면 여론은 언제 얼음장처럼 변화될지 모른다. 또한 대기업의 오너나 가족의 갑질논쟁, 일부 대기업의 경영권 분쟁 등이 국민 정서를 자극하면 재벌개혁에 대한 목소리는 더욱 크게 다가올 것이다. 특히 SNS의 발달은 이런 힘을 가능하게 만들어주고 있음을 유념해야 한다. 기업 스스로 경영권의 방어를 위해서도 투명경영과 윤리경영 및 고용확대를 통해 신뢰받는 기업으로 거듭나지 않으면 안 된다.

기업은 "투명경영과 윤리경영이 경쟁력이다"는 인식을 공유하고 선비정신으로 무장해야 한다. 지식정보사회에서 솔선수범하는 철학이 없이는 리더십을 발휘하기 어렵다. 선비정신을 통해 노블리스 오블리제를 실천하여 국민의 사랑받는 기업으로 발전해야 한다.

2) 실천방안 2 : 임금격차 개선과 일자리 창출

임금격차 확대에 대한 개선 노력도 주목해야 한다. 규모별, 고용형태별, 성별 임금격차 개선 노력이 필요하다. 대기업과 중소기업의 임금격차를 줄이고 정규직과 비정규직의 임금격차, 남성과 여성의 임금격차에 대한 개선노력이 요구된다.

임금격차 개선은 임금체계 개편과 연계되어야 한다. 학력과 근속년수를 중시하는 연공급 임금체계를 직무와 능력과 성과 중심으로 임금체계가 합리적으로 바뀌면 임금격차의 비합리적인 부분은 개선될 수 있는 까닭이다. 대기업의 임금이 노조의 교섭력에 의존하면 대기업과 중소기업의 임금격차는 확대될 수밖에 없다. 임금체계와 임금격차가 종합적인 인적자원관리와 임금관리의 틀 속에서 논의되어야 한다.

3) 실천방안 3 : 청년의무고용할당제와 청년 1명 더 고용하기 운동

4.13총선 후 여소야대 국회가 됨에 따라 청년의무고용할당제가 주목을 받고 있다. 더민주당, 국민당, 정의당의 야3당이 총선 공약으로 함께 내걸었기 때문이다. 20대 국회에서 이 공약을 우선적으로 법제화하겠다는 의도를 표명했다. 민간기업 청년의무고용할당제는 공공부문에 한시적으로 적용 중인 할당제를 확대해 300인 이상 민간기업도 매년 정원의 3~5% 이상 고용 규모를 늘리도록 법으로 강제하는 제도이다. 야3당은 청년고용할당제를 채택하면 연간 25만2000명의 일자리를 창출할 수 있다고 주장한다.

이에 대해 경영계는 "청년 고용 문제 해소는 우리 경제의 가장 시급한 과제 중 하나이지만 할당제가 실업 해결을 위한 답이 될 수 없다"면서 "민간 기업의 고용을 국가가 강제하는 것은 매우 극단적인 조치일 뿐 아니라 자유시장경제를 근간으로 하는 우리 경제의 정체성과도 정면 배치되기 때문"이라며 반대하고 있다.

고용을 법으로 강제하는 것은 일시적인 효과는 있을 수 있으나 부작용으로 인해 실패할 가능성이 높다. 법으로 규제하기 보다는 민간의 자율적인 참여를 유도하는 노력이 중요하다.

기업에서는 청년이 미래의 희망이라는 공유가치 철학을 가지고 '청년 1명 더 고용하기 운동'을 검토할 필요가 있다. 기업인들이 청년 고용절벽의 현실을 안타깝게 여기며 일자리 창출에 앞장선다면 공유가치창출의 좋은 실천 사례가 될 것이다. 예를 들면 중소기업은 신규채용 계획보다 한 명을 더 고용하는 목표를 세우고, 대기업은 신규채용 규모에 부문별로 1명 더 고용하는 방식으로 인재양성에 참여할 수 있다.

기업은 R&D에 투자하듯이 전략적 인적자원관리 차원에서 '사람이 희망이다'는 철학을 가지고 '청년 1명 더 고용하기'에 앞장서는 자세가 필요하다. 인재에 대해서도 투자하는 자세를 가지면 기업을 더욱 견실하게 운영하고 성장하는 요인이 될 수 있을 것이다.

(2) 노사관계의 착한 선진화

현재 한국경제는 '신넛크래커'의 위기에 노출된 상황이다. 노사정이 공유가치창출의 정신으로 가슴을 열고 노동개혁을 이루어야 한다. 노동개혁이 모든 개혁의 핵심이며 한국경제 선진화의 바로미터가 되기 때문이다.

<표 7> 노동개혁 5대 입법 여당안과 야당안의 비교

		여당	야당
근로 기준법	통상임금	통상임금은 사용자가 근로자에게 정기적·일률적으로 지급하기로 정한 일체의 금품. 다만 대통령령으로 정하는 금품은 통상임금에서 제외	통상임금은 사용자가 근로자에게 지급하기로 정한 일체의 금품
	노동시간	사용자가 근로자 대표와 서면으로 합의한 경우 휴일에 한해 1주 8시간까지 특별연장근로 허용(주 60시간) 휴일근로는 8시간까지 중복 할증을 하지 않음.	특별연장근로 없이 주 52시간 즉시 시행, 휴일 근로와 연장근로의 중복할증 인정
기간제 및 단시간 근로자 보호 등에 관한 법률		35살 이상 노동자가 신청할 경우 고용 기간 제한을 2년에서 4년으로 연장. 연장 뒤에도 정규직으로 전환하지 않으면 이직수당 지급	출산·육아 등 특별한 경우에만 기간제 근로자를 고용할 수 있도록 사용 사유를 제한. 사유가 사라졌거나 2년을 초과해 고용한 경우 무기계약 근로자로 간주. 노동조합도 차별 시정을 신청할 수 있음.
파견근로자 보호 등에 관한 법률		55살 이상 고령자, 고소득 관리·전문직, 뿌리산업 등에 대해 파견 허용 업무 확대	고도의 전문적인 지식·기술을 요하는 업무 등으로 파견근로자 사용 사유 축소. 노동조합도 차별시정 신청을 할 수 있음.
고용보험법		구직급여 지급기간 90~240일에서 120~270일로 확대. 구직급여 수급 자격을 이직 전 18개월간 180일 이상에서 24개월간 270일 이상으로 축소	구직급여 지급 기간을 180~360일로 확대. 구직급여 수급 자격을 18개월간 120일 이상으로 확대
산업재해보상 보호법		출퇴근 사고를 단계적으로 산업재해로 인정하되, 근로자의 과실이 있으면 보험 급여 제한	출퇴근 사고, 산업재해로 인정

노사정위원회는 지난해 9월 우여곡절 끝에 노동시장 구조개혁을 위한 노사정 타협을 이루었다.

그러나 올해 1월 한국노총은 정부와 새누리당의 노동개혁 5개 법안 제안에 반발하여 노사정위원회를 탈퇴함으로써 노사정위원회의 합의가 사실상 파기되었다. 5개 법안은 근로기준법, 기간제법, 파견근로자보호법, 고용보험법, 산업재해보험법을 말한다.

박근혜 대통령은 신년 대국민 담화에서 5개 법안 중 기간제법은 중장기적으로 해결하고 나머지 노동개혁 4법을 조속히 통과시켜 줄 것을 국회에 호소했다. 이에 따라 이후 노사문제는 노동개혁 4법으로 압축되어 여야간에 논의 되었다. 하지만 노동4법은 19대 국회에서 본격적으로 다루지 못하고 폐기 되었다. 노동개혁 5대 법안에 대한 여당안과 야당안의 차이점은 <표 7>에서 보는 바와 같다.

1) 실천방안 1 : (정부의 과제) 노동개혁을 위한 정부의 확고한 원칙과 의지

노동개혁에 있어서 정부의 역할이 중요하다. 노동개혁의 핵심인 노동시장의 유연성은 기존 노조원과 근로자들의 경직성을 완화하는 조치이므로 기득권층의 저항이 따른다. 노동개혁이 어려운 이유이다. 정부가 노동개혁에 대한 원칙 있는 청사진을 가지고 확고한 의지로 추진하지 않으면 성공하기가 어렵다. 더욱이 4.13 총선의 결과 여소야대가 된 상황에서 정부의 역할은 더욱 중요하다. 정부는 확고한 철학과 의지를 가지고 국회를 설득하는 노력을 기울여야 한다.

독일이 노동시장 개혁에 성공한 것도 바로 정부의 확고한 철학과 의지가 있기에 가능했다. 2003년 독일 쉬뢰더 총리는 강력한 정치적 의지로 노동시장 개혁을 추진했다. 노동시장 개혁의 핵심은 실업자 복지 축소, 노동시장 유연화, 창업활성화 등이다. 이를 위해 근로자파견 상한기간을 폐지하고, 10인 이하 사업장 해고규정을 예외로 인정하고, 임시직 근로자를 최장 4년 동안 고용하도록 연장하고, 시간제 근로자에게 세금 혜택을 주어 노동시장의 유연성을 높였다. 쉬뢰더 정부는 강한 의지와 책임의식을 가지고 노동개혁을 추진하여 개혁에 성공하였다. 이 과정에서 지지층의 여론이 악화되어 정권 재창출에는 실패했다. 그러나 노동개혁에 성공한 덕택에 독일 경제는 실업률이 절반 이하로 감소하여 경제가 회생함으로써 '유럽의 병자' 에서 '유럽 경제의 우등생' 으로 전환되었다(경제사회발전노사정위원회, 2015).

또한 최근 프랑스 대통령이 노동개혁을 과감하게 추진하는 자세는 우리에게 주는 시사점이 크다.

국회는 정치논리에 따라 입법을 추진해서는 안 되며 노동시장 개혁이 글로벌시대의 생존전략이라는 엄중한 현실을 직시하면서 입법화의 과정을 거쳐야 한다. 국회가 정치논리에 따라 졸속으로 만든 법들이 오늘의 노동시장의 혼란을 가져온 경험을 되돌아볼 필요가 있다. 국회가 2013년 60세 정년법을 통과시킬 때 임금체계에 대한 강제규정이 없이 인기에 영합하여 법을 통과시킨 결과가 현재의 노동

시장의 혼란을 가져온 원인임을 유념해야 한다.

정부와 국회는 독일과 프랑스의 노동개혁에서 보듯이 노동시장의 유연화가 경쟁력 확보에 있어서 얼마나 중요한 지를 인식할 필요가 있다. 예를 들면 국내 제조업 A사는 근로자가 91명인데 전원 정규직으로 되어 있는 까닭에 노동개혁이 뒷받침되지 않으면 경쟁력을 확보 할 수 없다고 하소연한다. 반면에 <표 8>에서 보는 바와 같이 일본 제조업 AVEX사는 근로자 구성이 정사원, 파트타임, 계약직, 파견근로자, 기술연수생 등으로 다양하게 구성되어 있어 경쟁력을 확보하고 있다.

<표 8> 일본 AVEX사의 종업원 구성도

(단위 : 년, 명)

년도	정사원	파트타임	계약	파견	기술연수	합계
2005	32	15	15	-	3	65
2006	34	18	24	-	3	78
2007	33	17	20	-	6	76
2008	34	20	20	-	6	80
2009	32	18	15	-	6	71
2010	35	23	-	12	9	76
2011	38	26	-	8	9	78
2012	37	23	-	17	11	89
2013	37	27	4	14	10	92
2014	37	31	9	12	14	103
2015	42	30	13	11	14	110

자료 : 일본 AVEX사

[그림 7] 일본 AVEX사의 종업원 구성도

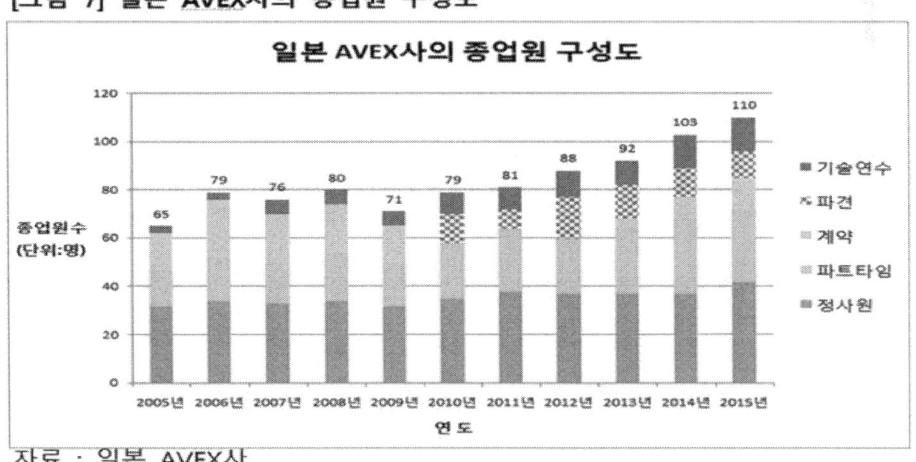

자료 : 일본 AVEX사

2) 실천방안 2 : (기업의 과제) 상생과 협력의 노사파트너십 형성

기업은 글로벌 경제에서 노사파트너십의 구축이 절실하다. 노사가 함께 가는 공동체 문화가 형성되어야 한다. 한국의 대기업은 압축성장을 하여 세계적인 기

업으로 성장하였으나 반기업 정서라는 딜레마에 빠져 있다. 한국의 노사관계가 갈등관계를 지속하는 이유도 기업성장과정과 연계되어 있다.

먼저 법과 원칙을 지키는 노사관계를 확립해야 한다. 기업부터 법과 원칙을 지키는 노력을 해야 한다. 동시에 정부가 법과 원칙을 지키는 노사관계 문화를 구축해 나가야 한다. 나아가 노사문제는 전략적인 인적자원관리와 리더십 차원에서 접근하여야 한다. 노사문제만으로 접근하면 대립과 갈등구조의 틀을 벗어나기 어렵다. 노사문제가 인적자원관리와 리더십 프레임 속에서 접근할 때 참여와 협력의 노사관계를 구축할 수 있기 때문이다.

기업은 합리적인 인사관리와 임금관리를 통해 노동시장의 유연화를 이끌어야 한다. 그렇지 않고 기능적인 노동시장의 유연화만을 추구하면 노사관계가 악화될 수 있다. 기업의 고용의 유연화와 임금의 유연화 전략을 인재육성전략 차원에서 접근하여 경쟁력을 높이는 데 초점을 맞추어야 한다.

3) 실천방안 3 : (노조의 과제) 참여와 협력의 노사관계 구축

한국의 대기업 노조는 집단이기주의라는 비판에 직면해 있다. 한국 기업의 노조 조직률은 2014년 현재 10.3%에 불과하다. 10%의 노조가 전체 근로자를 대변할 수 없다. 노조원들 자신의 임금과 복지향상만을 위해 투쟁하면 노조에 대한 국민의 시각이 비판적일 수밖에 없다. 진보진영에서도 "10%의 노동조직이 우리 사회의 상위 10%가 됐다" 는 비판까지 나올 정도가 되었음을 인식해야 한다.

우리나라가 선진국으로 가기 위해서는 노조 역시 준법정신이 중요해지고 있다. 노조 스스로 공권력을 중시하는 자세가 필요하다. 법과 원칙을 지키는 노사문화가 정착되지 않으면 해외기업들을 유치할 수 없기 때문이다. 국경 없는 경제전쟁 시대에 노사관계가 선진화되지 않으면 기업의 투자를 바랄 수 없는 것이다.

임금체계 개편에 있어서도 거시적인 안목이 요청된다. 임금피크제의 도입이 대표적인 시금석이 되고 있다. 정년은 5년 연장되었다. 정년 연장에 대한 인건비 부담은 고스란히 청년고용에 악재로 작용하고 있다. 지금 기업은 글로벌 경쟁에서 점점 힘들어지는 상황이다.

기업의 경쟁력 확보가 시급한 과제가 되었다. 노조가 단기적인 이익에 집착할 경우 기업의 경쟁력은 더욱 불안해질 수밖에 없다. 노사가 타협과 양보의 정신으로 정년 연장과 임금피크제 문제를 전향적인 자세에서 가슴을 맞대고 고민해야 한다. 2015년 한국고용노사관계학회의 설문조사에서도 근로자의 73%가 임금피크

제 도입을 찬성한다고 응답하였다. 노조는 아버지의 일자리와 자녀의 일자리가 제로섬의 관계가 되지 않도록 지혜를 모아야 한다.

(5) 기업문화의 착한 선진화방안

1) 실천방안 1 : 수평적인 조직문화의 구축

조직문화의 선진화는 수직적인 문화에서 수평적인 문화로 전환하는 데서 출발해야 한다. 지식정보사회는 개성과 창의성을 존중하는 시대이다. 지식정보사회 자체가 지식과 정보를 공유하고 그 공유된 지식과 정보를 바탕으로 협력하고 창의력을 발휘하는 시대를 의미한다. 협조성과 창의성이 핵심이다. 명령과 복종에 의해 움직이는 수직적인 조직구조에서는 권위주의 리더십으로도 문제가 되지 않았다. 하지만 지식정보사회에 기반한 수평적인 조직구조에서는 협업과 창의성을 높이기 위해서는 민주적인 리더십이 필요하다.

지난 3월 삼성전자는 '스타트업 삼성 컬처혁신 선포식'을 갖고 스타트업 기업처럼 빠르게 실행하는 기업으로의 변신을 선언했다. 열린 소통의 문화를 지향하면서 지속적으로 혁신하겠다는 의지를 밝혔다. 야근이나 주말 특근 등을 줄이고 불필요한 회의도 없애는 등 실리콘밸리 스타트업들의 열린 문화로 삼성전자의 기업문화를 바꿔나가겠다는 것이 핵심이다.

최근 박용만 대한상공회의소 회장이 저성장 뉴노멀시대에 직면한 한국경제의 최우선 해법으로 기업문화의 개선을 제시하여 기업문화에 대한 기업들의 관심이 높아지고 있다. 박 회장은 "야근, 상명하복 등 낡은 경영 문화는 우리 기업의 경쟁력과 사회적 지위를 좀먹는 고질적 병폐" 라며 "기업 구성원들이 좀 더 생산적으로 일하고, 국민들도 기업에 대한 시선을 바꿔갈 수 있도록 우리 스스로 업무방식과 구태문화를 바꿔나갈 것" 을 주문했다.

2) 실천방안 2 : 토론문화 활성화

우리나라 직장에서는 아직도 유교전통이 살아 있어 일 중심의 토론문화가 부족하다. 일을 놓고 토론이 되어야 하는데 토론을 하면 반대하는 것으로 오인하여 감정으로 비화되는 경향이 있다. 지식정보사회는 다품종소량생산체제이다. 고객이 원하는 상품을 만들어야 한다. 이제 고객이 왕인 시대가 되었다. 기업의 조직

구조도 수평적인 조직으로 바뀌었다. 개성과 창의성이 중요하다. 구성원들의 개성을 존중하고 동기부여 해야 창의성이 생긴다. 자발성과 창의성은 바로 소통에서 나오는 것을 명심해야 한다. 오늘날 소통은 선택이 아니라 필수가 되었다.

동의보감에 통즉불통 불통즉통(通卽不痛 不通卽痛)이란 말이 있다. 통하면 고통이 없고 통하지 않으면 통증이 있다는 뜻이다. 몸속에서 소통이 안 되면 병이 나듯이 직장에서 소통이 원활하지 않으면 구성원들이 고통스러우니 생산성은 낮을 수밖에 없다. 한국의 낮은 생산성은 소통의 부족에 원인이 있다. 진정성, 배려하는 태도를 가져야 한다. 소통이 원활하기 위해서는 토론문화가 활성화되어야 한다.

3) 실천방안 3 : 장시간 근무와 저생산성의 개선

한국의 연간 평균근로시간은 2100시간이 넘는다. 장시간 근로문화는 생산성과도 깊은 관계가 있다. 한국은 장시간 근로를 하면서도 생산성은 낮은 모순을 보이고 있다. 노사정위원회에서도 실근로시간 단축 법제도를 정비하여 2020년까지 연평균 1800시간대로 단축하겠다고 합의를 한 상태이다. 보람의 일터를 만들기 위해서는 장시간 근무와 저생산성의 고리를 단절해야 한다. 이를 위해 직무와 성과 중심의 임금체계와 인사평가 시스템으로 개편하고 합리적인 조직문화를 구축해 생산성을 높여야 한다. 근로시간의 단축, 음주문화의 개선, 가족친화적인 경영풍토를 조성해 나가는 게 바람직하다.

여성가족부에서는 가족친화제도를 모범적으로 운영하고 있는 기업, 공공기관, 지방자치단체 등에 대하여 심사를 통해 가족친화인증제를 운영하고 있다. 가족친화제도의 유형으로는 자녀 출산 및 양육지원, 유연근무제도, 가족친화 직장문화의 조성 등이 있다.

4) 실천방안 4 : 스마트 사무실 구축으로 근무환경의 개선

근무환경의 개선 노력도 중요하다. 유연근무제의 도입을 통해 조직 구성원의 만족도를 높이는 방안도 검토해야 한다. 최근 일부 기업에서 스마트 사무실을 구축하여 화제를 불러 일으켰다. 스마트 사무실에서 일하는 사람을 스마트 워커(smart worker)라고 부른다. 스마트 오피스를 도입하여 지정좌석제 폐지, 변동좌석제 도입, 페이퍼 없는 회의 진행, 정시퇴근 권유, 유연시간제 도입, 재택근무, 건전한 음주문화 정착 등 일하는 방식이 변화하고 있다. 포스코 ICT와 유한킴벌리 등이 스마트 오피스 시스템을 도입하여 생산성을 높이고 가족친화적인 기업을 만들어가고 있다. 스마트 사무실과 스마트 워커의 양성이 또 하나의 경쟁력이 될 수 있음을 간과해서는 안 된다.

(6) 세금문제의 착한 선진화방안

각종 조세에 관한 정책은 흔히 한 국가의 재정정책의 일환으로 수립·시행된다. 재정정책은 정부 예산의 수지를 통하여 완전고용과 경제의 안정적 성장의 실현을 목표로 하고 있다. 조세는 국민의 소비·저축·투자와 소득재분배에 영향을 미치기 때문에 중요하다.

1) 실천방안 1 : 소득세 면세범위 축소와 누진세 강화

소득세 면제 비율이 국세청 조사 결과에 따르면 2013년 기준 31%에서 세법개정으로 2014년도에는 45.7%까지 올랐다. 정부는 지난 해 연말정산 파동이 일자 세액 공제 혜택을 늘린 조치를 취한 탓에 면세비율은 다시 48.2%로 상승했다. 진보학자인 김상조 교수는 2014년 연말정산 자료를 분석하여 전체 근로소득자 중 절반이 근로소득세를 한 푼도 내지 않는 현상을 지적했다. 그는 복지 재원을 마련하기 위해서는 '부자증세' 뿐만 아니라 급여소득자 전반에 대한 '보편증세'가 필요하다고 주장했다. "복지를 확대하자고 하면서 정작 재원 조달 방안인 증세에 대해선 진보-보수 모두 제대로 이야기하지 않고 있다. 미래를 위해 모두가 세금을 더 내는 논의의 물꼬를 트고 싶었다. 소수의 고소득층에 집중한 직접 증세만으로는 필요한 복지 재원을 확보할 수 없다는 사실을 여야 및 진보·보수가 모두 인정해야 한다."

소득세 면제비율을 확대하는 정책은 재고되어야 하며 복지 확대를 위해서는 세금을 내는 소득자의 비율이 확대되어야 한다. 동시에 고소득자에 대한 누진세는 강화되어야 한다.

2) 실천방안 2 : 법인세 인상 논쟁과 사내유보금 활용

법인세는 소득세에 비해 조세 저항이 적기 때문에 증세 논의가 나올 때마다 단

골메뉴로 등장한다. 노동계와 야당은 법인세 인상을 끊임없이 요구하고 있다. 현재의 법인세 누진구조는 기업 규모에 따른 형평성을 상실하였고 실질적인 누진효과가 미흡하다는 주장이다. 경제계에선 경기활성화를 위해선 법인세 부담을 줄여야 한다는 입장이다. 현재 기업에 대한 비과세와 감면이 축소되어 사실상 법인세 인상효과가 있기 때문이다. 법인세 최저납부세율은 2012년 14%에서 2014년에 17%로 인상되었다. 고용창출투자세액도 동기간 중 3-4%에서 1-2%로 인하되었다.

개인의 성실납부도 중요하다. 탈루가능성이 있는 개인사업자에 대한 성실납부의식을 높이고 국세청도 세원확보를 위해 전산체계를 강화하고 세원확보를 위해 노력해야 한다. 실제로 국세청은 지난해 3월 법인세 신고를 앞두고 법인 6만여곳에 전산분석자료를 사전에 제공했다. 5월 종합소득세 신고를 앞두고선 탈루 가능성이 큰 개인사업자 53만 명에게도 비슷한 자료와 안내문을 보냈다. 법인이나 개인사업자 입장에선 국세청이 전산 분석을 통해 파악한 내용을 축소 신고할 수 없어 탈루를 방지하는 효과가 있었다.

법인세는 국제적인 추세로 보면 인하 하는 방향으로 가야 한다. 하지만 국민정서가 변수다. 기업의 사내유보금이 증가하고 반기업 정서가 계속되는 한 법인세 인상에 대한 압력은 계속될 것이다.

3) 실천방안 3 : 상속세의 부정적 이미지 근절과 상속세의 개선

상속세 및 증여세가 우리나라 세수에서 차지하는 비중은 1-2%에 불과하다. 그러나 상속 및 증여는 부의 무상이전이라는 점에서 사회정의 차원의 부의 공평 분배에 상당한 영향을 주므로 상속 ·증여세 제도는 정부의 중요한 정책도구가 되고 있다.

상속세와 증여세에 대한 외국의 동향을 보면 많은 나라에서 상속세를 폐지하고 있다. 캐나다는 세계 최초로 1972년에 상속·증여세를 폐지하였고, 호주도 1972년부터 1984년까지 단계적으로 폐지하였다. 포르투갈과 슬로바키아는 2004년에, 스웨덴은 2005년에 폐지하였다. 일본, 영국, 독일에서는 가업승계·상속에 대해서만큼은 공제범위를 확대하는 추세를 보였다. 이들 국가들은 경제활동의 활성화와 국제적 투자유치, 자영업자의 원활한 가업승계를 목표로 상속세를 폐지하거나 감소하는 조치를 취했다. 반면에 미국의 부시 행정부는 상속세 폐지를 시도했으나, 오바마 행정부는 2013년부터 상속·증여세 최고세율을 기존 35%에서 40%로 인상하는 조치를 취했다(원종학 외, 2012).

최광(2008)은 경제의 효율성과 활력을 저해하여 성장잠재력의 훼손을 초래하는 상속세를 폐지하고 '자본이득세'로 전환할 것을 촉구하였다. 상속세를 폐지한 나라들의 경우 대부분 자본이득세로 대체하는 경향을 보였다.

기업 오너와 가족은 상속·증여세에 관한 국민의 곱지 않은 시선을 의식해야 한다. 그 동안 일부 대기업들이 부의 대물림 과정에서 많은 편법과 탈법, 불법이 이루어졌다고 믿고 있어 오히려 상속세를 더 강화해야한다는 주장이 강하게 남아 있다.

기업이 상속세 관련 부정적인 이미지를 근절하고 성실한 납세의무를 지킴으로써 반기업 정서가 개선되도록 노력하는 일이 선행되어야 한다. 또한 정부는 선진국의 동향을 고려하여 상속증여세 제도의 근본적 문제 해소를 위해 공론화의 과정에 나서야 한다.

3. 대기업과 중소기업의 공유가치 창출

(1) 실천방안 1 : 대기업과 중소기업의 동반성장

중소기업의 문제점은 대기업 횡포의 대명사가 된 중소기업의 '3불 문제', 즉 불합리한 제도, 불공정한 거래, 불균형된 시장을 개선하는데 있다. 그동안 대기업의 하청기업에 대한 갑질논쟁이 끊임없이 제기되어 왔다. 중소기업의 3불 문제가 해소되지 않으면 대기업의 경쟁력도 쇠퇴할 수밖에 없다. 대기업과 중소기업은 공동운명체임을 상기해야 한다.

독일 경제가 최고의 경쟁력을 자랑하는 것도 대기업과 중소기업이 상생하면서 동반 성장하고 있기 때문이다. 우리나라도 중소기업의 발전 없이 대기업의 발전을 지속적으로 기대하기는 어려운 실정이다. 정부는 중소기업의 3불 문제를 개선하기 위해 2010년 동반성장위원회를 발족하고 대기업과 중소기업의 상생협력을 위한 노력을 기울이고 있다.

동반성장위원회는 대기업과 중소기업의 동반성장을 통한 포용적 성장(inclusive growth)을 강조하면서 대기업과 중소기업 협력모델을 제시했다. 범산업계의 동반성장 분위기 확산, 대기업의 동반성장지수 산정 및 공표, 중소기업 적합업종 지정, 중소기업의 대기업 해외 네트워크 해외동반진출 글로벌화 수출산업화, 사전약정에 따른 성과공유제, 2·3·4차 협력사 상생결제 시스템 도입, 구매상담회, 중소기업 기술보호 등이다.

다양한 분야에서 아직 미흡하지만 대기업과 중소기업이 동반성장 하려는 시도가 일어나고 있다. 중소기업의 대기업 해외 네트워크 활용, 사전약정에 따른 성과공유제, 대기업의 구매담당임직원을 상대로 구매상담회가 진행되어 큰 호응을 얻고 있다. 동시에 원청·하청업체 상생협력 방안을 제고하는 일도 중요하다.

정부는 중소기업의 기술보호를 위해 '중소기업 기술보호 지원에 관한 법률'을 제정하고, 불공정 행위를 저지른 대기업을 검찰에 고발할 수 있는 '의무고발요청' 제도를 도입하는 등 제도정비를 보완했다. 그러나 대기업의 하청기업 횡포에 대한 이미지는 아직도 국민들의 뇌리에 깊숙이 밝혀 있다. 진정한 동반성장은 대기업의 중소기업에 대한 시혜나 정부의 반강제적인 조치로 이루어지는 게 아니다. 건강한 중소기업 없이 건강한 대기업이 있을 수 없음을 인식하고 진정한 동반관계가 될 수 있도록 대기업의 인식전환이 요구되는 이유이다.

동반성장의 모범사례를 더욱 많이 발굴하고 확산시키는 노력을 기울여야 한다. 이를 통해 기업생태계 변화를 유도함으로써 사회문화운동으로 정착될 수 있도록 최선을 다해야 한다.

(2) 실천방안 2 : 성과공유제 성공 사례의 확산

성과공유제는 2010년 이후 꾸준히 증가하여 2015년 11월 현재 213개 기업까지 확대되었다. 2014년 우수사례로 현대로템과 인터콘시스템사를 들 수 있다. 양사는 터키 이즈미르시 전동차에 설치되는 통합형 방송장치 공동개발을 통해 해외동반 진출에 성공했다. 현대로템은 개발비 5.8억원을 지원했고 인터콘시스템스는 제품개발, 시제품 제작 및 검증을 통해 현대로템은 기존 수입품 대비 약 15%의 원가를 절감하였고, 인터콘시스템스는 협력개발을 위한 신규인력 9명의 고용을 창출했고 50억 원의 매출을 확보했다.

또한 2015년 SK하이닉스 노사가 체결한 '임금인상 공유제' 도 큰 호응을 얻었다. 노조와 회사가 임금 인상분의 10%를 갹출하여 협력업체 직원 4000여 명의 임금 인상과 복리후생에 사용하고, 임금 인상액의 일부를 협력사와 나누는 상생제도를 도입했다. 국내 최초의 상생 모델인지라 다른 기업들이 참여하면 정규직과 비정규직 문제 해결의 돌파구가 될 수 있기 때문에 기대를 모으고 있다.

대기업과 하청기업들이 성과공유제를 도입하는 사례가 증가하면 대기업과 중소기업의 임금격차는 완화되고 대기업과 하청기업의 동반성장에 대한 시너지 효과도 높아질 것이다.

(3) 실천방안 3 : 중소기업간의 경쟁과 협력관계 강화

동반성장정책은 중소기업의 성장발전에 중요하지만 대기업의 주도적인 역할을 전제하고 있다. 중소기업 스스로 경쟁력을 향상하는 노력이 수반되어야 한다. 중소기업 경영자도 선비정신을 통해 투명경영과 윤리경영을 강화해 나가야 한다. 정부와 대기업에 의존적인 자세를 탈피하여 핵심역량을 구축함으로써 글로벌 강소기업으로 성장하는 꿈과 비전을 가져야 한다. 중소기업간 공정한 경쟁과 협력을 강화하면서 인프라를 공동으로 구축하여 중소기업들의 공동협력모델도 개발할 필요가 있다(곽수근, 2014).

4. 기업과 소외계층의 공유가치 창출 방안

(1) 실천방안 1 : CSV의 철학 확대

기업의 기본목적은 이윤극대화이다. 동시에 기업은 사회적 책임인 CSR을 통해 기업이 이윤만을 추구하고 있지 않다는 점을 보이기 위해 노력해 왔다. 많은 기업들이 CSR개념을 도입하여 경제적, 법적, 윤리적, 자선적 책임을 다하기 위해 활동하는 이유이다. 이런 배경에서 시작된 CSR은 <표 9>에서 보는 바와 같이 일방적 선행인 까닭에 자선활동을 위한 비용 개념으로 인식되었다. 하는 일은 외부의 영향을 받아 결정되고 예산은 대체로 매출액 대비 일정비율을 책정하여 소극적인 활동을 벌여왔다.

그러나 CSV는 사회의 발전과 기업의 경제적 이익 창출을 양립할 수 있는 투자 개념이다. 이는 이윤극대화를 위한 필수요소이고 기업전체 예산에 반영된다. 기업이 적극적으로 참여하여 사회 발전에 기여하고 이윤도 창출하는 목표를 가지고 활동한다. 따라서 기업의 경쟁력 강화에 초점을 맞춘 전략적 투자의 성격이 강하다. 앞으로 기업은 CSV의 철학을 공유하고 노력해 가가는 노력이 필요하다. CSR과 CSV의 차이점은 <표 9〉 에 잘 나타나 있다.

<표 9〉 CSR과 CSV의 차이

구분	CSR	CSV
가치	선행(doing good)	투입비용 대비 높은 사회경제적 가치
활동	시민의식을 전제로 한 자선활동	기업과 공동체의 가치 창조
인식	이윤극대화와 무관	이윤극대화를 위한 필수 요소
주제	외부의 영향	기업 내부에서 생성된 주제
예산	기업의 CSR예산에 한정	기업전체 예산에 CSV 반영

자료 : Michael E. Porter and Mark R. Kramer, "Created Shared Value", Harvard Business Review 〉, January-February 2011.

(2) 실천방안 2 : CSR의 철학 확대

앞으로 기업은 CSV의 철학을 공유하고 확신시키는 노력을 기울여야 한다. 그러나 CSV전략에도 문제점이 있다. CSV는 기본적으로 자본주의 원칙을 따르는 수익 중심적인 성향이 있음을 주시해야 한다. 때문에 수익실현이 불가능한 사회책임분야에 대해 외면하게 될 위험이 있다.

기업은 기존의 CSR전략을 수행하면서 가치혁신이 가능한 분야에 프로젝트 개념으로 CSV를 도입하여 공유가치를 창출하는 방안이 바람직하다. 또한 CSV는 주로 대기업이 할 수 있기 때문에 중소기업의 참여는 쉽지 않다. 따라서 기업은 CSR을 추진하는 기업과 CSR과 CSV를 동시에 추진하는 기업으로 구분할 수 있다. 기업의 역량에 따라 CSR을 추진하면서 기업의 역량이 확대되면 CSV를 병행하는 전략을 수립하는 게 바람직하다. CSR과 CSV가 성공하기 위해서는 최고경영자의 확고한 의지와 조직 구성원들의 공유가치 철학에 대한 비전공유와 실현의지가 중요하다(김세중, 2012).

공유가치창출 개념은 정부의 복지 인프라 구현에도 접목할 수 있다. 김용하 교수(2016)는 자유시장 경제하에서 불가피하게 발생할 수 있는 과도한 차별과 불평등을 완화할 수 있도록 경제주체들이 참여하는 경제발전과 복지향상을 동시에 추구할 것을 제안했다. 이를 위해 국민이 하나가 될 수 있는 공동체적 사회 인프라를 구축하고, 빈곤·실업·질병·재해·장애·노령·사망 등 각종의 위험으로부터 모든 국민의 인간다운 삶의 질을 보장하는 착한 선진화 복지인프라 실천방안을 제시했다.

(3) 실천방안 3 : 기업의 CSV 사례 확산

기업의 사회적 책임에 관심이 있는 기업들은 기존에 CSR을 실시해 왔다. 이들 기업들은 현재 CSV에 관심을 갖고 실행에 들어갔거나 준비를 하고 있다.

해외에서 대표적인 사례로 GE, 네슬레, IBM 등을 들 수 있다. 이들 회사는 가난한 사람들에게 적정기술과 제품을 제공하여 사회수요 충족과 신시장 개척을 통해 기업의 가치를 창출하고 있다.

1926년 설립된 유한양행은 CSV의 좋은 사례로 소개된다. 설립자 유일한 박사는 "가장 좋은 상품을 만들어 국가와 동포에게 도움을 주자" 는 경영이념을 내세웠다. 1933년 미국으로부터 수입에 의존하던 안티프라민을 회사의 첫 번째 제품으로 개발하여 싼 값에 판매함으로써 기업 이익과 사회적 가치를 동시에 추구하였다. 1970년 유한재단을 설립하여 직업교육기관인 유한공업고등학교와 유한공업전문대학을 세워 교육을 통한 사회 환원을 위해서도 노력했다. 1971년 별세하기 전 1만 달러를 손녀딸의 학자금으로 쓰도록 하고 나머지는 모두 교육사업에 기부한다는 유지를 남겼다. 유일한 박사는 기업에서 얻은 이익은 그 기업을 키워 준 사회에 환원하여야 한다는 경영철학을 가지고 실천한 공유가치창출 활동의 선구자라고 할 수 있다(김세중, 2012).

국내기업에서도 많은 사례들이 나오고 있다. 대표적인 기업 사례로 삼성, LG, CJ, 아모레 퍼시픽, 유한킴벌리, 한국야쿠르트 등이 있다. 현재 기업은 저성장・양극화, 저출산・고령화의 문제 해결차원에서 접근하고 있다. CSV를 통해 기업의 순기능을 강화시키고 역기능을 축소하는 노력을 하고 있는 것이다. 기업의 순기능은 고용창출, 제품의 혁신을 통해 삶의 질을 향상시키고, 역기능으로 지적되는 이익을 극대화 할수록 생기는 환경, 인권과 상충되는 부분을 보완하는 방안을 모색하고 있다.

산업정책연구원은 CSV 포터상을 2014년에 제정하여 시상했고, 2015년도에 제2회 수상자로 12개 기업과 단체를 다음과 같이 선정했다. 롯데면세점, 논산시, 한국바스프, CJ대한통운, 현대엔지니어링, CJ주식회사, 유한킴벌리, KT, 한국전력공사, 서울 강동구, 이랜드복지재단, 필츠코리아 등이다.

칩 피츠 미국 스탠퍼드대 교수는 "사람은 먹지 않으면 살 수 없고 기업은 이익을 내지 못하면 존재할 수 없다. 그러나 대부분의 사람이 먹기 위해 살지 않듯 기업도 이익만을 내기 위해 존재하지는 않는다"며 공유가치창출의 중요성을 강조했다. 많은 기업들이 소외계층 및 영세기업과 함께 간다는 공유가치 창출의 중요성을 인식하고 있다. 특히 대기업 중심에서 중견기업과 비영리 기관으로까지 CSV 문화가 확산되는 추세이다.

5. 교육의 공유가치창출 방안

(1) 실천방안 1 : 인성교육의 강화

인성교육(人性敎育)은 마음의 바탕이나 사람의 됨됨이 등의 성품을 함양시키기 위한 교육이다.

인성교육 활성화는 경제사회현상의 변화와도 깊은 관계가 있다. 포용적 자본주의와 CSV가 강조되는 상황을 주시할 필요가 있다. 인성교육도 같은 맥락에서 인식되어야 한다. 인성교육은 가정교육에서 시작되고 뒷받침되어야 한다. 가정교육이 되어 있지 않은 상태에서 인성교육을 아무리 강조하더라도 효과를 기대하기 어려운 까닭이다.

또한 인성교육이 실효를 거두려면 시민교육과 연계되어야 한다. 이를 위해 가장 중요한 목표가 바로 협동과 배려이다. 전 세계 학생들의 수학·과학 등 학업성취도평가를 실시해온 OECD가 '협동을 통한 문제 해결력'을 새롭게 도입하여 시민성 교육의 중요성을 강조한 배경을 주목할 필요가 있다.

요즈음 우리 사회에서 불고 있는 인문학 열풍도 인성교육과 시민교육이 결합된 것이다. 인문학은 사람의 마음을 읽는 학문이다. 사람의 마음을 제대로 이해하지 않으면 사람에게 감동을 줄 수 없기 때문이다. 인문학의 진가를 온 세계에 알린 사람이 누구일까. 애플의 창립자인 스티브 잡스다. 그는 아이패드를 출시하던 2010년에 "기술만으로는 충분하지 않다는 사실이 애플사의 DNA에 박혀있다. 기술과 인문학이 결합했기에 우리의 마음을 울리는 결과가 생겨난 것"이라고 밝혔다. 인문학이 없었다면 애플의 신화도 없었다는 얘기다.

이제 인성교육과 시민교육은 무한경쟁에서 탈피하여 함께 가는 따뜻한 공동체 정신을 회복하는데 집중되어야 한다.

(2) 실천방안 2 : 동방예의지국의 전통 복원

우리 민족은 본래 인성교육이 강한 DNA를 가지고 있었다. 동방예의지국이라고 칭송받을 정도였으니까. 이제 잃어버린 인성교육의 DNA를 찾아야 한다. 인성교육의 핵심은 성선설에 기초하고 있다. 맹자는 자신의 저서《맹자(孟子)》에서 인간의 본성이 선하다는 성선설을 네 가지 마음으로 설명했다. 남을 사랑하여 측은히 여기는 측은지심(惻隱之心), 자기의 잘못을 부끄럽게 여기고 남의 옳지 않은 것을 미워하는 수오지심(羞惡之心), 남에게 양보하고 사양하는 사양지심(辭讓之心), 옳고 그른 것을 가려내는 시비지심(是非之心)이다. 맹자가 제시한 네 가지 마음을 밭을 갈 듯이 갈고 닦으면 인성교육의 토양이 마련될 수 있다.

예의와 염치를 중시하던 민족 전통을 살려 친절한 나라, 예의 있는 나라로 돌아가 동방예의지국의 명성을 되찾아야 한다. 한류가 세계로 뻗어나가며 한국인의 자긍심을 높여주고 있다. 한류바람이 동방예의지국과 결합될 때 한류의 확장성과 지속성이 더욱 강화될 것이다.

(3) 실천방안 3 : 감사하는 마음의 습관화

고도성장과 무한경쟁의 파고 속에서 우리는 감사하는 마음을 잃어버렸다. 현재 우리에게 부족한 것이 감사하는 마음이다. 오죽하면 외국인이《기적을 이룬 나라 기쁨을 잃은 나라》책까지 펴냈을까. 저자는 영국 런던에서 발행되는 시사 주간지 이코노미스트(The Economist) 한국 특파원을 지낸 영국인 다니엘 튜더이다. 그는 한국이 이룬 산업화와 민주화의 기적을 감탄하면서 동시에 기쁨을 잃어버린 한국인의 모습을 안타깝게 소개했다.

사단법인 '행복나눔125'의 손욱 회장은 "매주 1회 착한 일을 하고, 매월 2권의 책을 읽고, 매일 5가지 감사하기 운동"을 전개하여 좋은 반응을 얻고 있다. 경제성장과 함께 감사하는 마음을 습관화하여 감사마음이 성장할 때 한국은 기적을 이룬 나라, 기쁨을 찾은 나라로 발전할 것이다.

(4) 실천방안 4 : 인성교육과 시민교육의 연계

인성교육은 자발적인 참여를 통해 시민교육과 연계되어야 한다. 고대 로마는 천년 제국을 이루었다. 기원전 509년에 시작하여 기원전 27년에 막을 내린 공화정시대가 근대 시민운동의 모델이 되었다. 원로원, 집정관, 민회가 있어 시민이 정치에 직접 참여했다. 주권이 한 사람의 의사에 따라 행사되지 않고 여러 사람의 합의에 의하여 행사되는 정치인 공화정(共和政)이 황제체제로 바뀐 이유는 로마가 제국으로 성장하면서 더 이상 직접 민주주의를 할 수 없었기 때문이다. 인터넷의 발달은 인성교육과 시민교육의 좋은 사례들을 공유함으로써 직접 참여가 가능하도록 만들었다. 선진국에서처럼 법안 제안을 통한 정치참여도 가능하다. 인터넷을 통한 시민의 참여와 협력은 인성교육과 시민교육의 양과 질을 동시에 높여주는 효과가 있을 것이다.

땅에 떨어진 인성교육은 교육과 실행으로 연결되어야 한다. 아무리 교육을 많이 받아도 실천하지 않으면 헛수고에 불과하다.《내가 정말 알아야 할 모든 것은 유치원에서 배웠다》는 책처럼 유치원과 학교에서 배운 것들을 실천하면 된다. 실행이 답이다. 배운 것을 실천할 수 있는 인성교육과 시민교육이 연계되어 올바른 시민 양성에 기여해야 한다.

지금까지 논의한 모든 계층이 함께 참여하는 공유가치 창출 실천방안을 요약하면 〈표 10〉에서 보는 바와 같다.

〈표 10〉 모든 계층이 함께 하는 공유가치 창출 실천방안 요약

기업내부의 CSV 실천방안	○ 기업경영의 선진화 - 선비정신으로 투명경영과 윤리경영의 실천 - 임금격차 개선과 일자리 창출 - 청년 1명 더 고용하기 운동의 전개 ○ 노사관계 선진화 - 정부 : 노동개혁을 위한 정부의 확고한 원칙과 의지 - 기업 : 상생과 협력의 노사 파트너십 형성 - 노조 : 참여와 협력의 노사관계 구축 ○ 기업문화 선진화 - 수평적인 조직문화의 구축 - 토론문화 활성화 - 장시간 근로와 저생산성의 개선 - 스마트 사무실 구축으로 근무환경의 개선 ○ 세금문제의 선진화 - 소득세 면세 범위 축소와 누진세 강화 - 법인세 인상 논쟁과 사내유보금 활용 - 상속세의 부정적인 이미지 근절과 상속세의 개선

Ⅳ. 맺음말

한국경제는 고도성장 과정에서 빈곤탈출이라는 공동목표가 있었기에 국민이 한 방향으로 움직일 수 있었다. 하지만 '성장과 분배'를 놓고 사회적 갈등이 깊어지고 있다.

최근 저성장이 지속되면서 성장잠재력 저하, 양극화 심화, 청년실업률 증가, 노사문제 등 자본주의 체제의 문제점들이 노출되고 있다. 자본주의 4.0시대를 맞아 모든 계층이 공존하며 함께 갈 수 있는 포용적 자본주의와 공유가치창출(creating shard value) 정신의 중요성을 주목하게 되었다.

우리나라는 세계가 놀라는 산업화와 민주화의 기적을 이루었다. 동시에 고도성장의 어두운 면도 나타나고 있다. 우리의 강점을 살리면서 그 약점을 보완해 가는 게 바로 공동체적 가치관을 통한 착한 선진화이다. 공유가치창출 정신은 기업내부의 경영자와 근로자, 대기업과 중소기업, 기업과 소외계층, 기업과 교육 측면에서 다양하게 적용할 수 있다.

기업의 경영자는 선비정신으로 투명경영과 윤리경영을 통해 국민의 신뢰를 구축해야 한다. 또한 '청년 1명 더 고용하기 운동'에 참여하여 청년 일자리 창출에 적극적으로 앞장설 필요가 있다. 이는 "함께 간다"는 공유가치창출 정신을 통해 가능하다.

노사관계 선진화는 한국경제의 성장을 위해 필수적이다. 노사정(勞使政)이 공유

가치 창출을 통해 참여와 협력의 관계를 형성해야 한다. 노동개혁 없이 한국 경제의 경쟁력 회복은 어렵다는 점을 인식하고 노사정이 함께 힘을 모아야 한다. 특히 정부는 독일과 프랑스의 노동개혁 사례를 참조하여 노동개혁이 성공할 수 있도록 모든 역량을 집중할 것이 요청된다. 정부는 확고한 원칙과 철학과 책임감을 가지고 노동개혁이 성공할 수 있도록 추진해야 한다. 노사정이 힘을 합쳐 무한경쟁의 파고를 넘을 수 있도록 최선을 다하지 않으면 안 된다.

기업문화 선진화 역시 공유가치 창출을 통해 이룩할 수 있다. 산업화시대에는 권위주의 리더십으로도 문제가 없었다. 하지만 지식정보사회에서는 개성과 창의성이 중요하다. 수직적인 조직구조에서 수평적인 조직구조로 전환하지 않으면 안 된다. 장시간 근무와 저생산성의 고리를 단절해야 한다. 토론문화를 활성화시키고 음주문화를 개선하며 스마트 사무실을 구축하는 노력이 필요하다. 가족친화경영을 통해 직장이 보람의 일터가 될 수 있어야 한다.

세금문제 또한 공유가치창출 정신으로 접근할 수 있다. 세금은 공평성의 척도가 된다. 법인세, 상속세, 소득세의 개선은 경제를 활성화시킴과 동시에 국민의 신뢰를 받는 일도 중요하다. 세법은 글로벌 환경에 적합한 합리적인 방향으로 개선해야 한다. 그리고 탈법, 불법, 편법으로 세금의 공평성을 해쳐서는 국민의 신뢰를 받기 어렵다는 점을 명심할 필요가 있다.

대기업과 중소기업은 공유가치창출의 정신으로 동반성장해야 한다. 대기업만 홀로 성장할 수 없다. 중소기업의 성장과 대기업의 성장은 공동 운명체임을 인식하고 협력과 상생의 관계를 정립해야 한다.

교육은 공유가치창출의 관점에서 인성교육의 활성화, 동방예의지국의 복원, 감사운동의 전개, 인성교육과 시민교육과의 연계 등을 통해 건전한 시민을 양성해 나가도록 노력해야 한다.

기업은 공유가치 창출을 통해 기업의 이윤극대화와 함께 착한 기업의 이미지를 구축해야 한다. 현재 대부분의 기업들은 기업의 사회적 책임의식(CSR)에서 공유가치창출(CSV) 전략으로 전환하는 추세이다. 과거 소극적인 사회적 책임의식에서 벗어나 적극적이고 주도적으로 공유가치창출을 지향하고 있다. 이제 공유가치 창출이 기업의 경영이념이 되고 철학이 되어야 한다. 그리고 공유가치창출 정신은 경제주체와 각 분야에 확산되어 모든 계층이 함께하는 상생과 공존과 공감의 문화를 형성해 나가야 한다. 이와 같이 각 분야에서 공유가치창출을 통해 착한 선진화를 구축하면 한국은 산업화와 민주화 그리고 선진화를 동시에 이룩한 품격 있는 나라로 발돋움할 것이다.[172][173]

141. 인간 중심 '환경문제'에서 생명 중심의 '생태보존'으로

흔히 사람들이 주고받는 인사말 속에는 그들이 살고 있는 시대적 분위기가 담겨 있다. "밤새 안녕하셨어요?" 라는 인사가 가장 절실했던 때는 아마도 한국 전쟁 당시였을 것이다. 자고 일어나면 친지들이 사라지거나 변을 당하던 그 시절, 밤새 무사했는지를 묻는 것은 생명과 직결된 물음이었다. 또한 전쟁으로 폐허가 된 삶터에서 허기진 배를 움켜쥐며 살아야 했던 시절에는 "식사하셨어요?" 라는 인사가 서로의 정을 확인하는 관심의 표현이었다. 산업화 이후 정치와 경제가 어느 정도 안정을 찾기 시작하면서 사람들의 인사말도 바뀌기 시작했다. "좋은 아침!" 미국과 유럽의 인사를 흉내 낸 이 세련되고 멋스러운 말 속에는 한창 부풀어 오르기 시작한 선진국의 꿈이 담겨 있었다. 그러다 IMF가 터져 온 국민이 어려운 시절을 겪은 후에는 "부자 되세요!" 라는 인사와 덕담이 최고의 인기를 끌기도 했다.

2019년 대한민국은 일본, 독일, 미국, 영국, 이탈리아, 프랑스에 이어 세계에서 일곱 번째로 30-50클럽에 들어갔다. 30-50클럽은 1인 국민소득 3만 불 이상, 인구 5천만 명 이상인 국가를 말한다. 세계적인 석학이자 미래학자인 새뮤얼 헌팅턴(Samuel Phillips Huntington)은 <문화가 중요하다 >라는 책에서 한국의 발전 사례를 아프리카의 가나와 비교하며 극찬한 바 있다. 헌팅턴은 한국과 가나의 국민소득이 1960년대 초까지만 해도 76달러로 비슷했지만, 30년 만에 한국이 가나를 15배 차이로 앞선 점을 지적하며 그것이 다 문화의 힘이라고 치켜세운다.

그렇다. 국민 모두가 합심하여 '부자 되세요!' 를 외치며 달려온 60년. 우리는 많은 것을 이루었고, 선진국의 대열에 합류했다. 과연 우리는 진정한 부자의 삶을 살게 된 것일까? 지금 우리가 마주한 현실은 결코 긍정적이지 않다. 취업, 신뢰, 사회적 유대, 일의 보람 등 국민들의 삶의 질을 측정하는 행복지수는 OECD 국가 중 최하위다. 그뿐인가, 우리나라는 15년째 OECD 회원국 중에서 자살률 1위를 기록하고 있다. 예외적으로 2017년에는 인구 270만 명 규모의 작은 나라 리투아니아가 1등을 했는데 그때도 우리는 2위를 기록했고 이듬해인 2018년에 다시 1위를 차지했다.

주관적 건강과 학교생활 만족도, 삶의 만족도, 소속감, 주변 환경 적응, 외로움 등 6가지 영역을 묻는 주관 행복지수에서도 한국의 어린이와 청소년은 OECD 23개 국가 중 가장 낮은 수준이다. 10대에서 30대 사이 한국 청년들의 사망 원인 1위가 자살이며 최근 통계에 따르면 청소년 3명 가운데 1명이 자살 충동에 시달린다고 한다. 이것이 2020년 대한민국의 현주소다.

가. 성장의 그늘 속에 파괴된 삶의 터전

1985년 오랜 독일 유학생활을 마치고 고국으로 돌아와 대학 강단에 섰을 때 이야기다. 당시 전국은 민주화의 열기로 뜨거웠다. 학교 역시 연일 계속되는 시위로 교정에 최루탄 가스가 사라질 날이 없었다. 나는 학생들과 독일 녹색당의 출현 배경과 환경문제의 심각성을 논의하고 싶었지만 불가능했다. 학생들 중에는 내 이야기가 배부른 선진국의 문제이고, 그들은 개도국이 민주화되고 산업화되어 자신들과 동등한 처지에 오게 될까봐 관심을 환경문제로 돌리는 것이라 주장하는 이들도 있었다.

그러나 이제는 환경에 대한 관점과 태도에 많은 변화가 생겼다. 그동안 우리는 환경과 관련된 많은 사건들을 겪었다. 시화호 사건, 태안반도 기름유출 사건, 천성산 도롱뇽 사건, 고리 원전 건립 반대, 부안 핵 폐기장 건설 반대, 새만금 간척사업 반대 삼보일배, 4대강 정비사업 반대시위 등에서 알 수 있듯이 이제 삼천리 금수강산이라는 말은 옛말이 됐다. 물도 마음 놓고 마시지 못하고, 자동차 배기가스와 공장에서 뿜어대는 온갖 유독가스, 황사와 미세먼지로 인해 공기도 심각하게 오염된 상태다. 토양 오염과 유전자 조작, 각종 식품첨가물 등으로 인해 야채도 고기도 마음 놓고 먹지 못하는 지경에 이르렀다. 이렇듯 환경오염이 심각해지면서 일상생활에 직접 영향을 미치기 시작하자 사람들은 환경문제가 더 이상 남의 이야기가 아니라는 것을 체감하게 된 것이다.

그런데 여기서 반드시 짚고 가야 할 사안이 있다. 그것은 환경 문제가 단순히 '환경' 만의 문제가 아니라는 점이다. 환경 보존과 경제성장이라는 두 가지 상반된 가치가 정면충돌하면서 사회적 갈등이 증폭되고 있기 때문이다. 경제성장을 강조하는 목소리들은 우리 모두의 행복증진을 위해서라고 큰소리를 치지만 그것은 결국 가진 자들을 위한 성장이며 편이일 따름이다. 가난하고 힘없는 사람들은 성장의 그늘 뒤에 가려진 채 폐기물만 덮어쓰며 살게 된다. 이것은 국가 간의 관계에서도 마찬가지다. 부유한 나라의 번영을 위해서 가난한 나라의 대부분이 그 뒤치다꺼리를 하느라 깨끗한 물, 맑은 공기, 풍족한 음식은 꿈도 못 꾼다.

나. 인간 중심의 '환경문제' 에서 생명 중심의 '생태보존' 으로

환경문제를 단순히 '환경' 의 문제로만 접근해서는 근본적인 해결책을 찾을 수 없다는 논의는 1980년대부터 주목을 받기 시작했다. 그 중 가장 중요한 쟁점은 '환경' 이라는 개념 자체에 대한 공격이었다. 환경 개념이 인간중심적인 시각에서 나왔다는 점을 지적한 것이다.

그렇다면 우리는 '환경' 이라는 개념을 어떻게 사용하고 있을까? 1960년대 필자는 학교에서 실시하는 '가정환경조사' 라는 것을 해본 경험이 있다. 그 항목에는 지금 살고 있는 집이 자기 집인지, 전세인지, 월세인지부터 시작해서 부모님의 월수입은 얼마인지, 전화, 텔레비전, 자동차가 있는지 등의 질문들로 채워져 있었다. 이렇듯 '환경' 이라는 말 속에는 인간이 자신의 주변을 삶의 터전으로 바꾸어나가면서 만들어내는 인위적인 공간이라는 의미가 담겨있다. 1980년대부터 시작된 환경문제에 대한 새로운 문제의식은, 지구 전체를 환경으로 삼아 삼라만상과 동식물 모두를 인간을 위한 도구, 원자재, 식료품쯤으로 생각하고 행동하는 삶의 방식에 대한 반성에서부터 시작됐다.

인간이 만물의 영장으로서 이 지구의 주인이고 나머지 다른 모든 것은 인간을 위한 방편이고 수단일 뿐이라는 생각을 버리고 지구를 모든 생명체들이 함께 살아가야 할 삶의 터전으로 봐야 한다는 생각이 등장하기 시작한다. 이것이 바로 생태학적 발상이다. 인간이 자신의 주위세계와 관계를 맺으며 자신을 위한 삶의 공간으로 만들어나가는 것이 '환경' 이라면, '생태' 는 생명체가 자신의 주변

환경과 관계를 맺으며 둥지를 만들어나가는 삶의 양태를 지칭하는 말이다. 1866년 독일의 생물학자 에른스트 헤켈(Ernst Haeckel)은 '생태학(Ökologie, Ecology)'이라는 말을 처음 사용했다. 그는 생태학을 '유기체와 그 유기체를 둘러싼 외부세계 사이의 관계에 대한 과학'이라고 정의했다.

이처럼 환경학에서 생태학으로 관심을 옮긴다는 것은 인간중심적 시각에서 벗어나 생명체의 관점에서 문제에 접근하자는 발상의 전환이다. 좀 더 거시적인 시각에서 문제를 보고 해결의 실마리를 찾아나가자는 이야기다. 환경문제를 순전히 '환경'의 문제로 보는 한 근본적인 문제 해결은 없고 계속 땜질식 처방으로 일시적인 사건의 수습만이 실행될 뿐이기 때문이다. 이제는 인간뿐만 아니라 모든 생명체의 생물권을 염려해야 하며, 그것이 결국 인간의 미래를 위한 확실한 보장이라는 생각이 널리 확산되고 있다.

다. 우주 속 한 점으로 생명의 인사를 건네자

부자들의 성공담에는 흔히 그들의 도전정신과 돈의 흐름을 읽는 안목, 그리고 창의적인 아이디어들이 부각된다. 그러나 그 밑바탕에는 쥐꼬리만한 봉급을 받으며 묵묵히 피와 땀을 흘리며 고생한 노동자들의 희생이 있다. 마찬가지로 부유한 선진국의 번영과 사치 뒤에는 가난한 제3세계 농부들과 노동자들의 피와 땀이 서려 있다. 독일의 주목받는 생태철학자 비토리오 회슬레(Vittorio Hoesle)는 제1세계 선진국의 풍요는 침묵하는 자연의 착취와 가난한 제3세계 국민들의 피와 땀의 대가라고 말했다.

그런데 문제는 개발도상국이든 저개발국가든 오로지 잘 사는 선진국이 되기 위해 근대화에 매진하고 있다는 점이다. 이러한 근대화의 산물이 바로 환경오염과 생태 파괴다. 근대화는 자유민주주의와 자본주의 시장경제 그리고 과학기술을 축으로 하여 자유, 평등, 인권, 사회정의라는 가치관을 전 세계에 퍼뜨리면서 지구를 '하나의 세계'로 만들었다. 근대화는 결국 서구화이다. 그리고 바로 이러한 서구 지향적인 사고방식과 생활태도가 오늘날 생태파괴의 주된 요인이다.

서구적인 생활수준을 보편화시킨다는 것은 지구를 생태학적으로 완전히 파괴시키지 않고서는 가능하지 않다. 그러기 위해서는 지구가 열 개는 더 있어야 한다. 지구의 모든 주민들이 제1세계의 주민들처럼 막대한 에너지를 소비하고, 쓰레기를 배출하고, 대기 중에 유해물질을 퍼뜨린다면, 파멸은 이미 시작된 것이다. 회슬레는 이렇게 경고한다.

"서구 산업사회의 발전 추세가 우리를 나락으로 추락시키지 않고서는 결코 지속될 수 없다는 사실은 오늘날 더 이상 논쟁의 여지가 없다. 논쟁의 여지가 남는 것은 기껏해야 이러한 파멸이 언제 닥치는가 하는 시점의 문제 정도다."

회슬레는 생태학적 위기가 지금까지의 '경제' 중심의 구조 틀을 해체시킬 것으로 전망한다. 지금 우리는 새로운 구조 틀의 문턱에 서 있다. 이제 '경제'라는 구조 틀은 '생태'라는 구조 틀로 변화될 수밖에 없고, 또 그렇게 변화되어야 한다. 회슬레는 21세기의 제일철학은 〈생태학 〉이 되어야 한다고 주장한다. 그리고 '생태학'은 인간이 살아가는 다양한 자연적인 집들 중에서 공간적으로 가장 큰 집인 지구를 조망한다.

오늘날 지구는 자연적이며 문화적인 요소들로 이루어진 분리될 수 없는 통일성을 형성하고 있다. 이 하나뿐인 삶의 터전을 모든 민족들이 평화롭게 더불어 사는 지구촌으로 만들기 위해서는 과학과 생태학이 손을 맞잡아야 한다. 회슬레는 21세기를 위한 새로운 가치들을 만들어내야 하며 그러기 위해서 고대의 자연개념으로 되돌아 가 거기에서부터 해결의 실마리를 찾아야 한다고 말한다. 인간과 자연의 화해 없이는 희망이란 있을 수 없기 때문이다.

우리는 근대화라는 서구화가 초래한 지구파멸의 위기에, 이 한반도에서 우리의 전통 고대 자연개념 또는 생명개념에로 되돌아가야 할 더욱 당연한 이유를 갖고 있다. 왜냐하면 한국인은 50년 전만 해도 자연친화적이고 생명존중적인 가치관 속에서 생활했기 때문이다. 5천년 동안 우리 민족의 삶 속에 결과 무늬로 새겨져 온 더불어 삶의 논리를 되새기며, 죽임의 문화가 확산되어 가는 현대에 새로운 살림의 기운을 불어넣어 생명담론과 생명운동을 펼쳐야 한다. 지구의 안부를 묻고, 다양한 생명체들의 공생을 살피는 것이 이 시대를 살아가는 우리의 사명이며 과제다.[174][175]

142. 하반기 경제정책방향, 3가지 포인트

지난주 2024년 하반기 경제정책방향(하경정)이 발표되었다. 경제전망도 발표되었는데 예상대로 연초 경제성장률 2.2%보다 높은 2.6%로 수정한 것이 하이라이트였다.

그런데 좀 이상하다. 소비자물가 상승률 전망은 2.6%로 그대로이고, 취업자 증감(23만명) 및 고용률(62.8%)도 그대로이다. 다만, 경상수지 흑자가 수출 증가율이 8.5%에서 9.0%로 증가한 것과 수입이 4.0%에서 2.0%로 감소한 것을 반영하여 500억달러에서 630억달러로 상향되었다. 성장률은 높아지지만 성장의 과실이 반영되지 않은 이른바 고용 없는 성장(jobless growth)과 내수보다는 수출 중심의 경제성장이라는 해묵은 우리 경제의 고질적인 특징이 그대로 반영된 것이다. 즉, 고용 없는 성장과 수출 중심의 성장 회복세가 민생 경제 회복과 잘 연결되지 않아 성장률이 높아진다고 하더라도 국민 대다수에게는 여전히 '빛 좋은 개살구'이다.

정부 성장률 전망은 잘 맞으면(맞출 수 있도록 노력하면!) '정책적 노력의 결과'이고, 약간 부족하면 '목표'이고, 많이 부족하면 틀리는 것이 전혀 이상하지 않은 '예측'으로 치부되기도 한다. 그래도 정부의 성장률 전망이 맞을 수 있기를 바라면서 정부의 경제정책방향에 대한 세 가지 포인트를 짚고자 한다. 그것은 정부가 열심히 잘해야 할 것들, 하지 말아야 할 것들, 그리고 하되 대단히 조심해야 할 것들이다.

첫째, 열심히 잘해야 할 것 중 제일은 민생경제 회복 정책이다. 이번 하경정에서 다행스럽게도 소상공인·자영업자·서민 지원대책이 우선순위에 있는 것은 반가운 일이다. 그런데 소상공인 회복 대책이 있으나 금융 지원의 한시적 지원에 불과한 것들이 많다. 지난 코로나 위기로 자영업자들의 기반은 상당수 붕괴되었다. 버티고 버티다 시장에서 나가고자 하는 자영업자들에겐 남은 건 빚뿐이다. 하경정에 들어간 이자지원 확대/융자지원 대상 확대/대환대출 지원대상 확대/체불임금 대지급금 지급/임금체불 사업주 및 근로자 융자지원 등은 분명 도움이 되겠지만 보다 근본적이고 화끈하게 지원할 필요가 있다. 또한 물가안정에 대한 대책이다. 소비자물가 상승률이 2%대로 안착하더라도 서민들이 체감하는 물가와의 괴리는 여전히 크다. 높은 수준으로 지속되고 있는 원달러 환율로 인한 수입물가 상승세 지속과 고유가로 인한 에너지 가격 상승세 지속 등으로 서민들의 체감물가는 여전히 매우 높다. 공공요금 상승억제만으로 서민들의 생활안정은 매우 어려운 상황이다.

둘째, 정부가 하지 말아야 할 것들이다. 가장 최우선으로는 국가 곳간을 텅텅 비우고 있는 각종 감세조치이다. 상속세 완화, 금융투자세 폐지, 종합부동산세 완화 등과 조세감면의 확대를 가져오는 여러 정책은 자제되어야 한다. 2023년 56조원의 세수결손의 충격이 여전한데 올해 역시 큰 폭의 세입결손이 예상되고 있다. 경기가 좋아지면 국세수입은 자연스럽게 많이 걷히게 되어 있음에도 불구하고 그렇지 않은 가장 큰 이유는 이번 정부 들어와 시행한 2022년과 2023년의 감세조치로 인한 것으로 봐야 한다. 이런 마당에 또다시 감세타령은 너무나도 무책임한 처사이다. 대규모 세수결손이 예측되고 있는 상황에서 부족한 국가 재정 수입을 어떤 식으로 조달할 것인가에 대한 성찰이 매우 부족하다. 감세의 이론적 근거는 경기가 좋아지고 기업실적이 좋아지면 세금이 술술 들어온다는 것이다. 그런데 올해 반도체 경기가 살아나고 있고 수출이 큰 폭으로 확대되었는데 왜 삼성전자나 SK하이닉스로부터의 법인세는 들어오지 않고 있는가. 이제 감세로 인한 경제활성화 세수증대의 주술은 통하지 않는다는 사실을 명심해야 한다. 더 이상 재정건전성을 방패 삼아 재정을 운용하지 않기를 바랄 뿐이다.

마지막으로 정부가 추진을 하되 조심해야 할 것들이다. 대표적으로 부동산 정책과 같은 것이다. 지금 부동산 경기가 꿈틀꿈틀하고 있다. 정부와 여당의 금리인하 완화의 속내와 함께 건설경기 활성화 정책, 1기 신도시 재건축 바람 등은 안정화될 조짐을 보였던 가계부채의 증가세를 견인하고 있다. 그중 1기 신도시 재건축 바람이 K부동산에 대한 욕망의 빗장을 열까봐 두렵다. 부동산 정책은 주택건설경기의 활성화와 가계부채 증대 사이에서 줄타기를 해야 할 정도로 조심스럽게 추진되어야 한다.

이 정부의 시그니처 경제정책이 무엇인지 잘 모르겠다. 혹시 감세정책이 그것인가 자문하게 된다. 마땅히 해야 할 정책을 잘하기를 바라는데 그게 쉽지 않아 보인다. 다만 하지 말아야 할 것을 안 했으면 좋겠다.[176]

143. 2024년 ‘하경방’에 대하여

정부는 지난 3일 ‘하반기 경제정책 방향’을 발표하여 소상공인·서민 지원, 물가안정·생계비 경감, 내수 보강, 잠재리스크 관리 등을 민생안정과 경기회복세 확산을 위한 중점과제로 제시했다. 아울러 ‘역동경제 로드맵’을 발표해 국민 삶의 질 개선과 경제의 지속 가능성 강화를 위한 중장기 10대 과제를 제시했다. 하반기 정책 방향과 과제가 역동경제를 위한 구조개혁의 연장선에 있다고 할 수 있다. 하지만 이러한 주장이 설득력을 얻기 위해선 성장의 질적 차이를 매개로 장단기 정책과제가 유기적으로 연계돼야 한다.

먼저 구조적 차원에서 정책 대안을 모색하는 경우엔 성장의 양적 측면과 함께 질적 차이도 균형 있게 고려해야 한다. 정부는 상반기에 이어 하반기에도 경기개선 흐름이 지속될 것으로 전망하지만, 반도체 수출 주도의 성장이 민생회복에 기여하는 정도는 제한적이다. 2024년 1분기 성장률(전년 동기 대비) 3.3% 중 순수출의 기여도는 4.3%포인트이지만, 내수의 기여도는 마이너스 1.0%포인트를 기록했고, 월평균 실질임금은 1.7% 감소했다. 전년 동월 대비 취업자증가율은 2023년 6월 1.2%에서 2024년 6월 0.3%로 하락했다. 반도체 산업의 자본집약적이고 수입유발적인 특성으로 인해 반도체 수출이 주도하는 성장의 내수진작 효과와 고용 및 임금효과는 크지 않다.

다음으로 경제여건의 변화가 분배와 성장에 미치는 연결고리를 명확히 해 정책 수립에 반영해야 한다. 정부는 세계 경제의 보호주의 경향에 대응해 글로벌 네트워크의 확장을 정책대안으로 제시했지만, 미·중 간 격화되고 있는 경쟁이 우리 경제에 미칠 충격에 대응하는 구체적인 전략은 보이지 않는다. 특히 미국의 칩스법과 인플레이션감축법(IRA)이 한국의 반도체와 자동차 산업에 미치는 충격은 중장기 성장전략의 수립에서 고려해야 할 중요한 변수이다. 더욱이 기후변화는 우리가 직면한 심각한 위기 요인이지만, 어디에서도 대응 방안이 언급되지 않고 있다. 유럽과 미국이 도입을 예고하고 있는 탄소국경세는 에너지 다소비형 제조업으로 구성된 한국의 수출산업에 커다란 위협요인으로 다가오고 있다.

정책대안의 합리적 조합을 위해서는 줄·푸·세(세금은 줄이고, 규제는 풀고, 법질서는 세운다)의 틀을 넘어 정책선택의 지평을 넓혀야 한다. 정부는 규제 완화와 자본에 대한 감세 조치를 혁신생태계 강화 방안으로 제시하였지만, 이러한 조치는 소득과 자산의 격차를 줄여 사회이동성을 개선한다는 역동경제의 정책목표와도 충돌한다. 더욱이 대출 규제 완화 등 금융지원에 편중된 소상공인 대책은 높은 부채비율, 가파르게 상승하는 연체율을 고려할 때 근본대책으로 보기 어렵다. 양면시장(디지털 플랫폼)에서 중개기업 플랫폼사업자의 '약탈적 가격'으로 소상공인의 부담이 가중되고 있지만, 이 문제에 대해서는 어떠한 대책도 찾아볼 수 없다.

한편 대전환기의 구조변화에 직면해 성장동력을 살리고, 분배구조의 개선으로 사회발전을 견인하기 위해선 무엇보다 투자국가로서 정부의 역할을 강화해야 한다. 고용안전망과 사회안전망, 인내자본(patient capital)에 대한 투자를 확대하고, 혁신의 생태계를 지원해 성장과 분배의 선순환을 구축해야 한다. 경기변동의 완화가 장기적으로 성장과 분배에 긍정적 영향을 초래한다는 사실에 비춰 수출의존도가 높은 우리 경제에서 안정화 정책의 중요성은 아무리 강조해도 지나침이 없다. 2008년 금융위기 당시 유럽이 경험했던 자멸적 긴축재정의 우를 범하지 말아야 한다. 그럼에도 정부는 여전히 건전재정의 틀에 갇혀 재정을 소극적으로 운용하고 자본소득에 대한 감세 기조를 이어가고 있다. 2023년엔 대규모의 불용예산이 발생했고, 2024년 중앙정부 총지출증가율은 역대 최저수준을 기록했다. 최상목 경제부총리는 하반기 경제정책 방향을 발표하면서 25조원의 소상공인 지원금 중 재정 소모는 5조원 수준이라고 설명했다. '역동경제 로드맵'에선 최대주주 할증평가 폐지, 가업상속공제의 대상과 한도 확대, 배당 증가금액에 대한 저율 분리과세 등을 기업 밸류업 방안으로 제시하고 있다. 그러나 불로소득의 확대는 오히려 시장경제의 역동성을 약화시킨다.

낙수효과가 작동하지 않는 현실에서 자본소득에 대한 감세는 분배는 물론 성장의 측면에서도 바람직하지 않다. 불평등, 저성장, 삶의 만족도 하락으로 이어지는 악순환의 고리를 끊고, 분배와 성장이 선순환하는 역동경제를 이루기 위해선 재정의 역할을 확대하고, 소요 재원은 증세와 국채 발행의 적절한 조합으로 마련해야 한다.[177]

144. '거짓말'의 정치경제학

정치경제학(政治經濟學)은 경제를 정치 현상이나 사회 구조와의 관련에 중점을 두고 해명하려고 하는 학문이다. 즉 국민 경제나 사회 경제를 대상으로 하는 경제학이다.

가족들은 왜 그렇게 비밀이 많을까? 드라마를 볼 때마다 드는 의문이다. 드라마에 등장하는 가족들은 대부분 은밀한 사연들로 가득하다. 이렇게 말하면 다소 '낭만적'으로 보이지만, 실상은 이 가족들이 나누는 대화의 대부분이 거짓말이라는 뜻이다. 겉으로는 지극히 애틋해 보이지만 사실은 서로 속이고 속인다는 것, 이것이 가족드라마의 기본설정이다.

스릴과 서스펜스를 잘 갖추고 있으면 '주말' 드라마, 다소 거칠게 진행되면 '일일' 드라마다. 진행패턴은 대체로 비슷하다. 모든 것을 다 갖춘 '스위트 홈'에 어둠의 그림자가 들이닥치고 각종 비밀들이 폭로되면서 그동안의 행복이 다 가짜였음이 판명된다. 충격과 배신감, 분노와 갈등으로 파국을 겪지만 우여곡절 끝에 일상을 회복하는 것으로 급마무리! 배우들의 비주얼과 탁월한 연출효과 등에 압도되다 보면 이 비극의 배후에 '운명의 장난' 혹은 '신의 저주'가 있을 것 같지만, 실제로 사건의 '처음과 중간과 끝'을 관통하는 건 결국 '거짓말'이다.

드라마라 그런 거 아니냐고? 현실은 더 심하다. 우리 시대 가족들에게 있어 거짓말은 일상이다. 특히 '돈'과 '성'에 관련된 사항들은 솔직하게 털어놓는 법이 없다. 주고받는 건 피상적이고 습관적인 멘트뿐. 하여, 가족은 서로를 잘 모른다. '대화를 할수록 멀어지는 관계'-이것이 가족의 통상적인 정의다. 어쩌다 이 지경이 되었을까? 가장 큰 명분은 사랑과 배려다. 상처주기 싫고, 내가 눈감으면 그만이고 등등. 이거야말로 '새빨간' 거짓말이다. 사랑과 배려의 원천은 진실이다. 진실이라는 베이스가 없다면 그건 이미 사랑이 아니다. 사랑과 진실의 지독한 어긋남! 모든 비극의 서막이다.

이치는 단순하다. 거짓말도 진화한다는 것, 그리고 반드시 되돌아온다는 것. 처음엔 미세먼지 수준이지만 차츰 눈덩이처럼 불어나다가 마침내 돌풍이 되어 들이닥친다. 결과는 물질적 파산과 정신적 파탄. 이어지는 화병과 우울증. 이걸 경제적 가치로 환산하면 얼마쯤 될까? 상상 그 이상일 것이다. 참 의아하다. 입만 열면 가성비를 따지는 이 '포스트 모던한' 시대에, 이 대책 없는 비효율성은 뭐지? 게다가 드라마와 달리 현실에선 해피엔딩이 없다. 바닥에서 시작해야 한다. 그때 할 수 있는 최선은 일단 '거짓말의 그물망'에서 탈주하는 것이다. 그저 매사를 담백하게, 진솔하게 털어놓기. 관계와 일상을 복원하는 유일한 길이다. 근데 그게 그렇게 어려운가?

요즘 사회 풍토를 보면 그런 것도 같다. 문화, 예술, 스포츠 등 거의 전 분야가 '거짓말 논란'에 휩싸여 있다. 한마디로 속고 속이는 게 일상이자 경제활동이 된 것. 특히 가장 공적인 영역에 속하는 정치는 압도적이다. 흔히 정치를 좌와 우, 보수와 진보라는 말로 구분하지만 나는 거기에 동의하지 않는다. 진보의 이념, 보수의 가치를 둘러싼 논쟁을 본 적이 있는가? 없다! 문명과 윤리의 비전에 대한 사상적 차이 또한 본 적이 없다. 언제부턴가 정치는 '진실 공방'의 늪에 빠졌다.

누가 더 '저급한' 거짓말을 할 수 있는가를 두고 내기라도 벌이는 것처럼 보인다. 최소한의 정치적 명분이나 정무감각조차 없다. '즉시 들통날' 거짓말, '뜬금없는' 거짓말, '자해에 가까운' 거짓말 등등. 막장드라마를 방불케 한다. 이로써 사생활과 공적 활동을 엄밀하게 가르는 '근대적 이분법'이 얼마나 공허한 것인지가 판명되었다. 이건 민주주의 자체의 한계인가? 아니면 한국적 시스템의 함정인가?

이런 '희비극적' 과정에서 소모되는 국력낭비는 그야말로 천문학적 수준이다. 죽도록 노동해서 '국민총생산'을 높이고는 '거짓말 정국'으로 다 말아먹는, 참 희한한 산업구조다. 무엇보다 이런 '거짓말의 정치경제학'은 국민건강에 치명적이다. 그것이 야기하는 역겨움과 비루함은 전 국민의 폐와 뇌기능을 손상시키고 나아가 생명력 자체를 훼손한다. 어떻게 해야 이 '거짓말의 정치경제학'에서 벗어날 수 있을까?

코로나19 이후 간디를 다시 읽기 시작했다. 간디는 자타공인 결함투성이의 인간이었다. 그랬던 그가 훗날 '정치와 영성'을 하나로 잇는 '마하트마(위대한 영혼)'가 될 수 있었던 원천은 오직 하나, 진실이었다. 그는 성적 욕망을 포함하여 어떤 정치적 오류도 숨기지 않았다. 진실이 곧 "신"이자 "세계가 가장 갈망하는 것"이었으므로. 공감한다. 진실의 '신성한' 경지까지는 아닐지라도 정녕 거짓말 없는 세상에서 살고 싶다![178]

145. 소상공인 대책, 이런 식으론 안 된다

지난 1일 한국은행이 국회 행정안전위원회 양부남 의원실(더불어민주당)에 제출한 자료에 따르면 올해 3월 말 현재 자영업자 대출 연체액은 10조8000억원, 연체율은 1.66%로 역대 최고였다. 자영업자 대출 연체는 현 정부 들어 빠르게 늘어나는 추세다. 15일 공개된 국세통계 기준으로 연간 폐업 사업자 수는 비법인의 경우 2019년 85만명에서 2022년 80만명까지 줄었다가 작년에 91만명으로 늘었다. 그중 폐업 사유가 '사업부진'인 경우도 2019년 35만명에서 2022년 38만명으로 소폭 늘었다가 작년에 45만명으로 급증했다. 내수 회복이 지연되면서 소상공인 경제생태계가 바닥부터 붕괴된다는 우려가 제기된다.

그런데 정부가 최근 발표한 25조원 규모의 소상공인·자영업자 종합대책은 한시적 금융 지원에 치우쳐 상황의 심각성에 비하면 한참 불충분해 보인다. 전환보증이나 대환대출은 상환기간을 연장하고 이자를 줄이는 점에서 도움은 되겠으나 미래로 부담을 미루는 임시방편이므로 보다 근본적 대책으로 보완돼야 한다. 정부는 부실 차주의 채무 조정을 돕는 새출발기금을 30조원에서 40조원으로 늘릴 계획이나 추가 대출을 막는 신용 불이익 등 문턱을 둔 탓에 올해 6월 말 현재 채무조정 신청 채무액이 11조7000억원에 그치고 있고 채무조정이 이뤄진 채무액도 매입형(원금 감면) 1조9000억원 등 합계 3조2000억원이 전부다. 원금 감면 폭도 키워야 하나 먼저 문턱부터 낮추지 않으면 그나마도 소용없을 법하다.

정부 대책에서는 고정비용 경감 대책으로 6800억원이 배정되었다. 그런데 전기료 지원의 경우 중위매출(연간 6000만원) 기준이 문턱이 되는 바람에 예산 소진이 더디다. 임대료 지원은 '착한 임대인'의 자발성에 기대는 까닭에 한계가 뚜렷했다. 배달료 지원 역시 정작 소상공인이 받을 혜택을 플랫폼 사업자가 우월한 교섭력을 이용해 감소시킬 수 있음에도 당국이 자율 규제에 집착하면서 일찌감치 실효성이 의문시된다. 일자리 미스매치를 완화한다는 폐업 소상공인 대상 취업 지원 프로그램은 재원 조달 계획조차 명확지 않다. 선별과 자율, 긴축에 볼모로 잡힌 정책들로는 전망이 어둡다.

소상공인 과잉부채는 우리 경제가 자영업을 희생시키는 방식으로 코로나19 경제위기와 뒤이은 침체 국면을 견뎌온 데에 따른 귀결이다. 관건은 국가책임의 범위가 어디까지인가이다. 적어도 손실보상법 시행 이전을 포함해 소상공인 영업에 영향을 미친 행정 조치 전체 기간에 대해 이제라도 업종 선별 없는 포괄적인 소급 적용으로 국가가 제도적 손실 보상의 미진했던 부분부터 마무리지어야 옳다. 면책 후 사업 유지의 어려움 때문에 기피되기도 하지만 개인파산, 개인회생 등 공적 채무조정제도를 개선해 신용회복을 적극 도와야 함도 물론이다.

한 걸음 더 나아간다면, '횡재이익'을 누린 부문에 횡재세를 부과해 소상공인 등이 입은 '횡재손실'을 지원하게끔 하자. 정책자금 대출은 합리적인 기준을 적용해 탕감을 추진하자. 그런 다음 남은 소상공인 채무 가운데 사회적 합의가 가능한 수준까지 국가가 인수하는 방안에 대해서도 검토할 만하다. 그 과정에서 필요하다면 국채를 활용해 소상공인 채무를 국가채무로 전환하고 공동체 모두가 증세로 상환 부담을 나누도록 하자. 국채가 그와 같은 목적으로 쓰일 때 그것은 미국 초대 재무장관 알렉산더 해밀턴의 표현대로 '국가적인 축복'이 될 수 있다. 역경 속 국가적 리더십은 그런 것이어야 한다.

한편 소상공인 보호에 있어서는 프랜차이즈 가맹점주와 같은 종속적 자영업자의 노동자성이나 하도급 거래에서의 원·하청 간 교섭력의 불균형도 중요한 이슈다. 그러나 가맹점주 단체에 단결권과 단체교섭권을 부여하려고 했던 가맹업법 개정안은 정부·여당의 반대로 지난 21대 국회에서 폐기되었다. 하도급법 개정은 그간에 시민사회에서 납품단가 조정제도와 인건비의 납품단가 연동 등을 제안해 왔으나 역시 입법이 미비하다. 대형 유통점 및 온라인 플랫폼에 대한 규제도 제대로 된 소상공인 대책이라면 갖추어야 하는 요소들이지만 갈 길이 멀다.

정부의 이번 소상공인 대책은 소상공인들이 경제 활동을 통해 자신의 가치를 온전히 실현할 수 있도록 돕는 그와 같은 구조적 해법을 회피한다. 자영업 부채 문제의 해결을 위한 국가적 리더십은 기대할 수도 없다. 온통 부실한 처방에 정책 효과마저 의심된다. 밑바닥 상권이 무너져 내리는데 심지어는 내수 회복을 위한 적극적 총수요 관리조차 등한시한다. 그 어디에도 국가는 없다. 이런 식으로는 안 된다.[179)]

146. 손봐야 할 ‘시대착오 세금’ 많다

매년 세제 개편은 논란이었다. 그래도 올해는 혹시 하는 일말의 기대가 있었다. 거대 야당인 더불어민주당이 뜻밖에 종합부동산세 폐지를 먼저 거론하고, 정부·여당보다 강한 반도체지원법안을 공언했기에 그렇다. 그렇지만 결국 역시로 귀결돼 가는 모양새다. 민주당은 아직 때가 아니라며 종부세 폐지에서 발을 빼 도로 종전의 ‘부자 감세’로 돌아갔다. 이재명 전 대표가 10일 당 대표 연임을 위한 출마선언에서 실용주의를 내걸고 다소 전향적 입장을 밝혔지만, 중산층 외연 확장과는 여전히 거리가 멀다.

정부가 이달 말 세제개편안 공개를 앞두고 지난 3일 하반기 경제정책방향을 통해 발표한 세금 감면 방안에 무게가 실리지 않는 것도 이 때문이다. 정작 관련 세법 제·개정의 키를 민주당이 쥐고 있으니 도리가 없다. 정부는 이번에 주가 상향을 위한 기업 밸류업과 연계해 법인세·배당소득세를 일부 감면하겠다고 했다. 세계 최고 수준인 상속세의 할증(20%)을 폐지하고, 가업 상속 공제 한도를 두 배로 늘리는 등의 대안도 제시했다. 그러나 본격적인 감면과는 거리가 먼 ‘찔끔 인하’다. 그런데도 민주당에선 벌써 반대하는 목소리가 요란하다. 특히, 최대주주의 상속세 할증 폐지에 대해선 전형적인 부자 특혜라고 공격한다. 여기에 여당과 정부는 이런 반대 기류에 밀려 지레 상속세율 인하와 과세표준 상향을 내년으로 미뤘다. 유산취득세·자본이득세 전환 같은 근본 대책은 또 헛말이 됐다. 세제 개편은 출발도 하기 전에 반의반 쪽이 된 셈이다.

한국의 세제가 후진적이라는 비판이 끊이지 않는다. 스위스 국제경영개발대학원(IMD)이 지난달 발표한 2024년 국가경쟁력 평가조사 결과가 대표적이다. 한국은 기업들 덕에 전체 순위는 67개국 중 20위로 지난해보다 8계단 올랐지만, 조세 경쟁력은 26위에서 34위로 추락했다. 국내총생산(GDP) 대비 소득세 경쟁력은 35위에서 41위, 특히 법인세 경쟁력은 48위에서 58위로 꼴찌 수준이다. 시대 역행적이고 부담이 너무 무거운 세제가 경쟁력을 떨어뜨리는 것이다. 상속·증여세, 법인세, 소득세 외에도 손봐야 할 세금이 수두룩하다.

일반 국민도 낙후된 세제에 고통을 호소한다. 기획재정부가 내년에 시행할 세제개편안에 반영하려고 세제 개선 건의를 받은 결과, 1422건이나 접수됐다. 역대 최다이다. 37년 된 자동차 개별소비세, 15년간 부양가족 1인당 150만 원으로 달라지지 않는 소득 기본공제, 월 20만 원으로 묶여 있는 식사비 비과세 한도 등이 대표적이다. 전기차 등 친환경차에 보조금을 주면서, 필수재가 된 차를 살 때 보석처럼 이중 세금을 부과하는 것은 시대착오적인 징벌이다. 개인연금과는 달리 국민연금 수령액을 근로소득과 분리과세하지 않고 있는 것도 이해가 안 간다. 정부가 고령자와 취약계층 보호·지원을 강조하면서 국민이 받는 연금을 다른 소득과 합쳐 종합과세해 세금을 더 걷는 것은 정책의 상충이다. 불공정한 과세다. 증권업계가 연기 또는 원점 재검토를 요구하는 금융투자소득세도 문제투성이다. 예정대로 내년 1월 시행 땐 대량의 자금이 주식시장에서 빠져나가 주가 하락을 초래할 게 뻔하고, 이는 일반투자자에도 큰 피해를 줄 것이란 주장은 설득력이 있다.

물론 올해도 확실시되는 세수 펑크도 고려해야 한다. 그렇지만 올해 세수 부족은 지난해 반도체를 중심으로 한 기업 실적 악화에 따른 법인세 급감 때문이다. 올해는 정부가 성장률을 2.2%에서 2.6%로 올렸듯이, 핵심인 반도체의 회복이 뚜렷하고 그에 따른 낙수 효과도 예상되는 만큼 내년 법인세 세수는 한결 개선될 것이다.

이런 사정이 아니더라도 경제를 살리려면 세금 부담을 줄여 기업·가계를 지원하는 게 당연하다. 기재부는 세수 감소를 부를 세제 개편을 꺼리지만, 문제가 있는 세금은 바로잡는 게 최우선이다. 보완은 그다음이다. 세수 펑크 대책은 국민 모두에 1인당 몇십만 원을 주는 '보편적 지원' 등 각종 현금 살포부터 접는 게 출발점이다. 보유세·기업세를 잔뜩 올려선 징벌세제를 꽉 붙든 채 재정을 펑펑 쓰다가 나라 경제를 망친 문재인 정부의 실패에서 교훈을 얻어야 한다. 낡고 무거운 세금이 너무 많다. 민생을 살리고 기업을 더 뛰게 할 세제 개편이 필요하다.[180]

147. 모두가 병들었고, 모두가 아픈 청년들

20대 청년 태양의 '집'은 지하철 2호선이다. 노숙자가 아니다. 출근길 지하철 객차가 한창 서울 시내를 도는 시각, 그는 전동차에서 잠을 청한다. 차가운 의자 바닥은 침대가 되고 쇠기둥은 베개가 된다. 태양은 밤새 택배회사의 물류창고에서 박스를 내리고 올린다. 여자친구와 구루로 불리는 유튜버에게 사기를 당하고 잠잘 곳조차 없는 20대 청년에게 세상은 딱 '지하철 전동차' 한 자리만 내어준다. 오전에는 '지하철 쪽잠'을 자고 오후에는 오토바이를 탄다. 그는 이 시대가 추켜세우는 긱 노동의 대명사 '배달 라이더'로 변신한다.

동인 '월급사실주의'의 소설 모음집 <귀하의 노고에 감사드립니다>에 실린 주원규의 '카스트 에이지'에 등장하는 이야기다. 지하철 역사도 아닌 움직이는 전동차에서 매일 '아침 잠'을 자는 20대 청년의 이야기는 적잖이 충격적이다. 소설가 주원규에게 전화했다. 그는 이렇게 말했다. "보육원 보호종료를 마치고 사회에 나온 스무 살 청년에게 들은 이야기예요. 우리는 제도권 안에서 좌절을 겪는 20대만 이야기하지만 저들은 '제도권'이라는 전제조차 없어요. 소외 중에서도 소외를 경험하는 이들이죠."

최근 통계청의 '경제활동인구조사 청년층 부가조사'를 보면서, 오늘도 지하철 전동차 안에서 잠을 청할지 모르는 청년 '태양'의 이야기가 떠올랐다. 올해 15~29세 청년들의 경제활동참가율은 절반을 겨우 넘었다. 50.3%로 1년 사이 0.2% 감소했다. 청년 취업자는 1년 전보다 줄었고, 실업자는 증가했다. 고용률은 0.7% 포인트 떨어졌다. 암울한 지표는 들여다볼수록 더 캄캄해진다. 대졸 이상 구직자는 첫번째 직장을 구하는 데까지 8개월가량 걸리고, 고졸 이하 구직자는 1년5개월가량 걸린다. 고졸 이하 구직자들은 일자리를 얻기까지 두 배의 시간을 더 견뎌야 한다. 시간제 일자리의 비중은 역대 최고를 기록했고, 첫 직장에서 100만원 이하 월급을 받는 경우는 13.7%로 1년 전보다 0.7% 늘었다. 소설 속 '태양'은 그나마 '경제활동'을 하고 있으니 다행인지도 모르겠다.

청년 일자리 문제만큼 고차원의 방정식도 없다. 청년 일자리 문제는 '미스매치'라는 말로 치부하기에는 입체적이다. 계급과 학력, 젠더, 수도권·지역 격차 잣대까지 더해지면 단번에 풀리지 않는 함수가 됐다. 부모의 소득 차이가 학력 격차로 나타난다. 여기서 첫 진입장벽은 형성된다. 취업시장의 성별 격차를 고려하고, '수도권이냐 비수도권이냐' 지역이라는 변수까지 더해지면 괜찮은 일자리를 얻기란 요원하다. 소외의 소외가 발생하는 대목이다.

절망이 이어지면 다 포기하고 싶어지기 마련이다. 6월 고용통계에서 비경제활동인구 중 청년층의 '쉬었음' 인구가 4만명 늘었다. 모든 세대 중 청년이 '쉬었음' 증가 비율이 가장 높았다. 소설 속 '태양'이 갑자기 '쉬었음'으로 전향해도 이상하지 않은 사회다. 올해 상반기 '그냥 쉬는 대졸자'도 한 달 평균 400만명이 넘었다.

저출생 시대에 인구가 줄어드니 앞으로 일자리 걱정이 줄어들 것이라는 의견도 있지만 쉽사리 동의되지 않는다. 지금은 자녀에게 인적·물적 자원을 지원하겠다고 결심이 서는 이들만 아이를 낳는다. 괜찮은 일자리를 향한 경쟁은 더 치열해진다. 흔히 기성세대가 말하는 '일자리 미스매치' 문제는 더 심해질 수 있다.

이제 시선이 향하는 곳은 정부뿐이다. 기획재정부는 최근 구조개혁에 방점을 둔 '역동경제 로드맵'를 발표했다. 일자리 대책 중 벤처 기업 수를 5년 뒤까지 1만개 더 늘리겠다는 내용 말고는 크게 눈에 들어오는 게 없었다. 과연 정부는 청년 일자리 문제를 깊이 고민하는가. 놀라운 건 기획재정부에 이미 '청년정책과'가 있다는 점이다. 인구전략기획부도 신설된다. 청년 일자리 문제가 단칼에 해결될 리 없지만 청년의 관점으로 일자리 문제를 바라보기 위해서는 이런 부서에 힘을 더 기울여야 한다.

5년 전 출간된 <청년현재사>라는 책이 있다. 청년 담론을 청년 스스로 말해보겠다는 책이다. 이들은 "모두가 병들었지만 아무도 아프지 않은, 그런 청년들의 이야기"라고 했다. 지금 이대로라면 책이 나온 지 10년이 지나, 그러니까 5년 뒤 이렇게 바꿔써야 할지 모른다. "모두가 병들었고, 모두가 아픈 청년들 이야기"라고.[181]

148. 하반기 우려 키우는 2분기 역성장…투자 소비 되살려야

지난 2분기 국내총생산(GDP)이 전기 대비 -0.2%로 뒷걸음쳤다. 1분기 1.3%로 '깜짝 성장'이라며 놀랍게 받아들였는데 석 달 만에 역성장으로 돌아섰다. 1분기와 비교한 것이어서 기저효과가 있고 상반기 전체로는 전년 동기 대비 2.8% 성장했다는 게 한국은행 설명이지만 1년6개월 만의 마이너스 성장이어서 심상치가 않다. 수입은 늘고 소비와 투자가 부진한 게 2분기 경제가 뒷걸음질한 주된 요인이다. 반도체 수출을 빼면 경기가 전반적으로 좋지 않다.

문제는 하반기다. 한은은 내수가 완만하게나마 나아진다고 진단하고 있고, 국제 반도체 경기도 상승세가 이어지고 있다. 하지만 1분기 0.7% 성장한 민간소비가 2분기 -0.2%로 눈에 띄게 위축됐다. 설비투자(-2.1%)와 건설투자(-1.1%)도 매우 부진하다. 뭔가 추세를 전환시킬 자극제나 정책적 계기가 절실해졌다. 그렇다고 정부 돈을 푸는 재정 확대로 갈 상황은 아니다. 예산 여력도 없을뿐더러 건전재정 기조를 강조해온 터여서 더욱 그렇다. 결국 규제완화를 통해 투자 확대와 민간소비를 적극 꾀하는 수밖에 없다. 경제단체 등이 줄곧 요구해온 투자의 걸림돌을 제거하며 소비 확대를 막는 규제를 더 과감히 철폐하는 게 정석 대응이다. '노란봉투법'을 비롯해 기업을 움츠러들게 하는 악법만 더 만들지 않아도 투자심리는 나아질 것이다. 이번에도 재정확장론자들은 정부에 대고 돈부터 풀라고 주장하지만 예산을 최대한 안 쓰고 경기를 살려내는 게 바람직하다.

금리 인하 요구도 필연적으로 나올 것이다. 하지만 이 또한 쉬운 결정이 아니다. 미국의 금리 동향도 봐야 하고 일각의 부동산 과열 조짐까지 감안해야 한다. 보다 중요한 것은 약간의 금리 조정만으로 내수 부진을 타개할 상황이 아니라는 점이다. 과감한 규제 혁파에 기반한 경제 체질 개선과 고효율을 담보하는 노동·고용·산업의 구조개혁이 절실하다. 인구절벽과 급격한 고령화 추세까지 감안하면 다른 선택지가 없다. 머뭇거리며 실기하다가 성장엔진이 식으면 정말로 위기다. 정부도 국회도 근본 처방을 더 고민할 때다.[182]

149. 미국 금리인하 지연 대응책 시급하다

한국경제는 물론 세계경제에서 초미의 관심사는 미국 금리인하 시기다. 작년부터 거론된 미국 금리인하 시기는 올해 들어서도 계속 늦춰지고 있다. 최근 월가는 9월 인하설이 제기하고 있으나 미국 연방공개시장위원회(FOMC) 위원들은 점도표에서 올해 연말에 한차례 인하를 전망하고 있다. 그러나 미국 인플레이션이 아직도 3%대에 있고 경기도 호황을 유지하고 있어 실제로 금리인하 시기는 예상보다 늦어질 가능성을 배제할 수 없다.

미국 금리인하가 지연될 경우 한국의 금리인하 시기도 늦춰지면서 고금리 지속의 부작용이 커질 것이 우려된다. 비록 수출이 늘어나면서 성장률은 상향 조정되고 있으나 내수침체는 더욱 심해져 자영업자를 비롯한 서민경제 어려움이 가중되기 때문이다. 여기에 고금리로 인한 이자부담 증가로 부동산 프로젝트금융(PF) 부실은 물론 자영업자와 소상공인 그리고 가계부채의 연체율이 높아지면서 신용경색도 우려된다. 정부의 적극적인 대책 마련이 시급하다.

먼저 조기 금리인하를 검토해야 한다. 한국은행은 유가나 환율이 안정되지 않아 인플레이션 재발이 우려되고 미국 금리인하 전에 조기 인하할 경우 미국과의 금리차이 확대로 자본유출과 환율상승을 걱정한다. 그러나 6월 인플레이션이 2.4%로 낮아졌고 외환보유액도 6억달러밖에 감소하지 않아 환율은 안정세를 유지할 것으로 기대된다. 이런 추세가 지속되면 금리를 조기 인하하는 것이 금융부실 확대와 내수침체 심화를 막아 인하의 이득을 크게 할 수 있다는 점에서 바람직하다.

다음으로 내수진작을 위해 재정지출을 늘릴 필요가 있다. 미국 금리인하 시기가 늦어질수록 강달러로 원화가치는 더욱 낮아져 환율이 올라 물가를 자극할 수 있다. 이 때문에 조기 금리인하가 어려워질 경우 내수진작과 소상공인들의 고통을 덜어주기 위해 재정지출을 확대할 필요가 있다. 작년 재정적자가 국내총생산(GDP)에서 차지하는 비중은 3.9%로 비록 기준치인 3%보다는 높으나 코로나 팬데믹 후유증으로 인한 경기침체를 감안하고 미국과 일본의 국가부채 규모와 비교하면 재정건전성은 아직은 양호하다고 할 수 있다. 정부는 재정지출을 한시적으로 늘려서 고금리 지속으로 침체되는 내수경기를 살려 금융부실 확대를 막아야 한다.

마지막으로 대출한도를 급격히 줄이는 데에 신중해야 한다. 정부는 급증하는 가계부채에 대응하기 위해 스트레스 총부채원리금상환비율(DSR) 2단계를 9월부터 실시해 대출한도를 줄이려 하고 있다. 그러나 고금리에, 내수침체에, 대출한도까지 줄어들면 자영업자와 소상공인들의 연체율이 더욱 높아질 것이 우려된다. 비록 가계부채 증가가 우려되지만 대출한도 축소를 내수가 회복되는 시기로 연기해 자영업자와 소상공인의 어려움을 덜어주는 것이 바람직하다. 그 외에도 소상공인들에 대한 금융 및 세제지원 정책을 확대하는 것도 필요하다.

한국경제는 거시경제 지표상으로는 별 문제가 없어 보인다. 올해 성장률은 2.6%로 상향 조정되었으며 물가도 2%대 중반에서 안정세를 보이고 있다. 경상수지도 600억달러 이상 흑자가 예상된다. 그러나 좀 더 자세히 보면 많은 위험이 내재되어 있음을 알 수 있다. 환율은 금리인상 이전에 비해 거의 40%나 높아져 수입물가와 농산물 가격을 비롯한 체감물가가 높아지고 있다. 여기에 과도한 세금과 높은 이자부담으로 소비여력이 감소하고 있으며 금융부실도 늘어나고 있다. 조선, 철강, 전자 등 주력산업의 경쟁력이 약화되면서 대중국 수출과 일자리도 줄어들고 있다. 미국 금리인하가 연기될수록 고금리가 지속되면서 이러한 문제점들이 악화되어 한국경제는 위기의 위험에 노출될 수 있다. 미국 금리인하 지연의 부작용을 줄이기 위해 정책당국의 적극적인 대응책 마련이 시급하다.[183]

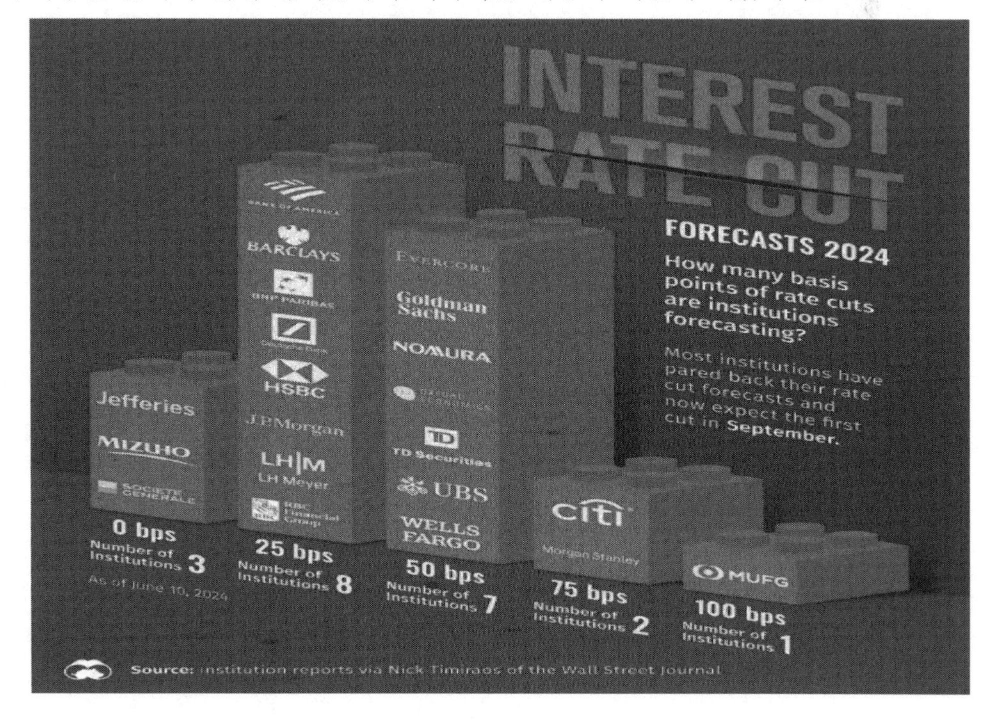

150. 예상보다 나빴던 2분기 韓경제, 성장률 눈높이 낮추나

지난 2분기 우리 경제성장률이 예상보다 나빴던 것으로 나타나면서 민간의 연간 경제성장률 전망치도 낮아졌다. 민간소비와 투자 등 내수 부진이 하반기까지 이어지고 수출 증가세도 둔화할 우려가 있다는 지적이다.

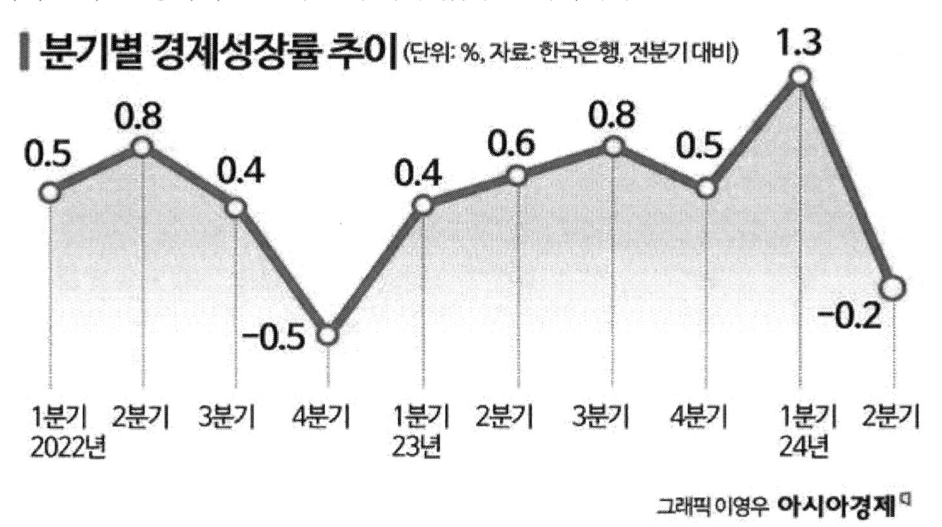

가. 2분기 성장률 -0.2%, 예상보다 내수 안 좋아

26일 한국은행에 따르면 올해 2분기 우리나라의 경제성장률은 -0.2%로 시장이 예상했던 0~0.1%보다 낮았다. 전년 대비로는 2.3% 성장했는데 이 역시 시장 예상치인 2.5%를 밑돌았다. 상반기 경제성장률도 2.8%로 한은이 지난 5월 경제전망에서 예측했던 2.9%를 하회했다.

2분기 성장률이 예상을 하회한 결정적 이유는 내수부진이었다. 그중에서도 민간소비가 전분기 대비 0.2% 하락하면서 작년 2분기 이후 처음으로 역성장을 기록한 영향이 컸다. 건설투자와 설비투자가 각각 1.1%, 2.1% 하락한 영향도 있었다.

2분기 성장률이 예상치에 미달한데다 내수부진 우려도 커지면서 한은이 예측했던 올해 우리 경제성장률 전망치인 2.5%를 달성하기 힘들 것이라는 예측이 민간을 중심으로 나온다.

전일 한은의 2분기 성장률 발표 직후 국내 주요 증권사들이 올해 우리 경제성장률 전망치를 하향 조정했다. 한국투자증권과 유진투자증권은 전망치를 종전 2.5%에서 2.4%로 각각 하향했고, 삼성증권은 2.7%에서 2.5%로 낮췄다. 하나증권(2.4%)과 신한투자증권(2.3%)은 종전의 다소 낮았던 전망치를 유지했다.

이정훈 유진투자증권 이코노미스트는 "1분기 깜짝성장에 따른 기저효과를 감안하더라도 2분기 성장률은 민간소비와 투자가 부진하며 예상을 하회했다"며 "내수가 회복단계에 진입했다고 확신하기 어려운 상황이라 연간 성장률 전망치를 하향 조정했다"고 밝혔다.

수출에 대한 우려도 있었다. 그는 "2분기 순수출의 경우 수출과 수입이 모두 증가했지만 성장기여도는 -0.1%포인트로 4분기 만에 마이너스를 기록했다"며 "하반기 수출이 지금보다 더 좋아지기는 어려운 것을 감안할 때 수출의 기여도는 조금씩 낮아질 것"이라고 덧붙였다.

정성태 삼성증권 수석연구위원도 "고금리 영향으로 민간소비가 자동차, 의류 등 재화를 중심으로 둔화세가 지속되고 있고 건설 및 설비 투자도 부진했기 때문에 연간 성장률 전망치를 낮췄다"며 "그간 한국 경제의 회복을 견인하던 수출도 반도체를 제외하면 한 자릿수 초반 성장에 그치고 있다"고 우려했다.

이남강 한국투자증권 연구원도 "2분기에도 수출 증가세가 지속됐지만 작년 4분기 이후 수출 증가율이 지속적으로 낮아지면서 모멘텀이 둔화하는 모습"이라고 분석했다.

나. 한은, 연간 경제성장률 전망치 하향 조정 가능성도

한은이 다음달에 발표할 수정 경제전망에서 올해 연간 경제성장률 전망치를 종전 하향 조정할 가능성도 제기됐다. 임재균 KB증권 연구원은 "2분기 경제성장률은 시장의 예상뿐 아니라 한은의 전망보다 부진했다" 며 "하반기 성장세가 기존 전망보다 가팔라지지 않는다면 8월 수정 전망에서 한은은 올해 경제 성장률을 종전 2.5%에서 소폭 하향 조정할 것" 이라고 말했다.

다만 한은은 현재 상황까지는 기존 전망치에 부합하는 결과라고 설명했다. 신승철 한은 경제통계국장은 전일 성장률 발표 이후 가진 기자간담회에서 연간 성장률 2.5% 달성 가능성에 대한 질문에 "상반기 성장률이 기존 전망과 큰 차이라고 보기 어려우며 현재 상황에서는 연간 성장률 전망치에 부합하는 수준의 성장세를 보이고 있다" 고 답했다.

정부 역시 2분기 역성장에도 올해 2.6% 성장 전망이 유효하다고 밝혔다. 기획재정부 관계자는 "2분기 역성장은 1분기 큰 폭 성장에 따른 예상 수준의 조정"이라며 "하반기 수출 모멘텀이 유지되고 소비다 작년보다는 올라오는 모습이 나타나고 있어 2.6% 경제성장이 가능하다" 고 설명했다.

한편 2분기 우리 경제성장률이 예상보다 낮게 나오면서 한은의 연내 기준금리 인하 가능성이 더 커졌다는 관측도 있다. 최근 수도권 집값 상승으로 기준금리 인하에 대한 우려가 커지고 있지만 내수가 너무 안 좋아 한은이 늦어도 10월에는 기준금리를 한차례 내릴 것이라는 예상이다.

이정훈 이코노미스트는 "2분기 경제성장률 발표로 내수 회복이 여전히 미약한 상황임을 재확인했다" 며 "최근 주택가격 상승, 가계부채 증가 등에도 한은의 연내 금리 인하 필요성은 더 높아졌다" 고 강조했다.[184]

IMF, 7월 세계경제전망

		4월 전망	7월 전망	조정폭
세계		3.2%	3.2%	–
미국		2.7%	2.6%	–0.1%P
유로존		0.8%	0.9%	0.1%P
	독일	0.2%	0.2%	–
	프랑스	0.7%	0.9%	0.2%P
	이탈리아	0.7%	0.7%	–
	스페인	1.9%	2.4%	0.5%P
일본		0.9%	0.7%	–0.2%P
영국		0.5%	0.7%	0.2%P
캐나다		1.2%	1.3%	0.1%P
한국		2.3%	2.5%	0.2%P

*자료: 기획재정부

IMF는 올해 세계 경제성장률과 관련, 상·하방 요인이 균형을 이루고 있는 것으로 진단했다. 성장률을 높일 상방 요인으로는 성공적인 구조개혁을 통한 생산성 증가, 다자간 협력 강화를 통한 무역 확대 등을 꼽았다. 반대로 지정학적 갈등에 따른 물가 상승 및 그에 따른 고금리 상황 지속, 선거 결과에 따른 정책 급변 및 재정 적자·부채 확대 등은 성장을 제약하는 하방 요인으로 지적했다.[185]

Ⅱ. 나가는 글

사회적 경제(社會的經濟)는 사회 구성원 간 상호 협력과 연대를 통해 공동의 이익과 사회적 가치 실현을 추구하는 경제 활동. 사회적 기업, 협동조합, 마을 기업, 자활 기업, 농어촌 공동체 회사 등의 여러 가지 활동 따위가 속한다.

기관 구성은 기관 운영의 효율성과 주민 대표성을 동시에 고려해 대립형을 취하면서 직선에 따른 사회적 · 경제적 비용을 최소화하기 위해 간선제를 채택했다.

유럽의 복지 국가들은 기존의 직접적이고 독점적인 사회 서비스 제공자의 위치에서 벗어나 복지 혼합의 한 파트너로서 사회적 경제를 바라보기 시작했다.

바이러스 대처법이 나라마다 다를 리 없지만 같은 것도 다르게 해석할 수 있는 문화의 힘은 엄청나다. 마스크 착용을 개인 자유의 억압으로 받아들이고, 백신 접종 권고를 국가의 폭력으로 이해하면 방역정책이 옳은들 효과는 미진하다. 그런데 이게 수백년을 거쳐서 형성된 정서인지라 논리적으로 설명한들 고정관념은 견고하다.

거리 두기는 자영업자들이 영업제한을 받아들일 때 가능하다. 여러 나라에서 '한국에서 볼 땐 파격적인' 지원금을, 그것도 여러 번 지급하면서 불씨의 번짐을 막았다. 파격을 파격이 아니라고 해석하니까 소모적인 논쟁도 없었다. 사회에 반드시 필요한 사람들이, 일할 자유를 빼앗겼으니 저들을 더 지원하는 건 당연하다는 태도였다.

한국이었다면 같은 정책이 순항했을까? 들리는 이야기론 그렇게 하지 않은 정부에 대한 원망이 큰 것 같다. 영업제한을 받는 업종에 팍팍 돈을 주지도 않고 거리 두기만 강화하니 효과가 없다는 원성과 25만원 준다고 생색내지 말고 진짜로 힘든 이들을 도우라는 지탄이 자자하다. 그럼, 한국의 자영업자들에게 묻지도 따지지도 않고 몇 천만원이 지급되면 사람들은 박수를 칠까? 글쎄다. 그 돈은 지금까지의 손실에 비하면 결코 많은 금액도 아니겠지만, 이건 논리의 영역이고 대중의 감정이 이와 일치할지는 의문이다.

한국 사회에서 '장사하는 사람들'이 소비되는 방식은 너무나도 탈사회적이다. 잠시만 TV 채널을 돌려도 이들을 초인, 달인, 고수들로 포장하기 바쁜 영상들을 볼 수 있다. 고군분투했으니 고진감래 아니겠냐는 천편일률적인 서사도 반드시 언급된다. 갑부가 되었다는 아무개의 생애과정은 유사하다. 식당 몇 개가 망하면서 극단적인 생각도 했으나 이를 악물었고, 결국 지금의 부를 이룬 신화의 주인공은 외친다. "땀은 배신하지 않는다!"

무용담만이 부유하는 곳에서 이들은 성공해서 대박이 난들, 실패해서 쪽박을 차든 다 자기 선택에 따른 결과라는 울타리 속에 갇힌다. 장사하는 사람들을 위한 사회안전망을 마련하자고 하면 어딘가 앞뒤가 맞지 않는 느낌을 풍기는 이유다. 그러니 힘들다는 이들의 하소연까지는 경청하지만, 백 단위가 아닌 천 단위의 돈이 필요하다고 하면 반응이 날카롭다. "장사하면서 위험을 감수하는 건 당연한 거 아니야?" "솔직히 가게 차렸다는 건 원래 잘산다는 거지, 팔자 좋게 카페 차려 편하게 살았던 사람을 왜 세금으로 도와줘?" 등등의 반응들이 불쑥불쑥 등장한다. 소상공인 대부분은 이런 대접을 받아서는 안 될 사람들이지만, 일반인들 머릿속에 입력된 정보는 이분법적이기에 특정 상황에 대한 해석도 투박하다.

자영업자가 너무 많다는 것부터가 잘못된 단추였을 거다. 경쟁이 필연적이고 그렇기에 성공과정은 전투적이다. 이 양념에 길들여진 대중은 더 자극적인 것을 원하고 결국 고통은 극복기의 소재로서만 반짝한다. 웅장하고 감동적인 서사는 누군가를 이 지옥으로 끌어들이는 유인책이 된다.

임금노동이 불안정해서 이 지경이 되었는데, '새롭게 출발하겠다!'는 사람들이 많은 곳에서 잘못된 구조는 은폐된다. 모든 것은 선택일 뿐이라는 곳에선 강자만 살아남는 오징어 게임만이 '공정하다면서' 반복된다. 골목은 백종원이 구원할 수 없다.[186]

클라우제비츠는 <전쟁론>에서 전쟁을 정치와는 다른 수단으로 수행하는 정치의 연속이라고 했다. 그러나 정치학이나 전쟁학에서의 개념 정의와는 별개로 전쟁을 정치로 보기에는 너무 가혹한 것이 인류사의 경험이다. 피해는 말할 것도 없고 결과에 따라 패자는 승자에 복종해야 하는 전쟁은 어찌 보면 가장 잔인한 정치행위이다. 지난 2월25일 러시아의 우크라이나 침공은 자국 이익을 둘러싼 국제정치의 냉혹함을 다시 보여주었다.

2022년 벽두에 전 세계를 놀라게 한 우크라이나 침공은 우리나라 언론의 몇몇 문제점을 다시 보여주었다. 그동안 국제분쟁 과정에서 무수히 나타난 한국 언론의 현지 취재원 부족, 여론 인식, 전쟁 위험성 인식, 국제정세 오판 등 난맥상이 또 드러났다. 충격적인 것은 전쟁으로 고통받는 우크라이나 시민에 대한 공감보다 정치권의 전쟁 책임론, 선거 책임론까지 고스란히 언론이 중계했다는 것이다.

이번 전쟁에서 크게 주목받는 플랫폼은 유튜브, 틱톡, 트위터 등 소셜미디어이다. 위성인터넷으로 지상 네트워크가 붕괴되어도 소셜미디어가 전 세계와 연결되어 있기 때문이다. 그런데 이 소셜미디어의 언론 이용법에도 문제가 드러났다. 대표적으로 KBS, MBC는 유튜브를 통해 교전 중인 우크라이나 수도 키이우(키예프)의 CCTV 영상을 실시간으로 송출했다. 사실을 전달하여 시민들에게 알권리를 보장하겠다는 취지이지만 전쟁이 게임과 영화, 오락처럼 비치는 것은 어쩔 수 없다. 심지어 댓글창에는 전쟁게임을 하는 듯한 대량살상무기와 핵무기 사용, 국가 비하, 인종 차별적인 댓글이 게시되는데도 전혀 관리하지 못했다.

뿐만 아니라 언론사들이 제공하고 있는 소셜미디어의 인용 뉴스도 문제점이 크다. 전쟁이 시작되면서 국내 언론사들은 소셜미디어에 올라온 러시아 탱크의 진격, 전투 장면, 건물 폭격, 피해상황 등을 중계하고 있다. 공식 취재나 검증 없이 소셜미디어 동영상이 책임 있는 언론사의 뉴스로 바뀌고 있는 것이다. 언론사들은 동영상 정보로 시민들에게 생생하게 뉴스를 제공하려 했겠지만, 근본적으로 전쟁의 맥락이나 해설 없이 자극적인 전쟁 모습만 전달하는 것이 무슨 의미가 있을까? 거기에 더해 일부 소셜미디어 정보는 러시아 정부가 개입된 가짜뉴스로까지 의심받고 있다. 2월 24일자 '핵무기' 관련 속보 기사가 연합뉴스와 관련이 없다고 해명했다. 전쟁이란 혼란상을 악용한 가짜뉴스 확산조차 걸러내기 힘들게 되었다.

이와 달리 시민들의 소셜미디어 이용법은 달랐다. 전쟁 원인과 과정에 대해 지적하고, 결국 러시아와 우크라이나 시민이 이번 전쟁의 가장 큰 피해자라는 데 초점을 두었다. 시민들이 올린 무장하지 않은 시민이 탱크를 막아서는 모습, 평화를 호소하는 시민들의 인터뷰, 피란행렬과 방공호의 참상, 전쟁에 참여하기 위해 가족들과 이별하는 동영상은 소셜미디어를 타고 전 세계에 소개되면서 전쟁이 개인, 사회와 국가에 얼마나 큰 비극인지 알려주었다. 여기에 전 세계 시민들도 가세했다. 소셜미디어로 우크라이나 전쟁 상황을 국내외에 알리고 있고 부당한 침략에 항의하고 있다. 전쟁 중단과 평화를 기원하는 세계인들의 직접행동으로 소셜미디어 해시태그(#) 릴레이도 진행 중이다.

전쟁의 가장 큰 피해자는 민간인이다. 어린이와 노약자, 여성들은 심각한 위험에 처할 수 있다. 비단 우크라이나만이 아니라 젊은이들을 파병한 러시아 역시 마찬가지이다. 전쟁이란 인류사의 비극에서 언론이 전쟁정보 제공에 좀 더 신중을 기해야 하는 이유이다. 그리고 전쟁이란 비극에서 언론이 손쉽지만 검증되지 않은 소셜미디어 인용에 빠지기보다 심도 있고 체계적 정보 전달이 필요한 이유이기도 하다.[187)]

참고문헌

곽삼근.《착한 선진화 교육의 방안》, 한국선진화포럼, 2015.10.

곽수근.《경제 양극화 해소를 위한 동반성장정책의 역할》, 동반성장위원회, 2014.

경제사회발전노사정위원회.《하르츠 박사 초청 강연 (독일의 노동개혁)》, 2015.

김낙년. "한국의 소득 불평등, 1963-2010: 근로소득을 중심으로", 〈경제발전연구〉, 제18권 제2호, 2012.

김세중.《한국기업 CSR 활동의 공유적 성과에 관한 연구》, 고려대학교 박사학위논문, 2012. 8.

김용하.《정신적 풍요와 함께 하는 착한 선진화: 실천방안》, 한국선진화포럼, 2016.

김윤형.《다함께 가는 '착한' 선진화, 어떻게 할 것인가?》, 한국선진화포럼, 2015.

대한상공회의소.《정년 60세 시대의 기업대응실태》, 2016.

동반성장위원회.《2015 동반성장백서》, 2015.

동아일보. 〈이재용 '뉴 삼성', 투명경영과 고용확대 책임 막중하다〉, 2015.7.18.

박기성.《노동개혁, 핵심은 빠졌다》, 자유경제원, 2015.

박준.《한국의 사회갈등과 경제적 비용》, 삼성경제연구소, 2009.

박우희 · 이어령.《한국의 新자본주의 정신》, 박영사, 2005.

부즈앤드앨런.《21세기를 향한 한국경제의 재도약》, 1997.

서울사회경제연구소.《노동시장 취약계층의 현실과 정책 과제》, 한울아카데미, 2012.

아나톨 칼레츠키.《자본주의 4.0》, 컬쳐앤스토리, 2011.

안충영.《한국경제의 위기- 동반성장이 해답이다》, 2015, 인간개발연구원.

양병무.《한국기업의 인적자원개발과 관리》, 미래경영개발연구원, 2006.

양병무.《행복한 논어읽기》, 21세기북스, 2009.

여성가족부.《가족이 행복한 즐거운 일터》, 여성가족부, 2016.

원종학 · 이형민 · 홍성열.《주요국의 상속 · 증여세제 현황 및 최근동향》, 한국조세연구원, 2012.

유장희.《이타주의(利他主義: Altruism)와 한국적 자본주의》, 학술원논문집(인문•사회과학편) 제52집1호, 2013.

이장원・전명숙・조강윤.《격차축소를 위한 임금정책 : 노사정 연대임금정책 국제 비교》, 한국노동연구원, 2014.
전국경제인연합회(전경련).《2014년 주요 기업・기업재단 사회공헌백서》, 2014.
장하성,《한국 자본주의》, 헤이북스, 2014.
정영호・고숙자.《사회갈등지수 국제비교 및 경제성장에 미치는 영향》, 한국보건사회연구원, 2015.
정옥자 외.《시대가 선비를 부른다》, 효형출판, 1998.
조동성.《공유가치창조(CSV)》, 인간개발연구원, 2014.
조동철 외 8명.《우리 경제의 역동성: 일본과의 비교를 중심으로》, 한국개발연구원, 2014.
조준모.《9.15 노사정 대타협과 향후 과제》, 경제사회발전노사정위원회, 2015.
최광.《국가 번영을 위한 근본적 세제개혁 방안》, 한국경제연구원, 2008.
호사카 유지.《조선 선비와 일본 사무라이》, 김영사, 2007.
Lee-Jay Cho, Yoon Hyung Kim.《Korea's Political Economy》, 1996.
Anatole Kaletsky.《Capitalism 4.0: The Birth of a New Economy in the Aftermath of Crisis》, 2011.
Era Dabla-Norris, Kalpana Kochhar, Nujin Suphaphiphat, Frantisek Ricka, Evridiki Tsounta.《Causes and Consequences of Income Inequality : A Global Perspective》, IMF, 2015.
Umair Haque.《The New Capitalist Manifesto: Building a Disruptively Better Business》, Harvard Business, 2011.
OECD.《Divide We stand : Why Inequality Keeps Rising》, 2011.
Michael E. Porter and Mark R. Kramer.《Created Shared Value》, Harvard Business Review, Jan, 2011.

〔주석〕

1) 김현빈.「힘 받은 윤석열 정부, 경제 살리기·규제 개혁에 드라이브 나선다」,『한국일보』, 2022년 6월 2일.
2) 이경숙.「2024년 한국 경제 전망」,『월간 CEO&』, 2023년 11월 14일.
3) 이일영.「토마토와 스마트팜」,『경향신문』, 2020년 10월 8일.
4) 나무위키.「가계부채」, Daum, 2024년 7월 1일.
5) 정중호.「가계부채의 경제학」,『경향신문』, 2020년 10월 22일.
6) 강명구.「경제가 재정보다 우선이다」,『경향신문』, 2020년 10월 30일.
7) 김학균.「코로나19보다 금리 상승이 더 무섭다」,『경향신문』, 2020년 12월 20일.
8) 이일영.「제조업 수출주도 경제의 위기」,『경향신문』, 2022년 9월 7일.
9) 이호준.「표퓰리즘의 계절, 밑 빠진 독에서 물 긷기」,『경향신문』, 2024년 2월 14일.
10) 박준배.「위기를 한국경제 도약의 기회로」,『전북일보』, 2022년 9월 6일.
11) 이지훈, 정영효, 이미경.「中, 한국 단체여행 전격 허용」,『한국경제』, 2023년 8월 17일, A1.
12) 김광석.「복합위기의 시대」,『국민일보』, 2022년 9월 13일.
13) 경향신문.「뉴노멀 된 '3고 시대', 장기 경제위기 대비해야」, 2022년 9월 14일.
14) 정중호.「지경학 시대'의 위험과 기회」,『경향신문』, 2022년 9월 22일.
15) 이동규.「전력산업 이슈의 근본적 해결책은 '가격'이다」,『경향신문』, 2022년 9월 26일.
16) 류덕현.「가계부채와 정부부채의 변주곡」,『경향신문』, 2024년 3월 19일.
17) 우태희.「순환경제가 넷제로 지름길」,『국민일보』, 2022년 9월 20일.
18) 안재욱.「감세 혜택은 국민 모두가 받는다」,『경향신문』, 2022년 9월 20일.
19) 한겨레.「감세의 낙수효과'는 이미 깨진 신화다」, 2024년 1월 30일.
20) 김종철.「ESG에 진심이어야 할 헌법적」,『경향신문』, 2022년 9월 30일.
21) 이일영.「독일과 중국의 위기, 세계경제의 위기」,『경향신문』, 2022년 10월 5일.
22) 양오석.「리질리언스제4섹터」,『강원일보』, 2022년 10월 13일, 19면
23) 이제학.「리질리언스를 아시나요?」,『스포츠경향』, 2023년 12월 22일.
24) 정중호.「금융위기의 새로운 역학」,『경향신문』, 2022년 10월 20일.
25) 오일만, 김경두.「새 금융규제 시스템 가동.. 미래 경제위기 사전 차단」,『서울신문』, 2010년 11월 13일.
26) 권오인.「민생예산 삭감, 국회가 바로잡아야」,『경향신문』, 2022년 10월 31일.
27) 이일영.「'재야'의 경제학」,『경향신문』, 2022년 11월 2일.
28) 김학균.「물가안정과 금융안정 병행」,『경향신문』, 2022년 11월 4일.
29) 홍기빈.「인플레이션 대책, 증세는 어떠한가,『경향신문』, 2022년 11월 8일.
30) 안호기.「"주식투자를 도박으로 보는 한국…안정적 노후 생각하면 주식 사야"」,『경향신문』, 2021년 7월 28일, 24면.
31) 존 리는 1958년 인천에서 태어났다. 대학 재학 중 미국으로 건너가 뉴욕대를 졸업한 후 회계사로 일했다. 미국 최초 자산운용사인 스커더스티븐스앤드클라크로 옮겨 기업분석 및 자산운용 업무를 시작했다. 이때부터 한국 주식시장에 관심을 갖고 투자했다. 2014년 메리츠자산운용 대표이사로 영입돼 한국으로 돌아왔다. 국적은 미국이다. 한국의 금융교육이 부족한 것을 큰 문제라고 생각한다. 활발한 강연과 방송 출연, 유튜브 채널 등을 통해 주식 투자를 권유하는 이유이다. "차 사지 말라, 사교육비 끊어라. 주식에 투자하라"고 조언하는 것을 두고, 극단적인 소비 절제론이라는 비판도 받는다.
32) 정중호.「'빅테크' 반독점 규제」,『경향신문』, 2021년 7월 29일.
33) 나원준.「왜 지금 횡재세인가」,『경향신문』, 2022년 11월 16일.
34) 오관철.「한국 경제의 위기, 신뢰의 위기」,『경향신문』, 2022년 11월 18일.
35) 박상인.「지속 불가능한 한국 경제」,『경향신문』, 2022년 11월 18일.
36) 김학균.「주가지수가 한국 경제에 대해 말해주는 것들」,『경향신문』, 2022년 12월 9일.
37) 이호준.「의원 선진화법'이 필요한 이유」,『경향신문』, 2022년 12월 13일.
38) 매일경제.「국회선진화법 개정」, 2014년 4월 9일.

39) 우석훈.「안녕, 고마워, 인사와 감사,『경향신문』, 2022년 12월 26일.
40) 권오인.「정부 경제정책방향으론 민생경제 회복 어려워」,『경향신문』, 2022년 12월 26일.
41) 이주희.「정부, 상반기에 예산 65% 쏟아붓는다… "민생회복 체감 어려워"」,『시사저널』, 2024년 1월 16일.
42) 이정철.「민주주의와 시장경제, 그리고 자유담론」,『경향신문』, 2022년 12월 27일.
43) 송기호.「경제는 MB식, 통상은 아베식」,『경향신문』, 2023년 1월 4일.
44) 김학균.「주주자본주의 과잉의 어떤 나라」,『경향신문』, 2023년 1월 13일.
45) 최종렬.「신자유주의의 끝물」,『경향신문』, 2023년 1월 13일.
46) 김윤영.「해명자료 말고 변화된 정책과 예산으로 말하라」,『경향신문』, 2023년 1월 16일.
47) 박윤호.「중진공, R&D 예산삭감에 글로벌 진출 돕던 'G-TEP' 중단」,『전자신문』, 2024년 7월 4일.
48) 이일영.「공포에서 벗어나기」,『경향신문』, 2023년 1월 25일.
49) 이창민.「기대는 증오를 부른다」,『경향신문』, 2023년 1월 18일.
50) 송경호.「포퓰리즘이 뭐라고 생각하세요」,『경향신문』, 2023년 1월 18일.
51) Daum 백과.「포퓰리즘」, Daum, 2024년 7월 17일.
52) 오건영.「연준과 시장의 동상이몽,『경향신문』, 2023년 1월 28일.
53) 전준범.「연준과 시장의 동상이몽」,『조선비즈』, 2023년 12월 26일.
54) 우석훈.「난방비 문제와 에너지 대수선」,『경향신문』, 2023년 1월 30일.
55) 유종일, 서의동.「"한국 경제 위기는 대전환의 기회…공공정책이 혁신 뒷받침해야"」,『경향신문』, 2023년 2월 7일.
56) 유종일.「'잃어버린 30년' 진입 직전 한국 경제, 산업 대전환 절실」,『조선일보』, 2024년 4월 22일.
57) 나원준.「고난과 저항의 한국 경제 2023년」,『경향신문』, 2023년 2월 8일.
58) 정중호.「경제 성장과 은행의 역할」,『경향신문』, 2023년 2월 9일.
59) 박상인.「'금산분리 완화' 라는 판도라의 상자」,『경향신문』, 2023년 2월 10일.
60) 나원준.「에너지 요금 인상, 정말로 필요한가」,『경향신문』, 2023년 3월 8일.
61) 김학균.「은행 위기와 대마불사 자본주의」,『경향신문』, 2023년 3월 24일.
62) 오건영.「SVB 사태는 찻잔 속의 태풍일까?」,『경향신문』, 2023년 3월 25일.
63) 주영재.「아인슈타인은 옳았다・・・왜 노동시간을 줄여야 하는가?」,『경향신문』, 2017년 1월 5일.
64) 박권일.「노동시간, 더 줄여야 한다」,『한겨레』, 2021년 7월 23일.
65) 안호기.「성장 패러다임 전환이 필요하다」,『경향신문』, 2023년 4월 5일.
66) 나원준.「외투기업과 고용의 사회적 보장 의제」,『경향신문』, 2023년 4월 5일.
67) 박동흠.「이 기업, 돈 잘 버나 못 버나… '현금흐름표' 에 답이 있다」,『경향신문』, 2023년 4월 11일.
68) 이창민.「금융시장 공포조장자들은 걸러내자」,『경향신문』, 2023년 4월 12일.
69) 이병천.「고금리의 그림자-한・미의 다른 행보」,『경향신문』, 2023년 4월 17일.
70) 임태섭.「덮쳐 오는 고금리의 그림자…침체는 시간 문제일 뿐」,『한국경제』, 2024년 5월 17일.
71) 오건영.「금융시장 악재는 호재가 될 수 있나」,『경향신문』, 2023년 4월 22일.
72) 박명림.「선진경제 빛 속에 깃든 어둠…부의 편중 심화된 반민주공화국」,『경향신문』, 2023년 4월 28일.
73) 박명림 교수는 연세대에서 정치학을 가르치고 있다. 제주 4・3(석사)에 이어 한국전쟁에 대한 연구(박사)로 학문의 길에 들어선 이래 평화 문제를 중심으로 정치현상 연구에 천착해왔다. 정치학자로서, 역사학자로서 전쟁과 평화, 생명과 인간, 그리고 국가에 대해 끊임없이 질문하고 답하고 있다. 주요 저서로 〈한국전쟁의 발발과 기원 1, 2〉 〈다음 국가를 말하다〉 〈역사와 지식과 사회〉 〈한국 1950: 전쟁과 평화〉 등이 있다.
74) 김학균.「행동하는 주주들」,『경향신문』, 2023년 4월 28일.
75) 홍기빈.「세입자는 '채권자' 다」,『경향신문』, 2023년 5월 9일.
76) 홍기빈은 정치경제학자. 대안적 사회의 정치경제 질서를 설계하고 구축하는 데에 도움이 될 수 있는 연구와 활동을 병행해 왔다. (재)글로벌정치경제연구소 소장을 지냈으며, 국제칼폴라니 연구협회의 자문위원을 맡고 있다. 저서로는 〈위기 이후의 경제학〉 〈비그포르스, 잠정적 유토피아와 복지국가〉가 있으며, 역서로는 〈도넛 경제학〉 〈21세기 기본소득〉 〈균형재정은 틀렸다: 현대화폐이론 입문〉 등이 있다.
77) 안호기.「한국 경제, 고성장 과거를 잊어야 산다」,『경향신문』, 2023년 5월 31일.
78) 이창민.「신념과 아집의 혼동」,『경향신문』, 2023년 6월 7일.

79) 이호준.「한한령과 탈한국」,『경향신문』, 2023년 6월 15일.
80) 최병천.「타다 금지법, ‘혁신경제 시대’ 진보의 미션」,『경향신문』 2023년 6월 16일.
81) 정세은.「탈성장보다 지속 가능한 성장을…북유럽 ‘생태복지국가 모델’이 현실적 대안」,『경향신문』, 2023년 6월 19일.
82) 박이은실.「경제 성장이 더 이상 정답이 아닌 시대에 우리는 산다」,『경향신문』, 2023년 6월 26일.
83) 오건영.「인플레이션 고착화에 대한 경계」,『경향신문』, 2023년 8월 11일.
84) 우석훈.「기재부, 이러다 우리 다 죽어!」,『경향신문』, 2023년 8월 13일.
85) 오건호.「약자복지라면 ‘소득 기준’ 바로잡아야」,『경향신문』, 2023년 8월 16일.
86) 우석훈.「연구개발과 진보 정치」,『경향신문』, 2023년 10월 15일.
87) 홍기빈.「극우파의 ‘슬픈 정념’이 몰려온다」,『경향신문』. 2023년 12월 11일.87)
88) 홍기빈은 (재)글로벌정치경제연구소 소장. 대안적 사회의 정치경제 질서를 설계하고 구축하는 데에 도움이 될 수 있는 연구와 활동을 병행해 왔다. 저서로는 〈위기 이후의 경제학〉 〈비그포르스, 잠정적 유토피아와 복지국가〉가 있으며, 역서로는 〈도넛 경제학〉 〈21세기 기본소득〉 〈균형재정은 틀렸다: 현대화폐이론 입문〉 등이 있다.
89) 박철범.「2024년 경제, 희망의 싹은 보인다」,『서울경제』, 2023년 12월 12일.
90) 이일영.「카오스 시대의 한반도경제」,『경향신문』, 2023년 12월 26일.
91) 우석훈.「검사정권과 경제민주화」,『경향신문』, 2024년 1월 7일.
92) 류덕현.「올해 한국 경제 불확실성과 재정압박」,『경향신문』. 2024년 1월 23일.
93) 김홍규.「경제가 안보다」,『경향신문』, 2024년 2월 1일.
94) 안호기.「코리아 디스카운트 키우는 정부 리스크」,『경향신문』, 2024년 2월 6일.
95) 나원준.「전환의 시대 케인스의 일깨움」,『경향신문』, 2024년 2월 7일.
96) 김학균.「기업 밸류업 프로그램이 성공하려면」,『경향신문』, 2024년 2월 8일.
97) 김학균.「역동성 상실한 시장 어떻게 살릴까」,『경향신문』. 2024년 6월 27일.
98) 류덕현.「초저출산 위기를 극복할 수 있을까」,『경향신문』. 2024년 2월 20일.
99) 박정수.「일·양육 똑같이…양성 평등, 저출산 극복 첫발」,『이데일리』. 2024년 6월 19일.
100) 나원준.「국가재정법이 나아갈 옳은 방향」,『경향신문』. 2024년 3월 5일.
101) 경향신문.「공시가 현실화 폐지 예고, 부자감세로 빈 곳간은 안 보는가」, 2024년 3월 19일.
102) 박정연.「경제부총리, 부자감세 비판에 경제활동 위한 세제 지원 반박」,『프레시안』, 2024년 7월 8일.
103) 송길영.「좋은 중소기업을 찾습니다」,『경향신문』, 2021년 1월 25일.
104) 이주영.「연금 말고 코인, 우리에게 내일은 없다」,『경향신문』, 2024년 3월 24일.
105) 전병역.「ELS에는 ‘깨알 글씨’라도 있었나」,『경향신문』. 2024년 3월 21일.
106) 강우석.「금융사 직책별 책임 명문화… 금융사고땐 CEO도 제재한다」,『동아일보』, 2024년 7월 3일.
107) 이혜인.「많이 벌면서 덜 내는 비상식적 세상, 제대로 돌려놓자」,『경향신문』, 2021년 4월 9일.
108) 권오인.「지속 가능한 ESG, 시장 감시 시스템부터 확립돼야」,『경향신문』, 2021년 5월 3일.
109) 윤재준.「기업 상속세율 인하 긍정적… 주주권 강화 제도 뒷받침 필수」,『파이낸셜뉴스』. 2024년 6월 23일.
110) 오찬호.「골목은 백종원도 구원 못한다」,『경향신문』, 2021년 9월 27일.
111) 경향신문.「불평등 완화·코로나 이후 대전환 준비해야」, 2021년 12월 1일.
112) 송경재.「잘못된 소셜미디어 이용…또 전쟁보도 난맥상」,『경향신문』,: 2022년 3월 7일.
113) 송지원.「하이브리드 워크의 그늘」,『경향신문』, 2022년 5월 25일.
114) 윤준호.「“출근이 좋아요, 재택이 좋아요?”…‘하이브리드’ 근무자들에게 물었다」,『세계일보』, 2024년 6월 17일.
115) 안호기.「대기업과 부자만을 위한 ‘나쁜 자유’를 경계한다」,『경향신문』, 2022년 6월 30일.
116) 김태일.「공공성이냐 기업성이냐, 공기업의 딜레마」,『경향신문』, 2022년 7월 8일.
117) 정중호.「복합위기 시대와 회복탄력사회」,『경향신문』, 2022년 8월 25일.
118) 강영수.「시스템 경영의 기본 콘셉트」,『제민일보』, 2022년 9월 7일.
119) 정중호.「산업정책과 성장전략 트릴레마」,『경향신문』, 2023년 6월 1일.
120) 김종진.「최저임금 업종별 차등 적용의 위험성」,『경향신문』, 2023년 6월 16일.
121) 오건호.「약자복지의 허상」,『경향신문』, 2023년 6월 22일.
122) 임아영.「바보야, 문제는 노동시간 단축이야」,『경향신문』, 2023년 6월 29일.
123) 홍기빈.「시럽급여, 적나라한 저소득자 ‘혐오’」,『경향신문』, 2023년 7월 18일.
124) 홍기빈은 정치경제학자. 대안적 사회의 정치경제 질서를 설계하고 구축하는 데에 도움이 될 수 있는 연구와 활동을 병행해 왔다. (재)글로벌정치경제연구소 소장을 지냈으며, 국제칼폴라니

연구협회의 자문위원을 맡고 있다. 저서로는 〈위기 이후의 경제학〉 〈비그포르스, 잠정적 유토피아와 복지국가〉가 있으며, 역서로는 〈도넛 경제학〉 〈21세기 기본소득〉 〈균형재정은 틀렸다: 현대화폐이론 입문〉 등이 있다.
125) 황세원.「'시럽급여' 와 '웃는 얼굴'」,『경향신문』, 2023년 7월 18일.
126) 나원준.「조세 국가의 위기와 4월 총선」,『경향신문』. 2024년 4월 2일.
127) 경향신문.「치솟는 생활물가, 총선 뒤가 더 두렵다」, 2024년 4월 2일.
128) 최병천.「'한국의 경제기적' 과 농지개혁」,『경향신문』, 2023년 7월 21일.
129) 배미나.「자발적 퇴사자와 '시럽급여'」,『경향신문』, 2023년 7월 25일.
130) 박희영.「시럽급여? 구직자 모욕"…10명 중 8명 비자발적 실직」,『CBS노컷뉴스』, 2023년 7월 17일.
131) 정중호.「부(富)와 성장의 미래」,『경향신문』, 2023년 8월 16일.
132) 오창민.「가난한 개미, 부자 베짱이」,『경향신문』, 2023년 8월 23일.
133) 김준기.「금융시장의 약장수들」,『경향신문』, 2024년 1월 31일.
134) 김현빈.「윤석열 정부, 경제 살리기·규제 개혁에 드라이브 나선다」,『한국일보』, 2022년 6월 2일.
135) 강병구.「공약과 선택」,『경향신문』. 2024년 3월 26일.
136) 오건호.「'더 내고 더 받기' 가 말하지 않는 것」,『경향신문』, 2024년 3월 27일.
137) 우석훈.「인간에 대한 최소한의 예의」,『경향신문』, 2022년 10월 31일.
138) 나원준.「은행들 폭리, 두고만 볼 일인가」,『경향신문』, 2022년 12월 14일.
139) 홍석철.「저출생 대책, 부모의 동등육아 환경 조성에 집중해야」,『경향신문』, 2023년 5월 10일.
140) 김수정.「결혼 후 2주택 됐는데 세금은?…저출생 대책 나왔다」,『한국경제』, 2024년 7월 6일.
141) 최병천.「진보, 투자촉진형 복지국가·친기업주의로 거듭나야」,『경향신문』, 2023년 5월 12일.
142) 이일영.「양곡관리법과 직접지불제」,『경향신문』, 2023년 5월 17일.
143) 문영훈.「"양곡관리법·농안법 개정되면 밥상 물가 치솟고 농업 망한다"」,『여성동아』, 2024년 5월 23일.
144) 우석훈.「'알이백' 이 뭐죠? 네, '시에프백'!」,『경향신문』, 2023년 5월 22일.
145) 경향신문.「서민 실질소득·성장률 동반 하락, 이래도 긴축 고집할 건가」, 2023년 5월 25일.
146) 박병률.「"왜요, 이걸요, 지금요?"」,『경향신문』, 2023년 5월 29일.
147) 권오인.「금융기관이 알뜰폰사업에 진출하면 안 되는 이유」,『경향신문』, 2023년 6월 1일.
148) 김학균. 「고여 있는 부(富)의 순환을 허하라」,『경향신문』, 2023년 6월 2일.
149) 주병기.「총체적 난국, 길 잃은 한국경제」,『경향신문』, 2023년 6월 6일.
150) 김석.「'1호 영업사원' 의 조건」, 『경향신문』, 2023년 6월 16일.
151) 김학균.「주주들 힘으로 활력을 도모하는 일본 경제」,『경향신문』. 2023년 11월 30일.
152) 오건영.「연준이 직면한 신뢰의 문제」,『경향신문』, 2023년 12월 8일.
153) 최영기.「가볍게 봐선 안 될 '한국경제 정점론'」,『국민일보』, 2023년 11월 16일.
154) 오철환.「달빛열차는 달리고 싶다」,『대구일보』, 2023년 12월 17일.
155) 홍성완.「국가철도공단, SOC 건설 공공기관 법무분야 대외 협력 네트워크 구축」,『스포츠한국』, 2024년 7월 5일.
156) 하승우.「지방재정 대란과 절반의 분권」,『경향신문』, 2023년 12월 18일.
157) 김학균.「경기 사이클이 달라졌다」,『경향신문』. 2024년 1월 4일.
158) 김훈민.「'좀머 씨 이야기' 와 라인강의 기적(上)」,『한국경제』, 2011년 3월 4일.
159) 김훈민.「'좀머 씨 이야기' 와 라인강의 기적(下)」, 2011년 3월 11일.
160) 강병구.「경제민주화 열망한 민심에 부응해야」,『경향신문』. 2024년 4월 23일.
161) 홍기빈.「처참한 나라살림, 2023년으로 끝나지 않는다」,『경향신문』, 2024년 4월 29일.
162) 홍기빈은 (재)글로벌정치경제연구소 소장. 대안적 사회의 정치경제 질서를 설계하고 구축하는 데에 도움이 될 수 있는 연구와 활동을 병행해 왔다. 저서로는 〈위기 이후의 경제학〉 〈비그포르스, 잠정적 유토피아와 복지국가〉가 있으며, 역서로는 〈도넛 경제학〉 〈21세기 기본소득〉 〈균형재정은 틀렸다: 현대화폐이론 입문〉 등이 있다.
163) 이유영.「고물가, 고금리, 고환율 '3고' 와 거시경제 향배」,『제민일보』, 2024년 6월 27일.
164) 김누리, 김자경.「"한국은 약육강식의 정글자본주의…공공성 중심 사회적 시장경제로 가야"」,『폴리뉴스』, 2020년 7월 31일.
165) 김누리 교수는 1960년 서울에서 태어났다. 서울대학교 독어교육과를 졸업하고 동 대학원 독문학 석사, 독일 브레멘대학교 대학원에서 문학 박사학위를 받았다. 중앙대학교 독어독문학과 교수로 2019년 JTBC 방송 '차이나는 클라스' 에 출연해 독일 사례를 바탕으로 한국 사회의 부조리

한 현실과 교육개혁, 통일문제 등에 대해 의견을 피력한 강연이 화제가 되면서 대중에게 널리 알려지게 되었다. 한국독어독문학회 회장, 중앙대 독일유럽연구센터 소장 등을 역임했다.

166) 방송 : YTN 라디오 FM 94.5, 진행 : 김혜민PD, 대담 : 박병률, 경향신문 2018년 06월 29일.

167) 박승. 경제진단 "최저임금 상승률 받아들이기 힘들어... 정부의 시행착오" 2019-09-10, YTN 라디오 FM 94.5, 진행 : 김혜민 PD, 대담 : 박승 전 한국은행 총재.

168) 나원준.「경제정책 기조 전환이 절실하다」,『경향신문』, 2024년 5월 1일.

169) 이병천.「불평등 이데올로기와 한국의 각축전」,『경향신문』. 2024년 6월 30일.

170) 경향신문.「부자 감세가 서민 살리고 역동경제라는 정부의 오판」, 2024년 7월 3일.

171) 전병역.「종부세 폐지론과 패닉바잉 그리고 '악어의 눈물'」,『경향신문』, 2024년 7월 4일...

172) 양병무.「모든 계층과 함께하는 '착한 선진화' 실천방안」,『뉴데일리』, 2016년 5월 29일.

173) 전경웅.「자유민주 · 시장경제의 파수꾼-2005뉴스-」,『뉴데일리』, 2020년 9월 17일.

173) 이기상.「지구의 안부를 묻자」,『카톨릭프레스록』, 2020년 8월 3일.

173) 지구의 안부를 묻자. 생명 중심적 삶과 실천, 『경향잡지』 2012년 2월호에 실린 칼럼을 수정 보완하였습니다.

173) 오찬호.「골목은 백종원도 구원 못한다」,『경향신문』, 2021년 9월 27일.

173) 송경재.「잘못된 소셜미디어 이용…또 전쟁보도 난맥상」,『경향신문』, 2022년 3월 7일.

173) 류덕현.「하반기 경제정책방향, 3가지 포인트」,『경향신문』, 2024년 7월 9일.

173) 강병구. 2024년 '하경방' 에 대하여,『경향신문』, 2024년 7월 16일.

173) 고미숙. '거짓말' 의 정치경제학, 경향신문, 2024년 7월 21일.

173) 나원준. 소상공인 대책, 이런 식으론 안 된다, 경향신문, 2024년 7월 23일.

173) 문희수. 손봐야 할 '시대착오 세금' 많다, 문화일보, 2024년 7월 10일.

173) 임지선. 모두가 병들었고, 모두가 아픈 청년들, 경향신문, 2024년 7월 24일.

173) 한국경제. 하반기 우려 키우는 2분기 역성장…투자 소비 되살려야, 한경닷컴, 2024년 7월 25일, A35.

173) 김정식. 미국 금리인하 지연 대응책 시급하다, 아시아경제, 2024년 7월 8일.

173) 이창환. 예상보다 나빴던 2분기 韓경제, 성장률 눈높이 낮추나, 아시아경제, 2024년 7월 26일.

173) 박광범. IMF "한국 올해 경제성장률 전망 2.3%→2.5% 상향", 머니투데이, 2024년 7월 16일.

COVER STORY

심플 경영의 힘

복잡한 세상, 급변하는 환경…단순한 규칙으로 돌파 최소한의 큰 원칙만 제시하고 재량권 부여하라

윤예나 기자

한때 세계 전자업계를 쥐락펴락했던 일본의 디스플레이업체 샤프가 지난 4월 대만 훙하이(폭스콘)그룹에 팔렸다. 원래 '모방하지 말고 다른 사람이 모방할 수 있는 것을 만들라'는 사훈으로 유명한 샤프는 치밀함으로 정평난 회사다. 경영진의 철저한 시뮬레이션 회의로 꼼꼼하게 전략을 세운 덕분에 1980년대에는 포화시장이던 카메라 일체형 VTR(캠코더) 시장에서 성공을 거뒀다.

그러나 2000년대 이후엔 한국과 중국의 경쟁업체에 밀려 맥을 추지 못했다. 일본 〈닛케이비즈니스〉는 샤프의 실패 원인이 경영진의 지나친 꼼꼼함에 있다고 분석했다. 경영진이 수시로 열리는 상품 점검 회의, 신제품 개발 계획 회의, 새 트렌드 창출 회의 등 쉴 새 없이 머리를 맞댔지만, 정작 액정 패널 단가 하락 등의 변수는 예측하지 못했다. 너무 많은 요소에 신경을 곤두세우다 무엇이 가장 중요한지 판단하는 데 실패한 것이다.

덴마크의 블록업체 레고는 2003년 회사 매각 위기를 겪었다. 1990년대 말부터 시계와 의류, 아동 장난감, 놀이공원, 비디오 게임 등으로 브랜드를 다각화했지만 별다른 성과를 거두지 못했던 탓이다. 심지어 본래의 핵심 사업이던 블록 부문에서도 경쟁 업체의 위협을 받는 처지에 놓였다.

그 이듬해인 2004년 레고 최고경영자(CEO)로 취임한 예르겐 비그 크누스토르프(Knudstorp) ▶